2급 실기

컴퓨터활용능력

김경희 김혜란 문혜인 오해강 지음

기출문제

Speradsheet

2

YD 연두에디션
Edition

CONTENTS

최신 기출문제

APPENDIX 함수사전

최신 기출문제

최신 기출문제 1회

국 가 기 술 자 격 검 정

프로그램명	제한시간	수험번호 :
EXCEL	40분	성 명 :

〈유 의 사 항〉

- 인적 사항 누락 및 잘못 작성으로 인한 불이익은 수험자 책임으로 합니다.
- 화면에 암호 입력창이 나타나면 아래의 암호를 입력해야 합니다.
   ○ 암호 : 16@127
- 작성된 답안은 주어진 경로 및 파일명을 변경하지 마시고 그대로 저장해야 합니다.
  이를 준수하지 않으면 실격처리 됩니다.
   ○ 답안 파일명 예 : C:₩OA₩수험번호 8자리.xlsm (확장자 유의)
- 외부 데이터 위치 : C₩OA₩파일명
- 별도의 지시사항이 없는 경우, 다음과 같이 처리하면 실격 처리됩니다.
   ○ 제시된 시트 및 개체의 순서나 이름을 임의로 변경한 경우
   ○ 제시된 시트 및 개체를 임의로 추가 또는 삭제한 경우
- 답안은 반드시 문제에서 지시 또는 요구한 셀에 입력하여야 하며, 수험자가 임의로
  셀의 위치를 변경하여 입력한 경우에는 채점 대상에서 제외됩니다.
   ※ 아울러 지시하지 않은 셀의 이동, 수정, 삭제, 변경 등으로 인해 셀의 위치 및 내용
      이 변경된 경우에도 관련 문제 모두 채점 대상에서 제외됩니다.
- 별도의 지시사항이 없는 경우, 주어진 각 시트 및 개체의 설정값 또는 기본 설정값
  (Default)으로 처리하십시오.
- 저장 시간은 별도로 주어지지 아니하므로 제한된 시간 내에 저장을 완료해야 합니다.
- 본 문제의 용어는 Microsoft Office Excel 2010 기준으로 작성되어 있습니다.

대한상공회의소

문제 1 기본작업(20점) 주어진 시트에서 다음 과정을 수행하고 저장하시오.

1. '기본작업-1' 시트에서 다음의 자료를 주어진 대로 입력하시오.

⠀	A	B	C	D	E	F	G
1	승리 컨설팅 고객 명단						
2							
3	ID	성명	성별	핸드폰 번호	회사	부서	직위
4	1	이영승	남	010-2547-2541	JP물산	영업부	부장
5	2	가복진	여	010-5489-3695	JP물산	인사부	과장
6	3	김남수	남	010-8758-3333	가야산업	영업부	대리
7	4	이영아	여	010-9852-6301	명문 주식회사	총무부	과장
8	5	박칠수	남	010-7412-5460	이영훈 법무법인	영업부	부장
9	6	유재석	남	010-7845-5288	명문 주식회사	인사부	과장
10	7	명인수	남	010-4744-8777	가야산업	총무부	팀장
11	8	채수민	여	010-6522-4511	이영훈 법무법인	인사부	과장
12	9	이영수	남	011-457-8555	보배물산	영업부	팀장
13	10	박민아	여	010-5454-6318	명문 주식회사	인사부	부장
14	11	정용승	남	017-252-1111	보배물산	총무부	대리
15	12	정권상	남	010-3636-4777	가야산업	영업부	팀장

2. '기본작업-2'시트에서 다음의 지시사항을 처리하시오.

① [A1:F1] 영역은 '병합하고 가운데 맞춤', 글꼴 '휴먼매직체', 크기 '22', 글꼴 스타일 '굵게' 로 지정하시오.

② [A3:F3] 영역은 '가로 가운데 맞춤', 셀 스타일에서 '강조색6'으로 지정하고, [A4:E14] 셀을 '가로 가운데 맞춤'을 지정하시오.

③ [F4:F14] 영역은 사용자 지정 표시 형식을 이용하여 천 단위 구분 기호와 숫자 뒤에 "십만원"을 포함하여 표시하시오.

(표시 예 : 1234 → 1,234십만원, 0 → 0십만원)

④ [F3] 셀에 "2013년에서 2016년까지 매출"이라는 메모를 삽입한 후 '자동 크기'로 지정하고, 항상 표시되도록 하시오.

⑤ [A3:F14] 영역은 '모든 테두리(田)'를 적용하여 표시하시오.

3. '기본작업-3' 시트에서 다음 지시사항을 처리하시오.

[A4:H18] 영역에 대해 성별이 '남'이고, 평균이 88점 이상인 행 전체의 글꼴 색을 '표준 색-파랑', 글꼴 스타일을 '굵게'로 지정하는 조건부 서식을 작성하시오.

▪ 단, 규칙 유형은 '수식을 사용하여 서식을 지정할 셀 결정'을 사용하고, 한 개의 규칙으로만 작성하시오.

문제 2 계산작업(40점) '계산작업' 시트에서 다음 과정을 수행하고 저장하시오.

1. [표1]에서 사번[A3:A10]의 첫 글자가 1일 경우 "영업부", 2일 경우 "마케팅부", 3일 경우 "인사부", 그 이외에는 "미지정"으로 비고[D3:D10]에 표시하시오. 8점
   - IFERROR, CHOOSE, MID 함수 사용

2. [표2]에서 입사일[I3:I13]과 [표4]의 보너스[G16:K17]를 이용하여 월급[K3:K13]을 계산하시오. 8점
   - 월급 = 기본급 + 보너스
   - 재직기간 = 현재 년도 – 입사 년도
   - TODAY, YEAR, HLOOKUP 함수를 사용

3. [표3]에서 영어[B16:B22], 수학[C16:C22]이 80 이상이거나, 과학[D16:D22]이 90 이상인 합계의 총합계[E25]를 표시하시오. 8점
   - 조건 입력 : [A24:D28] 내에 입력
   - DSUM, DAVERAGE, DCOUNT, DMAX 중 알맞은 함수 사용

4. [표5]에서 점수합계[J21:J31]를 기준으로 순위를 구하여 1위~3위는 "○", 나머지는 공백을 결선 진출[K21:K31]에 표시하시오. 8점
   - IF, RANK 함수 사용

5. [표5]에서 심사위원[H21:H31]과 방청객[I21:I31]의 점수가 모두 90점 이상인 출전자 수를 [L34] 셀에 구하시오. 8점
   - 숫자 뒤에 "명"을 표시 (표시 예 : 2 → 2명)
   - SUMIF, SUMIFS, COUNTIF, COUNTIFS 중 알맞은 함수와 & 연산자 사용

문제 3 분석작업(20점) 주어진 시트에서 다음 과정을 수행하고 저장하시오.

1. '분석작업-1' 시트에 대하여 다음의 지시사항을 처리하시오. 10점
   - '가야개발 급여 현황' 표에서 직급별로 '보너스'와 '급여'의 합계와 직급별 '직원'의 수를 계산하는 부분합을 작성하시오.
   - 직급에 대한 정렬기준은 내림차순으로 하시오.
   - 합계와 개수 필드는 각각 하나의 행에 표시하시오.
   - 부분합 작성시 합계를 먼저 계산한 후 개수를 계산하는 순서로 처리하시오.

2. '분석작업-2' 시트에 대하여 다음의 지시사항을 처리하시오. 10점
   - '급여 현황' 표에서 '직책'은 행 레이블로, '입사일'은 열 레이블로 처리하고, 값에 '기본급'의 평균과 '급여'의 합계를 표시하는 피벗 테이블을 작성하시오.
   - 피벗 테이블 보고서는 동일 시트의 [A20] 셀에 표시하시오.
   - 보고서 레이아웃은 '개요 형식'으로 지정하시오.
   - 입사일은 월을 기준으로 그룹화하고, 행의 총 합계는 표시하지 마시오.
   - 피벗 테이블에 '피벗 스타일 보통 9' 서식을 적용하시오.

문제 4 기타작업(20점) 주어진 시트에서 다음 작업을 수행하고 저장하시오.

1. '매크로작업' 시트의 '컴퓨터 활용 점수 내역' 표에서 다음과 같은 기능을 수행하는 매크로를 현재 통합 문서에 작성하고 실행하시오. 각 5점
   ① [A2:F2] 영역에 대하여 글꼴 색 '표준 색-파랑', 배경색 '표준 색-주황'을 적용하는 "서식" 매크로를 생성하시오.
      - [삽입] → [도형] → [사각형]의 '직사각형(☐)'을 동일 시트의 [H2:I3] 영역에 생성한 텍스트를 "서식"으로 입력하고 도형을 클릭할 때 '서식' 매크로가 실행되도록 설정
   ② [F2:F9] 영역에 합계를 계산하는 "합계" 매크로를 생성하시오.
      - 합계 : 중간고사 + 기말고사

- [삽입] → [도형] → [사각형]의 '직사각형(▭)'을 동일 시트의 [H5:I6] 영역에 생성한 텍스트를 "합계"로 입력하고 도형을 클릭할 때 '합계' 매크로가 실행되도록 생성하시오.

※ 셀 포인터의 위치에 상관없이 현재 통합 문서에서 매크로가 실행되어야 정답으로 인정됨

2. '차트작업' 시트의 차트를 지시사항에 따라 아래 그림과 같이 수정하시오. 각 2점

※ 차트는 반드시 문제에서 제공한 차트를 사용하여야 하며, 신규로 작성 시 0점 처리됨

① 〈아래 차트〉를 참고하여 '중간'과 '기말' 계열만 차트에 표시되도록 데이터 범위를 지정하시오.

② '기말' 계열의 차트 종류를 '표식이 있는 꺾은선형'으로 변경하고, '보조 축'으로 지정하시오.

③ 범례는 '위쪽'에 배치하고, 글꼴 '궁서', 크기 '11', 글꼴 스타일 '굵게'로 지정하시오.

④ 기말의 데이디 계열 중 '징권싱'에민 데이터 레이블 '값(아래쪽)'을 표시하시오.

⑤ 차트 영역의 테두리 스타일을 '둥근 모서리'로 지정하시오.

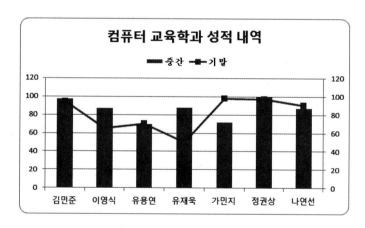

최신 기출문제 1회 정답 및 해설

문제 1 기본작업

2. 셀 서식

	A	B	C	D	E	F	G	H	I
1			연두 주식회사 영업 직원 현황						
2								2013년에서 2016년까지 배율	
3	사원코드	사원명	입사일자	직위	지역	매출 현황 (단위: 십만원)			
4	FC-0110	김영란	1989-03-08	부장	강남	13,511십만원			
5	FC-0333	이명수	2005-12-03	대리	강북	7,569십만원			
6	FC-0147	최순명	2011-05-03	사원	노원	4,577십만원			
7	FC-0113	고영준	2003-06-08	과장	서초	18,554십만원			
8	FC-2140	최유미	2011-05-25	사원	마포	6,585십만원			
9	FC-0620	김찬	2006-08-01	대리	서대문	11,987십만원			
10	FC-1002	박연혜	2012-02-28	대리	은평	5,144십만원			
11	FC-3020	김영춘	2013-08-09	사원	강서	7,798십만원			
12	FC-3650	안영준	1998-05-01	부장	동작	8,596십만원			
13	FC-3111	이태근	2002-04-04	과장	송파	4,787십만원			
14	FC-3023	최태영	2005-05-01	대리	동대문	4,578십만원			

③ 사용자 지정 서식

1) [F4:F14] 영역을 드래그하여 블록으로 지정한 후 바로 가기 메뉴에서 [셀 서식]을 선택한다.
   (바로 가기 키 : Ctrl + 1)

2) [셀 서식] → [표시 형식] 탭 → [사용자 지정]에서 '형식'에 #,##0"십만원" 을 입력한 후 [확인] 버튼을 누른다.

3. 조건부 서식

	A	B	C	D	E	F	G	H
1	기말고사 성적표							
3	이름	성별	컴퓨터 활용	데이터베이스	C 언어	소프트웨어 공학	총점	평균
4	김용광	남	85	93	90	91	359	89.75
5	박수빈	여	88	95	83	88	354	88.5
6	김대완	남	93	95	90	93	371	92.75
7	김지원	여	91	85	93	91	360	90
8	박한진	남	78	77	70	82	307	76.75
9	유형규	남	83	87	74	86	330	82.5
10	최상욱	남	86	90	92	91	359	89.75
11	김현정	여	65	75	86	88	314	78.5
12	신영환	남	99	97	94	98	388	97
13	강민우	남	84	91	93	91	359	89.75
14	강정훈	남	78	88	87	90	343	85.75
15	김미정	여	86	90	88	92	356	89
16	김석중	남	83	89	74	86	332	83
17	김수현	여	76	80	68	82	306	76.5
18	김우중	남	90	85	75	90	340	85

1) [A4:H18] 영역을 드래그하여 블록 지정한 후 [홈] 탭 → [스타일] 그룹 → [조건부 서식] 명령 → [새 규칙]을 클릭한다.

2) [새 서식 규칙] 대화상자에서 다음 그림과 같이 '규칙 유형 선택', '규칙 설명 편집'을 적용하고 [서식] 버튼을 눌러 문제에 제시된 서식을 적용한다.

문제 2   계산작업

1.   비고 표시

▲	A	B	C	D
1	[표1]	신입사원 부서 배치		
2	사번	성명	지역	비고
3	187-A	염보라	대전	영업부
4	236-B	양희성	세종	마케팅부
5	556-C	최승호	청주	미지정
6	326-B	김현옥	서울	인사부
7	406-A	송지혜	대전	미지정
8	153-A	박재령	대전	영업부
9	327-B	황정하	부산	인사부
10	632-C	정혜정	제주	미지정

=IFERROR(CHOOSE(MID(A3,1,1),"영업부","마케팅부","인사부"),"미지정")

2.   월급 구하기

▲	G	H	I	J	K
1	[표2]	재직기간 당 급여 현황			
2	직원명	직위	입사일	기본급	월급
3	염서연	부장	1992-03-09	4,900,000	5,900,000
4	염보라	부장	1994-06-05	4,500,000	5,500,000
5	이창우	과장	1997-09-22	4,000,000	5,000,000
6	황보현	대리	2006-08-07	3,300,000	3,700,000
7	정영란	과장	2004-06-01	3,700,000	4,100,000
8	김가연	사원	2011-07-03	2,100,000	2,300,000
9	박재성	과장	2001-05-06	3,500,000	4,200,000
10	박종보	이사	1987-08-03	5,500,000	6,500,000
11	최성빈	과장	2000-04-25	3,500,000	4,200,000
12	윤선애	대리	2009-06-03	2,300,000	2,500,000
13	김경희	사원	2001-06-03	2,200,000	2,900,000

=J3+HLOOKUP(YEAR(TODAY())−YEAR(I3),$H$16:$K$17,2,1)

3.   총합계 표시

▲	A	B	C	D	E
14	[표3]	사회과목 반편성			
15	성명	영어	수학	과학	합계
16	백아연	70	100	90	260
17	성현민	88	95	100	283
18	전영구	90	77	60	227
19	김민지	100	80	55	235
20	유용민	45	69	70	184
21	서한빛	38	92	76	206
22	안재현	55	89	88	232
23					
24	영어	수학	과학		총합계
25	>=80	>=80			118
26			>=90		

=DSUM(A15:E22,E15,A24:C26)

4.   결선 진출 표시

▲	G	H	I	J	K
19	[표5]				
20	성명	심사위원	방청객	점수합계	결선 진출
21	김성호	89	100	189	○
22	박소영	88	95	183	
23	차재영	50	50	100	
24	김상준	97	96	193	○
25	김효민	87	94	181	
26	장정미	74	65	139	
27	이경아	88	90	178	
28	백미애	72	92	164	
29	이정훈	99	100	199	○
30	이주창	87	62	149	
31	원영진	80	90	170	

=IF(RANK(J21,$J$21:$J$31)<=3,"○","")

5.   출전자 수

▲	G	H	I	J	K	L
33						
34	심사위원과 방청객의 점수가 모두 90 점 이상인 출전자					2명

=COUNTIFS(H21:H31,">=90",I21:I31,">= 90")&"명"

문제 3   분석작업

1.   부분합

1 2 3 4	▲	A	B	C	D	E
	1	[표1]	가야개발 급여 현황			
	2	직원명	직급	기본급	보너스	급여
	3	소예인	이사	5,500,000	400,000	5,900,000
	4	1	이사 개수			
	5		이사 요약		400,000	5,900,000
	6	이재진	사원	2,100,000	100,000	2,200,000
	7	김경희	사원	2,200,000	100,000	2,300,000
	8	2	사원 개수			
	9		사원 요약		200,000	4,500,000
	10	이진영	부장	4,900,000	300,000	5,200,000
	11	오해강	부장	4,500,000	250,000	4,750,000
	12	2	부장 개수			
	13		부장 요약		550,000	9,950,000
	14	문혜인	대리	3,300,000	150,000	3,450,000
	15	이주열	대리	2,300,000	100,000	2,400,000
	16	2	대리 개수			
	17		대리 요약		250,000	5,850,000
	18	김혜란	과장	4,000,000	200,000	4,200,000
	19	이상현	과장	3,700,000	170,000	3,870,000
	20	김명옥	과장	3,500,000	160,000	3,660,000
	21	김동주	과장	3,500,000	160,000	3,660,000
	22	4	과장 개수			
	23		과장 요약		690,000	15,390,000
	24	11	전체 개수			
	25		총합계		2,090,000	41,590,000

1) 데이터 정렬을 위해 [A2:E13] 영역 중 임의의 셀을 선택한 후 [데이터] 탭 → [정렬 및 필터] 그룹 → [정렬] 명령을 클릭한다.

2) [정렬] 대화상자에서 다음 그림과 같이 적용하고 [확인] 버튼을 누른다.

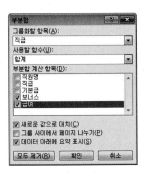

3) 블록 지정된 상태에서 [데이터] 탭 → [윤곽선] 그룹 → [부분합] 명령을 클릭한다.

4) [부분합] 대화상자에서 다음 그림과 같이 적용하고 [확인] 버튼을 누른다.

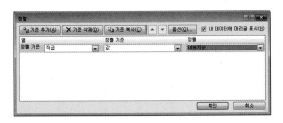

5) 다시 [부분합] 명령을 클릭하고 아래 그림과 같이 적용한다. 두 번째 부분합은 '새로운 값으로 대치'에 체크를 해제한 후 [확인] 버튼을 누른다.

2. 피벗 테이블

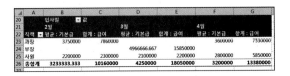

1) [A2:F13] 영역 중 임의의 셀을 선택한 후 [삽입] 탭 → [표] 그룹 → [피벗 테이블] 명령 → [피벗 테이블]을 클릭한다.

2) [피벗 테이블 만들기] 대화상자에서 피벗 테이블 보고서를 넣을 위치에 '기존 워크시트'를 선택하고 '위치' 입력란에 [A20] 셀을 입력(클릭)한 후 [확인] 버튼을 누른다.

3) [피벗 테이블 필드 목록] 창에서 다음 그림과 같이 각 필드를 드래그하여 위치시킨 후 기본급의 값 필드 형식을 '평균'으로 변경한다.

4) [피벗 테이블 도구] → [디자인] 탭 → [레이아웃] 그룹 → [보고서 레이아웃] 명령 → [개요 형식으로 표시]를 클릭한다.

5) 입사일의 데이터의 바로 가기 메뉴에서 [그룹]을 선택한다. [그룹화] 대화상자에서 월을 선택한 후 [확인] 버튼을 누른다.

6) [피벗 테이블]의 바로 가기 메뉴에서 [피벗 테이블 옵션]을 선택한다. [피벗 테이블 옵션] 대화상자의 [요약 및 필터] 탭에서 '행 총합계 표시'를 체크 해제하고 [확인] 버튼을 누른다.

7) 완성된 피벗 테이블 내에 임의의 셀을 선택한 후 [피벗 테이블 도구] → [디자인] 탭 → [피벗 테이블 스타일] 그룹에서 '피벗 스타일 보통 9'를 선택한다.

문제 4　기타작업

1. 매크로

	A	B	C	D	E	F	G	H	I
1			컴퓨터 활용 점수 내역						
2	학번	이름	학과	중간고사	기말고사	합계		서식	
3	20169872	차선우	디자인	100	85	185			
4	20136547	김지윤	디자인	60	77	137			
5	20172365	임현정	디자인	77	85	162		합계	
6	20172365	정혜정	디자인	90	95	185			
7	20162365	김용진	컨벤션	70	50	120			
8	20153465	김경희	통계	56	80	136			
9	20126588	송재범	통계	96	78	174			

① 서식 매크로

1) [삽입] 탭 → [일러스트레이션] 그룹 → [도형] 명령 → [사각형]에서 '직사각형(☐)'을 클릭한다. **Alt** 를 누르고 [H2:I3] 영역에 드래그하여 삽입한다.

2) 도형의 "바로 가기 메뉴에서 [매크로 지정]을 선택한다. [매크로 지정] 대화상자에서 '매크로 이름' 입력란에 "서식"을 입력한 후 [기록] 버튼을 누른다. [매크로 기록] 대화상자에서 [확인] 버튼을 누른다.

3) [A2:F2] 영역을 블록 지정한 후 [홈] 탭 → [글꼴] 그룹 → [글꼴 색] 명령을 클릭해 '표준 색-파랑'을 적용하고, [채우기 색(🖌▾)] 명령을 클릭해 '표준 색-주황'을 적용한다.

4) 표 밖의 임의의 셀을 클릭한 후 [개발 도구] 탭 → [코드] 그룹 → [기록 중지] 명령을 클릭한다.

5) 도형의 바로 가기 메뉴에서 [텍스트 편집]을 선택한 후 "서식"을 입력한다. 임의의 셀을 클릭해 선택을 해제한다.

② 합계 매크로

1) [삽입] 탭 → [일러스트레이션] 그룹 → [도형] 명령 → [사각형]에서 '직사각형(☐)'을 클릭한다. **Alt** 를 누르고 [H5:I6] 영역에 드래그하여 삽입한다.

2) 도형의 바로 가기 메뉴에서 [매크로 지정]을 선택한다. [매크로 지정] 대화상자에서 '매크로 이름' 입력란에 "합계"를 입력한 후 [기록] 버튼을 누른다. [매크로 기록] 대화상자에서 [확인] 버튼을 누른다.

3) [F4] 셀을 클릭하고 "=SUM(D3:E3)"을 입력한 후 채우기 핸들을 드래그하여 [F9] 셀까지 수식을 복사한다.

4) 표 밖의 임의의 셀을 클릭하고 [개발 도구] 탭 → [코드] 그룹 → [기록 중지] 명령을 클릭한다.

5) 도형의 바로 가기 메뉴에서 [텍스트 편집]을 선택하고 "합계"를 입력한 후 임의의 셀을 클릭하여 선택을 해제한다.

2. 차트

② 차트 종류 변경

1) 범례에 있는 '기말'을 클릭하여 바로 가기 메뉴에서 [계열 차트 종류 변경]을 선택한다.

2) [차트 종류 변경] → [꺾은선형]에서 '표식이 있는 꺾은선형'을 선택한다.

3) 꺾은선형 차트의 바로 가기 메뉴에서 [데이터 계열 서식]을 선택하고 [계열 옵션] 탭에서 '보조 축' 항목에 체크한다. [닫기] 버튼을 누른다.

최신 기출문제 2회

국 가 기 술 자 격 검 정

프로그램명	제한시간	수험번호 :
EXCEL	40분	성 명 :

〈유 의 사 항〉

- 인적 사항 누락 및 잘못 작성으로 인한 불이익은 수험자 책임으로 합니다.
- 화면에 암호 입력창이 나타나면 아래의 암호를 입력해야 합니다.
  - ○ 암호 : 789₩55
- 작성된 답안은 주어진 경로 및 파일명을 변경하지 마시고 그대로 저장해야 합니다. 이를 준수하지 않으면 실격처리 됩니다.
  - ○ 답안 파일명 예 : C:₩OA₩수험번호 8자리.xlsm (확장자 유의)
- 외부 데이터 위치 : C₩OA₩파일명
- 별도의 지시사항이 없는 경우, 다음과 같이 처리하면 실격 처리됩니다.
  - ○ 제시된 시트 및 개체의 순서나 이름을 임의로 변경한 경우
  - ○ 제시된 시트 및 개체를 임의로 추가 또는 삭제한 경우
- 답안은 반드시 문제에서 지시 또는 요구한 셀에 입력하여야 하며, 수험자가 임의로 셀의 위치를 변경하여 입력한 경우에는 채점 대상에서 제외됩니다.
  - ※ 아울러 지시하지 않은 셀의 이동, 수정, 삭제, 변경 등으로 인해 셀의 위치 및 내용이 변경된 경우에도 관련 문제 모두 채점 대상에서 제외됩니다.
- 별도의 지시사항이 없는 경우, 주어진 각 시트 및 개체의 설정값 또는 기본 설정값(Default)으로 처리하십시오.
- 저장 시간은 별도로 주어지지 아니하므로 제한된 시간 내에 저장을 완료해야 합니다.
- 본 문제의 용어는 Microsoft Office Excel 2010 기준으로 작성되어 있습니다.

대한상공회의소

문제 1 기본작업(20점) 주어진 시트에서 다음 과정을 수행하고 저장하시오.

1. '기본작업-1' 시트에서 다음의 자료를 주어진 대로 입력하시오.

	A	B	C	D	E	F
1	컴퓨터공학과 개설과목					
2						
3	과목 코드	과목	담당 교수	과목 유형	개설유무	수강인원
4	11000009	네트워크 프로그램	정기동	전공 필수	개설	25
5	11000013	신호 처리	나의리	전공 선택	폐강	6
6	11000016	웹 서비스	지검용	전공 선택	개설	16
7	11000010	이동통신 특론	이온달	전공 선택	폐강	8
8	11000006	인공지능 이론	강평정	전공 필수	개설	35
9	11000014	임베디드 시스템	홍연가	전공 필수	폐강	5
10	11000011	자료구조 설계	유평강	전공 선택	개설	14
11	11000017	정보 공학	서용맹	전공 필수	개설	22
12	11000001	정보 보안	화풍정	전공 선택	폐강	3
13	11000015	지능형 시스템	강호수	전공 필수	개설	39
14	11000012	컴퓨터 구조 설계	밤하늘	전공 선택	폐강	1
15	11000003	컴퓨터 통신	신천지	전공 필수	개설	24
16						

2. '기본작업-2'시트에서 다음의 지시사항을 처리하시오.

① [A1:H1] 영역은 '병합하고 가운데 맞춤', 글꼴 크기 '20', 글꼴 색 '표준 색-파랑'으로 지정하시오.

② [A3:H3] 영역은 '가로 가운데 맞춤', 글꼴 색 '표준 색-빨강', 글꼴 스타일 '굵게', 채우기 색 '표준 색-노랑'으로 지정하시오.

③ [C4:G15] 영역은 사용자 지정 표시 형식을 이용하여 숫자 뒤에 "점"을 포함하되 셀 값이 0일 경우 "0점"으로 표시하시오. (표시 예 : 83 → 83점, 0 → 0점)

④ [H3] 셀의 "자격증"을 한자 "資格證"으로 변환하시오.

⑤ [A3:H15] 영역은 '모든 테두리(⊞)'와 '굵은 상자 테두리(▣)' 적용하여 표시하시오.

3. '기본작업-3' 시트에서 다음 지시사항을 처리하시오.

'이진 물산 고객 현황' 표에서 고객번호가 'A'로 시작하거나, 보너스 점수가 500점 이상인 데이터를 고급 필터를 이용하여 검색하시오.

- 고급 필터의 조건은 [A20:D23] 영역 내에 알맞게 입력하시오.
- 고급 필터의 복사 위치는 동일 시트의 [A24] 셀에서 시작하시오.

문제 2 계산작업(40점) '계산작업' 시트에서 다음 과정을 수행하고 저장하시오.

1. [표1]에서 사원코드[A3:A10]의 오른쪽 첫 문자와 부서명표[F3:G6]를 이용하여 부서 [C3:C10]를 표시하시오. 8점

   - 부서에서 코드가 'A'이면 "영업부", 코드가 'B'이면 "총무부", 코드가 'C'이면 "마케팅부"임
   - VLOOKUP, HLOOKUP, LEFT, RIGHT, MID 중 알맞은 함수를 선택

2. [표2]에서 기본급[K3:K13] 중 두 번째로 높은 기본급을 2위 기본급[L3]에 계산하시오. 8점

   - 숫자 뒤에 "원"을 표시 [표시 예 : 4,000,000 → 4000000원]
   - LARGE, MAX, SMALL, MIN 중 알맞은 함수와 & 연산자 사용

3. [표3]에서 출생일[B16:B26]을 이용하여 출생일에 해당되는 요일을 태어난 요일 [D16:D26]에 표시하시오. 8점

   - WEEKDAY, CHOOSE 함수 이용. 단 WEEKDAY 함수의 Return_type은 기본값으로 처리
   - 표시 예 : 목요일

4. [표4]에서 학년[I18:I28]이 2인 점수합계의 평균을 계산하여 [J32] 셀에 표시하시오. 8점

   - [I31:I32] 영역에 조건 입력
   - 결과값은 일의 자리에서 내림하여 표시 (표시 예 : 177 → 170)
   - DSUM, DAVERAGE, ROUND, ROUNDUP, ROUNDDOWN 중 알맞은 함수를 선택

5. [표5]에서 1분기~4분기 표준편차가 전체 표준편차[B31:E39]보다 크면 "우수사원", 그렇지 않으면 공백으로 비고[F31:F39]에 표시하시오. 8점

   - IF, STDEV 함수 사용

문제 3 분석작업(20점) 주어진 시트에서 다음 과정을 수행하고 저장하시오.

1. '분석작업-1' 시트에 대하여 다음의 지시사항을 저리하시오. **10점**

   '역린 주식회사 분기별 생산량' 표를 이용하여 사원명은 '행 레이블', 지점은 '열 레이블', '값'에 1분기, 2분기, 3분기의 합계를 계산한 후 'Σ 값'을 '행 레이블'로 설정하는 피벗테이블을 작성하시오.

   - 피벗 테이블 보고서는 동일 시트의 [A16] 셀에서 시작하시오.
   - 보고서 레이아웃은 '테이블 형식'으로 지정하시오.
   - 분기별 합계는 기호 없이 회계로 지정하시오.

2. '분석작업-2' 시트에 대하여 다음의 지시사항을 처리하시오. **10점**

   데이터 통합 기능을 이용하여 [표1], [표2], [표3]에 대한 놀이공원당 '평일 입장객', '주말 입장객'의 평균을 놀이공원 입장객 표의 영역에 구하시오.

   - 놀이공원은 '랜드'로 끝나는 데이터와 '환타지아'로 끝나는 데이터 두 가지로 계산하시오.

문제 4 기타작업(20점) 주어진 시트에서 다음 과정을 수행하고 저장하시오.

1. '매크로작업' 시트의 '컴퓨터 활용 점수 내역' 표에서 다음과 같은 기능을 수행하는 매크로를 현재 통합 문서에 작성하고 실행하시오. **각 5점**

   ① [A2:G2] 영역에 대하여 '가로 가운데 정렬', 글꼴 스타일 '굵게', 배경색 '표준색-노랑'을 적용하는 "서식" 매크로를 생성하시오.

   - [삽입] → [도형] → [사각형]의 '직사각형(□)'을 동일 시트의 [I2:I3] 영역에 생성한 텍스트를 "서식"으로 입력하고 도형을 클릭할 때 '서식' 매크로가 실행되도록 설정

② [G3:G14] 영역에 합계를 계산하는 '합계' 매크로를 생성하시오.

- 합계 : 1월 판매 + 2월 판매

- [삽입] → [도형] → [사각형]의 '직사각형(▢)'을 동일 시트의 [I5:I6] 영역에 생성한 텍스트를 "합계"로 입력하고 도형을 클릭할 때 '합계' 매크로가 실행되도록 설정

※ 셀 포인터의 위치에 상관없이 현재 통합 문서에서 매크로가 실행되어야 정답으로 인정됨

2. '차트작업' 시트의 차트를 지시사항에 따라 아래 그림과 같이 수정하시오. 각 2점

※ 차트는 반드시 문제에서 제공한 차트를 사용하여야 하며, 신규로 작성 시 0점 처리됨

① 차트의 행/열 전환을 수행하고, '합계' 계열을 삭제하시오.

② 세로(값) 축의 눈금은 그림과 같이 설정하고, '단위 레이블'을 표시하시오.

③ 범례는 '위쪽'에 배치하고, 도형 스타일을 '미세 효과 – 강조 4'로 설정하시오.

④ '영업활동비' 계열에 데이터 레이블 '값(안쪽 끝에)'을 표시하시오.

⑤ 차트 영역의 테두리 스타일을 '둥근 모서리'로 지정하시오.

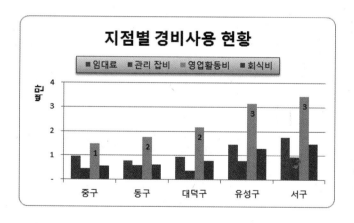

최신 기출문제 2회 정답 및 해설

문제 1 기본작업

2. 셀 서식

	A	B	C	D	E	F	G	H
1			컴퓨터활용능력 평가사항					
2								
3	학생명	학과	출석점수	과제점수	수시시험	중간고사	기말고사	資格證
4	유수정	국문학과	7점	10점	15점	27점	22점	TRUE
5	신정선	회계학과	8점	7점	14점	25점	27점	FALSE
6	민경은	멀티미디어 학과	8점	8점	18점	22점	26점	FALSE
7	김호현	국문학과	10점	10점	18점	27점	25점	TRUE
8	김연서	일어일문학과	9점	10점	20점	26점	17점	TRUE
9	홍준성	문헌정보학과	10점	10점	19점	25점	15점	FALSE
10	정은재	일어일문학과	8점	9점	17점	17점	10점	FALSE
11	장장구	멀티미디어 학과	7점	8점	15점	15점	29점	FALSE
12	이현수	국문학과	5점	6점	12점	10점	30점	TRUE
13	유달리	회계학과	10점	10점	19점	29점	27점	FALSE
14	변지현	회계학과	7점	8점	17점	30점	15점	FALSE
15	박선지	문헌정보학과	8점	8점	18점	27점	14점	FALSE
16								

③ 사용자 지정 서식

1) [C4:G15] 영역을 드래그하여 블록으로 지정한 후
   바로 가기 메뉴에서 [셀 서식]을 선택한다. (바로
   가기 키 : Ctrl + 1)

2) [셀 서식] → [표시 형식] 탭 → [사용자 지정]의 '형식'
   에 G/표준"점" 을 입력한 후 [확인] 버튼을 누른다.

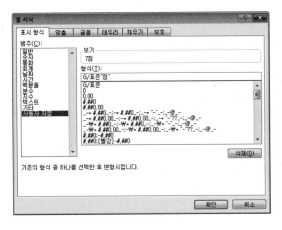

3. 고급 필터

	A	B	C	D	E	F
20	고객번호	보너스점수				
21	A*					
22		>=500				
23						
24	고객명	고객번호	고객등급	기존점수	보너스점수	등급변경
25	허윤미	B_232458	우수	1543점	830점	변경
26	조봉호	A_135489	일반	886점	52점	동일
27	정성혜	A_258701	우수	1334점	76점	동일
28	김윤선	A_317458	일반	347점	311점	동일
29	김선영	B_133784	우수	1439점	1106점	변경
30	조성식	A_212037	특별	2871점	105점	동일
31	황혜림	B_322487	우수	1390점	506점	동일

1) [A20] 셀에 "고객번호", [A21] 셀에 "A*"을 입력하
   고 [B20] 셀에 "보너스점수", [B22] 셀에 ">=500"
   을 입력한다.

2) [A3:F17] 영역 중 임의의 셀을 선택한 후 [데이터] 탭
   → [정렬 및 필터] 그룹 → [고급] 명령을 클릭한다.

3) [고급 필터] 대화상자에서 다음 그림과 같이 적용
   한 후 [확인] 버튼을 클릭한다.

문제 2 계산작업

1. 부서 표시

	A	B	C	D
1	[표1]	인사이동 부서 현황		
2	사원코드	성명	부서	직위
3	187-A	남성칠	영업부	부장
4	236-B	양희성	총무부	팀장
5	556-C	김한수	마케팅부	팀장
6	326-B	동영산	총무부	부장
7	406-A	이재영	영업부	대리
8	153-A	정민아	영업부	부장
9	327-B	홍규선	총무부	대리
10	632-C	이정민	마케팅부	대리
11				

=VLOOKUP(RIGHT(A3,1),$F$4:$G$6,2,0)

2. 2위 기본급 계산

	I	J	K	L
1	[표2]	사원의 기본급		
2	직원명	직급	기본급	2위 기본급
3	정영란	부장	4,900,000	4900000원
4	김가연	부장	4,500,000	
5	박재성	과장	4,000,000	
6	박종보	대리	3,300,000	
7	최성빈	과장	3,700,000	
8	박상일	사원	2,100,000	
9	장현주	과장	3,500,000	
10	구성민	이사	5,500,000	
11	신보라	과장	3,500,000	
12	장현아	대리	2,300,000	
13	조재현	사원	2,200,000	
14				

=LARGE(K3:K13,2)&"원"

3. 태어난 요일 표시

	A	B	C	D
14	[표3]	롯데 백화점 문화센터 명단		
15	성명	출생일	성별	태어난 요일
16	이아현	1992-03-09	여	월요일
17	민지해	1994-03-05	여	토요일
18	신영식	1997-02-22	남	토요일
19	김명수	2006-04-07	남	금요일
20	성동일	2004-04-01	남	목요일
21	이지현	2014-03-03	여	월요일
22	안영준	2001-02-06	남	화요일
23	최종보	1987-03-03	남	화요일
24	윤상민	2000-04-25	남	화요일
25	김진영	2012-04-09	여	월요일
26	동영산	2013-02-01	남	금요일
27				

=CHOOSE(WEEKDAY(B16,1),"일요일","월요일","화요일","수요일","목요일","금요일","토요일")

4. 2학년 점수합계의 평균

	I	J
30		
31	학년	점수합계 평균
32	2	150
33		

=ROUNDDOWN(DAVERAGE(H17:L28,L17,I31:I32),−1)

5. 비고 표시

	A	B	C	D	E	F
29	[표5]					
30	사원명	1분기	2분기	3분기	4분기	비고
31	고원주	77,630	49,200	48,650	38,700	
32	박종명	57,640	36,800	58,500	49,540	
33	이철영	79,000	46,450	78,900	32,950	우수사원
34	김지희	68,750	85,400	98,750	75,400	
35	오덕훈	54,150	56,780	64,540	42,380	
36	민상민	59,870	54,400	55,680	67,200	
37	공보배	65,280	35,450	54,000	49,800	
38	한송이	88,340	74,300	85,200	62,750	
39	이원규	45,000	34,800	48,350	98,400	우수사원
40						

=IF(STDEV(B31:E31)>STDEV($B$31:$E$39),"우수사원","")

문제 3 분석작업

1. 피벗 테이블

	A	B	C	D	E	F	G
16			지점				
17	사원명	값	남부	동부	북부	서부	총합계
18	고원수	합계 : 1분기	57,640	77,630	54,150		189,420
19		합계 : 2분기	36,800	49,200	56,780		142,780
20		합계 : 3분기	58,500	48,650	64,540		171,690
21	이철영	합계 : 1분기	68,750	79,000		59,870	207,620
22		합계 : 2분기	85,400	46,450		54,400	186,250
23		합계 : 3분기	98,750	78,900		55,680	233,330
24	한송이	합계 : 1분기	45,000	65,280		88,340	198,620
25		합계 : 2분기	34,800	35,450		74,300	144,550
26		합계 : 3분기	48,350	54,000		85,200	187,550
27	전체 합계 : 1분기		171,390	221,910	54,150	148,210	595,660
28	전체 합계 : 2분기		157,000	131,100	56,780	128,700	473,580
29	전체 합계 : 3분기		205,600	181,550	64,540	140,880	592,570
30							

1) [A3:E12] 영역 중 임의의 셀을 선택한 후 [삽입] 탭 → [표] 그룹 → [피벗 테이블] 명령 → [피벗 테이블]을 클릭한다.
2) [피벗 테이블 만들기] 대화상자에서 피벗 테이블 보고서를 넣을 위치에 '기존 워크시트'를 선택하고 '위치' 입력란에 [A16] 셀을 입력(클릭)한 후 [확인] 버튼을 누른다.
3) [피벗 테이블 필드 목록] 창에서 다음 그림과 같이 각 필드를 드래그하여 위치시킨다.

4) 완성된 피벗 테이블 내에 임의의 셀을 선택한 후 [피벗 테이블 도구] → [디자인] 탭 → [레이아웃] 그룹 → [보고서 레이아웃] 명령 → [테이블 형식으로 표시]를 클릭한다.

5) 값에 표시형식을 지정하기 위하여 [C18:G29] 영역을 드래그하여 블록 지정한 후 [셀 서식] → [표시형식] 탭 → [회계]에서 '기호'를 '없음'으로 선택한 후 [확인] 버튼을 누른다.

2. 데이터 통합

	F	G	H
9	놀이공원 입장객		
10	놀이공원	평일 입장객	주말 입장객
11	*랜드	1,220,228	3,125,266
12	*환타지아	662,033	1,257,157
13			

1) 조건을 만족시키기 위해 놀이공원 아래[F11] 셀에 "*랜드", [F12] 셀에 "*환타지아"를 입력한다.

2) 통합을 위해 [F10:H12] 영역을 드래그하여 블록을 지정한 후 [데이터] 탭 → [데이터 도구] 그룹 → [통합] 명령을 클릭한다.

3) [통합] 대화상자에서 다음 그림과 같이 적용한 후 [확인] 버튼을 누른다.

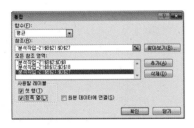

문제 4   기타작업

1. 매크로

	A	B	C	D	E	F	G	H	I
1			계룡 서점 매출 현황						
2	도서명	도서코드	저자	출판사	1월 판매	2월 판매	총 판매		서식
3	행복은 너	S02	김선	백하사	54,000	56,890	110,890		
4	사서함 25호	S02	이주연	민선	79,500	38,540	118,040		
5	바다의 시작	S02	이영선	백하	35,500	47,800	83,300		
6	다락방의 첫사랑	S02	에니카 린	민선	94,500	51,350	145,850		합계
7	사이닝 미연	S02	박연수	선영미디어	85,250	44,300	129,550		
8	상남 5인조	S06	미나쿠리 관	광주미디어	76,540	39,850	116,390		
9	맛의 종결자	S06	무라쿠미 사비	이가	11,630	48,500	60,130		
10	두근두근 니 삶	S01	김상연	청비	86,700	57,400	144,100		
11	삼국사	S01	이윤지	신라윌	97,840	37,650	135,490		
12	눈 내리는 이야기	S01	유수정	문학	79,500	43,320	122,820		
13	비 오는 날	S02	신정선	신비	54,800	72,740	127,540		
14	사수의 길	S01	민경운	백하	54,000	42,000	96,000		
15									

① 서식 매크로

1) [삽입] 탭 → [일러스트레이션] 그룹 → [도형] 명령 → [사각형]에서 '직사각형(▭)'을 클릭한다. Alt 를 누르고 [I2:I3] 영역에 드래그하여 삽입한다.

2) 도형의 바로 가기 메뉴에서 [매크로 지정]을 선택한다. [매크로 지정] 대화상자에서 '매크로 이름' 입력란에 "서식"을 입력한 후 [기록] 버튼을 누른다. [매크로 기록] 대화상자에서 [확인] 버튼을 누른다.

3) [A2:G2] 영역을 블록 지정한 후 문제에서 제시한 서식을 적용한다.

4) 표 밖의 임의의 셀을 클릭한 후 [개발 도구] 탭 → [코드] 그룹 → [기록 중지] 명령을 클릭한다.

5) 도형의 바로 가기 메뉴에서 [텍스트 편집]을 선택한 후 "서식"을 입력한다. 임의의 셀을 클릭해 선택을 해제한다.

② 합계 매크로

1) [삽입] 탭 → [일러스트레이션] 그룹 → [도형] 명령 → [사각형]의 '직사각형(▭)'을 클릭한다. Alt 를 누르고 [I5:I6] 영역에 드래그하여 삽입한다.

2) 도형의 바로 가기 메뉴에서 [매크로 지정]을 선택한다. [매크로 지정] 대화상자에서 '매크로 이름' 입력란에 "합계"를 입력한 후 [기록] 버튼을 누른다. [매크로 기록] 대화상자에서 [확인] 버튼을 누른다.

3) [G3] 셀을 클릭하고 "=E3+F3"을 입력한 후 채우기 핸들을 드래그하여 [G14] 셀까지 수식을 복사한다.

4) 표 밖의 임의의 셀을 클릭하고 [개발 도구] 탭 → [코드] 그룹 → [기록 중지] 명령을 클릭한다.

5) 도형의 바로 가기 메뉴에서 [텍스트 편집]을 선택한 후 "합계"를 입력한다. 임의의 셀을 클릭하여 선택을 해제한다.

2. 차트

① 행/열 전환

1) 차트 영역을 클릭하고 [디자인] 탭 → [데이터] 그룹 → [행/열 전환] 명령을 클릭한다.

최신 기출문제 3회

국 가 기 술 자 격 검 정

프로그램명	제한시간	수험번호 :
EXCEL	40분	성 명 :

2급 A형

── 〈유 의 사 항〉 ──

- 인적 사항 누락 및 잘못 작성으로 인한 불이익은 수험자 책임으로 합니다.
- 화면에 암호 입력창이 나타나면 아래의 암호를 입력해야 합니다.
  - ㅇ 암호 : 196#23
- 작성된 답안은 주어진 경로 및 파일명을 변경하지 마시고 그대로 저장해야 합니다. 이를 준수하지 않으면 실격처리 됩니다.
  - ㅇ 답안 파일명 예 : C:₩OA₩수험번호 8자리.xlsm (확장자 유의)
- 외부 데이터 위치 : C₩OA₩파일명
- 별도의 지시사항이 없는 경우, 다음과 같이 처리하면 실격 처리됩니다.
  - ㅇ 제시된 시트 및 개체의 순서나 이름을 임의로 변경한 경우
  - ㅇ 제시된 시트 및 개체를 임의로 추가 또는 삭제한 경우
- 답안은 반드시 문제에서 지시 또는 요구한 셀에 입력하여야 하며, 수험자가 임의로 셀의 위치를 변경하여 입력한 경우에는 채점 대상에서 제외됩니다.
  - ※ 아울러 지시하지 않은 셀의 이동, 수정, 삭제, 변경 등으로 인해 셀의 위치 및 내용이 변경된 경우에도 관련 문제 모두 채점 대상에서 제외됩니다.
- 별도의 지시사항이 없는 경우, 주어진 각 시트 및 개체의 설정값 또는 기본 설정값(Default)으로 처리하십시오.
- 저장 시간은 별도로 주어지지 아니하므로 제한된 시간 내에 저장을 완료해야 합니다.
- 본 문제의 용어는 Microsoft Office Excel 2010 기준으로 작성되어 있습니다.

대한상공회의소

문제 1 기본작업(20점) 주어진 시트에서 다음 과정을 수행하고 저장하시오.

1. '기본작업-1' 시트에서 다음의 자료를 주어진 대로 입력하시오.

	A	B	C	D	E	F	G	H	I	J
1	한국프로야구 리그 결과									
2										
3	팀명	경기	승	무	패	승률	승차	연속	연고지	홈구장
4	White 히어로즈	18	13	0	5	0.742	-	7승	서울	목동종합운동장 야구장
5	Blue 베어스	16	9	0	7	0.6	3	1패	서울	잠실종합운동장 야구장
6	Green 자이언트	16	9	1	6	0.68	2.5	1승	부산	부산사직구장
7	Black 라이온즈	15	7	0	8	3.426	4.5	1승	대구	대구시민운동장 야구장
8	Yellow 트윈스	18	7	0	11	3.412	6	1패	서울	잠실종합운동장 야구장
9	Navy 타이거스	19	9	0	10	0.432	4.5	2패	광주	광주-Mi 챔피언스 필드
10	Gray 이글스	16	6	1	9	0.324	5.5	1승	대전	잠실종합운동장 야구장

2. '기본작업-2'시트에서 다음의 지시사항을 처리하시오.

① [A1:J1] 영역은 '병합하고 가운데 맞춤', 글꼴 크기'15', 글꼴 스타일 '굵게', 글꼴 색 '표준 색-파랑'으로 지정하시오.

② [A3:A4], [B3:B4], [C3:C4], [D3:E3], [F3:J3], [A6:A11] 영역을 '병합하고 가운데 맞춤'과 '세로 가운데 맞춤'을 지정하시오.

③ [F11] 셀에 "최대경험률"이라는 메모를 삽입한 후 메모가 항상 표시되도록 설정하고, 메모 서식에서 글꼴 '맑은 고딕', 글꼴 스타일 '보통', 크기 '9', 맞춤 '자동 크기', 채우기 색 '흰색'을 설정하시오.

④ [C5:J5], [C12:J12] 영역은 사용자 지정 표시 형식을 이용하여 천 단위 구분 기호와 숫자 뒤에 "명"을 포함하여 표시하시오. (표시 예 : 1234 → 1,234명, 0 → 0명)

⑤ [A3:J12] 영역은 '모든 테두리(田)'를 적용하여 표시하시오.

3. '기본작업-3' 시트에서 다음 지시사항을 처리하시오.

[A4:G16] 영역에 대해 각 지역의 '지역평균' 값이 2012년 전체의 평균값보다 큰 행 전체의 글꼴 색을 '표준 색-빨강', 글꼴 스타일을 '굵게'로 지정하는 조건부 서식을 작성하시오.

- 단, 규칙 유형은 '수식을 사용하여 서식을 지정할 셀 결정'을 사용하고, 한 개의 규칙으로만 작성하시오

- AVERAGE 함수 사용

문제 2 계산작업(40점) '계산작업' 시트에서 다음 과정을 수행하고 저장하시오.

1. [표1]에서 각 사원별로 파워포인트가 70 이상이고, 엑셀과 한글의 평균이 60 이상이면 "승진", 그렇지 않으면 "보류"로 승진여부[E3:E10]에 표시하시오. 8점
   - IF, AND, AVERAGE 함수 사용

2. [표2]에서 각 학생별로 주민등록번호의 앞에서 8번째 문자가 1이거나 3이면 "남자", 2이거나 4이면 "여자"로 성별[K3:K10]에 표시하시오. 8점
   - CHOOSE, MID 함수 사용

3. [표3]에서 출신고가 '상공고'인 학생들에 대한 종합점수의 평균을 종합평균[C27]에 구하시오. 8점
   - 조건은 [B26:B27] 영역에 입력
   - 종합평균은 소수점 이하 둘째 자리에서 올림하여 소수점 이하 첫째 자리까지 표시 (표시 예 : 74.678 → 74.7)
   - ROUND, ROUNDUP, ROUNDDOWN 중 알맞은 함수와 DAVERAGE 함수 사용

4. [표4]에서 최종점수의 순위에 대한 기준표[G26:K27]를 이용하여 순위가 1~2위는 "A", 3~4위는 "B", 5~6위는 "C", 그 외는 "D"로 평가[L15:L23]에 표시하시오. 8점
   - HLOOKUP, RANK 함수 사용

5. [표5]에서 학년이 '2'이고, 점수가 400 이상인 학생의 수를 구하여 [D41] 셀에 표시하시오. 8점
   - 학생 수 뒤에 "명"을 포함하여 표시 (표시 예 : 5 → 5명)
   - SUMIF, SUMIFS, COUNTIF, COUNTIFS 중 알맞은 함수와 & 연산자 사용

문제 3 분석작업(20점) 주어진 시트에서 다음 과정을 수행하고 저장하시오.

1. '분석작업-1' 시트에 대하여 다음의 지시사항을 처리하시오. `10점`

   '상공대학 IT학부 계절학기 성적' 표에서 학과별 '총점'의 평균을 계산한 후, '중간고사'와 '기말고사'의 최대값을 계산하는 부분합을 작성하시오.

   - 학과에 대한 정렬기준은 오름차순으로 하시오.
   - 부분합 작성시 평균을 먼저 계산한 후 최대값을 계산하는 순서로 처리하시오.

2. '분석작업-2' 시트에 대하여 다음의 지시사항을 처리하시오. `10점`

   데이터 통합 기능을 이용하여 농작물수입[B4:E13], 축산수입[G4:J13], 농업잡수입[B16:E25]에 대한 구분별 '2010년', '2011년', '2012년'의 합계를 수익합계 [G16:J25] 영역에 계산하시오.

문제 4 기타작업(20점) 주어진 시트에서 다음 과정을 수행하고 저장하시오.

1. '매크로작업' 시트의 '직업별 자원봉사자 현황' 표에서 다음과 같은 기능을 수행하는 매크로를 현재 통합 문서에 작성하고 실행하시오. `각 5점`

   ① [A4:D4], [A19:D19] 영역에 대하여 '배경색'을 '노랑'으로 지정하는 매크로를 생성하고, 매크로의 이름을 "서식"으로 지정하시오.

   - [양식 컨트롤]의 단추를 동일 시트의 [F4:G5] 영역에 생성한 후 텍스트를 "서식"으로 입력하고 단추를 클릭할 때 '서식' 매크로가 실행되도록 설정

   ② [B19:D19] 영역에 대하여 각 연도별 자원봉사자의 합계를 계산하는 매크로를 생성하고, 매크로 이름을 "합계"로 지정하시오.

   - [양식 컨트롤]의 단추를 동일 시트의 [F18:G19] 영역에 생성한 후 텍스트를 "합계"로 입력하고 단추를 클릭할 때 '합계' 매크로가 실행되도록 설정

   ※ 셀 포인터의 위치에 상관없이 현재 통합 문서에서 매크로가 실행되어야 정답으로 인정됨

2. '차트작업' 시트의 차트를 지시사항에 따라 아래 그림과 같이 수정하시오. 각 2점

※ 차트는 반드시 문제에서 제공한 차트를 사용하여야 하며, 신규로 작성 시 0점 처리됨

① 'C2C' 계열의 차트 종류를 '표식이 있는 꺾은선형'으로 변경하고, '보조 축'으로 지정하시오.

② 차트 제목 레이블을 '차트 위'로 추가하여 그림과 같이 입력하고, 글꼴 크기는 '14'로 설정하시오.

③ 'B2B' 계열의 '1/4분기' 요소에 데이터 레이블의 위치를 '바깥쪽 끝에'로 지정하여 추가하시오.

④ 범례 서식을 이용하여 범례 위치를 '위쪽'으로 변경하고, 범례의 도형 스타일을 '색 윤곽선 - 강조 1'로 설정하시오.

⑤ 차트 영역의 테두리 스타일을 '둥근 모서리'로 지정하시오.

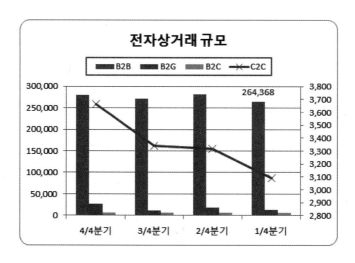

최신 기출문제 3회 정답 및 해설

문제 1 기본작업

2. 셀 서식

	A	B	C	D	E	F	G	H	I	J
1				학교 폭력 피해 경험						
2										(단위 : %)
3	구분	항목	전체	성별		학교별				
4				남성	여성	중학교	고등학교	인문계	실업계	무응답
5	조사 사례수	사례수 (명)	1,972명	1,495명	477명	635명	815명	250명	565명	522명
6		전혀 없다	91.7	92.1	90.6	88.5	93.7	93.2	94	92.5
7	경험 빈도	일 년에 1~2회	5.5	4.8	7.5	7.2	4.3	4.8	4.1	5.2
8		한 달에 1~2회	1.6	1.7	1.3	2.8	1.1	1.2	1.1	0.8
9		일주일에 1~2회	0.4	0.4	0.2	0.5	0.1	0	0.2	0.6
10		주 3회 이상	0.9	1	0.4	0.9	0.7	0.8	0.7	1
11		경험율	8.3	7.9	9.4	11.5	6.3	6.8	6	7.5
12	경험 사례수	사례수 (명)	163명	118명	45명	73명	51명	17명	34명	39명

③ 메모 삽입 및 표시

1) [F11] 셀을 클릭하고 [검토] 탭 → [메모] 그룹 → [새 메모] 명령을 클릭한다.
2) 메모가 삽입되면 입력되어 있는 이름을 지우고 "최대경험률"을 입력한다.
3) 메모의 테두리를 클릭하고 메모가 항상 표시되도록 하기 위해 [검토] 탭 → [메모] 그룹 → [메모 표시/숨기기] 명령을 클릭한다.
4) 메모의 테두리를 클릭한 후 바로 가기 메뉴에서 [메모 서식]을 선택하고, 문제에서 제시한 서식을 지정한다.

④ 사용자 지정 서식

1) [C5:J5], [C12:J12] 영역을 블록 지정한 후 바로 가기 메뉴에서 [셀 서식]을 선택한다. (바로 가기 키 : Ctrl + 1)
2) [셀 서식] → [표시 형식] 탭 → [사용자 지정]의 '형식'에 #,##0"명" 을 입력한 후 [확인] 버튼을 누른다.

3. 조건부 시식

	A	B	C	D	E	F	G
1	전국 주요 지역 연간 강수량						
2							(단위 : mm)
3	지역	2008년	2009년	2010년	2011년	2012년	지역평균
4	서울	1,356.3	1,564.0	2,043.5	2,039.3	1,646.3	1,729.9
5	부산	1,168.3	1,772.9	1,441.9	1,478.6	1,983.3	1,569.0
6	대구	761.4	832.5	1,204.5	1,430.4	1,189.9	1,083.7
7	인천	1,137.4	1,382.1	1,777.7	1,725.5	1,415.1	1,487.6
8	광주	1,007.2	1,488.2	1,573.1	1,300.3	1,626.8	1,399.1
9	대전	1,037.6	1,090.4	1,419.7	1,943.4	1,409.5	1,380.1
10	속초	1,415.0	1,420.1	1,283.6	1,656.1	1,217.7	1,398.5
11	서산	909.6	1,074.3	2,141.8	1,704.4	1,642.6	1,494.5
12	여수	959.8	1,247.7	1,733.1	1,650.4	1,825.1	1,483.2
13	포항	885.4	885.5	927.4	1,089.9	1,333.7	1,024.4
14	울릉도	1,418.0	1,616.1	1,448.3	1,795.8	1,777.1	1,611.1
15	제주	1,308.8	1,304.8	1,584.9	1,478.6	2,248.3	1,585.1
16	서귀포	1,661.4	2,006.8	2,393.3	2,010.2	2,700.8	2,154.5

1) [A4:G16] 영역을 드래그하여 블록 지정한 후 [홈] 탭 → [스타일] 그룹 → [조건부 서식] 명령 → [새 규칙]을 클릭한다.
2) [새 서식 규칙] 대화상자에서 다음 그림과 같이 '규칙 유형 선택', '규칙 설명 편집'을 적용하고 [서식] 버튼을 누른다.
3) [셀 서식] 대화상자에서 문제에 주어진 서식을 적용하고 [확인] 버튼을 누른 후 [새 서식 규칙] 대화상자에서 [확인] 버튼을 누른다.

문제 2 계산작업

1. 승진여부

	A	B	C	D	E
1	[표1]	영진 건설 직원 소양 교육			
2	사원명	파워포인트	엑셀	한글	승진여부
3	이지연	72	82	88	승진
4	한가람	77	47	25	보류
5	오두영	85	77	62	승진
6	안치연	90	72	88	승진
7	명기영	45	58	55	보류
8	나미인	65	66	78	보류
9	전소영	88	92	86	승진
10	하지희	75	62	56	보류

=IF(AND(B3>=70,AVERAGE(C3:D3)>=60),"승진","보류")

2. 성별 표시

	G	H	I	J	K
1	[표2]				
2	주민등록번호		성명	과목	성별
3	021010-4231519		나소인	영어	여자
4	030621-3469851		함하영	국어	남자
5	020725-2348521		오정철	영어	여자
6	031231-1247825		이지함	수학	남자
7	040409-3254874		하나영	수학	남자
8	021122-1352487		류인태	국어	남자
9	030815-4354798		김예율	영어	여자
10	020917-2514783		유지온	국어	여자

=CHOOSE(MID(G3,8,1),"남자","여자","남자","여자")

3. 종합점수 평균

	A	B	C	D	E
13	[표3]				
14	학생명	출신고	필기	실기	종합점수
15	고영인	우주고	77	97	87
16	성수영	대한고	77	89	83
17	은혜영	상공고	56	76	66
18	남민철	대한고	88	80	84
19	구정철	우주고	88	94	91
20	박대철	우주고	91	67	79
21	전소영	상공고	82	56	69
22	여혜경	우주고	77	89	83
23	기민해	대한고	34	90	62
24	변진철	상공고	73	91	82
26			출신고	종합 평균	
27			상공고	72.4	

=ROUNDUP(DAVERAGE(A14:E24,E14,B26:B27),1)

4. 평가 표시

	G	H	I	J	K	L
13	[표4]					
14	성명	이론	실습	레포트	최종점수	평가
15	이철영	65	98	82	81.7	C
16	허영수	85	97	92	91.3	A
17	하지희	65	90	75	76.7	D
18	박만희	92	87	88	89.0	B
19	안철성	87	89	77	84.3	B
20	김정훈	88	95	92	91.7	A
21	강수연	90	54	72	72.0	D
22	김예은	56	68	42	55.3	D
23	전소영	72	80	86	79.3	C
24						
25	기준표					
26	순위	1	3	5	7	
27	평가	A	B	C	D	

=HLOOKUP(RANK(K15,$K$15:$K$23),$H$26:$K$27,2,1)

5. 학생의 수

	A	B	C	D	E
30	[표5]				
31	학과	학번	학년	학생명	점수
32	디자인	14023	1	구정철	465
33	미디어	13123	2	김예은	604
34	미디어	12056	3	노상식	383
35	디자인	13082	2	안태수	465
36	미디어	14037	1	박은희	382
37	미디어	13024	2	박흥철	391
38	디자인	12108	3	기민성	572
39					
40				400점 이상 2학년	
41				2명	

=COUNTIFS(C32:C38,2,E32:E38,">=400")&"명"

문제 3 분석작업

1. 부분합

	A	B	C	D	E	F	G	H
1	상공대학 IT학부 계절학기 성적							
2								
3	학과	학년	성명	출석	중간고사	기말고사	과제물	총점
4	멀티미디어과	2	김영국	20	28	27	19	94
5	멀티미디어과	3	장군채	10	21	19	17	67
6	멀티미디어과	3	최태성	20	29	28	19	96
7	멀티미디어과	2	조다슬	20	25	23	18	86
8	멀티미디어과 최대값				29	28		96
9	멀티미디어과 평균							85.75
10	인터넷정보과	2	태미현	15	22	24	18	79
11	인터넷정보과	2	김평주	10	16	18	16	60
12	인터넷정보과	3	이범형	5	15	18	16	54
13	인터넷정보과 최대값				22	24		79
14	인터넷정보과 평균							64.33333
15	정보통신과	2	소나래	15	24	23	17	79
16	정보통신과	2	박안대	20	26	24	18	88
17	정보통신과	2	표인미	15	19	21	17	72
18	정보통신과	2	우지빈	15	23	21	18	77
19	정보통신과 최대값				26	24		88
20	정보통신과 평균							79
21	전체 최대값				29	28		96
22	전체 평균							77.45455

1) 데이터 정렬을 위해 [A3] 셀을 선택한 후 [데이터] 탭 → [정렬 및 필터] 그룹 → [숫자 내림차순 정렬 (🔽)]명령을 클릭한다.
2) 블록 지정된 상태에서 [데이터] 탭 → [윤곽선] 그룹 → [부분합] 명령을 클릭한다.
3) [부분합] 대화상자에서 다음 그림과 같이 적용하고 [확인] 버튼을 누른다.

4) 다시 [부분합] 명령을 클릭하고 아래 그림과 같이 적용한다. 두 번째 부분합은 '새로운 값으로 대치'에 체크를 해제한 후 [확인] 버튼을 누른다.

2. 데이터 통합

	G	H	I	J
15	[표4] 수익합계			
16	구분	2010년	2011년	2012년
17	경기도	26,769	20,370	24,681
18	강원도	30,351	28,347	31,349
19	충청북도	21,357	17,291	20,016
20	충청남도	31,166	25,359	30,310
21	전라북도	29,976	31,384	27,926
22	전라남도	24,013	27,223	24,856
23	경상북도	27,290	27,083	32,536
24	경상남도	26,185	33,436	26,286
25	제주도	37,445	32,190	34,121

1) 데이터 통합을 위해 [G16:J25] 영역을 드래그하여 블록 지정한 후 [데이터] 탭 → [데이터 도구] 그룹 → [통합] 명령을 클릭한다.

2) [통합] 대화상자에서 다음 그림과 같이 적용한 후 [확인] 버튼을 누른다.

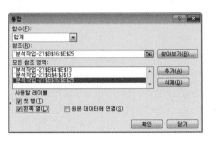

문제 4 기타작업

	A	B	C	D	E	F	G
1	직업별 자원봉사자 현황						
2							
3				(단위 : 명)			
4	직업별	2012년	2011년	2010년		서식	
5	공무원	26,556	30,874	29,646			
6	사무관리직	74,815	73,157	74,041			
7	전문직	47,092	60,580	54,683			
8	자영/서비스직	19,339	22,888	23,738			
9	기술/단순노무직	9,760	11,584	11,205			
10	농수산업	1,829	2,433	2,602			
11	군인	8,885	17,683	19,981			
12	주부	139,060	158,707	157,632			
13	초등	32,419	47,501	37,204			
14	중등	259,478	306,604	271,171			
15	고등	259,688	283,657	240,243			
16	대학	202,032	202,396	176,783			
17	무직(퇴직자포함)	24,108	25,789	22,300			
18	기타	175,220	242,527	232,247			
19	합계	1,280,381	1,486,380	1,353,476		합계	

1. 매크로

① 서식 매크로

1) [개발 도구] 탭 → [컨트롤] 그룹 → [삽입] 명령 → [단추(양식 컨트롤)▬]을 클릭한다. Alt 를 누르고 [F4:G5] 영역에 드래그하여 삽입한다.
2) [매크로 지정] 대화상자에서 '매크로 이름 입력란'에 "서식"을 입력하고 [기록] 버튼을 누른다. [매크로 기록] 대화상자에서 [확인] 버튼을 누른다.
3) [A4:D4], [A19:D19] 영역을 드래그하여 블록 지정한 후 [홈] 탭 → [글꼴] 그룹 → [채우기 색(🖌▾)] 명령을 클릭하여 '표준 색-노랑'을 적용한다.
4) 표 밖의 임의의 셀을 클릭한 후 [개발 도구] 탭 → [코드] 그룹 → [기록 중지] 명령을 클릭한다.

5) 단추의 바로 가기 메뉴에서 [텍스트 편집]을 선택한 후 "서식"을 입력한다. 임의의 셀을 클릭해 선택을 해제한다.

② **합계 매크로**

1) [개발 도구] 탭 → [컨트롤] 그룹 → [삽입] 명령 → [단추(양식 컨트롤)▬]을 클릭한다. `Alt` 를 누르고 [F18:G19] 영역에 드래그하여 삽입한다.

2) [매크로 지정] 대화상자에서 '매크로 이름' 입력란에 "합계"를 입력하고 [기록] 버튼을 누른다. [매크로 기록] 대화상자에서 [확인] 버튼을 누른다.

3) [B19] 셀을 클릭한 후 "=SUM(B5:B18)" 을 입력하고 `Enter` 를 누른다. 채우기 핸들하여 [D19] 셀까지 수식을 복사한다.

4) 표 밖의 임의의 셀을 클릭한 후 [개발 도구] 탭 → [코드] 그룹 → [기록 중지] 명령을 클릭한다.

5) 단추의 바로 가기 메뉴에서 [텍스트 편집]을 선택한 후 "합계"를 입력한다. 임의의 셀을 클릭해 선택을 해제한다.

2. **차트**

① **차트 종류 변경**

1) 'C2C' 계열의 차트 종류를 '표식이 있는 꺾은선형'으로 변경하기 위해 [서식] 탭 → [현재 선택 영역] 그룹에서 항목 버튼을 클릭하고 '계열"C2C"'를 선택한다. [디자인] 탭 → [종류] 그룹 → [차트 종류 변경] 명령을 클릭하고 [꺾은선형]의 '표식이 있는 꺾은선형'을 선택한다.

2) 꺾은선형 차트의 바로 가기 메뉴에서 [데이터 계열 서식]을 선택하고 [계열 옵션] 탭에서 '보조 축' 항목에 체크한다. [닫기] 버튼을 누른다.

최신 기출문제 4회

국 가 기 술 자 격 검 정

프로그램명	제한시간	수험번호 :
EXCEL	40분	성 명 :

2급   A형

〈유 의 사 항〉

- 인적 사항 누락 및 잘못 작성으로 인한 불이익은 수험자 책임으로 합니다.
- 화면에 암호 입력창이 나타나면 아래의 암호를 입력해야 합니다.
  - o 암호 : 32%775
- 작성된 답안은 주어진 경로 및 파일명을 변경하지 마시고 그대로 저장해야 합니다. 이를 준수하지 않으면 실격처리 됩니다.
  - o 답안 파일명 예 : C:₩OA₩수험번호 8자리.xlsm (확장자 유의)
- 외부 데이터 위치 : C₩OA₩파일명
- 별도의 지시사항이 없는 경우, 다음과 같이 처리하면 실격 처리됩니다.
  - o 제시된 시트 및 개체의 순서나 이름을 임의로 변경한 경우
  - o 제시된 시트 및 개체를 임의로 추가 또는 삭제한 경우
- 답안은 반드시 문제에서 지시 또는 요구한 셀에 입력하여야 하며, 수험자가 임의로 셀의 위치를 변경하여 입력한 경우에는 채점 대상에서 제외됩니다.
  - ※ 아울러 지시하지 않은 셀의 이동, 수정, 삭제, 변경 등으로 인해 셀의 위치 및 내용이 변경된 경우에도 관련 문제 모두 채점 대상에서 제외됩니다.
- 별도의 지시사항이 없는 경우, 주어진 각 시트 및 개체의 설정값 또는 기본 설정값(Default)으로 처리하십시오.
- 저장 시간은 별도로 주어지지 아니하므로 제한된 시간 내에 저장을 완료해야 합니다.
- 본 문제의 용어는 Microsoft Office Excel 2010 기준으로 작성되어 있습니다.

대한상공회의소

문제 1 기본작업(20점) 주어진 시트에서 다음 과정을 수행하고 저장하시오.

1. 기본작업-1' 시트에서 다음의 자료를 주어진 대로 입력하시오.

	A	B	C	D	E	F	G
1	우리 병원 환자 명단						
2							
3	환자코드	환자명	일수	구분	본인부담금	공단부담금	부담금합계
4	A1-5874	김경일	3	일반	4760	27000	31760
5	A1-3521	노숙자	6	일반	5050	28600	33650
6	A1-7844	이명진	3	휴일	5580	31620	37200
7	A1-4555	배우자	5	심야	6070	34400	40470
8	A1-5214	임관철	4	일반	6520	36980	43500
9	A1-5869	서승복	10	심야	6730	38170	44900
10	A1-7894	이용진	3	휴일	6230	35360	41590
11	A1-8541	박진숙	7	일반	5760	32650	38410
12	A2-0015	진아리	6	휴일	5600	31790	37390
13	A2-2589	정일진	2	휴일	3890	22100	25990
14	A2-3412	최영희	2	일반	3600	20460	24060
15	A2-3485	이미라	7	심야	5980	33870	39850
16	A2-3503	신경숙	8	일반	3330	18880	22210
17							

2. '기본작업-2'시트에서 다음의 지시사항을 처리하시오.

① [A1:F1] 영역은 '병합하고 가운데 맞춤', 글꼴 'HY견고딕', 글꼴 크기 '20', 행 높이 '28'로 지정하시오.

② [A3:F3] 영역은 셀 스타일에서 '제목 및 머리글'의 '제목 1'로 지정하시오.

③ [E4:E15] 영역은 "출판사"로 이름을 정의하시오.

④ [F4:F15] 영역은 사용자 지정 표시 형식을 이용하여 날짜를 '05년 06월 28일' 형태로 표시하시오 (표시 예 : 2014-06-28 → 14년 06월 28일)

⑤ [A3:F15] 영역은 '가로 가운데 맞춤'을 지정하고, '모든 테두리(田)'와 '굵은 상자 테두리(▣)' 적용하여 표시하시오.

3. '기본작업-3' 시트에서 다음 지시사항을 처리하시오.

'컴퓨터공학과 퀴즈점수 현황' 표에서 그룹이 '금술'이고, 합계가 83 이상인 데이터를 고급 필터를 이용하여 검색하오.

- 고급 필터의 조건은[B16:D20] 범위 내에 알맞게 입력하시오.
- 고급 필터의 복사 위치는 동일 시트의 [A21] 셀에서 시작하시오.

문제 2 계산작업(40점) '계산작업' 시트에서 다음 과정을 수행하고 저장하시오.

1. [표1]의 이메일[C3:C10]에서 @ 앞의 문자열만 추출하여 아이디[D3:D10]에 표시하시오.
   8점
   - 표시 예 : adkf@hanbit.co.kr → adkf
   - LEFT, SEARCH 함수 사용

2. [표1]에서 고객코드[A3:A10]와 성별[B3:B10], 보너스[F3:F10]를 이용하여 고객등급
   [G3:G10]을 표시하시오. 8점
   - 보너스[F3:F10]가 800이상이면 "VIP", 500이상이면 "골드", 나머지는 "실버"로
     표시
   - 고객등급은 고객코드[A3:A10]의 첫 글자와 성별[B3:B10]을 이용 (표시 예 : L-
     여-VIP)
   - LEFT, IF 함수와 & 연산자 사용

3. [표2]에서 취득 점수[C14:C22]와 등급표[F14:G18]를 이용하여 점수등급[D14:D22]을 계
   산하시오. 8점
   - 표시 예 : A → A 등급
   - VLOOKUP, HLOOKUP, INDEX 중 알맞은 함수와 & 연산자 사용

4. [표3]에서 성별[D26:D33]이 '남'이고, 동아리[C26:C33]가 '홀릭'인 학생들의 활동지수
   [E26:E33]의 평균을 [E35] 셀에 표시하시오. 8점
   - 평균점수는 반올림 없이 정수로 표시
   - 숫자 뒤에 점을 표시 (표시 예 : 650 → 650점)
   - TRUNC, AVERAGEIFS 함수와 & 연산자 사용

5. [표4]에서 1차시기[H25:H32], 2차시기[I25:I32], 3차시기[J25:J32]가 모두 80 이상이고,
   평균[K25:K32]이 85 이상이면 "선발", 그렇지 않으면 공백을 결과[L25:L32]에 표시하
   시오. 8점
   - IF, AND, COUNTIF 함수 사용

문제 3 분석작업(20점) 주어진 시트에서 다음 과정을 수행하고 저장하시오.

1. '분석작업-1' 시트에 대하여 다음의 지시사항을 처리하시오. 10점

   데이터 통합 기능을 이용하여 [표1], [표2], [표3]에 대한 상품명당 '총 제조량', '불량수량', '제품수량'의 평균을 미니제품 생산현황 표의 [J12:M19] 영역에 계산하시오.

2. '분석작업-2' 시트에 대하여 다음의 지시사항을 처리하시오. 10점

   마진율[G21]이 다음과 같이 변동하는 경우, 순이익 합계[G19]의 변동 시나리오를 작성하시오.

   - [G21] 셀의 이름을 "마진율", [G19] 셀의 이름을 "순이익합계"로 정의하시오.
   - 시나리오1 : 시나리오 이름은 "마진율 증가", 마진율을 40%로 설정하시오.
   - 시나리오2 : 시나리오 이름은 "마진율 감소", 마진율을 20%로 설정하시오.
   - 위 시나리오에 의한 '시나리오 요약' 보고서는 '분석작업-2' 시트 바로 앞에 위치시키시오.

   ※ 시나리오 요약 보고서 작성 시 정답과 일치하여야 하며, 오자로 인한 부분점수는 인정하지 않음

문제 4 기타작업(20점) 주어진 시트에서 다음 작업을 수행하고 저장하시오.

1. '매크로작업' 시트의 '컴퓨터 활용 점수 내역' 표에서 다음과 같은 기능을 수행하는 매크로를 현재 통합 문서에 작성하고 실행하시오. 각 5점

   ① [B3:H3] 영역에 대하여 '가로 가운데 맞춤'글꼴 스타일 '굵게', 글꼴 크기 '13'을 적용하는 '서식' 매크로를 생성하시오.

   - [개발도구] → [삽입] → [양식 컨트롤]의 '단추(▬)'를 동일 시트의 [J2:J3] 영역에 생성한 후 텍스트를 "서식"으로 입력하고 단추를 클릭할 때 '서식' 매크로가 실행되도록 설정

   ② [H4:H14] 영역에 금액을 계산하는 '금액' 매크로를 생성하시오.

   - 금액 : 단가×수량

- [개발도구] → [삽입] → [양식 컨트롤]의 '단추(▄)'를 동일 시트의 [J5:J6] 영역에 생성한 후 텍스트를 "금액"으로 입력하고 단추를 클릭할 때 '금액' 매크로가 실행되도록 설정

※ 셀 포인터의 위치에 상관없이 현재 통합 문서에서 매크로가 실행되어야 정답으로 인정됨

2. '차트작업' 시트의 차트를 지시사항에 따라 아래 그림과 같이 수정하시오. `각 2점`

※ 차트는 반드시 문제에서 제공한 차트를 사용하여야 하며, 신규로 작성 시 0점 처리됨

① '완제품' 계열을 차트에 추가하시오.

② '불량품량' 계열의 차트 종류를 '표식이 있는 꺾은 선형'으로 변경하고, '보조 축'으로 지정하시오.

③ '세로 축' 값을 〈아래 차트〉와 같이 설정하고, '불량품량' 계열의 데이터 레이블의 값을 표시하시오.

④ 범례는 '위쪽'에 배치하고, 채우기 색을 '연한 파랑'으로 지정하시오.

⑤ 차트 영역의 테두리 스타일은 너비 '3pt'와 '둥근 모서리'로 지정하시오.

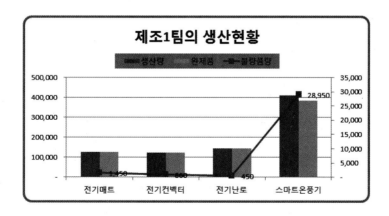

최신 기출문제 4회 정답 및 해설

문제 1　기본작업

2.　셀 서식

	A	B	C	D	E	F
1		미스코 서점 재고 현황				
2						
3	도서번호	도서명	도서코드	저자	출판사	출판년도
4	B21	엄마와 나	S01	유달리	저공사	14년 06월 28일
5	B22	자음과 모음	S02	변지현	온진	13년 07월 19일
6	B23	이슬 내음	S03	박선지	온진	02년 10월 10일
7	B24	피노키오는 없다	S03	박신지	삼영사	11년 12월 10일
8	B25	원수같은 친구	S03	김현정	삼영사	12년 08월 21일
9	B26	음악세상	S04	김석민	미디어	14년 08월 08일
10	B27	낚시이야기	S04	권민승	월간 이수	14년 09월 14일
11	B28	자동차 튜닝	S04	이혁준	월간 이수	14년 09월 20일
12	B29	주부시대	S04	오민수	월간 이수	14년 09월 25일
13	B30	무지개를 찾아서	S02	심효영	백하	10년 05월 16일
14	B31	당신을 위하여	S04	신준호	영진	12년 07월 29일
15	B32	힐링 메소드	S02	배수진	이가영	09년 08월 06일

③ 이름 정의

1) [E4:E15] 영역을 드래그하여 블록 지정하고 [이름 상자]에 "출판사"를 입력한 후 **Enter** 를 누른다. (**Enter** 를 누르지 않으면 이름 정의가 되지 않는다.)

※ 이름 정의 또 다른 방법

1) [E4:E15] 영역을 드래그하여 블록 지정한 후 [수식] 탭 → [정의된 이름] 그룹 → [이름 관리자] 명령을 클릭한다.

2) [새로 만들기] 버튼을 누르고 '이름' 입력란에 "출판사"를 입력한다. '참조 대상'의 범위가 '='기본작업-2'!$E$4:$E$15'이 맞으면 [확인] 버튼을 누른다.

3.　고급 필터

	A	B	C	D	E	F	G	H
15								
16		그룹	합계					
17		금술	>=83					
18								
19								
20								
21	학번	이름	그룹	퀴즈1	퀴즈2	퀴즈3	합계	평균
22	201505123	황강선	금술	26	29	28	83	28
23	201602418	김윤선	금술	29	27	29	85	28

1) [B16] 셀에 "그룹", [B17] 셀에 "금술"을 입력하고 [C16] 셀에 "합계", [C17] 셀에 ">=83"을 입력한다.

2) [A3:H13] 영역 중 임의의 셀을 선택한 후 [데이터] 탭 → [정렬 및 필터] 그룹 → [고급] 명령을 클릭한다.

3) [고급 필터] 대화상자에서 다음 그림과 같이 적용한 후 [확인] 버튼을 누른다.

문제 2　계산작업

1.　아이디 표시하기

=LEFT(C3,SEARCH("@",C3)−1)

2.　고객코드, 성별, 보너스에 따른 고객등급

=LEFT(A3,1)&"−"&B3&"−"&IF(F3>=800,"VIP", IF(F3>=500,"골드","실버"))

	A	B	C	D	E	F	G
1	[표1]		고객 현황				
2	고객코드	성별	이메일	아이디	나이	보너스	비고
3	L1001	여	adkf@hanbit.co.kr	adkf	32	750	일반
4	L1125	여	sffkg@daum.net	sffkg	50	800	VIP
5	L3948	남	haknk@naver.com	haknk	38	650	일반
6	L2840	남	hyhyhui@hanbit.co.kr	hyhyhui	24	300	
7	L1753	여	coco63@hanbit.co.kr	coco63	55	800	VIP
8	L2385	남	dddd@naver.com	dddd	41	500	
9	L9375	여	dfad@daum.net	dfad	32	950	VIP
10	L8923	여	qwer@hotmail.com	qwer	85	550	

문제 1, 2번 정답 화면

3. 점수 등급

	A	B	C	D
12	[표2]	점수 등급 분류표		
13	코드번호	이름	취득 점수	점수등급
14	AF11	유시민	523	A 등급
15	MK81	김현아	255	D 등급
16	ES11	표영훈	315	C 등급
17	SJ47	전수식	487	B 등급
18	AR49	이남국	265	D 등급
19	JI80	나훈진	474	B 등급
20	YS09	남영근	354	C 등급
21	NG02	연희연	450	B 등급
22	CE53	김민희	510	A 등급

=VLOOKUP(C14,$F$15:$G$18,2,1)&" 등급"

4. 평균 구하기

	A	B	C	D	E
34					
35	성별이 '남'이고 동아리가 '홀릭'인 학생들의 활동지수 평균				533점
36					

=TRUNC(AVERAGEIFS(E26:E33,D26:D33," 남",C26:C33,"홀릭"))&"점"

5. 결과 표시

	G	H	I	J	K	L
23	[표4]	음악 실기 시험 결과				
24	이름	1차시기	2차시기	3차시기	평균	결과
25	신연주	85	76	71	77.3	
26	윤종모	92	88	89	89.7	선발
27	이호준	78	83	86	82.3	
28	김진현	82	89	93	88.0	선발
29	송영진	43	65	88	65.3	
30	황영자	91	96	98	95.0	선발
31	오연철	83	88	81	84.0	
32	이혜림	71	79	83	77.7	

=IF(ANDCOUNTIF(H25:J25,">=80")=3,K25>=85),"선발","")

문제 3 분석작업

1. 데이터 통합

	J	K	L	M
11	미니제품 생산현황(3/4분기까지)			
12	상품명	총제조량	불량수량	제품수량
13	커피포트	7,060	24	7,036
14	전기밥솥	9,127	36	9,091
15	믹서기	11,760	48	11,712
16	전자레인지	7,480	29	7,451
17	미니냉장고	5,887	19	5,868
18	제습기	7,700	48	7,652
19	선풍기	14,233	43	14,190

1) 데이터 통합을 위해 [J12:M19] 영역을 드래그하여 블록 지정한 후 [데이터] 탭 → [데이터 도구] 그룹 → [통합] 명령을 클릭한다.

2) [통합] 대화상자에서 다음 그림과 같이 적용한 후 [확인] 버튼을 누른다.

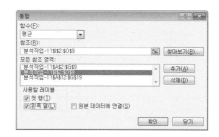

2. 시나리오

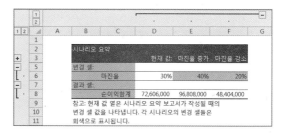

1) [G21] 셀을 선택하고 [이름 상자]에서 "마진율"을 입력한 후 Enter 를 누른다. 같은 방법으로 [G19] 셀은 "순이익합계"로 변경한다.

2) [데이터] 탭 → [데이터 도구] 그룹 → [가상 분석] 명령에서 [시나리오 관리자]를 선택한다. [시나리오 관리자] 대화상자에서 [추가]를 클릭한다.

3) [시나리오 추가] 대화상자에서 시나리오 이름에 "마진율 증가"를 입력하고, 변경 셀에 [G21] 셀을 선택한 후 [확인] 버튼을 누른다.

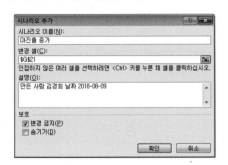

4) [시나리오 값] 대화상자에서 값 입력란에 "0.4"를 입력한 후 [추가] 버튼을 누른다.

5) 다시 표시 된 [시나리오 추가] 대화상자에서 시나리오 이름에 "마진율 감소"를 입력하고, 변경 셀에 [G21] 셀을 선택한 후 [확인] 버튼을 누른다.

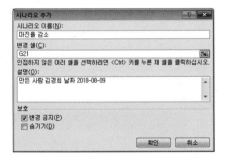

6) [시나리오 값] 대화상자에서 값 입력란에 "0.2"를 입력한 후 [확인] 버튼을 누른다.

7) 아래 그림과 같이 시나리오가 생성된 것을 확인하고 [요약] 버튼을 누른다.

8) [시나리오 요약] 대화상자에서 결과 셀에 [G19] 셀을 선택한 후 [확인] 버튼을 누른다.

문제 4 기타작업

1. 매크로

A	B	C	D	E	F	G	H	I	J
	삼성물산 영업부 2/4분기 소모품 의뢰서								
									서식
	품번	상품명	제품규격	단가	단위	수량	금액		
	150900	볼펜	1.0mm/검정	15,000	타스	10	150,000		
	150901	볼펜	1.0mm/파랑	15,000	타스	10	150,000		금액
	150902	보드마카	검정	4,500	박스	8	36,000		
	150903	공CD	25장	7,500	묶음	4	30,000		
	150904	복사용지	A4	22,000	박스	5	110,000		
	150905	복사용지	B4	25,000	박스	5	125,000		
	150906	복사용지	A3	28,000	박스	5	140,000		
	150907	복합기 잉크	CNPG-35/노랑	110,000	개	2	220,000		
	150908	복합기 잉크	CNPG-35/파랑	110,000	개	2	220,000		
	150909	라벨지 LS3130	210*297mm	12,000	박스	3	36,000		
	150910	라벨지 LS3210	63.5*45mm	12,000	박스	3	36,000		

① 서식 매크로

1) [개발 도구] 탭 → [컨트롤] 그룹 → [삽입] 명령 → [단추(양식 컨트롤) ▬]을 클릭한다. Alt 를 누르고 [J2:J3] 영역에 드래그하여 삽입한다.

2) [매크로 지정] 대화상자에서 '매크로 이름' 입력란에 "서식"을 입력하고 [기록] 버튼을 누른다. [매크로 기록] 대화상자에서 [확인] 버튼을 누른다.

3) [B3:H3] 영역을 블록 지정한 후 문제에서 제시한 서식을 적용한다.

4) 표 밖의 임의의 셀을 클릭한 후 [개발 도구] 탭 → [코드] 그룹 → [기록 중지] 명령을 클릭한다.

5) 단추의 바로 가기 메뉴에서 [텍스트 편집]을 선택한 후 "서식"을 입력한다. 임의의 셀을 클릭해 선택을 해제한다.

② **금액 매크로**

1) [개발 도구] 탭 → [컨트롤] 그룹 → [삽입] 명령 → [단추(양식 컨트롤)■■]을 클릭한다. Alt 를 누르고 [I5:I6] 영역에 드래그하여 삽입한다.

2) [매크로 지정] 대화상자에서 '매크로 이름' 입력란에 "금액"을 입력하고 [기록] 버튼을 누른다. [매크로 기록] 대화상자에서 [확인] 버튼을 누른다.

3) [H4] 셀을 클릭한 후 "=E4*G4"을 입력하고 Enter 를 누른다. 채우기 핸들을 드래그하여 [H14] 셀까지 수식을 복사한다.

4) 표 밖의 임의의 셀을 클릭한 후 [개발 도구] 탭 → [코드] 그룹 → [기록 중지] 명령을 클릭한다.

5) 단추의 바로 가기 메뉴에서 [텍스트 편집]을 선택한 후 "금액"을 입력한다. 임의의 셀을 클릭해 선택을 해제한다.

2. 차트

③ **세로(값) 축 서식**

1) 세로(값) 축 위에서 마우스 오른쪽 버튼을 클릭해 [축 서식] 메뉴를 선택한다.

2) [축 옵션] 탭에서 '최대값'을 '고정'에 체크하고 "500000"을 입력한다. '주 단위'도 마찬가지로 '고정'에 체크한 후 "100000"을 입력하고 [닫기] 버튼을 누른다.

최신 기출문제 5회

국 가 기 술 자 격 검 정

프로그램명	제한시간	수험번호 :
EXCEL	40분	성 명 :

〈유 의 사 항〉

- 인적 사항 누락 및 잘못 작성으로 인한 불이익은 수험자 책임으로 합니다.
- 화면에 암호 입력창이 나타나면 아래의 암호를 입력해야 합니다.
  - ㅇ 암호 : 1027#7
- 작성된 답안은 주어진 경로 및 파일명을 변경하지 마시고 그대로 저장해야 합니다. 이를 준수하지 않으면 실격처리 됩니다.
  - ㅇ 답안 파일명 예 : C:₩OA₩수험번호 8자리.xlsm (확장자 유의)
- 외부 데이터 위치 : C₩OA₩파일명
- 별도의 지시사항이 없는 경우, 다음과 같이 처리하면 실격 처리됩니다.
  - ㅇ 제시된 시트 및 개체의 순서나 이름을 임의로 변경한 경우
  - ㅇ 제시된 시트 및 개체를 임의로 추가 또는 삭제한 경우
- 답안은 반드시 문제에서 지시 또는 요구한 셀에 입력하여야 하며, 수험자가 임의로 셀의 위치를 변경하여 입력한 경우에는 채점 대상에서 제외됩니다.
  - ※ 아울러 지시하지 않은 셀의 이동, 수정, 삭제, 변경 등으로 인해 셀의 위치 및 내용이 변경된 경우에도 관련 문제 모두 채점 대상에서 제외됩니다.
- 별도의 지시사항이 없는 경우, 주어진 각 시트 및 개체의 설정값 또는 기본 설정값(Default)으로 처리하십시오.
- 저장 시간은 별도로 주어지지 아니하므로 제한된 시간 내에 저장을 완료해야 합니다.
- 본 문제의 용어는 Microsoft Office Excel 2010 기준으로 작성되어 있습니다.

대한상공회의소

문제 1 기본작업(20점) 주어진 시트에서 다음 과정을 수행하고 저장하시오.

1. '기본삭업-1' 시트에서 다음의 자료를 주어진 대로 입력하시오.

	A	B	C	D	E	F
1	한남 도서관 대여 현황					
2						
3	회원번호	도서번호	도서명	대여일자	반납일자	대여료
4	SS07	B03	사서함 25호	2014-04-10	2014-04-17	1000
5	SS10	B04	바다의 시작	2014-06-09	2014-06-10	1000
6	SS11	B05	다락방의 첫사랑	2014-03-16	2014-03-17	1500
7	SS23	B06	샤이닝 미연	2014-06-12	2014-06-16	1000
8	SS11	B07	상남 5인조	2014-06-04	2014-06-05	500
9	SS10	B08	맛의 종결자	2014-06-07	2014-06-09	500
10	SS07	B09	두근두근 니 삶	2014-04-15	2014-04-16	1000
11	SS09	B10	삼국사	2014-04-16	2014-04-20	1500
12	SS09	B11	눈 내리는 이야기	2014-04-07	2014-04-08	1000
13	SS21	B12	비 오는 날	2014-05-07	2014-05-10	1500
14	SS12	B13	사수의 길	2014-04-02	2014-04-04	1000
15	SS16	B14	말 달리자	2014-04-01	2014-04-14	1000

2. '기본작업-2'시트에서 다음의 지시사항을 처리하시오.

   ① [A1:G1] 영역은 '병합하고 가운데 맞춤', 글꼴 '궁서체', 글꼴 크기 '16', 글꼴 스타일 '굵은 기울임꼴', 밑줄 '실선'으로 지정하시오.

   ② [A3:G3] 글꼴 '돋움체', 글꼴 색 '표준 색-노랑', 채우기 색 '표준 색 – 녹색', '가로 가운데 맞춤'으로 지정하시오.

   ③ [G3] 셀에 "원자재 값의 상승으로 판매단가는 증가할 예정"이라는 메모를 삽입하고 항상 표시되도록 설정하시오.

   ④ [G4:G15] 영역은 사용자 지정 표시 형식을 이용하여 1,000의 배수로 표시하고, 숫자 뒤에 "천원"이 추가되도록 지정하시오. (표시 예 : 150000 → 150천원)

   ⑤ [A3:G15] 영역은 '가로 가운데 맞춤'을 지정하고, '모든 테두리(田)'와 '굵은 상자 테두리(▣)'를 적용하여 표시하시오.

3. '기본작업-3' 시트에서 다음 지시사항을 처리하시오.

   '미리.com 컴퓨터학원 수강생 시험결과' 표에서 액세스[F4:F16]가 900 이상이고, 총점[G4:G16]이 3400 이상인 행 전체에 대해 글꼴 색 '파랑', 글꼴 스타일 '굵게'로 지정하는 조건부 서식을 작성하시오.

   ▪ 단, 규칙 유형은 '수식을 사용하여 서식을 지정할 셀 결정'을 사용하고, 한 개의 규칙으로만 작성하시오.

문제 2 계산작업(40점) '계산작업' 시트에서 다음 과정을 수행하고 저장하시오.

1. [표1]에서 니트 제품류의 판매금액의 합계를 [D12] 셀에 구하시오. 8점
   - 표시 예 : 782000 → 782000백원
   - SUMIF, SUMIFS, COUNTIF 중 알맞은 함수와 & 연산자 사용

2. [표2]에서 성과[F3:F10]가 1, 2번째로 큰 직원들의 성명을 [L8:L9] 영역에 표시하시오. 8점
   - VLOOKUP, LARGE 함수 사용

3. [표3]에서 생산량[A16:A25]과 판매 예상량[B16:B25]을 비교하여 생산량이 크거나 같으면 "0", 판매 예상량이 많으면 판매 예상량에서 생산량을 뺀 차이와 재고량[C16:C25]을 비교하여 작은 값을 [D16:D25]에 표시하시오. 8점
   - 표시 예 : 0 → 0 개
   - IF, MIN 함수와 & 연산자 사용

4. [표4]에서 지역[F16:F22]이 '대전'인 생산량[G16:G22]의 평균을 [H24] 셀에 표시하시오. 8점
   - 평균점수는 반올림 없이 정수로 표시
   - INT, SUMIF, COUNTIF 함수 사용

5. [표5]에서 교육장[B31:B41]이 '강남'인 평가 점수의 평균을 [D41]에 표시하시오. 8점 .
   - [D33:D38] 영역에 조건을 지정
   - 결과값은 소수 첫째 자리까지 나타내시오. (표시 예 : 14.44444 → 14.4)
   - DAVERAGE, ROUND 함수 사용

문제 3 분석작업(20점) 주어진 시트에서 다음 과정을 수행하고 저장하시오.

1. '분석작업-1' 시트에 대하여 다음의 지시사항을 처리하시오. **10점**

   '연두대학교 기숙사 인원 현황' 표에서 학과별 '전학기성적'과 '상점'의 평균을 계산하고, '벌점'의 최소값을 계산하는 부분합을 작성하시오.

   ■ 정렬의 첫째 기준은 학과별 내림차순, 둘째 기준은 전학기성적별 내림차순으로 정렬하시오.

   ■ 전체 평균의 소수 자릿수는 소수 이하 2 로 표시하시오.

   ■ 평균과 합계 필드는 각각 하나의 행에 표시하시오.

   ■ 부분합의 작성 순서는 평균을 구한 다음 최소값을 구하시오.

2. '분석작업-2' 시트에 대하여 다음의 지시사항을 처리하시오. **10점**

   '적금 만기 해지 예상금액' 표에서 연 이율[C7]이 변경 될 경우, 만기금액[C8]의 변경 시나리오를 작성하시오.

   ■ 시나리오1: 시나리오 이름을 "연이율감소", 연 이율을 8.05%로 설정하시오.

   ■ 시나리오2: 시나리오 이름을 "연이율증가", 연 이율을 11.8%로 설정하시오.

   ■ 위 시나리오에 의한 '시나리오 요약' 보고서는 '분석작업-2' 시트 바로 뒤에 위치시키시오.

   ※ 시나리오 요약 보고서 작성 시 정답과 일치하여야 하며, 오자로 인한 부분점수는 인정하지 않음

문제 4 기타작업(20점) 주어진 시트에서 다음 과정을 수행하고 저장하시오.

1. '매크로작업' 시트의 '한남 문구 분류별 판매 현황' 표에서 다음과 같은 기능을 수행하는 매크로를 현재 통합 문서에 작성하고 실행하시오. **각 5점**

   ① [B3:G3] 영역에 대하여 '가로 가운데 맞춤'글꼴 스타일 '굵게', 글꼴 색 '표준 색-진한 파랑'을 적용하는 '서식' 매크로를 생성하시오.

   ■ [삽입] → [도형] → [기본 도형]의 '눈물 방울(◌)'을 동일 시트의 [I2:J3] 영역에 생성한 텍스트를 "서식"으로 입력하고 단추를 클릭할 때 '서식' 매크로가 실행되도록 생성하시오.

② [G4:G8] 영역에 평균을 계산하는 '평균' 매크로를 생성하시오.

- 평균 : 1분기, 2분기, 3분기, 4분기의 평균을 구하시오.

- [삽입] → [도형] → [기본 도형]의 '눈물 방울(◯)'을 동일 시트의 [I5:J6] 영역에 생성한 텍스트를 "평균"으로 입력하고 단추를 클릭할 때 '평균' 매크로가 실행되도록 생성하시오.

※ 셀 포인터의 위치에 상관없이 현재 통합 문서에서 매크로가 실행되어야 정답으로 인정됨

2. '차트작업' 시트의 차트를 지시사항에 따라 아래 그림과 같이 수정하시오. 각 2점

※ 차트는 반드시 문제에서 제공한 차트를 사용하여야 하며, 신규로 작성 시 0점 처리됨

① CnDL 거래처의 담당자별 판매량과 매출액을 기준으로 차트를 [A16:G32] 영역에 만드시오. 이 때, 차트는 '묶은 세로 막대형'으로 작성하시오.

② 차트 제목으로 [A1] 셀을 연결하여 붙여 넣고, 글꼴 '궁서체', 크기 '16'으로 지정하시오.

③ '판매량' 계열의 차트 종류를 '표식이 있는 꺾은선형'으로 변경하고, '보조 축'을 지정하시오.

④ 범례는 지우고, 범례 표지와 함께 데이터 표를 표시하시오.

⑤ 차트 영역의 테두리 스타일을 '둥근 모서리'로 지정하시오.

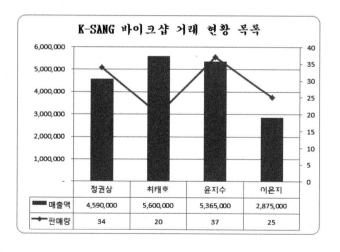

최신 기출문제 5회 정답 및 해설

문제 1 기본작업

2. 셀 서식

	A	B	C	D	E	F	G	H	I
1	*Y-Bin 바이크샵 11월 판매상품 목록*								
2									
3	제조업체	상품코드	구분	사이즈	출시	수량	판매단가		
4	CnDL	CN-1204	하이브리드	470	2015	10	150천원		
5	지온트라	GT-2100	픽시	520	2016	25	350천원		
6	CnDL	CN-1990	로드바이크	540	2014	8	400천원		
7	에이키안	AK-1123	로드바이크	470	2015	10	210천원		
8	에이키안	AK-0501	픽시	540	2016	15	220천원		
9	CnDL	CN-6680	하이브리드	560	2016	13	180천원		
10	지온트라	GT-7141	하이브리드	500	2014	5	130천원		
11	지온트라	GT-2008	로드바이크	520	2015	8	420천원		
12	에이키안	AK-1231	MTB	540	2014	10	450천원		
13	CnDL	CN-4500	MTB	560	2015	15	280천원		
14	M-Stark	MS-2069	로드바이크	500	2016	32	520천원		
15	M-Stark	MS-1087	픽시	470	2016	21	330천원		

원자재 값의 상승으로 판매단가는 증가할 예정

④ 사용자 지정 서식

1) [G4:G15] 영역을 드래그하여 블록으로 지정한 후 바로 가기 메뉴에서 [셀 서식]을 선택한다. (바로 가기 키 : Ctrl + 1)

2) [셀 서식] → [표시 형식] 탭 → [사용자 지정]의 '형식'에 #,##0,"천원" 을 입력한 후 [확인] 버튼을 누른다.

3. 조건부 서식

	A	B	C	D	E	F	G	H	I
1	미리.com 컴퓨터학원 수강생 시험결과								
2									
3	수강생번호	성명	파워포인트	엑셀	워드	액세스	총점	합격여부	재시험
4	16-3414	최예빈	950	900	850	890	3590	예	없음
5	16-5342	한지희	850	800	870	900	3420	예	없음
6	16-2076	이유리	800	810	850	750	3210	예	없음
7	16-2292	박민정	720	750	800	850	3120	예	없음
8	16-9083	최민주	850	820	700	770	3140	예	없음
9	16-9079	황혜림	890	680	900	750	3220	아니오	1과목
10	16-7718	고재훈	750	850	690	800	3090	아니오	1과목
11	16-3453	김영민	760	890	750	800	3200	예	없음
12	16-8925	이승연	950	880	850	910	3590	예	없음
13	16-3117	정선예	780	820	680	710	2990	아니오	1과목
14	16-2863	강인석	850	680	800	850	3180	아니오	1과목
15	16-6235	윤나래	600	780	800	670	2850	아니오	2과목
16	16-5313	이성수	720	850	700	710	2980	예	없음

1) [A4:I16] 영역을 드래그하여 블록 지정한 후 [홈] 탭 → [스타일] 그룹 → [조건부 서식] 명령 → [새 규칙]을 클릭한다.

2) [새 서식 규칙] 대화상자에서 다음 그림과 같이 '규칙 유형 선택', '규칙 설명 편집'을 적용하고 [서식] 버튼을 눌러 문제에 제시된 서식을 적용한 후 [확인] 버튼을 누른다.

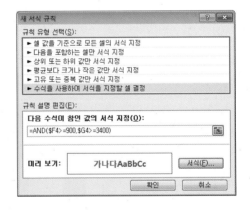

문제 2 계산작업

1. 판매금액 합계

▲	A	B	C	D
1	[표1]	우리 쁘띠끄 판매현황		
2	제품명	판매량	단가(단위 : 백원)	판매금액(단위 : 백원)
3	니트 원피스	352	2,100	739,200
4	니트 가디건	540	1,800	972,000
5	머플러	342	500	171,000
6	베스트	198	1,800	356,400
7	실크 원피스	392	2,100	823,200
8	실크 블라우스	650	1,500	975,000
9	니트 조끼	232	2,000	464,000
10	실크 머플러	470	1,700	799,000
11	니트 티	780	1,400	1,092,000
12	판매금액			3267200백원

=SUMIF(A3:A11,"니트*",D3:D11)&"백원"

2. VLOOKUP 함수

▲	K	L
7	성과	성명
8	1	라진솔
9	2	강창현
10		

=VLOOKUP(LARGE($F$3:$F$10,K8),$F$3:$I$10,2,0)

3. 필요 수량 표시

▲	A	B	C	D
14	[표3]			
15	생산량	판매 예상량	재고량	필요 수량
16	100	75	40	0 개
17	98	75	46	0 개
18	75	100	55	25 개
19	48	70	10	10 개
20	65	90	33	25 개
21	78	50	18	0 개
22	43	60	10	10 개
23	55	50	27	0 개
24	71	80	26	9 개
25	66	60	37	0 개
26				

=IF(A16>=B16,0,MIN(B16-A16,C16))&" 개"

4. 평균 구하기

▲	F	G	H
24	대전 지역 평균 생산량		10
25			

=INT(SUMIF(F16:F22,"대전",G16:G22)/
COUNTIF(F16:F22,"대전"))

5. 강남 평가 점수

▲	D
30	
31	
32	
33	교육장
34	강남
35	
36	
37	
38	
39	
40	강남 평가 점수
41	185.3

=ROUND(DAVERAGE(A30:C41,3,D33:D34),1)

문제 3 분석작업

1. 부분합

1 2 3 4	▲	A	B	C	D	E	F	G	H
	1			경의대학교 기숙사 인원 현황					
	2	성명	학과	학년	전학기성적	방번호	벌점	상점	비고
	3	김민찬	회계학과	4학년	4.45	204호	0	3	
	4	정권상	회계학과	3학년	4.43	207호	0	2	
	5	강영진	회계학과	3학년	4.21	207호	2	2	
	6	문지은	회계학과	2학년	3.97	516호	4	1	경고
	7		회계학과 최소값				0		
	8		회계학과 평균		4.265			2	
	9	이승연	호텔경영	4학년	4.27	502호	1	3	
	10	최민주	호텔경영	4학년	4.18	502호	0	1	
	11	김규태	호텔경영	3학년	4.08	213호	1	3	
	12	최인화	호텔경영	4학년	4.03	508호	0	0	
	13	오유정	호텔경영	2학년	3.98	516호	1	0	
	14		호텔경영 최소값				0		
	15		호텔경영 평균		4.108			1.4	
	16	황영민	생활체육	4학년	4.38	209호	2	3	
	17	강백호	생활체육	3학년	4.12	213호	2	1	
	18	허자연	생활체육	3학년	3.98	508호	2	3	
	19	이설희	생활체육	3학년	3.87	516호	4	2	경고
	20		생활체육 최소값				2		
	21		생활체육 평균		4.0875			2.25	
	22	김도운	방송연예	2학년	4.38	204호	0	1	
	23	김민준	방송연예	4학년	4.27	204호	1	5	
	24	임지호	방송연예	2학년	4.21	213호	1	4	
	25	박명수	방송연예	4학년	4.12	209호	0	2	
	26	박기주	방송연예	3학년	4.01	207호	3	2	
	27		방송연예 최소값				0		
	28		방송연예 평균		4.198			2.8	
	29		전체 최소값				0		
	30		전체 평균		4.16			2.11	

1) 데이터 정렬을 위해 [A2:H20] 영역 중 임의의 셀을 선택한 후 [데이터] 탭 → [정렬 및 필터] 그룹 → [정렬] 명령을 클릭한다.

2) [정렬] 대화상자에서 다음 그림과 같이 적용하고 [확인] 버튼을 누른다.

3) 블록 지정된 상태에서 [데이터] 탭 → [윤곽선] 그룹 → [부분합] 명령을 클릭한다.

4) [부분합] 대화상자에서 다음 그림과 같이 적용하고 [확인] 버튼을 누른다.

5) 다시 [부분합] 명령을 클릭하고 아래 그림과 같이 적용한다. 두 번째 부분합은 '새로운 값으로 대치(C)'에 체크를 해제한 후 [확인] 버튼을 누른다.

6) 평균의 소수 자릿수를 지정하기 위해 해당 영역의 셀을 함께 선택한 후 [셀 서식] → [표시 형식] 탭 → [숫자]에서 '소수 자릿수'에 "2"를 입력한 후 [확인] 버튼을 누른다.

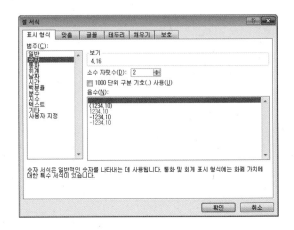

2. 시나리오

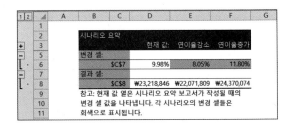

1) [C7] 셀을 선택한 상태에서 [데이터] 탭-[데이터 도구] 그룹 → [가상분석] 명령 → [시나리오 관리자]를 클릭한다.

2) [시나리오 추가] 대화상자에서 시나리오 이름에 "연이율감소"를 입력하고, 변경 셀에 [C7] 셀을 선택한 후 [확인] 버튼을 누른다.

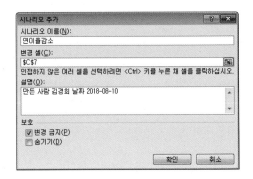

3) [시나리오 값] 대화상자에서 값 입력란에 "0.0805"를 입력한 후 [추가] 버튼을 누른다.

4) 다시 표시 된 [시나리오 추가] 대화상자에서 시나리오 이름에 "연이율증가"를 입력하고, 변경 셀에 [C7] 셀을 선택한 후 [확인] 버튼을 누른다.

5) [시나리오 값] 대화상자에서 값 입력란에 "0.118"을 입력한 후 [확인] 버튼을 누른다.

6) 아래 그림과 같이 시나리오가 생성된 것을 확인하고 [요약] 버튼을 누른다.

7) [시나리오 요약] 대화상자에서 결과 셀에 [C8] 셀을 선택한 후 [확인] 버튼을 누른다.

8) 완성된 시나리오 요약 보고서 시트를 클릭하여 '분석작업-2' 시트 뒤로 끌어다 놓는다.

문제 4 기타작업

1. 매크로

① 서식 매크로

1) [삽입] 탭 → [일러스트레이션] 그룹 → [도형] 명령 → [기본 도형]에서 '눈물 방울(◯)'을 클릭한다. Alt 를 누르고 [I2:J3] 영역에 드래그하여 삽입한다.

2) 도형의 바로 가기 메뉴에서 [매크로 지정]을 선택한다. [매크로 지정] 대화상자에서 '매크로 이름' 입력란에 "서식"을 입력한 후 [기록] 버튼을 누른다. [매크로 기록] 대화상자에서 [확인] 버튼을 누른다.

3) [B3:G3] 영역을 블록 지정한 후 문제에서 제시한 서식을 지정한다.

4) 표 밖의 임의의 셀을 클릭한 후 [개발 도구] 탭 → [코드] 그룹 → [기록 중지] 명령을 클릭한다.

5) 도형의 바로 가기 메뉴에서 [텍스트 편집]을 선택한 후 "서식"을 입력하고, [홈] 탭 → [맞춤] 그룹의 가로 가운데 맞춤, 세로 가운데 맞춤을 클릭한다. 그리고 임의의 셀을 클릭해 선택을 해제한다.

② 평균 매크로

1) [삽입] 탭 → [일러스트레이션] 그룹 → [도형] 명령 → [기본 도형]에서 '눈물 방울(◯)'도형을 클릭한다. Alt 를 누르고 [I5:J6] 영역에 드래그하여 삽입한다.

2) 도형의 바로 가기 메뉴에서 [매크로 지정]을 선택한다. [매크로 지정] 대화상자에서 '매크로 이름' 입력란에 "평균"을 입력한 후 [기록] 버튼을 누른다. [매크로 기록] 대화상자에서 [확인] 버튼을 누른다.

3) [G4] 셀을 클릭하고 "=AVERAGE(C4:F4)"을 입력한 후 채우기 핸들을 드래그하여 [G8] 셀까지 수식을 복사한다.

4) 표 밖의 임의의 셀을 클릭하고 [개발 도구] 탭 → [코드] 그룹 → [기록 중지] 명령을 클릭한다.

5) 도형의 바로 가기 메뉴에서 [텍스트 편집]을 선택한 후 "평균"을 입력하고, [홈] 탭 → [맞춤] 그룹의 가로 가운데 맞춤, 세로 가운데 맞춤을 클릭한다. 그리고 임의의 셀을 클릭하여 선택을 해제한다.

2. 차트

② 차트 제목 연결

1) 차트를 선택하고 [레이아웃] 탭 → [레이블] 그룹 → [차트 제목] 명령 → [차트 위]를 클릭한다.

2) 차트 제목을 클릭하고, 수식 입력줄에 "="을 입력한 후 제목이 입력된 셀인 [A1] 셀을 클릭하고 Enter 를 누른다.

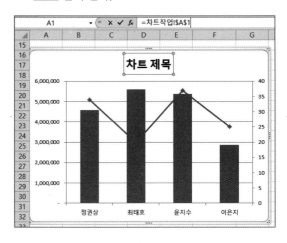

최신 기출문제 6회

프로그램명	제한시간
EXCEL	40분

수험번호 :

성   명 :

〈유 의 사 항〉

- 인적 사항 누락 및 잘못 작성으로 인한 불이익은 수험자 책임으로 합니다.
- 화면에 암호 입력창이 나타나면 아래의 암호를 입력해야 합니다.
  - ○ 암호 : 79#791
- 작성된 답안은 주어진 경로 및 파일명을 변경하지 마시고 그대로 저장해야 합니다. 이를 준수하지 않으면 실격처리 됩니다.
  - ○ 답안 파일명 예 : C:₩OA₩수험번호 8자리.xlsm (확장자 유의)
- 외부 데이터 위치 : C₩OA₩파일명
- 별도의 지시사항이 없는 경우, 다음과 같이 처리하면 실격 처리됩니다.
  - ○ 제시된 시트 및 개체의 순서나 이름을 임의로 변경한 경우
  - ○ 제시된 시트 및 개체를 임의로 추가 또는 삭제한 경우
- 답안은 반드시 문제에서 지시 또는 요구한 셀에 입력하여야 하며, 수험자가 임의로 셀의 위치를 변경하여 입력한 경우에는 채점 대상에서 제외됩니다.
  - ※ 아울러 지시하지 않은 셀의 이동, 수정, 삭제, 변경 등으로 인해 셀의 위치 및 내용이 변경된 경우에도 관련 문제 모두 채점 대상에서 제외됩니다.
- 별도의 지시사항이 없는 경우, 주어진 각 시트 및 개체의 설정값 또는 기본 설정값(Default)으로 처리하십시오.
- 저장 시간은 별도로 주어지지 아니하므로 제한된 시간 내에 저장을 완료해야 합니다.
- 본 문제의 용어는 Microsoft Office Excel 2010 기준으로 작성되어 있습니다.

대한상공회의소

문제 1 기본작업(20점) 주어진 시트에서 다음 과정을 수행하고 저장하시오.

1. '기본작업-1' 시트에서 나음의 사료를 주어진 내로 입력하시오.

	A	B	C	D	E	F	G	H
1	평생학습센터 4기 등록 현황							
2							등록일	2016-09-09
3	강좌 구분	강좌명	강사명	교육 시작일	교육 종료일	적정 인원	수강요일	장소
4	외국어	영어	오미자	2016-09-05	2016-11-05	20	월요일	407호
5	컴퓨터	엑셀기초	이순님	2016-09-06	2016-11-06	25	화요일	401호
6	컴퓨터	엑셀기초	이순님	2016-09-06	2016-11-06	25	화요일	401호
7	요리	손님상 차리기	정윤서	2016-09-08	2016-11-08	20	목요일	203호
8	건강/생활체육	파운드 운동	김동찬	2016-09-07	2016-11-07	40	수요일	101호
9	외국어	여행 중국어	최동혁	2016-09-08	2016-11-08	15	목요일	405호
10	공예	꿈을 빚는 도예	최영철	2016-09-06	2016-11-06	15	화요일	301호
11	요리	우리집 밑반찬 만들기	강영희	2016-09-06	2016-11-09	20	금요일	204호
12	건강/생활체육	필라 요가	고동미	2016-09-06	2016-11-06	40	화요일	102호
13	건강/생활체육	힐링 요가	박미영	2016-09-06	2016-11-06	40	화요일	101호
14	요리	전골요리와 퓨전요리	김하영	2016-09-09	2016-11-09	20	금요일	203호
15								

2. '기본작업-2'시트에서 다음의 지시사항을 처리하시오.

① [A1:H1] 영역은 '병합하고 가운데 맞춤', 글꼴 '궁서', 크기 '18', 글꼴 색 '표준 색-파랑', 행 높이를 '35'로 지정하시오.

② [B4:B8], [B10:B14], [H4:H14] 영역은 '병합하고 가운데 맞춤'을 지정하고 [A3:H3], [A4:A14] 영역은 '가로 가운데 맞춤'을 지정하시오.

③ [H2] 셀은 'YYYY년 MM월 DD일' 형식으로 설정하고 '셀에 맞춤'을 지정하시오.

④ [C4:C14], [E4:E14] 영역은 '사용자 지정 서식'을 이용하여 천 단위 구분기호와 함께 '백만 단위'로 지정한 후 숫자 뒤에 "백만원"을 표시하시오.(표시 예 : 10000000 → 10백만원)

⑤ [A3:H14] 영역은 '모든 테두리(田)'와 '굵은 상자 테두리(回)'를 적용하여 표시하시오.

3. '기본작업-3' 시트에서 다음 지시사항을 처리하시오.

'평생학습센터 4기 등록 현황' 표에서 짝수 행 전체의 글꼴색을 '빨강', 스타일은 '굵은 기울임꼴'로 지정하시오.

▪ MOD, ROW 함수 사용

▪ 단, 규칙 유형은 '수식을 사용하여 서식을 지정할 셀 결정'을 사용하고, 한 개의 규칙으로만 작성하시오.

문제 2 계산작업(40점) '계산작업' 시트에서 다음 과정을 수행하고 저장하시오.

1. [표1]에서 1차 시험[C3:C12]이 80 이상이고, 2차 시험[D3:D12]이 80 이상이면서 1차 시험과 2차 시험의 평균이 전체 1차 시험과 2차 시험 평균보다 높으면 "통과", 아니면 "재시험"을 [E3:E12] 영역에 표시하시오. 8점

   ▪ IF, AND, AVERAGE 함수를 사용

2. [표2]에서 매출수량에 따라 매출 수량이 1~2등이면 "대박상품", 3-4등이면 "인기상품", 5등이면 "판매촉진상품", 나머지는 공백으로 비고[K3:K12]에 표시하시오. 8점

   ▪ IFERROR, CHOOSE, RANK 함수를 사용

3. [표3]에서 합계[D16:D25]가 20,000건 이상이고, 전화[C16:C25] 건수가 1,500 이상인 처리건수를 [D26] 셀에 표시하시오. 8점

   ▪ 조건은 [E24:F:27] 영역에 입력
   ▪ COUNT, COUNTA, COUNTBLANK, DCOUNT 함수 중 알맞은 함수 선택

4. [표4]에서 제품코드[G16:G26]와 판매수량[I16:I26], 단가표[L16:M19]를 이용하여 매출액 [J16:J26]을 계산하시오. 8점

   ▪ 매출액 = 매출수량 * 단가
   ▪ 단가표는 제품코드의 여섯 번째 자리를 이용하여 S면 '11,000', P면 '38,500', A면 '17,100'임.
   ▪ HLOOKUP, VLOOKUP, MID, LEFT, RIGHT 중 알맞은 함수 사용

5. [표5]에서 홈런[C30:C39]이 10 이상이고 안타[D30:D39]가 150 이상인 선수들의 평균 출루율을 [G39] 셀에 구하시오. 8점

   ▪ AVERAGE, AVERAGEIFS, COUNTIF, COUNTIFS, SUMIF, SUMIFS 중 알맞은 함수 사용

문제 3 분석작업(20점) 주어진 시트에서 다음 과정을 수행하고 저장하시오.

1. '분석작업-1' 시트에 대하여 다음의 지시사항을 처리하시오.

   '체류 외국인 등록 현황'표를 이용하여 '국가명'은 보고서 필터, '성별'은 행 레이블로 처리하고, 값에는 '구직'의 합계와 '유학'의 최대값을 계산 한 후 'Σ 값'을 행 레이블로 설정하는 피벗 테이블을 작성하시오.

   - 피벗 테이블 보고서는 동일 시트의 [A32] 셀에서 시작하시오.
   - 완성한 피벗 테이블 보고서에 '피벗 테이블 스타일 보통 10'을 적용하시오.
   - 데이터는 천 단위 구분 기호로 표시하시오.

2. '분석작업-2' 시트에 대하여 다음의 지시사항을 처리하시오.

   데이터 통합기능을 이용하여 [표1], [표2], [표3], [표4]를 이용하여 음주량별 '전체', '저소득', '일반'의 평균을 '음주현황' 표의 [A20:D25] 영역에 계산하시오.

문제 4 기타작업(20점) 주어진 시트에서 다음 과정을 수행하고 저장하시오.

1. '매크로작업' 시트의 '인구 동향 조사' 표에서 다음과 같은 기능을 수행하는 매크로를 현재 통합 문서에 작성하고 실행하시오. 각 5점

   ① [A3:F3] 영역에 대하여 셀 스타일을 '강조색5'를 지정하는 '셀서식' 매크로를 생성하시오.

   - [도형] → [기본도형] → [육각형'⬡']을 동일 시트의 [H3:I4] 영역에 생성한 후 텍스트를 "셀 서식"으로 입력하고 도형을 클릭할 때 '셀서식' 매크로가 실행되도록 설정하시오.

   ② [B16:C16] 영역에 합계를 계산하는 '합계' 매크로를 생성하시오.

   - [개발도구] → [삽입] → [양식 컨트롤]의 '단추(■)'를 동일 시트의 [H6:I7] 영역에 생성한 후 텍스트를 "합계"로 입력하고 단추를 클릭할 때 '합계' 매크로가 실행되도록 설정하시오.

   ※ 셀 포인터의 위치에 상관없이 현재 통합 문서에서 매크로가 실행되어야 정답으로 인정됨

2. '차트작업' 시트의 차트를 지시사항에 따라 아래 그림과 같이 수정하시오. 각 2점

   ※ 차트는 반드시 문제에서 제공한 차트를 사용하여야 하며, 신규로 작성 시 0점 처리됨

   ① 〈아래 차트〉를 참고하여 '사례수'와 '메신저' 계열만 차트에 표시되도록 데이터
   범위를 지정하시오.

   ② '가로축 항목'을 〈아래 차트〉와 같이 편집하고 '메신저' 계열을 '표식이 있는 꺾
   은 선형'으로 변경하고, '보조 축'으로 지정하시오.

   ③ 범례는 '위쪽'에 배치하고, 도형스타일을 '미세 효과–강조 4'로 지정하시오.

   ④ 보조 세로축의 주 단위를 '0.8'로 지정하고 완만한 선으로 표시하시오.

   ⑤ 차트 영역의 테두리 스타일을 '둥근 모서리'로 지정하시오.

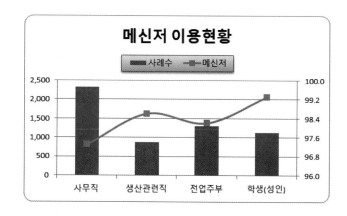

최신 기출문제 6회 정답 및 해설

문제 1 기본작업

2. 셀 서식

	A	B	C	D	E	F	G	H
1				나스닥시장 상장법인 매출내용				
2							조사기간	2016년 08월 31일
3	회사명	업종	매출액	종업원 수	수출액	수출 비율	매출액 순위	비고
4	하이텍		21,000백만원	117	11,300백만원	54%	6	
5	에이아이씨		21,800백만원	52	3,200백만원	15%	5	
6	큐테크놀로지	IT 부품	9,000백만원	69	5,600백만원	62%	11	
7	이렉코		45,100백만원	127	4,100백만원	9%	2	
8	세븐일렉콤		13,100백만원	62	9,400백만원	72%	9	
9	디비온	디지털컨텐즈	17,200백만원	167	0백만원	0%	7	
10	하이반도체		36,600백만원	48	33,600백만원	92%	3	
11	요술마이크로		58,400백만원	166	9,500백만원	16%	1	
12	피어제이콘	반도체	16,100백만원	21	2,500백만원	16%	8	
13	오토랙		25,600백만원	175	21,000백만원	82%	4	
14	이엠씨		12,300백만원	94	3,700백만원	30%	10	
15								

③ 사용자 지정 서식

1) [H2] 셀을 선택하고 바로 가기 메뉴에서 [셀 서식]을 선택한다.

2) [셀 서식] → [표시 형식] → [사용자 지정]의 '형식'에 YYYY"년" MM"월" DD"일"을 입력하고, [맞춤] 탭으로 이동하여 '텍스트 조정'을 '셀에 맞춤'으로 지정한 후 [확인] 버튼을 누른다.

④ 사용자 지정 서식

1) [C4:C14], [E4:E14] 영역을 드래그하여 블록 지정한 후 바로 가기 메뉴에서 [셀 서식]을 선택한다.

2) [셀 서식] → [표시 형식] → [사용자 지정]의 '형식'에 #,##0,,"백만원"을 입력한 후 [확인] 버튼을 누른다.

3. 조건부 서식

	A	B	C	D	E	F	G
1			평생학습센터 4기 등록 현황				
2						등록일	2016-09-09
3	강좌 구분	강좌명	강사명	교육 시작일	적정 인원	수강요일	장소
4	외국어	중국어	오미자	2016-09-05	20	월요일	407호
5	컴퓨터	엑셀기초	이순님	2016-09-06	25	화요일	401호
6	컴퓨터	엑셀기초	이순님	2016-09-06	25	화요일	401호
7	요리	손님상 차리기	정윤서	2016-09-08	20	목요일	203호
8	건강/생활체육	파운드 운동	김동환	2016-09-07	40	수요일	101호
9	외국어	여행 중국어	최동혁	2016-09-08	15	목요일	405호
10	공예	꿈을 빚는 도예	최영철	2016-09-06	15	화요일	301호
11	요리	우리집 밑반찬 만들기	김영희	2016-09-06	20	금요일	204호
12	건강/생활체육	힐링 요가	고춘이	2016-09-06	40	화요일	102호
13	건강/생활체육	힐링 요가	박미영	2016-09-06	40	화요일	101호
14	요리	전골요리와 퓨전요리	김하영	2016-09-09	20	금요일	203호

1) [A4:G14] 영역을 드래그하여 블록을 지정한 후 [홈] 탭 → [스타일] 그룹 → [조건부 서식] 명령 → [새 규칙]을 클릭한다.

2) [새 서식 규칙] → [규칙 유형 선택] → [수식을 사용하여 서식을 지정할 셀 결정]을 선택한 후 '규칙 설명 편집' 아래 입력란에 다음과 같이 입력한다.
   =MOD(ROW(),2)=0

문제 2 계산작업

1. 결과 표시

	A	B	C	D	E
1	[표1]	교양과목 성적			
2	학번	학과	1차 시험	2차시험	결과
3	20136411	회계학과	90	70	재시험
4	20136442	멀티미디어과	84	88	통과
5	20136432	영어교육과	88	94	통과
6	20136433	영어교육과	91	67	재시험
7	20136451	컴퓨터공학과	97	100	통과
8	20136453	컴퓨터공학과	85	81	재시험
9	20136418	회계학과	93	89	통과
10	20136447	멀티미디어과	57	60	재시험
11	20136448	멀티미디어과	86	92	통과
12	20136459	컴퓨터공학과	91	81	통과
13					

=IF(AND(C3>=80,D3>=80,AVERAGE(C3:D3)>=
AVERAGE($C$3:$D$12)),"통과","재시험")

2. 비고 표시

	G	H	I	J	K
1	[표2]	부서별 매출현황			
2	분류코드	관련부서	매출수량	재고량	비고
3	BAS-3-A	영업1부	1012	45	대박상품
4	BAS-3-N	영업1부	510	130	
5	BAS-1-A	영업4부	275	154	
6	BAS-1-B	영업2부	1209	271	대박상품
7	BAS-2-C	영업1부	481	103	
8	BAS-3-M	영업3부	688	186	인기상품
9	BAS-2-D	영업3부	156	36	
10	BAS-1-D	영업2부	439	121	
11	BAS-3-D	영업2부	513	19	판매촉진상품
12	BAS-2-B	영업2부	762	33	인기상품
13					

=IFERROR(CHOOSE(RANK(I3,$I$3:$I$12,0),"
대박상품","대박상품","인기상품","인기상품","판
매촉진상품"),"")

3. 처리건수 표시

	A	B	C	D	E	F
14	[표3]	영업소별 고객 서비스 처리 현황				
15	지역	인터넷	전화	합계		
16	서울	3,189	25,814	29,003		
17	대전	1,189	2,858	4,047		
18	광주	974	1,973	2,947		
19	부산	2,157	38,814	40,971		
20	인천	1,980	21,436	23,416		
21	울산	1,354	19,845	21,199		
22	대구	2,119	25,510	27,629		
23	경기도	2,801	31,273	34,074		
24	충남	176	2,698	2,874	합계	전화
25	충북	182	2,467	2,649	>=20000	>=1500
26	합계가 20,000 이상,					
27	전화가 1,500 이상인 처리 건수			6		
28						

=DCOUNT(A15:D25,D15,E24:F25)

4. 매출액 표시

	G	H	I	J
14	[표4]	+		
15	제품코드	거래처명	판매수량	매출액
16	2015-S-01	(주)다판다	101	1,111,000
17	2015-S-02	세일상사	395	4,345,000
18	2015-P-03	미풍상회	178	6,853,000
19	2015-S-04	형제상회	328	3,608,000
20	2015-A-05	삼정물산	570	9,747,000
21	2015-A-06	에브리랜드	101	1,727,100
22	2015-A-07	은혜상사	600	10,260,000
23	2015-P-08	중도상사	308	11,858,000
24	2015-S-09	다복상사	550	6,050,000
25	2015-P-10	훼미리체인	200	7,700,000
26	2015-P-11	정마트	80	3,080,000
27				

=I16*VLOOKUP(MID(G16,6,1),$L$17:$M$19,
2,FALSE)

5. 평균 출루율 구하기

	A	B	C	D	E	F	G
28	[표5]	프로야구 타자 순위					
29	선수명	구단명	홈런	안타	삼진	출루율	
30	최우형	삼성	31	195	83	0.464	
31	김정균	한화	23	193	97	0.475	
32	이용규	한화	3	159	29	0.438	
33	김승찬	기아	23	177	68	0.386	
34	박성택	엘지	11	176	71	0.412	
35	구철욱	삼성	14	147	68	0.420	
36	박민욱	엔씨	3	149	70	0.420	
37	유준상	케이티	14	137	40	0.404	
38	황태균	롯데	3	167	66	0.394	평균 출루율
39	박건욱	두산	14	162	86	0.390	0.4254
40							

=AVERAGEIFS(F30:F39,C30:C39,">=10",D30:
D39,">=150")

문제 3 분석작업

1. 피벗 테이블

	A	B
30	국가명	(모두)
31		
32	행 레이블	
33	남	
34	합계 : 구직	1,797
35	최대값 : 유학	15,798
36	여	
37	합계 : 구직	2,136
38	최대값 : 유학	24,639
39	전체 합계 : 구직	**3,933**
40	전체 최대값 : 유학	**1,252**
41		

1) [A3:I25] 영역 중 임의의 셀을 선택한 후 [삽입] 탭 → [표] 그룹 → [피벗 테이블] 명령 → [피벗 테이블]을 클릭한다.
2) [피벗 테이블 만들기] 대화상자에서 피벗 테이블 보고서를 넣을 위치에 '기존 워크시트'를 선택하고 '위치' 입력란에 [A32] 셀을 입력(클릭)한 후 [확인] 버튼을 누른다.
3) [피벗 테이블 필드 목록] 창에서 다음 그림과 같이 각 필드를 드래그하여 위치시킨다.

4) [B34:B40] 영역을 드래그하여 블록 지정한 후 [홈] 탭 → [표시 형식] 그룹 → [쉼표 스타일] 명령을 클릭한다.
5) 완성된 피벗 테이블 내에 임의의 셀을 선택한 후 [피벗 테이블 도구] → [디자인] 탭 → [피벗 테이블 스타일] 그룹에서 '피벗 스타일 보통 10'을 선택한다.

2. 데이터 통합

	A	B	C	D
19	음주 현황 표			
20	음주량	전체	저소득	일반
21	1-2잔 정도	23.29	30.25	22.49
22	3-4잔 정도	24.70	24.58	24.70
23	5-6잔 정도	16.54	15.24	16.70
24	7-9잔 정도	22.19	19.06	22.56
25	10잔 이상	13.29	10.88	13.56
26				

1) 데이터 통합을 위해 [A20:D25] 영역을 드래그하여 블록을 지정한 후 [데이터] 탭 → [데이터 도구] 그룹 → [통합] 명령을 클릭한다.

2) [통합] 대화상자에서 다음 그림과 같이 적용한 후 [확인] 버튼을 누른다.

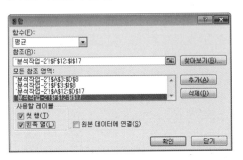

문제 4 기타작업

1. 매크로

	A	B	C	D	E	F	G	H	I
1			인구 동향 조사						
2									
3	지역	출생건수	사망건수	자연증가건수	혼인건수	이혼건수		셀 서식	
4	서울	83,005	43,053	39,952	64,193	18,176			
5	부산	26,645	20,820	5,825	18,553	6,649			
6	대구	19,438	13,081	6,357	12,545	4,497			
7	인천	25,491	13,452	12,039	17,118	7,116		합계	
8	광주	12,441	7,443	4,998	7,945	2,842			
9	대전	13,774	6,961	6,813	8,805	2,999			
10	울산	11,732	4,915	6,817	7,483	2,406			
11	세종	2,708	979	1,729	1,498	324			
12	경기도	113,495	53,005	60,490	73,950	27,688			
13	강원도	10,929	11,301	-372	7,876	3,484			
14	충청북도	13,563	10,638	2,925	8,872	3,486			
15	충청남도	18,604	14,469	4,135	12,331	4,724			
16	합계	351,825	200,117						
17									

① 셀서식 매크로

1) [삽입] 탭 → [일러스트레이션] 그룹 → [도형] 명령 → [기본 도형]에서 '육각형(⬡)'을 클릭한다. `Alt` 를 누르고 [H3:I4] 영역에 드래그하여 삽입한다.
2) 도형의 바로 가기 메뉴에서 [매크로 지정]을 선택한다. [매크로 지정] 대화상자에서 '매크로 이름' 입력란에 "셀서식"을 입력한 후 [기록] 버튼을 누른다. [매크로 기록] 대화상자에서 [확인] 버튼을 누른다.
3) [A3:F3] 영역을 드래그하여 블록 지정한 후 [홈] 탭 → [스타일] 그룹 → [셀 스타일] 명령을 클릭하여 '강조색5'를 선택한다.

4) 표 밖의 임의의 셀을 클릭하고 [개발 도구] 탭 → [코드] 그룹 → [기록 중지] 명령을 클릭한다.

5) 도형의 바로 가기 메뉴에서 [텍스트 편집]을 선택한 후 "셀서식"을 입력한다. 임의의 셀을 클릭해 선택을 해제한다.

② 합계 매크로

1) [개발 도구] 탭 → [컨트롤] 그룹 → [삽입] 명령 → [단추(양식 컨트롤)▬▬]을 클릭한 후 **Alt** 를 누르고 [H6:I7] 영역에 드래그하여 삽입한다.

2) [매크로 지정] 대화상자에서 '매크로 이름' 입력란에 "합계"를 입력하고 [기록] 버튼을 누른다. [매크로 기록] 대화상자에서 [확인] 버튼을 누른다.

3) [B16] 셀을 클릭한 후 "=SUM(B4:B15)"을 입력하고 **Enter** 를 누른다. 채우기 핸들하여 [C16] 셀까지 수식을 복사한다.

4) 표 밖의 임의의 셀을 클릭한 후 [개발 도구] 탭 → [코드] 그룹 → [기록 중지] 명령을 클릭한다.

5) 단추의 바로 가기 메뉴에서 [텍스트 편집]을 선택한 후 "합계"를 입력한다. 임의의 셀을 클릭해 선택을 해제한다.

2. 차트

① 데이터 범위 지정 및 가로축 항목 변경

1) 차트 영역을 클릭한 후 [차트 도구] → [디자인] 탭 → [데이터] 그룹 → [데이터 선택] 명령을 클릭한다.

2) [데이터 원본 선택] 대화상자의 '차트 데이터 범위' 항목의 내용을 지운 후 **Ctrl** 을 누르고 [A3:B3], [A5:B5], [A8:B10], [D3], [D5], [D8:D10] 영역을 드래그하여 입력한 후 [확인] 버튼을 누른다.

② 계열 차트 종류 변경

1) 차트의 '메신저' 계열을 클릭하여 바로 가기 메뉴에서 [계열 차트 종류 변경]을 선택한다.

2) [차트 종류 변경] → [꺾은선형]에서 '표식이 있는 꺾은선형'을 선택한 후 [확인] 버튼을 누른다.

3) '메신저' 계열을 클릭한 후 바로 가기 메뉴에서 [데이터 계열 서식]을 선택한다.

4) [데이터 계열 서식] → [계열 옵션]에서 '보조 축' 항목을 선택한 후 [닫기] 버튼을 누른다.

최신 기출문제 7회

국 가 기 술 자 격 검 정

프로그램명	제한시간	수험번호 :
EXCEL	40분	성 명 :

2급 　 A형

〈유 의 사 항〉

- 인적 사항 누락 및 잘못 작성으로 인한 불이익은 수험자 책임으로 합니다.
- 화면에 암호 입력창이 나타나면 아래의 암호를 입력해야 합니다.
  - ○ 암호 : 201#67
- 작성된 답안은 주어진 경로 및 파일명을 변경하지 마시고 그대로 저장해야 합니다. 이를 준수하지 않으면 실격처리 됩니다.
  - ○ 답안 파일명 예 : C:₩OA₩수험번호 8자리.xlsm (확장자 유의)
- 외부 데이터 위치 : C₩OA₩파일명
- 별도의 지시사항이 없는 경우, 다음과 같이 처리하면 실격 처리됩니다.
  - ○ 제시된 시트 및 개체의 순서나 이름을 임의로 변경한 경우
  - ○ 제시된 시트 및 개체를 임의로 추가 또는 삭제한 경우
- 답안은 반드시 문제에서 지시 또는 요구한 셀에 입력하여야 하며, 수험자가 임의로 셀의 위치를 변경하여 입력한 경우에는 채점 대상에서 제외됩니다.
  - ※ 아울러 지시하지 않은 셀의 이동, 수정, 삭제, 변경 등으로 인해 셀의 위치 및 내용이 변경된 경우에도 관련 문제 모두 채점 대상에서 제외됩니다.
- 별도의 지시사항이 없는 경우, 주어진 각 시트 및 개체의 설정값 또는 기본 설정값(Default)으로 처리하십시오.
- 저장 시간은 별도로 주어지지 아니하므로 제한된 시간 내에 저장을 완료해야 합니다.
- 본 문제의 용어는 Microsoft Office Excel 2010 기준으로 작성되어 있습니다.

대한상공회의소

문제 1 **기본작업(20점) 주어진 시트에서 다음 과정을 수행하고 저장하시오.**

1. '기본작업-1' 시트에서 다음의 사료를 주어진 대로 입력하시오.

	A	B	C	D	E
1	어린이 베스트 셀러				
2					
3	출판일	책제목	지은이	출판사	가격
4	2016-10-30	Why?드론	조영선, 이영호	예림당	11,000
5	2016-11-25	추리 천재 엉덩이 탐정2	트롤	미래엔아이세움	10,000
6	2016-11-25	쿠키런 어드벤처 18	동암 송도수, 서정은	서울문화사	9,800
7	2016-10-24	마법천자문37	올댓스토리, 홍거북	아울북	9,800
8	2016-11-20	윔피 키드11	제프 키니	아이세움	12,000
9	2015-09-08	한국을 빛낸 100명의 위인들	박성연, 려하	M&K	12,000
10	2016-08-10	추리 천재 엉덩이 탐정1	트롤	미래엔아이세움	10,000
11	2016-10-30	나무 집 Fun Book	앤디 그리피스 외	시공주니어	11,000
12	2016-11-20	수학도둑 55	송도수	서울문화사	9,500
13	2016-10-27	내일은 실험왕37	스토리a., 홍종현	아이세움	11,800
14					

2. '기본작업-2'시트에서 다음의 지시사항을 처리하시오.

   ① [A1:G1] 영역은 '병합하고 가운데 맞춤', 글꼴 '돋움체', 크기 '20', 행 높이 '30' 으로 지정하시오.

   ② [A3:G3], [A18:G18] 영역은 채우기 색 '표준 색 – 주황'으로 지정하고, '가로 가 운데 맞춤', 글꼴 스타일을 '굵게'로 지정하시오.

   ③ [A1] 셀의 '현황'을 한자 "現況"으로 변환하고 제목 앞 뒤에 "◆" 도형을 삽입하시오.

   ④ [G3] 셀에 "검사 행위 관련 장비"라는 메모를 삽입한 후 메모가 항상 표시되도록 지정하시오. 메모는 '자동크기'로 설정하시오.

   ⑤ [A3:G18] 영역은 '모든 테두리(田)'와 '굵은 상자 테두리(▣)'를 적용하여 표시하 시오.

3. '기본작업-3' 시트에서 다음 지시사항을 처리하시오.

   [G4:G16] 영역에서 좌석종류가 할인석인 경우에 '진한 노랑 텍스트가 있는 노랑 채우 기'를 지정하고, [H4:H16] 영역에서는 평균 미만인 셀에는 배경색 '녹색'을 지정하는 조건부 서식을 작성하시오.

   ▪ 규칙 유형은 '셀 강조 규칙과 '상위/하위 규칙'을 이용하시오.

문제 2 계산작업(40점) '계산작업' 시트에서 다음 과정을 수행하고 저장하시오.

1. [표1]에서 필기[B3:B10], 면접[C3:C10], 가산비율표[A13:E14]를 이용하여 입사시험점수 [E3:E10]를 계산하시오. 8점

    ▪ 입사시험 점수 : 필기와 면접 점수의 평균 * (1+가산비율)

    ▪ 가산비율은 TOEIC점수가 750~799점이면 1%, 800~849점이면 2%, 850~899 점이면 3%, 900점 이상은 4%로 부여함.

    ▪ AVERAGE, HLOOKUP 함수 사용

2. [표2]에서 점수[J3:J12]가 가장 높은 점수의 참가자는 "대상", 두 번째 높은 점수는 "금 상", 세 번째 높은 점수는 "은상", 네 번째 높은 점수는 "동상"으로 표시하고 나머지는 공 백으로 시상내역[K3:K12]에 표시하시오. 8점

    ▪ IFERROR, CHOOSE, RANK 함수를 사용

3. [표3]에서 출석[B18:B27]이 18 이상이고, 결석[C18:C27]이나 조퇴[D18:D27]일이 0이면 결과[E18:E27]에 "수료증발급", 조건을 만족하지 않으면 공백으로 표시하시오. 8점

    ▪ IF, AND, OR 함수 사용

4. [표4]에서 지리산[K18:K27]과 한라산[L18:L27]을 모두 등반한 동호회 수를 [L28] 셀에 계산하시오. 8점

    ▪ 등반한 산은 "★"로 표시

    ▪ DCOUNT, DCOUNTA, DSUM 중 알맞은 함수 사용

5. [표5]에서 분류[A31:A38]가 '이과'이고, 출신고[B31:B38]가 '대영고'인 학생의 점수 평 균을 [E39] 셀에 표시하시오. 8점

    ▪ AVERAGE, AVERAGEIFS, COUNTIF, COUNTIFS, SUMIF, SUMIFS 중 알 맞은 함수와 ROUND 함수를 사용

    ▪ 나온 결과를 반올림하여 소수 첫째 자리까지 구하시오. (표시 예 : 141.3)

문제 3 분석작업(20점) 주어진 시트에서 다음 과정을 수행하고 저장하시오.

1. '분석작업-1' 시트에 대하여 다음의 지시사항을 저리하시오. **10점**

   '지점별 판촉 지원 내역' 표에서 '주문수량'과 '판촉지원'의 합계와 평균을 계산하는 부분합을 작성하시오.

   - '지점명'에 대하여 정렬 기준은 내림차순으로 하시오.
   - 평균은 소수 둘째 자리까지만 구하시오.
   - 부분합의 작성 순서는 합계를 구한 후 평균을 구하시오.

2. '분석작업-2' 시트에 대하여 다음의 지시사항을 처리하시오. **10점**

   데이터 통합 기능을 이용하여 [표1], [표2], [표3]에 대한 '남', '여', '계'의 최대값을 '4분기 실업자 현황' 표의 [F11:I17]에 계산하시오.

문제 4 기타작업(20점) 주어진 시트에서 다음 과정을 수행하고 저장하시오.

1. '매크로작업' 시트에서 다음과 같은 기능을 수행하는 매크로를 현재 통합 문서에 작성하고 실행하시오. **각 5점**

   ① [H4:H9] 영역에 자격증 종목별 합계를 계산하는 '합계' 매크로를 생성하시오.

   - [도형] → [기본 도형] → [웃는 얼굴(☺)]을 동일 시트의 [J3:J4] 영역에 생성하고 도형을 클릭할 때 '합계' 매크로가 실행되도록 지정하시오.

   ② [A3:H3], [A4:A9] 영역에 채우기 색 '표준 색-파랑'을 적용하는 '셀서식' 매크로를 생성하시오.

   - [도형] → [기본 도형] → [배지(◎)]를 동일 시트의 [J6:K7] 영역에 생성한 후 텍스트를 "셀 서식"으로 입력하고 '셀서식' 매크로가 실행되도록 지정하시오.

   ※ 셀 포인터의 위치에 상관없이 현재 통합 문서에서 매크로가 실행되어야 정답으로 인정됨

2. '차트작업' 시트의 차트를 지시사항에 따라 아래 그림과 같이 수정하시오. 각 2점

   ※ 차트는 반드시 문제에서 제공한 차트를 사용하여야 하며, 신규로 작성 시 0점 처리됨

   ① '합계' 계열과 가로축 항목을 그림과 같이 데이터 범위에서 제거하시오.

   ② 차트 제목을 〈아래 차트〉와 같이 입력하고 글꼴은 '굴림' 글꼴 크기를 '16', 글꼴 스타일은 '굵게'로 설정하시오.

   ③ 세로(값) 축 제목은 세로 제목으로 설정하고, 글꼴은 '굴림'으로 지정하시오.

   ④ 세로(값) 축의 최대 값을 '50', 주 단위를 '10'으로 설정하시오.

   ⑤ 차트 영역은 '차트 스타일 22'로 지정하시오.

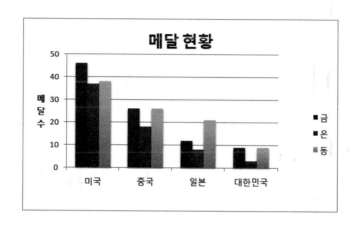

최신 기출문제 7회 정답 및 해설

문제 1 기본작업

2. 셀 서식

④ 메모 자동 크기 설정

1) 삽입한 메모를 클릭하여 바로 가기 메뉴에서 [메모 서식]을 선택한다.
2) [메모 서식] → [맞춤] 탭에서 '자동 크기' 항목에 체크한 후 [확인] 버튼을 누른다.

3. 조건부 서식

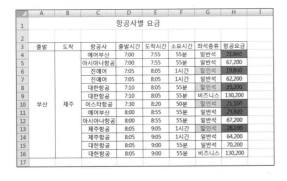

1) [G4:G16] 영역을 드래그하여 블록 지정한 후 [홈] 탭 → [스타일] 그룹 → [조건부 서식] 명령 → [셀 강조 규칙] → [텍스트 포함]을 클릭한다.

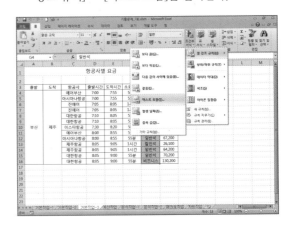

2) [텍스트 포함] 대화상자에서 다음 그림과 같이 지정한 후 [확인] 버튼을 누른다.

3) [H4:H16] 영역을 드래그하여 블록 지정한 후 [홈] 탭 → [스타일] 그룹 → [조건부 서식] 명령 → [상위/하위 규칙] → [평균 미만]을 클릭한다.

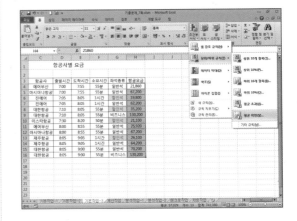

4) [평균 미만] 대화상자의 '적용할 서식'에서 [사용자 지정 서식]을 선택한다.

5) [셀 서식] → [채우기] 탭의 '배경색' 항목에서 '녹색'을 선택한 후 [확인] 버튼을 누르고, [평균 미만] 대화상자에서 [확인] 버튼을 누른다.

문제 2 계산작업

1. 입사시험점수 구하기

	A	B	C	D	E
1	[표1]	입사시험 점수			
2	사원명	필기	면접	TOEIC	입사시험점수
3	이믿음	98	92	903	99
4	김수진	84	88	990	89
5	정필승	89	84	876	89
6	박미소	92	91	820	93
7	임동철	84	90	760	88
8	최홍경	76	79	774	78
9	임경진	92	80	940	89
10	김기만	85	79	859	84
11					

=AVERAGE(B3:C3)×(1+HLOOKUP(D3,$B$13: $E$14,2,TRUE))

2. 시상내역 표시

	G	H	I	J	K
1	[표2]	퀴즈대회 입상자			
2	접수번호	학년	이름	점수	시상내역
3	P16-09-01	4	최꽃잎	74.00	
4	P16-09-02	5	진달래	85.00	
5	P16-09-03	4	이철종	93.00	금상
6	P16-09-04	6	정광봉	91.00	은상
7	P16-09-05	4	우상영	78.00	
8	P16-09-06	6	신홍기	96.00	대상
9	P16-09-07	4	이만우	88.00	동상
10	P16-09-08	5	이정혜	81.00	
11	P16-09-09	6	신호란	74.00	
12	P16-09-10	6	임미숙	84.00	
13					

=IFERROR(CHOOSE(RANK(J3,$J$3:$J$12,0), "대상","금상","은상","동상"),"")

3. 결과 표시

	A	B	C	D	E
16	[표3]	요가 출석현황			
17	수강자명	출석	결석	조퇴	결과
18	이미화	22	0	0	수료증발급
19	정경화	18	4	0	수료증발급
20	지상철	17	5	0	
21	유지홍	20	1	1	
22	김하늘	21	0	1	수료증발급
23	전영애	22	0	0	수료증발급
24	김기천	18	3	1	
25	정만호	14	5	3	
26	이보영	16	4	2	
27	최보름	18	4	0	수료증발급
28					

=IF(AND(B18>=18,OR(C18=0,D18=0)),"수료증발급","")

4. 동호회 수 구하기

	G	H	I	J	K	L
16	[표4]	등산 동호회 활동 내역				
17	산악회명	회원수	태백산	소백산	지리산	한라산
18	삼천리	321	★	★	★	★
19	구름	128	★			★
20	다함께	54	★			
21	개나리	126	★	★	★	★
22	천지	287		★		★
23	2030	206	★	★	★	★
24	블랙야크	89	★	★	★	
25	힐링	307	★	★	★	
26	청랑	133			★	★
27	뉴어울림	159	★	★	★	★
28	지리산과 한라산을 등반한 동호회 수					5
29						

=DCOUNTA(G17:L27,G17,K17:L18)

5. 대영고 이과 점수 평균 표시

	A	B	C	D	E
29	[표5]	수능 수학 점수			
30	분류	출신고	성별	성명	점수
31	이과	대영고	남	이믿음	113
32	이과	청담고	여	김수진	138
33	문과	대영고	남	정필승	130
34	이과	과학고	여	박미소	132
35	문과	서울고	남	임동철	115
36	이과	서울고	여	최홍경	109
37	문과	대영고	남	임경진	127
38	문과	청담고	남	김기만	132
39	대영고이면서 이과인 학생의 점수 평균				113.0
40					

=ROUND(AVERAGEIFS(E31:E38, A31:A38, A31,B31:B38,B31),1)

문제 3 분석작업

1. 부분합

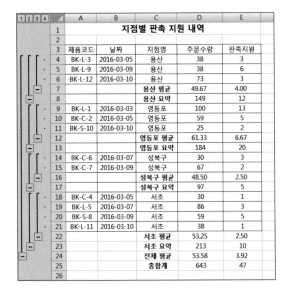

1 2 3 4		A	B	C	D	E
	1			지점별 판촉 지원 내역		
	2					
	3	제품코드	날짜	지점명	주문수량	판촉지원
	4	BK-L-3	2016-03-05	용산	38	3
	5	BK-L-9	2016-03-09	용산	38	6
	6	BK-L-12	2016-03-10	용산	73	3
	7			용산 평균	49.67	4.00
	8			용산 요약	149	12
	9	BK-L-1	2016-03-03	영등포	100	13
	10	BK-C-2	2016-03-05	영등포	59	5
	11	BK-S-10	2016-03-10	영등포	25	2
	12			영등포 평균	61.33	6.67
	13			영등포 요약	184	20
	14	BK-C-6	2016-03-07	성북구	30	3
	15	BK-C-7	2016-03-09	성북구	67	2
	16			성북구 평균	48.50	2.50
	17			성북구 요약	97	5
	18	BK-C-4	2016-03-05	서초	30	1
	19	BK-L-5	2016-03-07	서초	86	3
	20	BK-S-8	2016-03-09	서초	59	5
	21	BK-L-11	2016-03-10	서초	38	1
	22			서초 평균	53.25	2.50
	23			서초 요약	213	10
	24			전체 평균	53.58	3.92
	25			총합계	643	47
	26					

1) 데이터 정렬을 위해 [C3] 셀을 선택한 후 [데이터] 탭 → [정렬 및 필터] 그룹에서 [텍스트 내림차순 정렬] 명령을 클릭한다.
2) [A3:E15] 영역 중 임의의 셀을 선택한 후 [데이터] 탭 → [윤곽선] 그룹 → [부분합] 명령을 클릭한다.
3) [부분합] 대화상자에서 다음 그림과 같이 적용하고 [확인] 버튼을 누른다.

4) 다시 [부분합] 명령을 클릭하고 다음 그림과 같이 적용한다. 두 번째 부분합은 '새로운 값으로 대치' 에 체크를 해제한 후 [확인] 버튼을 누른다.

5) 소수 자리를 지정하기 위하여 Ctrl 을 누르고 [D7:E7], [D12:E12], [D16:E16], [D22:E22], [D24:E24] 영역을 드래그하여 블록 지정한 후 [셀 서식] → [표시 형식] 탭 → [숫자]에서 '소수 자릿 수'에 "2"를 입력한 후 [확인] 버튼을 누른다.

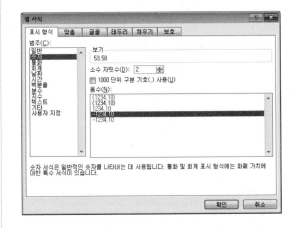

2. 데이터 통합

	F	G	H	I
10		4분기 실업자 현황		
11	연령	남	여	계
12	15 - 19세	15	16	31
13	20 - 29세	200	144	335
14	30 - 39세	109	65	172
15	40 - 49세	79	74	148
16	50 - 59세	78	44	122
17	60세이상	63	25	87
18				

1) 데이터 통합을 위해 [F11:I17] 영역을 드래그하여 블록을 지정한 후 [데이터] 탭 → [데이터 도구] 그 룹 → [통합] 명령을 클릭한다.
2) [통합] 대화상자에서 다음 그림과 같이 적용한 후 [확인] 버튼을 누른다.

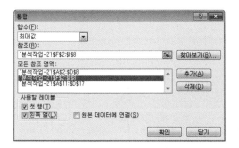

문제 4 기타작업

1. 매크로

① 합계 매크로

1) [삽입] 탭 → [일러스트레이션] 그룹 → [도형] 명령 → [기본도형]에서 '웃는 얼굴(☺)'을 클릭한다. `Alt` 를 누른 상태로 [J3:J4] 영역에 드래그하여 삽입한다.
2) 도형의 바로 가기 메뉴에서 [매크로 지정]을 선택한다. [매크로 지정] 대화상자에서 '매크로 이름' 입력란에 "합계"를 입력한 후 [기록] 버튼을 누른다. [매크로 기록] 대화상자에서 [확인] 버튼을 누른다.
3) [F4] 셀을 클릭하고 "=SUM(B4:G4)"을 입력한 후 채우기 핸들을 드래그하여 [F10] 셀까지 수식을 복사한다.
4) 표 밖의 임의의 셀을 클릭하고 [개발 도구] 탭 → [코드] 그룹 → [기록 중지] 명령을 클릭한다.

② 셀서식 매크로

1) [삽입] 탭 → [일러스트레이션] 그룹 → [도형] 명령 → [기본 도형]에서 '배지(◌)'를 클릭한다. `Alt` 를 누른 상태로 [J6:K7] 영역에 드래그하여 삽입한다.

2) 도형의 바로 가기 메뉴에서 [매크로 지정]을 선택한다. [매크로 지정] 대화상자에서 '매크로 이름' 입력란에 "셀서식"을 입력한 후 [기록] 버튼을 누른다. [매크로 기록] 대화상자에서 [확인] 버튼을 누른다.
3) [A3:H3], [A4:A9] 영역을 블록 지정한 후 [홈] 탭 → [글꼴] 그룹 → [채우기 색 (🖌▾)] 명령을 클릭해 '표준 색-파랑'을 적용한다.
4) 표 밖의 임의의 셀을 클릭한 후 [개발 도구] 탭 → [코드] 그룹 → [기록 중지] 명령을 클릭한다.
5) 도형의 바로 가기 메뉴에서 [텍스트 편집]을 선택한 후 "셀 서식"을 입력한다. 임의의 셀을 클릭해 선택을 해제한다.

2. 차트

① 데이터 범위 수정

1) 차트 영역을 선택한 후 [차트 도구] → [디자인] 탭 → [데이터] 그룹에서 [데이터 선택] 명령을 클릭한다.
2) [데이터 원본 선택] 대화상자의 '차트 데이터 범위' 항목의 내용을 지운 후 `Ctrl` 을 누르고 [B3:E4], [B6:E6], [B9:E9], [B11:E11] 영역을 드래그하여 입력한 후 [확인] 버튼을 누른다.

최신 기출문제 8회

국 가 기 술 자 격 검 정

프로그램명	제한시간	수험번호 :
EXCEL	40분	성 명 :

〈유 의 사 항〉

- 인적 사항 누락 및 잘못 작성으로 인한 불이익은 수험자 책임으로 합니다.
- 화면에 암호 입력창이 나타나면 아래의 암호를 입력해야 합니다.
  - ○ 암호 : 597%26
- 작성된 답안은 주어진 경로 및 파일명을 변경하지 마시고 그대로 저장해야 합니다. 이를 준수하지 않으면 실격처리 됩니다.
  - ○ 답안 파일명 예 : C:\OA\수험번호 8자리.xlsm (확장자 유의)
- 외부 데이터 위치 : C\OA\파일명
- 별도의 지시사항이 없는 경우, 다음과 같이 처리하면 실격 처리됩니다.
  - ○ 제시된 시트 및 개체의 순서나 이름을 임의로 변경한 경우
  - ○ 제시된 시트 및 개체를 임의로 추가 또는 삭제한 경우
- 답안은 반드시 문제에서 지시 또는 요구한 셀에 입력하여야 하며, 수험자가 임의로 셀의 위치를 변경하여 입력한 경우에는 채점 대상에서 제외됩니다.
  - ※ 아울러 지시하지 않은 셀의 이동, 수정, 삭제, 변경 등으로 인해 셀의 위치 및 내용이 변경된 경우에도 관련 문제 모두 채점 대상에서 제외됩니다.
- 별도의 지시사항이 없는 경우, 주어진 각 시트 및 개체의 설정값 또는 기본 설정값(Default)으로 처리하십시오.
- 저장 시간은 별도로 주어지지 아니하므로 제한된 시간 내에 저장을 완료해야 합니다.
- 본 문제의 용어는 Microsoft Office Excel 2010 기준으로 작성되어 있습니다.

대한상공회의소

문제 1 **기본작업(20점) 주어진 시트에서 다음 과정을 수행하고 저장하시오.**

1. '기본작업-1' 시트에서 다음의 자료를 주어진 대로 입력하시오.

	A	B	C	D	E	F	G	H
1	NP백화점 온라인 고객명단							
2								
3	회원구분	아이디	가입일	생일	관심품목	연락처	3달 구매 건수	
4	일반	adg3e2	2015-08-07	01월 08일	전자제품	010-3858-1111	2	
5	VIP	dg11eg	2012-09-11	07월 21일	옷, 화장품	010-3818-4032	38	
6	일반	cpcqa385	2013-03-25	05월 10일	생활용품	010-4748-7811	11	
7	일반	wiiogd1717	2014-11-08	08월 15일	생활용품	010-9731-9819	0	
8	VIP	ghkwkdwl134	2014-11-29	12월 08일	전자제품	010-1104-2815	45	
9	패밀리	rhdrlshf99	2015-01-25	02월 29일	스포츠용품	010-9842-3798	5	
10	패밀리	tkfkaemf00	2015-03-20	06월 28일	농산물	010-6038-6774	8	
11	일반	ekfhddl411	2016-02-21	04월 11일	농산물	010-5284-2858	19	
12	일반	ghejrwkd8	2016-06-30	10월 05일	옷, 화장품	010-3818-1119	5	
13								

2. '기본작업-2'시트에서 다음의 지시사항을 처리하시오.

① [A1:F1] 영역은 '병합하고 가운데 맞춤', 글꼴 '돋움체', 크기 '16', 글꼴 스타일 '굵은 기울임꼴'로 지정하시오.

② [A3:F3] 영역은 셀 스타일 '강조색1'과 '가로 가운데 맞춤'을, [C4:F18] 영역은 '쉼표 스타일(,)'로 지정하시오.

③ [B4:B18] 영역은 '사용자 지정 서식'을 이용하여 천 단위 구분 기호와 숫자 뒤에 "명"을 표시하시오.(표시 예 : 1234 →1,234명)

④ [A4] 셀에 "3대 성인병"이라는 메모를 삽입한 후 '자동 크기'로 지정하고, 항상 표시되도록 하시오.

⑤ [A3:F18] 영역은 '모든 테두리(田)'로 적용하여 표시하시오.

3. '기본작업-3' 시트에서 다음 지시사항을 처리하시오.

▪ '교원 1인당 학생수' 표에서 2014년과 2015년 교원 1인당 학생수가 16명 이상인 데이터를 고급 필터를 사용하여 검색하시오.

▪ 고급 필터 조건은 [A23:C25] 범위 내에 알맞게 입력하시오.

▪ 고급 필터 결과 복사 위치는 동일 시트의 [A28] 셀에서 시작하시오.

문제 2 계산작업(40점) '계산작업' 시트에서 다음 작업을 수행하고 저장하시오.

1. [표1]에서 C언어[B3:B10]가 90 이상이면서 평균[E3:E10]이 80 이상인 학생수를 구하여 [E11] 셀에 표시하시오. **8점**
   - 숫자 뒤에 "명"을 표시 (표시 예 : 1명)
   - AVERAGEIFS, COUNTIFS, SUMIFS 중 알맞은 함수와 & 연산자를 사용

2. [표2] 음반 판매 현황에서 판매량[I3:I11]의 세 번째 큰 값 이상이면 "인기곡"으로 표시하고, 나머지는 공백으로 결과[J3:J11]에 표시하시오. **8점**
   - IF와 LARGE함수를 사용

3. [표3]에서 제품코드[A16:A25]와 제품코드표[D15:E19]를 이용하여 제품종류[B16:B25]에 표시하시오. **8점**
   - 제품코드표의 의미 : 제품코드의 네 번째 자리가 C면 '사탕', S면 '스낵', P면 '파이', B면 '비스켓'임
   - VLOOKUP, MID 함수 사용

4. [표4]에서 도서 대여일[H16:H25]과 도서 반납일[I16:I25]를 이용하여 대여기간[J16:J25]을 계산하시오. **8점**
   - DAYS360, WORKDAY, TODAY, DATE 알맞는 함수 사용

5. [표5]에서 선수코드[B29:B34]가 5로 끝나는 선수의 득점 평균을 소수 둘째 자리까지 [H35] 셀에 표시하시오. **8점**
   - 와일드 카드 문자 : ? 사용
   - 조건 : [J32] 셀에 입력
   - 표시 예 : 84.88
   - DSUM, DAVERAGE, DCOUNT, ROUND, ROUNDUP, ROUNDDOWN 함수 알맞은 함수 사용

문제 3 분석작업(20점) 주어진 시트에서 다음 과정을 수행하고 저장하시오.

1. '분석작업-1' 시트에 대하여 다음의 지시사항을 처리하시오. 10점

   '특허 등록 현황' 개인의 내국인[D7:D8]이 다음과 같이 변동하는 경우 소계[C7:C8]의 변동 시나리오를 작성하시오.

   - 셀 이름 정의 : [D7]셀은 "내국인특허", [D8]셀은 "내국인실용신안", [C7] 셀은 "특허소계", [C8]셀은 "실용신안소계"로 정의 하시오.
   - 시나리오 1 : 시나리오 이름은 "개인특허등록증가", 내국인특허 15,000, 내국인실용신안은 2,500으로 설정하시오.
   - 시나리오 2 : 시나리오 이름은 "개인특허등록감소", 내국인특허 12,000, 내국인실용신안은 1,000으로 설정하시오.
   - 위 시나리오에 의한 '시나리오 요약' 보고서는 '분석작업-1'시트 앞에 위치시키시오.
   ※ 시나리오 요약보고서 작성시 정답과 일치하여야 하며, 오자로 인한 부분점수는 인정하지 않음

2. '분석작업-2' 시트에 대하여 다음의 지시사항을 처리하시오. 10점

   '신선마트 판매현황'표를 이용하여 제품명은 '보고서 필터', 판매일은 '행 레이블', 품종은 '열 레이블'로 처리하고, '값'에 판매수량과 판매액의 합계를 계산한 후 행/열의 총합계는 표시하지 않는 피벗 테이블을 작성하시오.

   - 피벗 테이블 보고서는 동일 시트의 [A20] 셀에서 시작하시오.
   - 보고서 레이아웃은 '테이블 형식으로 표시'로 지정하시오.
   - 값 영역의 표시 영역은 '값 필드 설정'의 '셀 서식' 대화상자에서 '숫자' 범주와 '1000 단위 구분 기호(,)사용'을 이용하여 지정하시오.

문제 4 기타작업(20점) 주어진 시트에서 다음 작업을 수행하고 저장하시오.

1. '매크로작업' 시트에서 다음과 같은 기능을 수행하는 매크로를 현재 통합 문서에 작성하고 실행하시오. 각 5점

   ① [H4:H10] 영역에 대하여 장타율을 계산하는 '장타율' 매크로를 생성하시오.

   - 장타율 계산방법 : (1루타×1+2루타×2+3루타×3+홈런×4)/타수

- [개발도구] → [삽입] → [양식 컨트롤]의 '단추(▬)'를 동일 시트의 [B12:B13] 영역에 생성한 후 텍스트를 "장타율"로 입력하고 단추를 클릭할 때 '장타율' 매크로가 실행되도록 설정하시오.

② [A3:H3] 영역에 채우기 색 '표준 색-노랑', 글꼴 색 '표준 색-파랑'을 적용하는 '서식' 매크로를 생성하시오.

- [삽입] → [도형] → [사각형]의 '직사각형(☐)'을 동일 시트의 [D12:E13] 영역에 생성한 후 텍스트를 "서식"으로 입력하고 단추를 클릭할 때 '서식' 매크로가 실행되도록 생성하시오.

※ 셀 포인터의 위치에 상관없이 현재 통합 문서에서 매크로가 실행되어야 정답으로 인정됨

2. '차트작업' 시트의 차트를 지시사항에 따라 아래 그림과 같이 수정하시오. 각 2점

※ 차트는 반드시 문제에서 제공한 차트를 사용하여야 하며, 신규로 작성 시 0점 처리됨

① 데이터 계열을 '3사분기'와 '4사분기'만 표시되도록 데이터 범위를 변경하시오.

② 차트 제목을 〈아래 차트〉와 같이 입력하고 글꼴은 '돋움', 글꼴 크기를 '16', 글꼴 스타일 '굵게', 채우기 색 '표준 색-파랑', '테두리-검정 텍스트1'로 설정하시오.

③ 'YES30' 요소에만 데이터 레이블 '값(바깥쪽 끝에)'를 표시하시오.

④ 세로(값)축의 최대값을 '50,000', 주 단위를 '10,000'으로 설정하시오.

⑤ 차트 영역의 테두리에 '그림자(오프셋대각선 오른쪽 아래)'와 둥근 모서리'를 지정하시오.

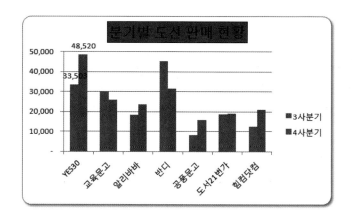

최신 기출문제 8회 정답 및 해설

문제 1 기본작업

2. 셀 서식

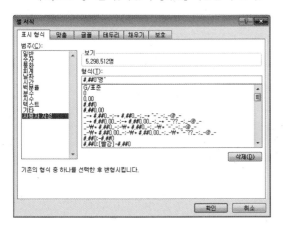

A	B	C	D	E	F
질병분류별 연령별 급여현황					
질병명	진료실인원(명)	내원일수 (일)	급여일수 (일)	진료비 (천원)	급여비 (천원)
본태성(원발성)고혈압	5,298,512명	42,911,687	1,343,577,466	2,544,631,901	1,811,701,328
치아및지지구조의기타장애	17,618,852명	53,448,482	91,055,946	2,190,613,307	1,470,225,997
신선전증	180,283명	7,731,768	50,053,164	1,487,378,300	1,306,801,407
기타빠볼증	6,572,750명	42,934,441	193,548,382	1,687,296,134	1,234,815,185
당뇨병	2,409,051명	20,399,286	543,323,752	1,677,111,593	1,157,085,858
급성기관지염및급성세기관지염	15,903,905명	58,652,799	249,156,720	1,489,285,684	1,101,455,359
치매	350,985명	17,293,891	65,045,931	1,279,755,163	934,925,804
관절증	3,435,854명	23,672,396	154,214,777	1,248,331,648	915,509,446
뇌경색증	434,018명	8,279,589	98,458,897	1,031,449,248	753,805,230
연령조직장애	7,343,172명	30,228,545	118,901,733	1,027,611,513	732,156,612
기타피부및피하조직의질환	12,132,564명	33,342,718	179,824,296	971,097,934	675,932,671
맹시된다발성신체부위의될구,염좌및긴장	7,722,807명	25,177,857	73,546,623	930,766,476	656,045,917
기타급성상기도감염	12,974,329명	36,659,059	158,322,438	854,691,982	623,327,879
기타허혈성심장질환	728,316명	3,525,115	157,724,268	791,373,341	609,544,275
요추및기타구간반장애	2,602,161명	18,234,635	70,136,198	847,391,249	605,583,191

③ 사용자 지정 서식

1) [B4:B18] 영역을 블록으로 지정한 후 바로 가기 메뉴에서 [셀 서식]을 선택한다.
2) [셀 서식] → [표시 형식] → [사용자 지정]의 '형식'에 #,##0"명" 을 입력한 후 [확인] 버튼을 누른다.

3. 고급 필터

	A	B	C	D
23	2014년	2015년		
24	>=16	>=16		
25				
26				
27				
28	시도별	2013년	2014년	2015년
29	부산광역시	17.12	16.58	16.20
30	광주광역시	17.62	16.99	16.42
31	대전광역시	17.54	17.00	16.64
32	경기도	17.64	16.94	16.67
33				

1) [A23] 셀에 "2014년", [B23] 셀에 "2015년"을 입력하고, [A24] 셀과 [B24] 셀에 각각 ">=16"을 입력한다.
2) [A3:D21] 영역 중 임의의 셀을 선택한 후 [데이터] 탭 → [정렬 및 필터] 그룹 → [고급] 명령을 클릭한다.
3) [고급 필터] 대화상자에서 다음 그림과 같이 적용한 후 [확인] 버튼을 누른다.

문제 2 계산작업

1. 학생수 표시

	A	B	C	D	E
1	[표1]	컴퓨터 공학과 중간고사 시험 점수			
2	학번	C언어	자바	네트워크	평균
3	153301	94	84	72	83
4	153302	91	80	84	85
5	153303	77	68	72	72
6	153304	86	92	90	89
7	153305	88	86	90	88
8	153306	89	91	95	92
9	153307	90	64	70	75
10	153308	70	77	87	78
11	C언어가 90점 이상이면서				2명
12	평균이 80점 이상인 학생수				
13					

=COUNTIFS(B3:B10,">=90",E3:E10,">=80")&"명"

2. 결과 표시

	G	H	I	J
1	[표2]	음반 판매 현황		
2	곡이름	가수	판매량	결과
3	Hush	라센린드	8211	인기곡
4	저별	헤이즈	6251	
5	내 눈에만	10센치	3852	
6	TT	트와이스	4879	
7	이바보야	정승환	7913	인기곡
8	데칼코마니	마마무	6520	
9	우주를 즐겨	불빛간사준기	2533	
10	꽃길	세정	7138	인기곡
11	11:11	태연	4513	
12				

=IF(I3>=LARGE($I$3:$I$11,3),"인기곡","")

3. 제품종류 표시

	A	B
14	[표3]	생산제품
15	제품코드	제품종류
16	DA-S-11	스낵
17	DA-S-18	스낵
18	DA-C-01	사탕
19	DA-S-20	스낵
20	DA-P-04	파이
21	DA-B-06	비스켓
22	DA-B-08	비스켓
23	DA-P-15	파이
24	DA-S-22	스낵
25	DA-C-14	사탕
26		

=VLOOKUP(MID(A16,4,1),$D$16:$E$19,2,FALSE)

4. 대여기간 표시

	G	H	I	J
14	[표4]	도서 대여 현황		2016-07-01
15	대여자	도서 대여일	도서 반납일	대여기간
16	홍수환	2016-06-03	2016-06-05	2
17	임꺽정	2016-06-04	2016-06-10	6
18	아수라	2016-06-11	2016-06-13	2
19	고지용	2016-06-14	2016-06-15	1
20	최무영	2016-06-18	2016-06-20	2
21	김복선	2016-06-19	2016-06-22	3
22	예지숙	2016-06-23	2016-06-27	4
23	김풍길	2016-06-23	2016-06-28	5
24	정세대	2016-06-26	2016-06-29	3
25	이문진	2016-06-28	2016-06-30	2
26				

=DAYS360(H16,I16)

5. 평균 계산

	A	B	C	D	E	F	G	H	I	J
27	[표5]	프로농구 기록								
28	팀명	선수코드	경기수	승률	승	패	득점	어시스트		
29	함께은행	A3855	13	1.000	13	0	78.5	18.2		
30	오성생명	C3599	13	0.462	6	7	64.6	13.4		
31	다섯은행	D5838	13	0.462	6	7	67.7	12.2		선수코드
32	KCA생명	A0315	13	0.385	5	8	60.2	11.9		????5
33	CB스타즈	D2773	12	0.333	4	8	58.9	13.7		
34	CH은행	B5125	12	0.333	4	8	61.3	12.1		
35		선수코드가 5로 끝나는 선수의 득점의 평균						66.67		

=ROUND(DAVERAGE(A28:H34,G28,J31:J32),2)

문제 3 분석작업

1. 시나리오

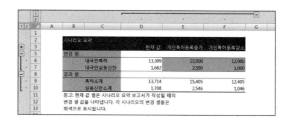

1) [D7] 셀을 선택하고 [이름 상자]에서 "내국인특허"을 입력한 후 **Enter** 를 누른다. 같은 방법으로 [D8] 셀은 "내국인실용신안", [C7] 셀은 "특허소계", [C8] 셀은 "실용신안소계"로 변경한다.

2) [시나리오 추가] 대화상자에서 '시나리오 이름'에 "개인특허등록증가"를 입력하고, '변경 셀'에 [D7:D8] 영역을 선택한 후 [확인] 버튼을 누른다.

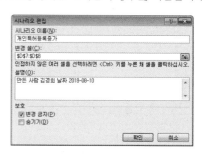

3) [시나리오 값] 대화상자에서 '내국인특허'에 "15000", '내국인실용신안'에 "2500"을 입력한 후 [추가] 버튼을 누른다.

4) 다시 표시 된 [시나리오 추가] 대화상자에서 '시나리오 이름'에 "개인특허등록감소"를 입력하고, '변경 셀'에 [D7:D8] 영역을 선택한 후 [확인] 버튼을 누른다.

5) [시나리오 값] 대화상자에서 '내국인특허'에 "12000", '내국인실용신안'에 "1000"을 입력한 후 [확인] 버튼을 누른다.

6) 다음 그림과 같이 시나리오가 생성된 것을 확인하고 [요약] 버튼을 누른다.

7) [시나리오 요약] 대화상자에서 결과 셀에 [C7:C8] 영역을 선택한 후 [확인] 버튼을 누른다.

2. 피벗 테이블

1) [A3:F15] 영역 중 임의의 셀을 선택한 후 [삽입] 탭 → [표] 그룹 → [피벗 테이블] 명령 → [피벗 테이블]을 클릭한다.

2) [피벗 테이블 만들기] 대화상자에서 피벗 테이블 보고서를 넣을 위치에 '기존 워크시트'를 선택하고 '위치' 입력란에 [A20] 셀을 입력(클릭)한 후 [확인] 버튼을 누른다.

3) [피벗 테이블 필드 목록] 창에서 다음 그림과 같이 각 필드를 드래그하여 위치시킨다.

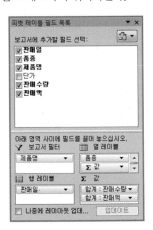

4) 값에 표시 형식을 지정하기 위해 [피벗 테이블 필드 목록] 창의 '합계:판매수량'을 클릭한 후 [값 필드 설정]을 선택한다.

5) [값 필드 설정] 대화상자에서 [표시 형식] 버튼을 누른 후 [셀 서식] → [숫자]에서 '1000 단위 구분 기호(,) 사용'에 체크한 후 [확인] 버튼을 누른다.

6) [피벗 테이블 필드 목록] 창의 '합계:판매액'을 클릭한 후 위와 같은 방법으로 적용한다.

7) [피벗 테이블 도구] → [디자인] 탭 → [레이아웃] 그룹 → [보고서 레이아웃] 명령 → [테이블 형식으로 표시]를 클릭한다.

문제 4   기타작업

1. 매크로

	A	B	C	D	E	F	G	H
1				선수별 장타율				
2								
3	선수	경기수	타수	1루타	2루타	3루타	홈런	장타율
4	구자영	108	428	147	19	13	14	0.654206
5	박민욱	121	435	149	16	6	3	0.485057
6	유한성	110	408	137	22	0	14	0.580882
7	황재찬	127	498	167	26	5	27	0.686747
8	박건호	132	484	162	36	4	20	0.673554
9	고종화	133	527	176	22	9	8	0.529412
10	김성환	134	492	160	32	3	37	0.77439
11								
12		장타율		서식				
13								

① 장타율 매크로

1) [개발 도구] 탭 → [컨트롤] 그룹 → [삽입] 명령 → [단추(양식 컨트롤)▬]을 클릭한 후 Alt 를 누른 상태로 [B12:B13] 영역에 드래그하여 삽입한다.

2) [매크로 지정] 대화상자에서 '매크로 이름' 입력란에 "장타율"을 입력하고 [기록] 버튼을 누른다. [매크로 기록] 대화상자에서 [확인] 버튼을 누른다.

3) [H4] 셀을 클릭한 후 "=(D4*1+E4*2+F4*3+G4*4)/C4"을 입력하고 Enter 를 누른다. 채우기 핸들하여 [H10] 셀까지 수식을 복사한다.

4) 표 밖의 임의의 셀을 클릭한 후 [개발 도구] 탭 → [코드] 그룹 → [기록 중지] 명령을 클릭한다.

5) 단추의 바로 가기 메뉴에서 [텍스트 편집]을 선택한 후 "장타율"을 입력한다. 임의의 셀을 클릭해 선택을 해제한다.

② 서식 매크로

1) [삽입] 탭 → [일러스트레이션] 그룹 → [도형] 명령 → [사각형]에서 '직사각형(☐)'을 클릭한다. `Alt`를 누른 상태로 [D12:E13] 영역에 드래그하여 삽입한다.

2) 도형의 바로 가기 메뉴에서 [매크로 지정]을 선택한다. [매크로 지정] 대화상자에서 '매크로 이름' 입력란에 "서식"을 입력한 후 [기록] 버튼을 누른다. [매크로 기록] 대화상자에서 [확인] 버튼을 누른다.

3) [A3:H3] 영역을 블록 지정한 후 [홈] 탭 → [글꼴] 그룹 → [채우기 색(�🖌)] 명령을 클릭해 '표준 색-노랑'을 적용하고, [글꼴 색] 명령을 클릭해 '표준 색-파랑'을 적용한다.

4) 표 밖의 임의의 셀을 클릭한 후 [개발 도구] 탭 → [코드] 그룹 → [기록 중지] 명령을 클릭한다.

5) 도형의 바로 가기 메뉴에서 [텍스트 편집]을 선택한 후 "서식"을 입력한다. 임의의 셀을 클릭해 선택을 해제한다.

2. 차트

① 데이터 범위 수정

1) 차트 영역의 '평균' 데이터 계열을 클릭한 후 바로 가기 메뉴에서 [삭제]를 선택한다.

③ 데이터 레이블 추가

1) 'YES30' 요소의 '3사분기' 계열을 두 번 클릭하여 바로 가기 메뉴에서 [데이터 레이블 추가]를 선택한다.

2) 'YES30' 요소의 '4사분기' 계열을 두 번 클릭하여 바로 가기 메뉴에서 [데이터 레이블 추가]를 선택한다.

최신 기출문제 9회

프로그램명	제한시간
EXCEL	40분

수험번호 :

성   명 :

2급	A형

〈유 의 사 항〉

- 인적 사항 누락 및 잘못 작성으로 인한 불이익은 수험자 책임으로 합니다.
- 화면에 암호 입력창이 나타나면 아래의 암호를 입력해야 합니다.
  - ○ 암호 : 05^011
- 작성된 답안은 주어진 경로 및 파일명을 변경하지 마시고 그대로 저장해야 합니다. 이를 준수하지 않으면 실격처리 됩니다.
  - ○ 답안 파일명 예 : C:\OA\수험번호 8자리.xlsm (확장자 유의)
- 외부 데이터 위치 : C\OA\파일명
- 별도의 지시사항이 없는 경우, 다음과 같이 처리하면 실격 처리됩니다.
  - ○ 제시된 시트 및 개체의 순서나 이름을 임의로 변경한 경우
  - ○ 제시된 시트 및 개체를 임의로 추가 또는 삭제한 경우
- 답안은 반드시 문제에서 지시 또는 요구한 셀에 입력하여야 하며, 수험자가 임의로 셀의 위치를 변경하여 입력한 경우에는 채점 대상에서 제외됩니다.

  ※ 아울러 지시하지 않은 셀의 이동, 수정, 삭제, 변경 등으로 인해 셀의 위치 및 내용 이 변경된 경우에도 관련 문제 모두 채점 대상에서 제외됩니다.
- 별도의 지시사항이 없는 경우, 주어진 각 시트 및 개체의 설정값 또는 기본 설정값 (Default)으로 처리하십시오.
- 저장 시간은 별도로 주어지지 아니하므로 제한된 시간 내에 저장을 완료해야 합니다.
- 본 문제의 용어는 Microsoft Office Excel 2010 기준으로 작성되어 있습니다.

대한상공회의소

문제 1 기본작업(20점) 주어진 시트에서 다음 과정을 수행하고 저장하시오.

1. '기본작업-1' 시트에서 다음의 자료를 주어진 대로 입력하시오.

	A	B	C	D	E
1	전국 합창대회 참가 신청서				
2					
3	접수순서	학교명	지역	참가팀명	인원
4	1	한동초등학교	서울	하모니	23
5	2	죽암초등학교	서울	팅커벨	21
6	3	암서초등학교	부산	앙상블	27
7	4	유화초등학교	부산	새소리	20
8	5	마패초등학교	광주	천상을 흔드는 꽃 돼지	22
9	6	공암초등학교	대전	옥구슬과 꾀꼬리	35
10	7	용림초등학교	울산	아리아	28
11	8	도암초등학교	경기도	작은 음악회	39
12	9	서화초등학교	인천	종달새	24
13	10	강서초등학교	강원	마음을 울리는 선율	25

2. '기본작업-2'시트에서 다음의 지시사항을 처리하시오.

   ① [A1:I1] 영역은 '병합하고 가운데 맞춤', 글꼴 '궁서체', 크기 '20', 글꼴 스타일 '굵게', 밑줄 '이중 밑줄'로 지정하시오.

   ② 제목 [A1] 셀의 '업종별 프랜차이즈 현황'의 앞뒤에 "■" 도형을 삽입하시오.

   ③ [A3:I3] 영역의 글꼴 색은 '표준 색-노랑', 채우기 색은 '표준 색-연한 파랑', '가로 가운데 맞춤'을 지정하시오

   ④ [D4:I20] 영역에는 사용자 지정 서식을 이용하여 천 단위 구분 기호와 숫자 뒤에 "원"을 표시하시오. (표시 예 : 1000 → 1,000원)

   ⑤ [A3:I20] 영역은 '모든 테두리(田)'와 '굵은 상자 테두리(回)'를 적용하여 표시하시오.

3. '기본작업-3' 시트에서 다음 지시사항을 처리하시오. (5점)

   다음 텍스트 파일의 데이터를 '기본작업-3' 시트의 [A3] 셀에 붙여 넣은 후 텍스트 나누기를 실행하시오.

   - 외부 데이터 파일명은 '중간고사.txt'임.
   - 외부 데이터는 쉼표(,)로 구분되어 있음
   - 열 너비는 조정하지 않음

문제 2 계산작업(40점) '계산작업' 시트에서 다음 과정을 수행하고 저장하시오.

1. [표1]의 수강 요일[C3:C9]에서 '월요일'과 '수요일'에 수강 등록한 구민체육센터의 총 접수인원[D3:D9]을 [E10] 셀에 구하시오. 8점

   ▪ 숫자 뒤에 "명"을 표시 (표시 예 : 1명)

   ▪ SUMIF, AVERAGEIFS, COUNTIFS, SUMIFS 중 알맞은 함수와 & 연산자 사용

2. [표2]에서 응모번호[I3:I9]와 당첨번호[G11:J12]를 이용하여 결과를 [J3:J9] 영역에 표시 하시오. 8점

   ▪ 단, 당첨번호에 없는 응모번호에는 공백으로 표시

   ▪ HLOOKUP, VLOOKUP, CHOOSE, IFERROR 중 알맞은 함수를 사용

3. [표3]에서 현재 날짜와 입사일[C16:C24]을 이용하여 근속년수가 10년 이상이면 "금1돈" 을, 그 외에는 공백을 포상여부[E16:E24]에 표시하시오. 8점

   ▪ IF, YEAR, TODAY 함수 이용

4. [표4]에서 한국사, ITQ, 워드, GTQ를 취득하면 "★"도형으로 표시하였다. "★"의 개수가 1 개이면 "취득요망", 2개이면 "보통", 3개이면 "우수", 4개이면 "완벽"을 성취도[L16:L24] 에 표시하시오. 8점

   ▪ CHOOSE, COUNTIF 함수 사용

5. [표5]에서 주유소명[B28:B36] 중 'S-애'의 이용건수를 [D37] 셀에 구하시오. 8점

   ▪ 조건은 [E35:E36] 영역에 입력

   ▪ DSUM, DCOUNT, DAVERAGE 중 알맞은 함수 사용

문제 3 **분석작업(20점)** 주어진 시트에서 다음 과정을 수행하고 저장하시오.

1. '분석작업-1' 시트에 대하여 나음의 시시사항을 처리하시오. 10점

   '11월 둘 째주 시청률 순위' 표에서 종류별로 '시청률'의 평균과 최대값을 계산하는 부분합을 작성하시오.

   - '종류'에 대하여 정렬기준은 오름차순으로 하시오.
   - 부분합의 작성 순서는 평균을 구한 다음 최대값을 구하시오.

2. '분석작업-2' 시트에 대하여 다음의 지시사항을 처리하시오. 10점

   '뷰티 미용실 매출 현황' 표에서 총 매출액[D11]이 5,000,000이 되려면 손님수[C8]가 얼마가 되어야 하는지 목표값 찾기 기능을 이용하여 계산하시오.

문제 4 **기타작업(20점)** 주어진 시트에서 다음 작업을 수행하고 저장하시오.

1. '매크로작업' 시트에서 다음과 같은 기능을 수행하는 매크로를 현재 통합 문서에 작성하고 실행하시오. 각 5점

   ① [B11:D11] 영역에 총계를 계산하는 '총계' 매크로를 생성하시오.

   - [개발도구] → [삽입] → [단추(▅)]를 동일 시트의 [F3:G4] 영역에 생성한 후 텍스트를 "총계"로 입력하고 단추를 클릭할 때 '총계' 매크로가 실행되도록 설정하시오.

   ② [B4:D11] 영역에 '셀 서식'의 사용자 서식을 이용하여 숫자에 "명"을 표시하도록 하는 '서식' 매크로를 작성하시오. (표시 예 : 5명)

   - [삽입] → [도형] → [사각형]에서 '직사각형(▭)'을 동일 시트의 [F6:G7] 영역에 생성한 후 텍스트를 "서식"으로 입력하고 '서식' 매크로가 실행되도록 설정하시오.

   ※ 셀 포인터의 위치에 상관없이 현재 통합 문서에서 매크로가 실행되어야 정답으로 인정됨

2. '차트작업' 시트의 차트를 지시사항에 따라 아래 그림과 같이 수정하시오. 각 2점

※ 차트는 반드시 문제에서 제공한 차트를 사용하여야 하며, 신규로 작성 시 0점 처리됨

① '2급' 계열의 차트 종류를 '표식이 있는 꺾은선형'으로 변경하고, '보조 축'으로 지정하시오..

② 차트 제목을 〈아래 차트〉와 같이 입력하고 글꼴은 '궁서체', 글꼴 크기 '20', 글꼴 스타일 '굵게'로 지정하시오.

③ 기본 세로(값) 축의 주 단위는 '300', 보조 세로(값) 축의 최대값은 '2,000', 주 단위는 '500'으로 지정하시오. .

④ 범례는 '위쪽'에 배치하고, 도형 스타일을 '색 윤곽선-강조1'로 지정하시오.

⑤ 차트 영역의 테두리에 '그림자(오프셋 오른쪽)'와 테두리 스타일은 너비 '3pt'와 '둥근 모서리'로 지정하시오.

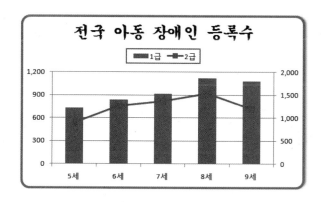

최신 기출문제 9회 정답 및 해설

문제 1 기본작업

2. 셀 서식

	A	C	D	E	F	G	H	I
1			■업종별 프랜차이즈 현황■					
3	산업별	종사자수	매출액	영업비용	면적당매출	종사자1인당매출	기타지출액	점포당잉여금
4	계	576,555	42,994,212원	39,051,970원	5,265,529원	2,588,161원	31,198,280원	4,224,038원
5	편의점	98,863	11,323,639원	10,735,120원	931,858원	311,394원	9,491,868원	593,130원
6	문구점	4,785	625,067원	568,443원	41,139원	32,112원	495,192원	32,287원
7	의약용	11,031	3,076,841원	2,783,517원	203,158원	86,654원	2,493,705원	144,531원
8	안경	6,266	614,292원	523,684원	96,936원	60,233원	366,515원	82,727원
9	한식	87,040	5,589,761원	5,042,227원	946,214원	452,275원	3,643,738원	806,704원
10	일식·서양식	14,679	850,660원	782,895원	193,438원	69,500원	519,957원	154,421원
11	제빵·제과	40,329	3,393,339원	3,182,010원	336,343원	192,496원	2,653,171원	292,497원
12	피자·햄버거	43,174	2,105,612원	1,903,967원	396,090원	136,040원	1,371,837원	312,413원
13	치킨	57,131	2,776,748원	2,338,262원	224,831원	193,432원	1,919,999원	194,142원
14	분식·김밥	24,552	978,857원	812,072원	162,283원	100,550원	549,239원	152,137원
15	주점	29,584	1,545,506원	1,307,103원	191,769원	166,895원	948,439원	171,956원
16	커피전문점	54,616	2,021,608원	1,811,248원	446,109원	301,234원	1,063,905원	396,616원
17	자동차수리	19,522	1,970,485원	1,743,858원	352,189원	58,243원	1,333,426원	308,030원
18	두발미용	13,630	633,182원	558,556원	156,412원	72,455원	329,689원	118,717원
19	가정용세탁	6,882	272,898원	208,730원	38,143원	26,964원	143,623원	30,723원
20	기타 프랜차이즈	64,471	5,215,717원	4,750,278원	548,617원	327,684원	3,873,977원	433,007원

④ 사용자 지정 서식

1) [셀 서식] → [표시 형식] → [사용자 지정]의 '형식'
   에 #,##0"원"을 입력한 후 [확인] 버튼을 누른다.

3. 외부 데이터 가져오기

1) [데이터] 탭 → [외부 데이터 가져오기] 그룹 → [텍스트] 명령을 클릭한 후 [OA] 폴더에서 '중간고사.txt' 파일을 불러온다.

	A	B	C	D	E	F
1	중간고사 시험 결과					
3	이름	국어	영어	수학	과학	평균
4	이수정	85	91	89	100	91.25
5	김화영	91	87	98	76	88
6	이정화	81	88	88	91	87
7	박수진	93	94	76	82	86.25
8	최무기	100	74	80	79	83.25
9	오수영	84	79	79	83	81.25
10	김서빈	79	81	98	79	84.25

문제 2 계산작업

1. 월/수 접수인원 구하기

	A	B	C	D	E
1	[표1]	구민체육센터 등록현황			
2	수강과목	강사명	수강 요일	접수인원	수강료(1달)
3	요가	최보름	화/목	80	80,000
4	수영	이영선	월/수/금	174	100,000
5	헬스	김강호	월/수/금	210	80,000
6	배드민턴	박서영	월/수	30	60,000
7	골프	김철승	화/목	37	350,000
8	필라테스	박송이	화/목	40	80,000
9	에어로빅	정하영	월/수/금	80	80,000
10	강의 요일이 월요일과 수요일에 있는				494명
11	수강과목의 총 접수인원				

=SUMIF(C3:C9,"*월/수*",D3:D9)&"명"

2. 결과 표시

	G	H	I	J
1	[표2]	경품 추천		
2	고객명	성별	응모번호	결과
3	문서라	여	N-2	
4	정세화	남	N-3	
5	지수연	여	N-4	라면
6	김애라	남	N-5	전기장판
7	김기쁨	여	N-6	
8	한서린	여	N-7	
9	최동희	남	N-8	세탁기

=IFERROR(HLOOKUP(I3,$H$11:$J$12,2,FALSE),"")

3. 포상여부 표시

	A	B	C	D	E
14	[표3]	P전자 영업1부 사원현황			
15	입사코드	사원명	입사일	직급	포상여부
16	P-S-022	함초이	2014-02-25	사원	
17	P-S-023	이진희	2010-03-13	대리	
18	P-S-024	임숙희	2002-09-01	차장	금1돈
19	P-S-025	강원진	2008-12-01	대리	
20	P-S-026	최달복	2010-07-01	대리	
21	P-S-027	박수현	2010-03-03	대리	
22	P-S-028	전재현	2004-09-01	부장	금1돈
23	P-S-029	김동수	2016-09-01	사원	
24	P-S-030	마동준	2016-09-01	사원	
25					

=IF(YEAR(TODAY())−YEAR(C16)>=10,"금1
돈","")

4. 성취도 표시

	G	H	I	J	K	L
14	[표4]	졸업 인증 자격증				
15	참가자명	한국사	ITQ	워드	GTQ	성취도
16	강인희	★	★	★		우수
17	유튼튼	★	★			보통
18	하명호		★	★	★	우수
19	임지애		★	★	★	우수
20	최수지	★	★	★	★	완벽
21	고동필	★		★	★	우수
22	황정택	★			★	보통
23	김고지	★	★	★	★	완벽
24	정부영	★	★		★	우수
25						

=CHOOSE(COUNTIF(H16:K16,"★"),"취득요
망","보통","우수","완벽")

5. S-에 이용건수 구하기

	A	B	C	D	E
26	[표5]	주유내역			
27	월/일	주유소명	주유단가	주유량	
28	2016-10-03	현대	1,395	30	
29	2016-10-11	현대	1,395	35	
30	2016-10-16	SK	1,405	23	
31	2016-10-20	S-Oil	1,415	40	
32	2016-10-23	S-Oil	1,415	35	
33	2016-10-28	현대	1,405	30	
34	2016-11-06	SK	1,439	40	
35	2016-11-14	SK	1,439	35	주유소명
36	2016-11-20	S-Oil	1,415	30	S-Oil
37		S-Oil 이용건수		3	
38					

=DCOUNT(A27:D36,D27,E35:E36)

문제 3   분석작업

1. 부분합

1 2 3 4		A	B	C	D	E
	1		11월 둘 째주 시청률 순위			
	2					
	3	순위	프로그램 명	종류	채널	시청률
	4	1	양복점 신사들	드라마	42	33.9%
	5	4	불어오는 서풍	드라마	8	14.5%
	6	5	부모님은 제가 모실게요	드라마	8	13.7%
	7			드라마 최대값		33.9%
	8			드라마 평균		20.7%
	9	7	KBC뉴스10	시사/교양	9	11.9%
	10	8	KBC뉴스 6	시사/교양	9	10.9%
	11	11	도전실버벨	시사/교양	9	9.3%
	12	12	SBC 8 뉴스	시사/교양	13	8.7%
	13			시사/교양 최대값		11.9%
	14			시사/교양 평균		10.2%
	15	2	K오케스트라	예능	13	18.2%
	16	3	나이스데이	예능	42	16.3%
	17	6	전국노래연습	예능	9	11.3%
	18	9	웃음콘서트	예능	42	10.8%
	19	10	TV 동물가족	예능	13	10.3%
	20			예능 최대값		18.2%
	21			예능 평균		13.4%
	22			전체 최대값		33.9%
	23			전체 평균		14.2%
	24					

1) 데이터 정렬을 위해 [C3] 셀을 선택한 후 [데이터]
   탭 → [정렬 및 필터] 그룹 → [텍스트 오름차순 정
   렬] 명령을 클릭한다.
2) [A3:E15] 영역 중 임의의 셀을 선택한 후 [데이터]
   탭 → [윤곽선] 그룹 → [부분합] 명령을 클릭한다.
3) [부분합] 대화상자에서 다음 그림과 같이 적용하고
   [확인] 버튼을 누른다.

4) 다시 [부분합] 명령을 클릭하고 다음 그림과 같이 적용한다. 두 번째 부분합은 '새로운 값으로 대치'에 체크를 해제한 후 [확인] 버튼을 누른다.

2. 목표값 찾기

	A	B	C	D
1	뷰티 미용실 매출 현황			
2				
3	품목	가격	손님수	매출액
4	커트	10,000	30	300,000
5	일반 펌	25,000	20	500,000
6	디지털 펌	40,000	15	600,000
7	매직 펌	35,000	20	700,000
8	베이비펌	50,000	18.9	945,000
9	쉐도우펌	80,000	10	800,000
10	볼륨펌	55,000	21	1,155,000
11	총 매출액			5,000,000
12				

1) 수식이 입력되어 있는 [F12] 셀을 선택한 후 [데이터] 탭 → [데이터 도구] 그룹 → [가상분석] 명령 → [목표값 찾기]를 클릭한다.

2) [목표값 찾기] 대화상자에서 다음 그림과 같이 입력한 후 [확인] 버튼을 누른다.

3) [목표값 찾기 상태] 대화상자에서 [확인] 버튼을 누른다.

문제 4 기타작업

1. 매크로

	A	B	C	D	E	F	G
1	여행 목적						
2							
3	여행의 기능	국내여행	숙박여행	당일여행		총계	
4	여가/위락/휴가	46.8명	46.8명	46.8명			
5	건강/치료	0.2명	0.1명	0.3명			
6	종교/순례	1명	0.7명	1.2명		서식	
7	가족, 친지, 친구방문	44.7명	47.9명	42.2명			
8	교육	2.2명	2.4명	2명			
9	쇼핑	2.1명	0.1명	3.7명			
10	사업	2.8명	1.8명	3.5명			
11	총계	99.8명	99.8명	99.7명			
12							

① 총계 매크로

1) [개발 도구] 탭 → [컨트롤] 그룹 → [삽입] 명령 → [단추(양식 컨트롤)■]을 선택한 후 Alt 를 누르고 [F3: G4] 영역에 드래그하여 삽입한다.

2) [매크로 지정] 대화상자에서 '매크로 이름' 입력란에 "총계"를 입력하고 [기록] 버튼을 누른다. [매크로 기록] 대화상자에서 [확인] 버튼을 누른다.

3) [B11] 셀을 클릭한 후 "=SUM(B4:B10)"을 입력하고 Enter 를 누른다. 채우기 핸들을 드래그하여 [D11] 셀까지 수식을 복사한다.

4) 표 밖의 임의의 셀을 클릭한 후 [개발 도구] 탭 → [코드] 그룹 → [기록 중지] 명령을 클릭한다.

5) 단추의 바로 가기 메뉴에서 [텍스트 편집]을 선택한 후 "총계"를 입력한다. 임의의 셀을 클릭해 선택을 해제한다.

② 서식 매크로

1) [삽입] 탭 → [일러스트레이션] 그룹 → [도형] 명령 → [사각형]에서 '직사각형(□)'을 클릭한다. Alt 를 누르고 [F6:G7] 영역에 드래그하여 삽입한다.

2) 도형의 바로 가기 메뉴에서 [매크로 지정]을 선택한다. [매크로 지정] 대화상자에서 '매크로 이름' 입력란에 "서식"을 입력한 후 [기록] 버튼을 누른다. [매크로 기록] 대화상자에서 [확인] 버튼을 누른다.

3) [B4:D11] 영역을 블록 지정한 후 [셀 서식] → [표시 형식] 탭 → [사용자 지정]에서 '형식'에 G/표준"명" 을 입력한 후 [확인] 버튼을 누른다.

4) 표 밖의 임의의 셀을 클릭한 후 [개발 도구] 탭 → [코드] 그룹 → [기록 중지] 명령을 클릭한다.

5) 도형의 바로 가기 메뉴에서 [텍스트 편집]을 선택한 후 "서식"을 입력한다. 임의의 셀을 클릭해 선택을 해제한다.

2. 차트

⑤ 테두리 설정

1) 차트 영역을 클릭한 후 바로 가기 메뉴에서 [차트 영역 서식]을 선택한다.

2) [차트 영역 서식] → [테두리 스타일]에서 '너비' 항목에 "3pt"를 입력한 후 맨 아래 '둥근 모서리' 항목에 체크한다.

3) 바로 [그림자] 메뉴로 넘어가 '미리 설정' 항목 옆의 [그림자] 버튼을 눌러 '오프셋 오른쪽'을 클릭한 후 [닫기] 버튼을 누른다.

최신 기출문제 10회

국 가 기 술 자 격 검 정

프로그램명	제한시간	수험번호 :
EXCEL	40분	성 명 :

〈유 의 사 항〉

- 인적 사항 누락 및 잘못 작성으로 인한 불이익은 수험자 책임으로 합니다.
- 화면에 암호 입력창이 나타나면 아래의 암호를 입력해야 합니다.
  - ㅇ 암호 : 6579^5
- 작성된 답안은 주어진 경로 및 파일명을 변경하지 마시고 그대로 저장해야 합니다. 이를 준수하지 않으면 실격처리 됩니다.
  - ㅇ 답안 파일명 예 : C:₩OA₩수험번호 8자리.xlsm (확장자 유의)
- 외부 데이터 위치 : C₩OA₩파일명
- 별도의 지시사항이 없는 경우, 다음과 같이 처리하면 실격 처리됩니다.
  - ㅇ 제시된 시트 및 개체의 순서나 이름을 임의로 변경한 경우
  - ㅇ 제시된 시트 및 개체를 임의로 추가 또는 삭제한 경우
- 답안은 반드시 문제에서 지시 또는 요구한 셀에 입력하여야 하며, 수험자가 임의로 셀의 위치를 변경하여 입력한 경우에는 채점 대상에서 제외됩니다.
  - ※ 아울러 지시하지 않은 셀의 이동, 수정, 삭제, 변경 등으로 인해 셀의 위치 및 내용이 변경된 경우에도 관련 문제 모두 채점 대상에서 제외됩니다.
- 저장 시간은 별도로 주어지지 아니하므로 제한된 시간 내에 저장을 완료해야 합니다.
- 본 문제의 용어는 Microsoft Office Excel 2010 기준으로 작성되어 있습니다.

문제 1 기본작업(20점) 주어진 시트에서 다음 과정을 수행하고 저장하시오.

1. '기본작업-1' 시트에서 다음의 자료를 주어진 대로 입력하시오.

	A	B	C	D	E	F	G
1	한샘 상사의 주문 내역						
2							
3	제품코드	주문번호	주문날짜	제품명(규격)	단가	주문량	금액
4	QM5014	0111	2013-10-27	수세미(녹색)	2500	120	300000
5	QM1354	0112	2013-10-27	수세미(스펀지)	3000	150	450000
6	QM4321	0113	2013-10-27	열방석(USB)	19800	90	1782000
7	QM3414	0114	2013-10-28	일반방석	15000	75	1125000
8	QM1357	0115	2013-10-28	목베개(일반)	9500	60	570000
9	QM3094	0116	2013-10-29	목베개(공기주입식)	7800	78	608400
10	QM6624	0117	2013-10-31	아로마 향초(라일락블러섬)	28500	180	5130000
11	QM5849	0118	2013-10-31	아로마 향초(자스민)	19550	185	3616750
12	QM4790	0119	2013-11-04	아로마 향초(라벤더바닐라)	19550	178	3479900
13	QM2287	0120	2013-11-05	다이어리(110x160mm)	14000	350	4900000
14	QM2447	0121	2013-11-05	다이어리(127x180mm)	18000	200	3600000

2. '기본작업-2' 시트에서 다음의 지시사항을 처리하시오.

① [A1:G1] 영역은 '병합하고 가운데 맞춤', 글꼴 '굴림체', 글꼴 크기 '14', 글꼴 스타일 '굵게', 밑줄 '이중 실선'으로 지정하시오.

② 데이터 영역의 첫 행과 [A4:D21] 영역은 '가로 가운데 맞춤'을 지정하시오.

③ [G3] 셀의 '기본급'을 한자 "基本給"으로 바꾸고, [G4:G21] 영역을 기본급으로 이름 정의하시오.

④ [F4:F21] 영역은 사용자 지정 표시 형식을 이용하여 성별 뒤에 "성"이 추가되도록 지정하시오. (표시 예 : 여 → 여성)

⑤ [A3:G21] 영역에 '모든 테두리(田)'와 '굵은 상자 테두리(▣)'를 적용하여 표시하시오.

3. '기본작업-3' 시트에서 다음 지시사항을 처리하시오.

'성공 제조회사의 생산물품' 표에서 제조년월[C4:C16]의 연도가 2010 이전이고, 판매수량이 20,000 이상인 행 전체에 대해 글꼴 색 '표준 색-빨강', 배경색 '노랑'으로 지정하는 조건부 서식을 작성하시오.

▪ 단, 규칙 유형은 '수식을 사용하여 서식을 지정할 셀 결정'을 사용하고, 한 개의 규칙으로만 작성하시오.

문제 2 계산작업(40점) '계산작업' 시트에서 다음 과정을 수행하고 저장하시오.

1. [표1]에서 제품[B3:B15]이 '원피스'이고, 평균[G3:G15]이 60,000 이상인 제품의 2분기 [D3:D15]의 합계를 [F17] 셀에 구하시오. **8점**
   - SUMIFS 함수를 사용

2. [표2]에서 중간고사[K3:K9]나 기말고사[L3:L9]가 40점 이상이면서 가산점[M3:M9]이 8이면 비고[O3:O9]에 "장학금"을, 그 외에는 공백으로 표시하시오. **8점**
   - IF, AND, OR 함수 사용

3. [표3]에서 생년월일[C21:C28]을 이용하여 태어난 요일[D21:D28]을 구하시오. **8점**
   - 표시 예 : 목
   - CHOOSE, WEEKDAY, 함수 사용

4. [표4]에서 품목[K14:K23]과 판매가[I28:J32] 표를 이용하여 총 매출[M14:M23]을 계산하시오. 단, 품목이 판매가 표에 존재하지 않는 경우 "매출 없음"을 표시하시오. **8점**
   - 총 매출 = 판매량×판매가
   - IFERROR, VLOOKUP 함수 사용

5. [표5]에서 평가점수[C37:F41]와 가중치[A31:E32]를 곱하여 점수[G37:G41]를 구하시오. **8점**
   - 점수는 반올림하여 정수로 표현하시오.
   - SUMPRODUCT, ROUND 함수 사용

문제 3 분석작업(20점) 주어진 시트에서 다음 과정을 수행하고 저장하시오.

1. '분석작업-1' 시트에 대하여 나음의 지시사항을 처리하시오. 10섬

   'Y-Bin 바이크샵 거래 현황 목록' 표에서 거래처별 '판매가'와 '매출액'의 합계와 평균을 계산하는 부분합을 작성하시오.

   - 정렬의 기준은 '거래처'를 기준으로 내림차순으로 정렬하시오.
   - 평균과 합계 필드는 각각 하나의 행에 표시하시오.
   - 부분합의 작성 순서는 합계를 구한 다음 평균을 구하시오.

2. '분석작업-2' 시트에 대하여 다음의 지시사항을 처리하시오. 10점

   '부서 구입내역' 표에서 스피커의 2분기 금액[D5]이 변경 될 경우, 합계[G9]의 변동 시나리오를 작성하시오.

   - 시나리오1 : 시나리오 이름은 "금액미달", 금액을 155,000로 설정하시오.
   - 시나리오2 : 시나리오 이름은 "금액초과", 금액을 278,000으로 설정하시오.
   - 위 시나리오에 의한 '시나리오 요약' 보고서는 '분석작업-2' 시트 바로 앞에 위치시키시오.

   ※ 시나리오 요약 보고서 작성 시 정답과 일치하여야 하며, 오자로 인한 부분점수는 인정하지 않음

문제 4 기타작업(20점) 주어진 시트에서 다음 작업을 수행하고 저장하시오.

1. '매크로작업' 시트의 '누리 체험단 평가 지표' 표에서 다음과 같은 기능을 수행하는 매크로를 현재 통합 문서에 작성하고 실행하시오. 각 5점

   ① [B3:G3] 영역에 대하여 글꼴 스타일 '굵게', 글꼴 색 '표준 색-진한 파랑'을, [B3:G13] 영역에 '모든 테두리(⊞)'를 적용하는 '서식' 매크로를 생성하시오.

   - [삽입] → [도형] → [사각형]의 '직사각형(▭)'을 동일 시트의 [I2:J3] 영역에 생성한 후 텍스트를 "서식"으로 입력하고 직사각형을 클릭할 때 '서식' 매크로가 실행되도록 생성하시오.

② [G4:G13] 영역에 평균을 계산하는 '평균' 매크로를 생성하시오.

- 평균 : 합계를 이용하여 평균을 구하시오.
- [삽입] → [도형] → [사각형]에서 '직사각형(☐)'을 동일 시트의 [I5:J6] 영역에 생성한 후 텍스트를 "평균"으로 입력하고 직사각형을 클릭할 때 '평균' 매크로가 실행되도록 생성하시오.

※ 셀 포인터의 위치에 상관없이 현재 통합 문서에서 매크로가 실행되어야 정답으로 인정됨

2. '차트작업' 시트의 차트를 지시사항에 따라 아래 그림과 같이 수정하시오. 각 2점

※ 차트는 반드시 문제에서 제공한 차트를 사용하여야 하며, 신규로 작성 시 0점 처리됨

① '창의성' 계열이 차트에 포함되도록 데이터 범위를 수정하고 차트를 '누적 세로 막대형'으로 변경하시오.

② 차트 제목을 〈아래 차트〉와 같이 입력한 후 글꼴 크기 '14', 제목의 테두리를 '실선'으로 변경하시오.

③ 세로(값) 축 제목을 가로 제목으로 〈아래 차트〉와 같이 입력하고, 눈금의 주 단위를 '60'으로 변경하시오.

④ 범례는 차트 '위쪽'에 표시하고, '리더십' 계열에 데이터 레이블의 '값'을 〈아래 차트〉와 같이 표시하시오.

⑤ 차트 영역의 테두리 스타일을 '둥근 모서리', 그림자를 '안쪽 가운데'로 지정하시오.

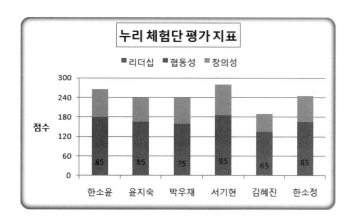

최신 기출문제 10회 정답 및 해설

문제 1 기본작업

2. 셀 서식

	A	B	C	D	E	F	G
1			나리 산업 사원별 기본급 현황				
2							
3	사번	이름	부서	직위	나이	성별	基本給
4	HI007	최한결	경영	과장	35	남성	3300000
5	HI011	고은희	인사	과장	37	여성	3600000
6	HI023	채성한	경영	사원	29	남성	1800000
7	HI026	한유안	인사	대리	32	여성	2600000
8	HI085	홍사라	경영	사원	30	여성	1900000
9	HI084	진하루	기획	과장	39	남성	3500000
10	HI094	노선재	영업	과장	41	남성	3500000
11	HI047	한민욱	영업	대리	32	남성	2500000
12	HI049	김다별	홍보	과장	39	여성	3600000
13	HI003	윤현지	인사	사원	30	여성	1900000
14	HI042	장택기	홍보	대리	33	남성	2400000
15	HI066	강수석	영업	대리	32	남성	2400000
16	HI057	김경민	경영	대리	33	남성	2400000
17	HI075	박홍차	경영	사원	29	여성	1900000
18	HI077	배만수	기획	대리	33	남성	2600000
19	HI036	송혁진	기획	사원	29	여성	1900000
20	HI048	박강태	경영	사원	31	남성	1800000
21	HI099	유현진	홍보	사원	29	남성	1800000

④ 사용자 지정 서식

1) [F4:F21] 영역을 드래그하여 블록으로 지정한 후
   바로 가기 메뉴에서 [셀 서식]을 선택한다. (바로
   가기 키 : Ctrl + 1)

2) [셀 서식] → [표시 형식] 탭 → [사용자 지정]의 '형
   식'에 @"성" 을 입력한 후 [확인] 버튼을 누른다.

3. 조건부 서식

1) [A4:F16] 영역을 드래그하여 블록 지정한 후 [홈]
   탭 → [스타일] 그룹 → [조건부 서식] 명령에서 [새
   규칙]을 클릭한다.

2) [새 서식 규칙] 대화상자에서 다음 그림과 같이 '규
   칙 유형 선택', '규칙 설명 편집'을 적용하고 [서식]
   버튼을 눌러 문제에 제시된 서식을 적용한 후 [확
   인] 버튼을 누른다.

문제 2 계산작업

1. SUMIFS 함수

	A	B	C	D	E	F
17	제품이 원피스이고, 분기의 평균이 60,000이상인 2사분기의 합계					130,670
18						

=SUMIFS(D3:D15,B3:B15,"원피스" , G3:G15,
">=60000")

2. 비고 표시

	I	J	K	L	M	N	O
1	[표2]	재학생 성적계산표					
2	재학생명	학번	중간고사	기말고사	가산점	합계	비고
3	문혜인	20162614	42	45	8	95	장학금
4	이재진	20131893	39	48	5	98	
5	김미리	20140919	43	42	3	88	
6	고재훈	20131021	39	41	5	85	
7	최예빈	20161203	40	39	8	85	장학금
8	박우영	20150350	37	35	5	77	
9	한지회	20140204	42	41	5	88	
10							

=IF(AND(OR(K3〉=40,L3〉=40),M3=8),"장학금","")

3. 태어난 요일 표시

	A	B	C	D	E
19	[표3] 회원관리 현황				
20	성명	성별	생년월일	태어난 요일	나이
21	이민성	남	1978-06-21	수	38
22	박보영	여	1993-01-01	금	23
23	김혜란	여	1984-03-25	일	32
24	이상현	남	1995-09-08	금	21
25	김을진	남	1989-07-08	토	27
26	민영신	남	1993-12-30	목	23
27	박민지	여	1986-08-04	월	30
28	김윤	남	1984-05-29	화	32
29					

=CHOOSE(WEEKDAY(C21,1),"일","월","화","수","목","금","토")

4. 총 매출 표시

	I	J	K	L	M
12	[표4]				
13	거래처	담당자	품목	판매량	총 매출
14	인지도	정권상	픽시	34	33,320,000
15	인지도	최태호	픽시	20	19,600,000
16	크센	박열찬	MTB	17	11,050,000
17	크센	황지연	로드	35	31,150,000
18	삼천리	김경희	로드	25	22,250,000
19	삼천리	은지민	산악용	30	매출 없음
20	삼천리	오해강	아동용	43	27,950,000
21	아렌	김혜란	아동용	37	24,050,000
22	아렌	문혜인	MTB	25	16,250,000
23	아렌	하지민	픽시	16	15,680,000
24					

=IFERROR(L14×VLOOKUP(K14,$I$29:$J$32,2,0),"매출 없음")

5. 점수 구하기

	A	B	C	D	E	F	G
35	[표5] 계절학기 성적						
36	학교	이름	평가1	평가2	평가3	평가4	점수
37	대전대학교	이상미	91	70	99	91	86
38	경희대학교	전희철	88	91	78	83	86
39	성균관대학교	현주엽	78	76	69	78	76
40	충남대학교	고수원	96	90	71	75	87
41	한밭대학교	문경은	88	81	88	86	86
42							

=ROUND(SUMPRODUCT(C37:F37,$B$32:$E$32),0)

문제 3　분석작업

1. 부분합

1 2 3 4	A	B	C	D	E	F	G	H
1			Y-Bin 바이크샵 거래 현황 목록					
2								
3	제품번호	거래처	담당자	품목	판매가	판매량	배송비	매출액
4	M-103012	지온트라	박열찬	MTB	200,000	17	20,000	3,060,000
5	M-105032	지온트라	김경희	로드	850,000	25	35,000	20,375,000
6	M-105033	지온트라	은지민	아동용	300,000	30	20,000	8,400,000
7		지온트라 평균			450,000			10,611,667
8		지온트라 요약			1,350,000			31,835,000
9	M-102035	에이키안	황지연	로드	550,000	35	30,000	18,200,000
10	M-104045	에이키안	오해강	아동용	180,000	43	15,000	7,095,000
11	M-103023	에이키안	하지민	픽시	350,000	16	20,000	5,280,000
12		에이키안 평균			360,000			10,191,667
13		에이키안 요약			1,080,000			30,575,000
14	M-105010	CnDL	정권상	픽시	150,000	34	15,000	4,590,000
15	M-102015	CnDL	최태호	픽시	300,000	20	20,000	5,600,000
16	M-103050	CnDL	김혜란	아동용	160,000	37	15,000	5,365,000
17	M-102011	CnDL	문혜인	MTB	130,000	25	15,000	2,875,000
18		CnDL 평균			185,000			4,607,500
19		CnDL 요약			740,000			18,430,000
20		전체 평균			317,000			8,084,000
21		총합계			3,170,000			80,840,000
22								

1) 데이터 정렬을 위해 [B3] 셀을 클릭한 후 [데이터]
   탭 → [정렬 및 필터] 그룹 → [텍스트 내림차순 정
   렬(힣↓)]을 클릭한다.
2) [A3:H13] 영역 중 임의의 셀을 선택한 후 [데이터]
   탭 → [윤곽선] 그룹 → [부분합] 명령을 클릭한다.
3) [부분합] 대화상자에서 다음 그림과 같이 적용하고
   [확인] 버튼을 누른다.

4) 다시 [부분합] 명령을 클릭하고 다음 그림과 같이
   적용한다. 두 번째 부분합은 '새로운 값으로 대치'
   에 체크를 해제한 후 [확인] 버튼을 누른다.

2. 시나리오

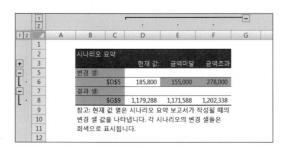

1) [시나리오 추가] 대화상자에서 시나리오 이름에 "금액미달"을 입력하고, 변경 셀에 [D5] 셀을 선택한 후 [확인] 버튼을 누른다.

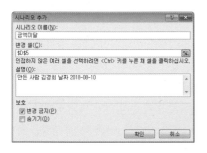

2) [시나리오 값] 대화상자에서 값 입력란에 "155000"를 입력한 후 [추가] 버튼을 누른다.

3) 다시 표시 된 [시나리오 추가] 대화상자에서 시나리오 이름에 "금액초과"를 입력하고, 변경 셀에 [D5] 셀을 선택한 후 [확인] 버튼을 누른다.

4) [시나리오 값] 대화상자에서 값 입력란에 "278000"를 입력한 후 [확인] 버튼을 누른다.

5) 다음 그림과 같이 시나리오가 생성된 것을 확인하고 [요약] 버튼을 누른다.

6) [시나리오 요약] 대화상자에서 결과 셀에 [G9] 셀을 클릭하여 선택한 후 [확인] 버튼을 누른다.

문제 4   기타작업

1. 매크로

A	B	C	D	E	F	G	H	I	J
1		누리 체험단 평가 지표							
2								서식	
3	이름	리더십	협동성	창의성	합계	평균			
4	한소윤	85	95	85	265	88.33333			
5	윤지숙	85	80	75	240	80		평균	
6	박우재	75	85	80	240	80			
7	서기현	95	90	95	280	93.33333			
8	김혜진	65	70	55	190	63.33333			
9	한소정	85	80	80	245	81.66667			
10	장유나	65	75	70	210	70			
11	강주희	80	80	85	245	81.66667			
12	남건우	85	85	80	250	83.33333			
13	우경순	70	75	70	215	71.66667			
14									

① 서식 매크로

1) [삽입] 탭 → [일러스트레이션] 그룹 → [도형] 명령 → [사각형]에서 '직사각형(▢)' 도형을 선택한다. **Alt** 를 누르고 [I2:J3] 영역에 드래그하여 삽입한다.

2) 도형의 바로 가기 메뉴에서 [매크로 지정]을 선택한다. [매크로 지정] 대화상자에서 '매크로 이름' 입력란에 "서식"을 입력한 후 [기록] 버튼을 누른다. [매크로 기록] 대화상자에서 [확인] 버튼을 누른다.

3) [B3:G3] 영역을 블록 지정한 후 [홈] 탭 → [글꼴] 그룹 → [굵게(가)] 명령을 클릭한 후 [글꼴 색 (가 ▾)] 명령을 클릭해 '표준 색–진한 파랑'을 적용한다.

4) [B3:G13] 영역을 드래그하여 선택한 다음 [홈] 탭 → [글꼴] 그룹 → [테두리] 명령을 클릭해 '모든 테두리'를 적용한다.

5) 표 밖의 임의의 셀을 클릭한 후 [개발 도구] 탭 → [코드] 그룹 → [기록 중지] 명령을 클릭한다.

6) 직사각형의 바로 가기 메뉴에서 [텍스트 편집]을 선택한 후 "서식"을 입력한다. 임의의 셀을 클릭해 선택을 해제한다.

② 평균 매크로

1) [삽입] 탭 → [일러스트레이션] 그룹 → [도형] 명령 → [사각형]에서 '직사각형(▢)' 도형을 선택한다. Alt 를 누르고 [I5:J6] 영역에 드래그하여 삽입한다.

2) 도형의 바로 가기 메뉴에서 [매크로 지정]을 선택한다. [매크로 지정] 대화상자에서 '매크로 이름' 입력란에 "평균"을 입력한 후 [기록] 버튼을 누른다. [매크로 기록] 대화상자에서 [확인] 버튼을 누른다.

3) [G4] 셀을 클릭하고 "=F3/3"을 입력한 후 채우기 핸들하여 [G13] 셀까지 수식을 복사한다.

4) 표 밖의 임의의 셀을 클릭하고 [개발 도구] 탭 → [코드] 그룹 → [기록 중지] 명령을 클릭한다.

5) 도형의 바로 가기 메뉴에서 [텍스트 편집]을 선택한 후 "평균"을 입력한다. 임의의 셀을 클릭하여 선택을 해제한다.

2. 차트

② 차트 종류 변경

1) '창의성' 계열을 차트에 추가하기 위해 '누리 체험단 평가 지표' 표에서 [E3:E9] 영역을 드래그하여 선택한 후 복사한다. 차트를 선택한 후 붙여넣기를 수행한다.

2) 차트를 선택하고, 차트 종류를 '누적 세로 막대형'으로 변경하기 위해 바로 가기 메뉴에서 [차트 종류 변경]을 선택한다.

3) [차트 종류 변경] 대화상자에서 [세로 막대형] 범주에서 '누적 세로 막대형'을 선택하고 [확인] 버튼을 누른다.

APPENDIX

함수사전

1. 날짜/시간 함수

YEAR, MONTH, DAY, DATE, HOUR, MINUTE, SECOND, TIME, TODAY, WEEKDAY, DAYS360, EOMONTH, EDATE, WORKDAY

2. 수학/삼각 함수

SUM, ROUND, ROUNDUP, ROUNDDOWN, SUMIF, ABS, MOD, INT, TRUNC, PRODUCT, SUMPRODUCT, SUMIFS

3. 문자열 함수

LEFT, RIGTH, MID, LOWER, UPPER, PROPER, REPLACE, LEN, TEXT, FIND, SEARCH, REPT

4. 통계 함수

MAX, MIN, LARGE, SMALL, MEDIAN, MODE, RANK, VAR, STDEV, COUNT, COUNTA, COUNTBLANK, COUNTIF, COUNTIFS, FREQUENCY, AVERAGE, AVERAGEA, AVERAGEIF, AVERAGEIFS

5. 데이터베이스 함수

DSUM, DAVERAGE, DMAX, DMIN, DCOUNT, DCOUNTA, DGET

6. 찾기와 참조 함수

LOOKUP, VLOOKUP, HLOOKUP, CHOOSE, INDEX, MATCH

7. 논리 함수

AND, OR, IF, IFERROR

※ 실습 자료 : 부록_함수사전.xlsx 파일을 이용하세요.

1 날짜/시간 함수

① YEAR

형식	=YEAR(serial_number)
설명	날짜 데이터의 연도를 구한다.
사용 예	=YEAR(2018-07-01)　결과 : 2018

문제 거래개시일을 이용하여 거래기간을 [E4:E10] 영역에 표시하시오.

※ 부록_함수사전.xlsx파일의 [예제1] 시트 이용

	A	B	C	D
1				
2	작성일	2018-01-08		
3	거래처명	거래개시일	작업시작일	거래기간
4	다과상사	2015-05-01	2018-05-03	
5	은혜상회	2010-04-25	2018-05-15	
6	영광상사	2014-07-30	2018-06-12	
7	싱싱상회	2018-01-01	2018-06-20	
8	다복상회	2011-01-18	2018-06-25	
9	정마트	2008-01-07	2018-07-08	
10	원마트	2010-10-21	2018-07-10	

- 거래개시일 = 작성일 년도 − 거래개시일의 년도
- YEAR 함수와 & 연산자 사용 (예: 3년)

=YEAR($B$2)-YEAR(B4)&"년"

※ 채우기 핸들을 이용하여 [E4:E10] 영역까지 수식을 복사

② MONTH

형식	=MONTH(serial_number)
설명	날짜 데이터의 월을 구한다.
사용 예	=MONTH(2018-07-01)　결과 : 07

문제 작업시작일을 이용하여 작업 월을 [B2:B8] 영역에 표시하시오.

※ 부록_함수사전.xlsx파일의 [예제2] 시트 이용

	A	B
1	작업시작일	작업 월
2	2018-05-03	
3	2018-05-15	
4	2018-06-12	
5	2018-06-20	
6	2018-06-25	
7	2018-07-08	
8	2018-07-10	

- MONTH 함수와 & 연산자 사용 (예 4월)

=MONTH(A2)&"월"

※ 채우기 핸들을 이용하여 [B2:B8] 영역까지 수식을 복사

③ DAY

형식	=DAY(serial_number)
설명	날짜 데이터의 일을 구한다.
사용 예	=DAY(2018-07-01) 결과 : 1

문제 **작성일과 작업 소요일을 이용하여 작업 예정 완료일을 [D3:D9] 영역에 표시하시오.**

※ 부록_함수사전.xlsx파일의 [예제3] 시트 이용

	A	B	C	D
1			작성일	2018-06-04
2	거래처명	거래개시일	작업 소요일	작업 예정 완료일
3	다과상사	2015-05-01	5일	
4	은혜상회	2010-04-25	2일	
5	영광상사	2014-07-30	4일	
6	싱싱상회	2018-01-01	7일	
7	다복상회	2011-01-18	7일	
8	정마트	2008-01-07	6일	
9	원마트	2010-10-21	5일	

- 작업 예정 완료일 : 작성일 + 작업 소요일 이용
- DAY 함수와 & 연산자 사용

=DAY($D$1)+C3 & "월"

※ 채우기 핸들을 이용하여 [D3:D9] 영역까지 수식을 복사

④ DATE

형식	=DATE(year, month, day)
설명	입력한 년, 월, 일 데이터를 이용하여 날짜를 구한다.
사용 예	=DATE(2018, 06, 21) 결과 : 2018-06-21

문제 **생년월일을 [F3:F10] 영역에 표시하시오.**

※ 부록_함수사전.xlsx파일의 [예제4] 시트 이용

	A	B	C	D	E	F
1	[표2]					
2	주민등록번호		성명	과목	성별	생년월일
3	021010-4231519		나소인	영어	여자	
4	030621-3469851		함하영	국어	남자	
5	020725-4348521		오정철	영어	여자	
6	031231-3247825		이지함	수학	남자	
7	040409-3254874		하나영	수학	남자	
8	021122-3352487		류인태	국어	남자	
9	030815-4354798		김예윤	영어	여자	
10	020917-4514783		유지온	국어	여자	

- DATE, MID 함수와 & 연산자 사용
- 날짜 형식은 YYYY-MM-DD

=DATE(20&MID(A3,1,2),MID(A3,3,2),MID(A3,5,2))

- MID 함수를 이용하여 주민등록번호의 년, 월, 일을 추출하여 연도 부분은 & 연산자를 이용하여 네 자리를 만든다.

※ 채우기 핸들을 이용하여 [F3:F10] 영역까지 수식을 복사

⑤ HOUR

형식	=HOUR(serial_number)
설명	시간 데이터의 시(0~23시)를 구한다.
사용 예	=HOUR(13:30:21)　　결과 : 13

⑥ MINUTE

형식	=MINUTE(serial_number)
설명	시간 데이터의 분(00~59분)을 구한다.
사용 예	=MINUTE(13:30:21)　　결과 : 30

⑦ SECOND

형식	=SECOND(serial_number)
설명	시간 데이터의 초(00~59초)를 구한다.
사용 예	=SECOND(13:30:21)　　결과 : 21

문제 ▶ 현재시간을 이용하여 [A4:C4] 영역에 표시하시오.

※ 부록_함수사전.xlsx파일의 [예제5] 시트 이용

	A	B	C
1			
2	현재시간	18:50:45	
3	시간	분	초
4			

• HOUR, MINUTE, SECOND 함수 이용

[A4]셀 = HOUR(B2)
[B4]셀 = MINUTE(B2)
[C4]셀 = SECOND(B2)

⑧ TIME

형식	=TIME(hour, minute, second)
설명	입력한 시, 분, 초 데이터를 이용하여 시간을 구한다.
사용 예	=TIME(13, 30, 21) 결과 : 13:30:21

> **문제** 공연 시작시간의 시, 분, 초를 이용하여 [E7:E8] 영역에 표시하시오.

※ 부록_함수사전.xlsx파일의 [예제5] 시트 이용

	A	B	C	D	E
5					
6	공연 시작시간	시	분	초	시간
7	오전 공연시간	10	30	0	
8	오후 공연시간	14	50	30	

• TIME 함수 이용

=TIME(B7,C7,D7)

※ 채우기 핸들을 이용하여 [E7:E8] 영역까지 수식을 복사

⑨ TODAY

형식	=TODAY()
설명	현재 날짜를 날짜 서식으로 표시한다.
사용 예	=TODAY() 결과 : 2018-08-30

⑩ WEEKDAY

형식	=WEEKDAY(serial_number, [return_type])
설명	일정 날짜의 요일을 1~7로 표시한다. : return_type : 1 일요일 1, 월요일 2, 화요일 3, 수요일 4, 목요일 5, 금요일 6, 토요일 7 : return_type : 2 월요일 1, 화요일 2, 수요일 3, 목요일 4, 금요일 5, 토요일 6, 일요일 7
사용 예	=WEEKDAY(2018-07-30, 1) 결과 : 2

문제 납품일[G3:G9]을 이용하여 납품요일을 [H3:H9] 영역에 표시하시오.

※ 부록_함수사전.xlsx파일의 [예제6] 시트 이용

	A	B
1	납품일	납품요일
2	2018-05-10	
3	2018-05-20	
4	2018-06-22	
5	2018-06-30	
6	2018-07-04	
7	2018-07-28	
8	2018-07-20	

- CHOOSE, WEEKDAY 함수 사용
- return_type : 1번 사용

=CHOOSE(WEEKDAY(G3,1),"일","월","화","수","목","금","토")

※ CHOOSE함수는 =CHOOSE(index_num, value1, value2…..) 형식으로 작성
※ 채우기 핸들을 이용하여 [H3:H9] 영역까지 수식을 복사

⑪ DAYS360

형식	=DAYS360(start_date, end_date, [method])
설명	1년을 360일로 하여 두 날짜 간의 날짜 수를 구한다.
사용 예	=DAYS360("2018-06-21", "2018-07-30") 결과 : 39

문제 납품예정일과 납품일의 날짜 차이를 [D2:D8] 영역에 표시하시오.

※ 부록_함수사전.xlsx파일의 [예제7] 시트 이용

	A	B	C	D
1	납품예정일	납품일	납품요일	날짜 차이
2	2018-05-10	2018-05-10	목	
3	2018-05-17	2018-05-20	일	
4	2018-06-18	2018-06-22	금	
5	2018-06-29	2018-06-30	토	
6	2018-07-04	2018-07-04	수	
7	2018-07-16	2018-07-28	토	
8	2018-07-17	2018-07-20	금	

- 날짜 차이 = 납품예정일 −납품일
- DAYS360 함수 사용

=DAYS360(A2,B2)

※ 채우기 핸들을 이용하여 [D2:D8] 영역까지 수식을 복사

⑫ EOMONTH

형식	=EOMONTH(start_date, months)
설명	지정한 달의 이전이나 이후 달의 마지막 날짜를 구한다.
사용 예	=EOMONTH("2018-01-01",5)　결과 : 2018-06-30

⑬ EDATE

형식	=EDATE(start_date, months)
설명	지정한 달의 이전이나 이후의 개월 수를 나타낸다.
사용 예	=EDATE("2018-01-01",5)　결과 : 2018-06-01

⑭ WORKDAY

형식	=WORKDAY (start_date, days, [holidays])
설명	특정일의 이전이나 이후의 날짜 수에서 주말이나 휴일을 뺀 날짜 수, 즉 평일의 수를 구한다.
사용 예	=WORKDAY("2108-07-25",5)　결과 : 2018-08-01(28, 29일이 토/일)

문제 **작업시작일과 작업 소요일을 이용하여 납품예정일[D2:D8]에 표시하시오.**

※ 부록_함수사전.xlsx파일의 [예제8] 시트 이용

	A	B	C	D
1	작업시작일	작업 소요일	거래기간	납품예정일
2	2018-05-03	5일	3년	
3	2018-05-15	2일	8년	
4	2018-06-12	4일	4년	
5	2018-06-20	7일	0년	
6	2018-06-25	7일	7년	
7	2018-07-08	6일	10년	
8	2018-07-10	5일	8년	

• WORKDAY 함수 사용

=WORKDAY(A2,B2)

※ 채우기 핸들을 이용하여 [D2:D8] 영역까지 수식을 복사

2 수학/삼각 함수

① SUM

형식	=SUM(number1, [number2]…)
설명	인수들의 합을 구한다.
사용 예	=SUM(50, 60)　결과 : 110

문제 판매 합계를 [D8] 셀에 표시하시오.

※ 부록_함수사전.xlsx파일의 [예제9] 시트 이용

▲	A	B	C	D
1	사무용품 판매 내역			
2	품목	수량	단가	금액
3	공책	30	800	24,000
4	연필	100	250	25,000
5	볼펜	30	1,000	30,000
6	칼	21	650	13,650
7	지우개	40	600	24,000
8	판매 합계			
9	판매 평균			

• SUM 함수 사용

=SUM(D3:D7)

※ =SUM(D3:D7)에서 콜론(:)은 '~까지'라는 의미로 [D3] 셀부터 [D7] 셀까지 모두 더하라는 뜻이다.

② ROUND, ROUNDUP, ROUNDDOWN

형식	=ROUND(number, num_digits) =ROUNDUP(number, num_digits) =ROUNDDOWN(number, num_digits)
설명	지정된 자리에서 반올림한다. 지정된 자리에서 올림한다. 지정된 자리에서 내림한다. 숫자　　4 2 8 9 . 8 5 2 5 Num_digit　−4 −3 −2 −1 0 1　2 3 4
사용 예	=ROUND(4285.85,1) 결과 : 4285.9　=ROUND(4285.85, −2) 결과 : 4300 =ROUNDUP(4285.85,1) 결과 : 4285.9　=ROUNDUP(4235.85,−2)결과 : 4300 =ROUNDDOWN(4285.85,1) 결과 : 4285.8 =ROUNDDOWN(4285,−2) 결과 : 4200

문제 ▶ 판매 평균을 구하여 [D9] 셀에 표시하시오.

※ 부록_함수사전.xlsx파일의 [예제9] 시트 이용

▲	A	B	C	D
1	사무용품 판매 내역			
2	품목	수량	단가	금액
3	공책	30	800	24,000
4	연필	100	250	25,000
5	볼펜	30	1,000	30,000
6	칼	21	650	13,650
7	지우개	40	600	24,000
8	판매 합계			
9	판매 평균			

- AVERAGE, ROUNDUP 함수 사용
- 평균은 백의 자리에서 올림하여 천의 자리까지 표시(예 85,000)

=ROUNDUP(AVERAGE(D3:D7),−3)

※ 먼저 평균(AVERAGE(D3:D7))을 구한 후 ROUNDUP 함수를 이용하여 천의 자리까지 표시

문제 ▶ '2학년' 점수합계의 평균을 구하여 [C15] 셀에 표시하시오.

※ 부록_함수사전.xlsx파일의 [예제10] 시트 이용

▲	A	B	C	D	E
1	성명	학년	논리	수리	점수합계
2	장현주	1	89	100	189
3	구성민	2	88	95	183
4	신보라	2	50	50	100
5	장현아	3	97	96	193
6	조재현	1	87	94	181
7	박상일	4	74	65	139
8	정영란	2	88	90	178
9	김가연	4	72	92	164
10	박재성	3	99	100	199
11	박종보	3	87	62	149
12	최성빈	2	80	90	170
13					
14		학년	점수합계 평균		
15		2			

- DAVERAGE, ROUNDDOWN 함수 사용
- 일의 자리에서 내림하여 십의 자리까지 표시 (예 220)

=ROUNDDOWN(DAVERAGE(A1:E12,E1,B14 :B15),−1)

※ 데이터베이스 함수인 DAVERAGE(데이터 전체범위, 필드, 조건)로 2학년들만 선택하여 점수합계의 평균을 구한 후 십의 자리까지 결과를 표시

③ SUMIF

형식	=SUMIF(range, criteria, [sum_range])
설명	주어진 조건들에 의해 지정된 셀들의 합을 구한다. =SUMIF(범위, 조건, 계산할 범위)
사용 예	=SUMIF(B3:B8,"철학과", F3:F8)

문제 ▶ 제품명이 '니트'로 시작하는 제품의 판매금액의 합계를 [D12] 셀에 표시하시오.

※ 부록_함수사전.xlsx파일의 [예제11] 시트 이용

	A	B	C	D
1	[표1]	우리 쁘띠끄 판매현황		
2	제품명	판매량	단가(단위 : 백원)	판매금액(단위 : 백원)
3	니트 원피스	352	2,100	739,200
4	니트 가디건	540	1,800	972,000
5	머플러	342	500	171,000
6	베스트	198	1,800	356,400
7	실크 원피스	392	2,100	823,200
8	실크 블라우스	650	1,500	975,000
9	니트 조끼	232	2,000	464,000
10	실크 머플러	470	1,700	799,000
11	니트 티	780	1,400	1,092,000
12		판매금액		

- SUMIF 함수와 & 연산자 사용

=SUMIF(A3:A11,"니트*",D3:D11)&"백원"

④ ABS

형식	=ABS(number)
설명	절대값을 구한다.
사용 예	=ABS(-489)　결과 : 489

문제 ▶ 2017년과 2018년 판매금액을 이용하여 [E3:E8] 영역에 표시하시오.

※ 부록_함수사전.xlsx파일의 [예제12] 시트 이용

	A	B	C	D	E
1	판매현황 분석				
2	제품코드	2017년	2018년	분석	증감액
3	N-208	41,285,000	51,356,208	▲	
4	N-1008	33,264,520	45,203,321	▲	
5	N-2010	85,100,681	70,361,770	▼	
6	S-331	43,278,120	38,325,792	▼	
7	S-03	20,399,510	32,920,624	▲	
8	P-6617	54,211,550	50,235,240	▼	

- 증감액=2018년 -2017년
- ABS 함수 사용

=ABS(C3-B3)

※ 채우기 핸들을 이용하여 [E3:E8] 영역까지 수식 복사

⑤ MOD

형식	=MOD(number, divisor)
설명	나눗셈의 나머지를 구한다.
사용 예	=MOD(1250, 6)　결과 : 2

문제 **차량번호를 이용하여 [B2:B8] 영역에 표시하시오.**

※ 부록_함수사전.xlsx파일의 [예제13] 시트 이용

	A	B
1	차량번호	차량2부제 운행
2	4582	
3	7841	
4	6258	
5	2365	
6	2744	
7	3986	
8	5236	

- 차량번호가 홀수이면 '월, 수, 금' 운행하고, 짝수이면 '화, 목, 금' 운행으로 표시
- IF, MOD 함수 사용

=IF(MOD(A2,2)=1,"월,수,금", "화, 목, 금")

※ =IF(논리식, 참, 거짓)문의 논리식 부분에 MOD 함수의 나머지를 이용하여 홀수, 짝수를 판별하여 참일때와 거짓일때의 값을 넣어준다.

⑥ INT

형식	=INT(number)
설명	소수점아래를 버리고 가장 가까운 정수로 내림한다.
사용 예	=INT(489.3) 결과 : 489 =INT(-489.3) 결과 : 490

문제 **'대전'지역의 반품수량의 평균을 [H24] 셀에 표시하시오.**

※ 부록_함수사전.xlsx파일의 [예제14] 시트 이용

	A	B	C
1	[표4]	지역별 생산량과 반품량	
2	지역	생산량	반품량
3	대전	10	0
4	서울	8	1
5	부산	11	3
6	대전	9	2
7	부산	9	0
8	서울	10	2
9	대전	12	0
10			
11	대전 지역 평균 생산량		

- INT, SUMIF, COUNTIF 함수 사용

=INT(SUMIF(A3:A9,"대전",B3:B9)/COUNTIF(A3:A9,"대전"))

※ 대전 지역의 반품 수량의 합계를 구한 후 대전 지역의 개수로 나누어 평균을 구한 후 INT 함수에 의해 소수점을 버린다.

⑦ TRUNC

형식	=TRUNC(number, num_digits)
설명	지정한 자릿수만을 소수점 아래에 남기고 나머지 자리를 버린다.
사용 예	=TRUNC(3681.25,1) 결과 : 3681.2

문제 성별이 '남자'이면서 동아리가 '홀릭'인 활동지수의 평균을 [E35] 셀에 표시하시오.

※ 부록_함수사전.xlsx파일의 [예제15] 시트 이용

	A	B	C	D	E
1	[표3]				
2	학번	이름	동아리	성별	활동지수
3	20141001	김진아	엘리제	여	700
4	20111125	이미연	스앗	여	500
5	20153948	박민훈	엘리제	남	600
6	20152840	정권상	홀릭	남	700
7	20141753	이미수	홀릭	여	800
8	20142385	김민준	홀릭	남	300
9	20139375	장혜진	홀릭	남	600
10	20128923	이수지	스앗	여	400
11					
12	성별이 '남'이고 동아리가 '홀릭'인 학생들의 활동지수 평균				

- TRUNC, AVERAGEIFS 함수와 & 연산자 사용
- 표시 예 : 800점

=TRUNC(AVERAGEIFS(E3:E10,D3:D10,"남", C3:C10,"홀릭"))&"점"

⑧ PRODUCT

형식	=PRODUCT(number1, [number2], …)
설명	인수들의 곱을 구한다.
사용 예	=PRODUCT(8,7) 결과 : 56

⑨ SUMPRODUCT

형식	=SUMPRODUCT(array1, [array2], …)
설명	배열 또는 범위에 대응되는 값끼리 곱해서 합을 구한다.
사용 예	=SUMPRODUCT(B3:B9, D3:D9)

문제 가중치와 평가1, 평가2, 평가3, 평가4를 이용하여 점수를 [G8:G12] 영역에 표시하시오.

※ 부록_함수사전.xlsx파일의 [예제16] 시트 이용

	A	B	C	D	E	F	G
1	가중치						
2	구분	평가1	평가2	평가3	평가4		
3	가중치	40%	30%	20%	10%		
4							
5							
6	[표5] 계절학기 성적						
7	학교	이름	평가1	평가2	평가3	평가4	점수
8	대전대학교	이상민	91	70	99	91	
9	경희대학교	전희철	88	91	78	83	
10	성균관대학교	현주엽	78	76	69	78	
11	충남대학교	고우원	96	90	71	75	
12	한밭대학교	문경은	88	81	88	86	

- ROUND, SUMPRODUCT 함수 사용

=ROUND(SUMPRODUCT(C8:F8,$B$3:$E$3),0)

※ 채우기 핸들을 이용하여 [G8:G12] 영역까지 수식을 복사

⑩ SUMIFS

형식	=SUMIFS(sum_range, criteria1_range, criteria1, criteria2_range, criteria2, …)
설명	주어진 조건에 따라 지정되는 셀을 더한다. =SUMIFS(계산 범위, 조건 범위1, 조건1, 조건 범위2, 조건2, …)
사용 예	=SUMIFS(F4:F12, B4:B12,"영업부", C4:C12,"사원")

문제 제품이 원피스이면서 분기 평균이 60,000이상인 2사분기의 합계를 [F17] 셀에 표시하시오.

※ 부록_함수사전.xlsx파일의 [예제17] 시트 이용

	A	B	C	D	E	F	G
1	[표1] 분기별매출표						
2	코드	제품	1분기	2분기	3분기	4분기	평균
3	SR-001	원피스	79,015	65,130	78,420	87,120	77,421
4	SR-003	스키복	51,640	52,000	65,130	46,540	53,828
5	SR-004	원피스	12,840	22,000	17,480	14,870	16,798
6	SR-007	스키복	51,790	54,130	24,540	27,480	39,485
7	SR-010	셔츠	11,020	22,940	17,980	28,450	20,098
8	SR-011	코트	14,870	14,650	15,550	18,700	15,943
9	SR-012	코트	13,695	14,000	16,450	15,460	14,901
10	SR-018	셔츠	20,610	21,150	15,790	22,500	20,013
11	SR-020	스키복	72,080	49,300	65,500	59,000	61,470
12	SR-021	원피스	19,000	19,950	18,450	15,900	18,325
13	SR-023	원피스	51,790	65,540	56,780	74,500	62,153
14	SR-024	스키복	24,470	35,000	45,350	38,980	35,950
15	SR-025	코트	75,540	45,200	35,580	89,870	61,548
16							
17	가 원피스이고, 분기의 평균이 60,000이상인 2사분기의						

• SUMIFS 함수 사용

=SUMIFS(D3:D15,B3:B15,"원피스",G3:G15,"
>=60000")

※ 조건이 두개 이므로 SUMIFS 함수를 사용하여야 함.
  SUMIF : 조건이 한 개일 때

3 텍스트 함수

① LEFT

형식	=LEFT(text, num_chars)
설명	텍스트 문자열을 왼쪽 시작문자부터, num_chars에서 지정한 글자 수만큼의 문자를 반환한다.
사용 예	=LEFT("다람쥐놀이", 3) 결과 : 다람쥐

② RIGHT

형식	=RIGHT(text, num_chars)
설명	텍스트 문자열을 오른쪽 시작문자부터, num_chars에서 지정한 글자 수만큼의 문자를 반환한다.
사용 예	=RIGHT("다람쥐놀이", 3)　　결과 : 쥐놀이

③ MID

형식	=MID(text, start_num, num_chars)
설명	Start_num에서 지정한 글자위치에서부터 num_chars에서 지정한 글자수만큼의 문자를 반환한다..
사용 예	=MID("다람쥐놀이", 3,2)　　결과 : 쥐놀

④ LOWER

형식	=LOWER(text)
설명	텍스트 문자열의 모든 문자를 소문자로 반환한다.
사용 예	=LOWER("Happy")　　결과 : happy

⑤ UPPER

형식	=UPPER(text)
설명	텍스트 문자열의 모든 문자를 대문자로 반환한다.
사용 예	=UPPER("Happy")　　결과 : HAPPY

⑥ PROPER

형식	=PROPER(text)
설명	각 단어의 첫째 문자를 대문자로 반환하고 나머지 문자는 소문자로 반환한다.
사용 예	=PROPER("Efforts are the father of success.") 결과 : "Efforts Are The Father Of Success.

⑦ REPLACE

형식	=REPLACE(ord_text, start_num, num_chars, new_text)
설명	텍스트의 일부를 다른 문자로 변경한다.
사용 예	=REPLACE("2018년 현금출납부", 7, 2, "금전") 결과 : 2018년 금전출납부

⑧ LEN

형식	=LEN(text)
설명	텍스트 문자열 내의 문자 개수를 구한다.
사용 예	=LEN("Happiness is what you make for yourself.") 결과 : 40

⑨ FIND, FINDB

형식	=FIND(find_text, within_text, [start_num]) =FINDB(find_text, within_text, [start_num])
설명	지정한 텍스트가 문자열 내에서 문자의 시작 위치를 대소문자 구별하여 숫자로 표시한다. 지정한 텍스트가 문자열 내에서 문자의 시작 위치를 대소문자 구별하여 바이트 단위로 표시한다.
사용 예	=FIND("여","전설의 여왕",1) 결과 : 5 =FINDB("여","전설의 여왕",1) 결과 : 8 (한글 한 글자당 2바이트, 공백은 1바이트)

⑩ SEARCH

형식	=SEARCH(find_text, within_text, [start_num]) =SEARCHB(find_text, within_text, [start_num])
설명	지정한 텍스트가 문자열 내에서 문자의 시작 위치를 숫자로 표시한다. 지정한 텍스트가 문자열 내에서 문자의 시작 위치를 더블바이트 단위로 표시한다. (대소문자 구별 안함)
사용 예	=SEARCH("A", "Efforts are the father of success.",1) 결과 : 9 =SEARCHB("다", " 하늘을 날아다니는 다람쥐.",1) 결과 : 12

문제 ▶ **이메일에서 아이디를 추출하여 [D3:D10] 영역에 표시하시오.**

※ 부록_함수사전.xlsx파일의 [예제18] 시트 이용

	A	B	C	D
1	[표1]	**고객 현황**		
2	고객코드	성별	이메일	아이디
3	L1001	여	adkf@hanbit.co.kr	
4	L1125	여	sffkg@daum.net	
5	L3948	남	haknk@naver.com	
6	L2840	남	hyhyhui@hanbit.co.kr	
7	L1753	여	coco63@hanbit.co.kr	
8	L2385	남	dddd@naver.com	
9	L9375	여	dfad@daum.net	
10	L8923	여	qwer@hotmail.com	

- LEFT, SEARCH 함수 사용

=LEFT(C3,SEARCH("@",C3)-1)

※ 아이디의 글자 수가 다 다름으로 SEARCH 함수로 "@"문자를 찾아 @문자 전까지의 아이디를 추출
※ 채우기 핸들을 이용하여 [D3:D10] 영역까지 수식을 복사

⑪ **REPT**

형식	=REPT(text, number_times)
설명	텍스트를 지정한 수만큼 반복 표시한다.
사용 예	=REPT("★", 5)　결과 : ★★★★★

문제 ▶ **거래처 등급을 [E3:E13] 영역에 표시하시오.**

※ 부록_함수사전.xlsx파일의 [예제19] 시트 이용

	A	B	C	D	E
1	[표4]	+			
2	제품코드	거래처명	판매수량	매출액	거래처 등급
3	2015-S-01	(주)다판다	101	1,111,000	
4	2015-S-02	세일상사	395	4,345,000	
5	2015-P-03	미풍상회	178	6,853,000	
6	2015-S-04	형제상회	328	3,608,000	
7	2015-A-05	삼정물산	570	9,747,000	
8	2015-A-06	에브리랜드	101	1,727,100	
9	2015-A-07	은혜상사	600	10,260,000	
10	2015-P-08	중도상사	308	11,858,000	
11	2015-S-09	다복상사	550	6,050,000	
12	2015-P-10	훼미리체인	200	7,700,000	
13	2015-P-11	정마트	80	3,080,000	

- 거래처 등급은 판매수량[C3:C13]을 100으로 나누어 '▲'로 표시
- REPT 함수 사용

=REPT("▲",C3/100)

※ 판매수량을 100으로 나누어 정수 부분만 도형으로 표시
※ 채우기 핸들을 이용하여 [E3:E13] 영역까지 수식을 복사

4 통계 함수

① MAX

형식	=MAX(number1, [number2], ···)
설명	최대값을 구한다.
사용 예	=MAX(30,85,71,49) 결과 : 85

문제 사원의 기본급의 최대값을 [C14] 셀에 표시하시오.

※ 부록_함수사전.xlsx파일의 [예제20] 시트 이용

	A	B	C	D
1	[표2]	사원의 기본급		
2	직원명	직급	기본급	2위 기본급
3	정영란	부장	4,900,000	
4	김가연	부장	4,500,000	
5	박재성	과장	4,000,000	
6	박종보	대리	3,300,000	
7	최성빈	과장	3,700,000	
8	박상일	사원	2,100,000	
9	장현주	과장	3,500,000	
10	구성민	이사	5,500,000	
11	신보라	과장	3,500,000	
12	장현아	대리	2,300,000	
13	조재현	사원	2,200,000	
14	최대값			
15	최소값			

- 기본급의 최대값을 구하여 [C14] 셀에 표시
- MAX 함수 사용

=MAX(C3:C13)

② MIN

형식	=MIN(number1, [number2], ···)
설명	최소값을 구한다.
사용 예	=MIN(30,85,71,49) 결과 : 30

문제 ▶ 사원의 기본급의 최소값을 [C15] 셀에 표시하시오.

※ 부록_함수사전.xlsx파일의 [예제20] 시트 이용

	A	B	C	D
1	[표2]	사원의 기본급		
2	직원명	직급	기본급	2위 기본급
3	정영란	부장	4,900,000	
4	김가연	부장	4,500,000	
5	박재성	과장	4,000,000	
6	박종보	대리	3,300,000	
7	최성빈	과장	3,700,000	
8	박상일	사원	2,100,000	
9	장현주	과장	3,500,000	
10	구성민	이사	5,500,000	
11	신보라	과장	3,500,000	
12	장현아	대리	2,300,000	
13	조재현	사원	2,200,000	
14	최대값			
15	최소값			

- 기본급의 최소값을 구하여 [C15] 셀에 표시
- MIN 함수 사용

=MIN(C3:C13)

③ LARGE

형식	=LARGE(array, k)
설명	데이터 집합에서 k번째 큰 값을 구한다.
사용 예	=LARGE(A4:A12, 3)

문제 ▶ 기본급에서 두번째로 큰 값을 [D3] 셀에 표시하시오.

※ 부록_함수사전.xlsx파일의 [예제20] 시트 이용

	A	B	C	D
1	[표2]	사원의 기본급		
2	직원명	직급	기본급	2위 기본급
3	정영란	부장	4,900,000	
4	김가연	부장	4,500,000	
5	박재성	과장	4,000,000	
6	박종보	대리	3,300,000	
7	최성빈	과장	3,700,000	
8	박상일	사원	2,100,000	
9	장현주	과장	3,500,000	
10	구성민	이사	5,500,000	
11	신보라	과장	3,500,000	
12	장현아	대리	2,300,000	
13	조재현	사원	2,200,000	
14	최대값			
15	최소값			

- 기본급에서 두번째 큰 값
- LARGE 함수와 & 연산자 사용

=LARGE(C3:C13,2)&"원"

④ SMALL

형식	=SMALL(array, k)
설명	데이터 집합에서 k번째 작은 값을 구한다.
사용 예	=SMALL(A4:A12, 3)

⑤ MEDIAN

형식	=MEDIAN(number1,[number2], …)
설명	주어진 수들의 중간 값을 구한다.
사용 예	=MEDIAN(30,60,50,80)　　결과 : 55

⑥ MODE.SNGL(=MODE: 이전 버전)

형식	=MODE.SNGL(number1,[number2], …)
설명	데이터 집합에서 자주 발생하는 최빈수를 구한다.
사용 예	=MODE.SNGL(15,10,10,15,6)　　결과 : 15

⑦ RANK.EQ(=RANK: 이전 버전)

형식	=RANK.EQ(number, ref, [order])
설명	수 목록 내에서 지정한 수의 순위를 구한다. Order 0 : 내림차순 순위를 구함(큰 수에서 작은 수 순으로 순위 구함) Order 1 : 오름차순 순위를 구함(작은 수에서 큰 수 순으로 순위 구함)
사용 예	=RANK.EQ(E3, E3:E12, 0)

문제　합계[F3:F11]를 이용하여 [G3:G11] 영역에 판매 순위를 표시하시오.

※ 부록_함수사전.xlsx파일의 [예제21] 시트 이용

	A	B	C	D	E	F	G	H
1	[표5]							
2	사원명	1분기	2분기	3분기	4분기	합계	판매 순위	비고
3	고원주	77,630	49,200	48,650	38,700	214,180		
4	박종명	57,640	36,800	58,500	49,540	202,480		
5	이철영	79,000	46,450	78,900	32,950	237,300		
6	김지희	68,750	85,400	98,750	75,400	328,300		
7	오덕훈	54,150	56,780	64,540	42,380	217,850		
8	민상진	59,870	54,400	55,680	67,200	237,150		
9	공보배	65,280	35,450	54,000	49,800	204,530		
10	한송이	88,340	74,300	85,200	62,750	310,590		
11	이원규	45,000	34,800	48,350	98,400	226,550		
12								

- 합계가 큰 값이 1위
- RANK.EQ 함수 사용

=RANK.EQ(F3,$F$3:$F$11,0)

⑧ VAR.S(=VAR: 이전 버전)

형식	=VAR.S(number1,[number2], …)
설명	표본 집단의 분산을 구한다.(논리값과 텍스트는 제외)
사용 예	=VAR.S(B3:B7)

⑨ STDEV.S(=STDEV: 이전 버전)

형식	=STDEV.S(serial_number)
설명	표본 집단의 표준 편차를 구한다.
사용 예	=STDEV.S(B3:B7)

문제　표준편차를 이용하여 [H3:H11] 영역에 다음과 같이 표시하시오.

※ 부록_함수사전.xlsx파일의 [예제21] 시트 이용

사원명	1분기	2분기	3분기	4분기	합계	판매 순위	비고
고원주	77,630	49,200	48,650	38,700	214,180		
박종명	57,640	36,800	58,500	49,540	202,480		
이철명	79,000	46,450	78,900	32,950	237,300		
김지희	68,750	85,400	98,750	75,400	328,300		
오덕훈	54,150	56,780	64,540	42,380	217,850		
민상민	59,870	54,400	55,680	67,200	237,150		
공보배	65,280	35,450	54,000	49,800	204,530		
한송이	88,340	74,300	85,200	62,750	310,590		
이원규	45,000	34,800	48,350	98,400	226,550		

- 사원명별 표준편차가 전체 표준편차 이상이면 '우수' 아니면 공백으로 표시
- IF, STDEV.S 함수 사용

=IF(STDEV.S(B3:E3)>STDEV.S($B$3:$E$11),"우수사원","")

- 사원명별 표준편차를 구한 후 전체 표준편차와 비교한다.

※ 채우기 핸들을 이용하여 [H3:H11] 영역까지 수식을 복사

⑩ COUNT, COUNTA, COUNTBLANK, COUNTIF, COUNTIFS

형식	=COUNT(value1,[value2]···) =COUNTA(value1,[value2]···) =COUNTBLANK(range) =COUNTIF(range, criteria) =COUNTIFS(criteria1_range, criteria1, criteria2_range, criteria2, ···.)
설명	범위에서 숫자가 포함된 셀의 개수를 구한다. 범위에서 비어 있지 않은 셀의 개수를 구한다. 범위에서 비어 있는 셀의 개수를 구한다. 지정한 범위 내에서 조건에 맞는 셀의 수를 구한다. 범위 내에서 주어진 조건에 맞는 셀의 수를 구한다.
사용 예	=COUNT(30,40,50,"강") 결과 : 3 =COUNTA(30,40,50,"강") 결과 : 4 =COUNTBLANK(B3:B9) =COUNTIF(B3:B9, "합격") =COUNTIFS(B3:B9,"합격", C3:C9,">=80")

문제 ▶ 심사위원과 방청객의 점수가 모두 90점 이상인 출전자수를 [F15] 셀에 표시하시오.

※ 부록_함수사전.xlsx파일의 [예제22] 시트 이용

	A	B	C	D	E	F	G	H	I
1	[표5]						점수분포		
2	성명	심사위원	방청객	점수합계	결선 진출		점수합계		분포
3	김성호	89	100	189	○		190이상	200이하	
4	박소영	88	95	183			180이상	189이하	
5	차재영	50	50	100			170이상	179이하	
6	김상준	97	96	193	○		160이상	169이하	
7	김효민	87	94	181			100이상	159이하	
8	장정미	74	65	139					
9	이경아	88	90	178					
10	백미애	72	92	164					
11	이정훈	99	100	199	○				
12	이주창	87	62	149					
13	원영진	80	90	170					
14									
15	심사위원과 방청객의 점수가 모두 90 점 이상인 출전자								

• COUNTIFS & 연산자 사용

=COUNTIFS(B3:B13,">=90",C3:C13,">=90")&"명"

※ 조건이 두개 이상일 때는(심사위원과 방청객 점수가 모두 90점 이상) COUNTIFS

⑪ FREQUENCY

형식	=FREQUENCY(data_array, bins_array)
설명	도수 분포를 세로 배열의 형태로 구한다. 배열 형태로 구하기 때문에 반드시 결과를 구할 영역을 설정하고 Ctrl + Enter 를 누른다.
사용 예	=FREQUENCY(B3:B9, C3:C9)

문제 ▶ 점수합계를 이용하여 점수 분포를 [I3:I7] 영역에 표시하시오.

※ 부록_함수사전.xlsx파일의 [예제22] 시트 이용

	A	B	C	D	E	F	G	H	I
1	[표5]						점수분포		
2	성명	심사위원	방청객	점수합계	결선 진출		점수합계		분포
3	김성호	89	100	189	○		190이상	200이하	
4	박소영	88	95	183			180이상	189이하	
5	차재영	50	50	100			170이상	179이하	
6	김상준	97	96	193	○		160이상	169이하	
7	김효민	87	94	181			100이상	159이하	
8	장정미	74	65	139					
9	이경아	88	90	178					
10	백미애	72	92	164					
11	이정훈	99	100	199	○				
12	이주창	87	62	149					
13	원영진	80	90	170					
14									
15	심사위원과 방청객의 점수가 모두 90 점 이상인 출전자								

• FREQUENCY 사용

=FREQUENCY(D3:D13,$H$3:$H$7)

※ 배열 함수이므로 반드시 Ctrl + Enter 를 마지막에 누른다.

⑫ AVERAGE, AVERAGEA, AVERAGEIF, AVERAGEIFS

형식	=AVERAGE(number1,[number2]⋯) =AVERAGEA(value1,[value2]⋯) =AVERAGEIF(range, criteria, [average_range]) =AVERAGEIFS(average_range, criteria1_range, criteria1, criteria2_range, criteria2⋯.)
설명	인수들의 평균을 구한다. 인수들의 평균을 구한다.(FALSE는 0, TRUE는 1로 계산) 주어진 조건에 따라 지정되는 셀의 평균을 구한다. 주어진 조건에 따라 지정되는 셀의 평균을 구한다.(조건이 두개 이상일 때)
사용 예	=AVERAGE(2,4,8,10)　　결과 : 6 =AVERAGEA(2,4,8.10 ,TRUE)　　결과 : 5 =AVERAGEIF(A4:A12, "전문직", F4:F12) =AVERAGEIFS(F4:F12, A4:A12, "전문직", B4:B12,")=5000000")

문제 ▶ 홈런이 10 이상이고 안타가 1500이상인 타자의 평균 출루율을 [G12] 셀에 표시하시오.

※ 부록_함수사전.xlsx파일의 [예제23] 시트 이용

	A	B	C	D	E	F	G
1	[표5]	프로야구 타자 순위					
2	선수명	구단명	홈런	안타	삼진	출루율	
3	최우형	삼성	31	195	83	0.464	
4	김정균	한화	23	193	97	0.475	
5	이용규	한화	3	159	29	0.438	
6	김승찬	기아	23	177	68	0.386	
7	박성택	엘지	11	176	71	0.412	
8	구철욱	삼성	14	147	68	0.420	
9	박민욱	엔씨	3	149	70	0.420	
10	유준상	케이티	14	137	40	0.404	
11	황태균	롯데	3	167	66	0.394	평균 출루율
12	박건욱	두산	14	162	86	0.390	

• AVERAGEIFS 함수 사용

=AVERAGEIFS(F3:F12,C3:C12,")=10",D3:D12,")=150")

※ 조건이 두개 이상일 때는(홈런이 10 이상이고, 안타가 150 이상) AVERAGEIFS

5 데이터베이스 함수

① DSUM

형식	= DSUM(database, field, criteria)
설명	데이터베이스에서 지정한 조건에 맞는 필드의 값의 합을 구한다. DSUM(필드명 포함 전체범위, 필드, 필드명 포함 조건)
사용 예	=DSUM(A4:F12, F4, C4:C5)

② DAVERAGE

형식	= DAVERAGE(database, field, criteria)
설명	데이터베이스에서 지정한 조건에 맞는 필드의 값의 평균을 구한다. DAVERAGE(필드명 포함 전체범위, 필드, 필드명 포함 조건)
사용 예	=DAVERAGE(A4:F12, F4, C4:C5)

문제 ▶ 강남 교육장의 평균 평가 점수를 [D10] 셀에 표시하시오.

※ 부록_함수사전.xlsx파일의 [예제24] 시트 이용

▲	A	B	C	D
1	[표5]	4분기 교육 현황		
2	교육원	교육장	평가 점수	
3	서초여성센터	서초	98	
4	강남구민센터	강남	123	
5	장애인복지센터	서초	200	교육장
6	장애인복지센터	노원	154	강남
7	장애인복지센터	강북	162	
8	장애인복지센터	강남	245	
9	강북구민센터	강북	198	강남 평가 점수
10	노원여성센터	노원	211	
11	서초구민센터	서초	157	
12	강남여성센터	강남	188	서초 최고 점수
13	노원구민센터	노원	215	

- ROUND, DAVERAGE 함수 사용
- 반올림하여 소수점 이하 첫번째 자리까지
  (표시 예 : 83.1)

=ROUND(DAVERAGE(A2:C13,C2,D5:D6),1)

※ 데이터베이스 함수의 조건부분을 [D5:D6] 영역을
  이용하여 계산

③ DMAX

형식	= DMAX(database, field, criteria)
설명	데이터베이스에서 지정한 조건에 맞는 필드의 값의 최대값을 구한다. DMAX(필드명 포함 전체범위, 필드, 필드명 포함 조건)
사용 예	=DMAX(A4:F12, F4, C4:C5)

문제 ▶ 서초 교육장의 최고 평가 점수를 [D13] 셀에 표시하시오.

※ 부록_함수사전.xlsx파일의 [예제24] 시트 이용

▲	A	B	C	D
1	[표5]	4분기 교육 현황		
2	교육원	교육장	평가 점수	
3	서초여성센터	서초	98	
4	강남구민센터	강남	123	
5	장애인복지센터	서초	200	교육장
6	장애인복지센터	노원	154	강남
7	장애인복지센터	강북	162	
8	장애인복지센터	강남	245	
9	강북구민센터	강북	198	강남 평가 점수
10	노원여성센터	노원	211	
11	서초구민센터	서초	157	
12	강남여성센터	강남	188	서초 최고 점수
13	노원구민센터	노원	215	

- DMAX 함수 사용

=DMAX(A2:C13,C2,B2:B3)

※ 데이터베이스 함수의 조건부분을 [B2:B3] 영역을 이용하여 계산

④ DMIN

형식	= DMIN(database, field, criteria)
설명	데이터베이스에서 지정한 조건에 맞는 필드의 값의 최소값을 구한다. DAVERAGE(필드명 포함 전체범위, 필드, 필드명 포함 조건)
사용 예	=DMIN(A4:F12, F4, C4:C5)

⑤ DCOUNT, DCOUNTA

형식	= DCOUNT(database, field, criteria) = DCOUNTA(database, field, criteria)
설명	데이터베이스에서 지정한 조건에 맞는 필드의 값의 개수를 구한다. DCOUNT는 조건에 충족하는 계산할 필드의 값이 숫자 데이터일때만 개수를 구한다. DCOUNTA는 조건에 충족하는 계산할 필드의 값이 비어 있지 않은 개수를 구한다.
사용 예	=DCOUNT(A4:F12, F4, C4:C5) =DCOUNTA(A4:F12, F4, C4:C5)

문제 ▶ 지리산과 한라산을 다녀온 등산 동호회의 수를 [F13] 셀에 표시하시오.

※ 부록_함수사전.xlsx파일의 [예제25] 시트 이용

	A	B	C	D	E	F
1	[표4]	등산 동호회 활동 내역				
2	산악회명	회원수	태백산	소백산	지리산	한라산
3	삼천리	321	★	★	★	★
4	구름	128	★			★
5	다함께	54	★			
6	개나리	126	★	★	★	★
7	천지	287		★		★
8	2030	206	★	★	★	★
9	블랙야크	89	★	★	★	
10	힐링	307	★	★		
11	청량	133			★	★
12	뉴어울림	159	★	★	★	★
13	지리산과 한라산을 등반한 동호회 수					

- DCOUNTA 함수 사용
- 조건은 주어진 데이터를 사용
- 지리산과 한라산을 다녀온 동호회에는 ★로 표시

=DCOUNTA(A2:F12,A2,E2:F3)

※ 데이터베이스 함수의 조건부분을 [E2:F3] 영역을 이용하여 계산

⑥ DGET

형식	= DGET(database, field, criteria)
설명	데이터베이스에서 지정한 조건에 맞는 레코드가 하나인 경우 레코드를 추출한다. DGET(필드명 포함 전체범위, 필드, 필드명 포함 조건)
사용 예	=DGET(A4:F12, F4, C4:C5)

6 찾기/참조 함수

① LOOKUP

형식	=LOOKUP(lookup_value, lookup_vector, [result_vector])
설명	배열이나 한 행이나 한 열 범위에서 값을 찾는다.
사용 예	=LOOKUP("사과",A4:A12,B4:B12)

② VLOOKUP

형식	=VLOOKUP(lookup_value, table_array, row_index_num, [range_lookup])
설명	Lookup_value값을 table_array의 첫 열에서 찾아 지정한 열의 해당 값을 반환한다. Rage_looup 0(false) : 정확하게 일치, lookup_value 값과 똑같은 값을 찾는다. Rage_looup 1(true) : 유사 일치, lookup_value 값과 비슷한 범위에서 찾는다.
사용 예	=VLOOKUP(F4,$B$16:$F$20 ,3,FALSE)

문제 ▶ 등급표를 이용하여 [D3:D11] 영역에 등급을 표시하시오.

※ 부록_함수사전.xlsx파일의 [예제26] 시트 이용

	A	B	C	D	E	F	G
1	[표2]	**점수 등급 분류표**					
2	코드번호	이름	취득 점수	점수등급		[등급표]	
3	AF11	유시민	523			점수	등급
4	MK81	김현아	255			200	D
5	ES11	표영훈	315			300	C
6	SJ47	전수식	487			400	B
7	AR49	이남국	265			500	A
8	JI80	나훈진	474				
9	YS09	남영근	354				
10	NG02	연희연	450				
11	CE53	김민희	510				

- VLOOKUP 함수와 & 연산자 사용
- 표시 예 : A등급

=VLOOKUP(C3,$F$4:$G$7,2,1)&"등급"

※ 등급표의 데이터 입력이 열방향일 때는 VLOOKUP 함수를 사용

※ 채우기 핸들을 이용하여 [D3:D11] 영역까지 수식을 복사

③ HLOOKUP

형식	=HLOOKUP(lookup_value, table_array, col_index_num, [range_lookup])
설명	Lookup_value값을 table_array의 첫 행에서 찾아 지정한 행의 해당 값을 반환한다. Rage_looup 0(false) : 정확하게 일치, lookup_value 값과 똑같은 값을 찾는다. Rage_looup 1(true) : 유사 일치, lookup_value 값과 비슷한 범위에서 찾는다.
사용 예	=HLOOKUP(F4,$B$16:$F$20 ,2,FALSE)

문제 ▶ 기준표를 이용하여 평가[F3:F11]에 표시하시오.

※ 부록_함수사전.xlsx파일의 [예제27] 시트 이용

	A	B	C	D	E	F
1	[표4]					
2	성명	이론	실습	레포트	최종점수	평가
3	이철영	65	98	82	81.7	
4	허영수	85	97	92	91.3	
5	하지희	65	90	75	76.7	
6	박만회	92	87	88	89.0	
7	안철성	87	89	77	84.3	
8	김정훈	88	95	92	91.7	
9	강수연	90	54	72	72.0	
10	김예은	56	68	42	55.3	
11	전소영	72	80	86	79.3	
12						
13	기준표					
14	순위	1	3	5	7	
15	평가	A	B	C	D	

- HLOOKUP, RANK 함수 사용

=HLOOKUP(RANK(K15,$K$15:$K$23),$H$26:$K$27,2,1)

※ 기준표의 데이터 입력이 행방향일 때는 HLOOKUP 함수를 사용

※ 채우기 핸들을 이용하여 [F3:F11] 영역까지 수식을 복사

④ CHOOSE

형식	=CHOOSE(index_num, value1, value2, value3, value4, …)
설명	인수 목록 중 index_num에서 지정한 순서에 있는 값을 선택한다.
사용 예	=CHOOSE(3,"사과","바나나","포도","복숭아","딸기") 결과 : 포도

문제 졸업 인증 자격증 표의 [F3:F11] 영역에 표시하시오.

※ 부록_함수사전.xlsx파일의 [예제28] 시트 이용

	A	B	C	D	E	F
1	[표4]	졸업 인증 자격증				
2	참가자명	한국사	ITQ	워드	GTQ	성취도
3	강인한	★	★	★		
4	유튼튼	★	★			
5	하명호		★	★	★	
6	임지애		★	★	★	
7	최수지	★	★	★	★	
8	고동명	★		★	★	
9	황정택	★			★	
10	김고지	★	★	★	★	
11	정부영	★	★		★	

- 자격증 취득이 5개일때는 '완벽', 4개는 '우수', 3개는 '보통', 1개는 '취득요망'으로 표시
- 자격증 취득은 ★로 표시
- CHOOSE, COUNTIF 함수 사용

=CHOOSE(COUNTIF(B3:E3,"★"),"취득요망","보통","우수","완벽")

※ COUNTIF 함수로 자격증 개수를 구한다.
※ 자격증 개수에 따른 항목을 CHOOSE 함수에 입력
※ 채우기 핸들을 이용하여 [F3:F11] 영역까지 수식을 복사

⑤ INDEX

형식	=INDEX(array, row_num, column_num)
설명	표나 범위 내에서 값이나 참조 영역을 구한다. 지정한 범위에서 지정한 행과 열의 값을 구한다.
사용 예	=INDEX(B2:H12,4,3)

⑥ MATCH

형식	=MATCH(lookup_value, lookup_array, [match_type])
설명	배열에서 지정한 순서상의 지정된 값에 일치하는 항목의 상대적 위치 값을 찾는다. Lookup_array는 내림차순 정렬이 되어 있어야 한다. Match_type 1 : 보다 작음 Match_type 0 : 정확히 일치 Match_type -1 : 보다 큼
사용 예	=MATCH(13,A4:A17,0)

문제　최고매출수량을 [F3] 셀에 표시하시오.

※ 부록_함수사전.xlsx파일의 [예제29] 시트 이용

	A	B	C	D	E	F
1	[표]	부서별 매출현황				
2	분류코드	관련부서	매출수량	재고량	비고	최고매출수량
3	BAS-3-A	영업1부	1012	45	대박상품	
4	BAS-3-N	영업1부	510	130		
5	BAS-1-A	영업4부	275	154		
6	BAS-1-B	영업2부	1209	271	대박상품	
7	BAS-2-C	영업1부	481	103		
8	BAS-3-M	영업3부	688	186	인기상품	
9	BAS-2-D	영업3부	156	36		
10	BAS-1-D	영업2부	439	121		
11	BAS-3-D	영업2부	513	19	판매촉진상품	
12	BAS-2-B	영업2부	762	33	인기상품	
13						

- 매출수량이 가장 많은 분류코드를 표시
- INDEX, MATCH, MAX 함수 사용

=INDEX(A3:A12,MATCH(MAX(C3:C12),C3:C12,0),1)

※ MATCH 함수로 최고 매출수량을 구하여 해당 분류코드가 있는 행을 찾아 첫번째 열과 만나는 셀 주소를 찾는다.

7　논리 함수

① AND

형식	=AND(logical1, logical2, …)
설명	모든 인수가 True일 경우 True를 반환한다.
사용 예	=AND(4>8, 6<8)　　결과 : False

문제　사회과목 반편성의 [E3:E9] 영역에 표시하시오.

※ 부록_함수사전.xlsx파일의 [예제30] 시트 이용

	A	B	C	D	E
1	[표3]	사회과목 반편성			
2	성명	영어	수학	과학	결과
3	백아연	70	100	90	
4	성현민	88	95	100	
5	전영구	90	77	60	
6	김민지	100	80	55	
7	유용민	45	69	70	
8	서한빛	38	92	76	
9	안재현	55	89	88	

- 조건 : 영어와 수학이 70점 이상이고, 세 과목 평균이 70점 이상때는 PASS로 표시하고 한 항목이라도 만족하지 못할 경우는 FAIL로 표시
- IF, AND 함수 사용

=IF(AND(B3>=70,C3>=70,AVERAGE(B3:D3)>=70),"PASS","FAIL")

※ 세 조건을 모두 충족 할 때만 PASS로 표시되고 거짓일 때는 FAIL로 표시.

※ 채우기 핸들을 이용하여 [E3:E9] 영역까지 수식을 복사

② OR

형식	=OR(logical1, logical2, …)
설명	하나 이상의 인수가 True일 경우 True를 반환한나.
사용 예	=OR(4〉8, 6〈8) 결과 : True

문제 ▶ **재학생 성적계산표의 [G3:G9] 영역에 표시하시오.**

※ 부록_함수사전.xlsx파일의 [예제31] 시트 이용

	A	B	C	D	E	F	G
1	[표2]	재학생 성적계산표					
2	재학생명	학번	중간고사	기말고사	가산점	합계	비고
3	문혜인	20162614	42	45	8	95	
4	이재진	20131893	39	48	5	98	
5	김미리	20140919	43	42	3	88	
6	고재훈	20131021	39	41	5	85	
7	최예빈	20161203	40	39	8	85	
8	박우영	20150350	37	35	5	77	
9	한지희	20140204	42	41	5	88	

- 조건 : 중간고사나 기말고사 점수가 40점 이상이고, 가산점이 8점이면 '장학금'으로 표시 하고 조건을 충족하지 못한 경우는 공백으로 표시
- IF, AND, OR 함수 사용

=IF(AND(OR(K3)=40,L3)=40),M3=8),"장학금","")
시험점수가 40점이상이고 가산점이 8점인 조건은 모두 충족해야 '장학금'이 표시된다.

- 시험점수는 중간고사나 기말고사 중 한 항목이라도 충족

※ 채우기 핸들을 이용하여 [G3:G9] 영역까지 수식을 복사

③ IF

형식	=IF(logical_test, value_if_true, value_if_false)
설명	Logical_test를 검사하여 True나 False를 반환한다. 결과 값이 3개 이상일 경우는 IF문을 중첩 사용한다.
사용 예	=IF(70)=60, "합격","불합격") 결과 : 합격

문제 ▶ **고객 현황의 [G3:G6] 영역에 표시하시오.**

※ 부록_함수사전.xlsx파일의 [예제32] 시트 이용

	A	B	C	D	E	F	G
1	[표1]	고객 현황					
2	고객코드	성별	이메일	아이디	나이	보너스	비고
3	L1001	여	adkf@hanbit.co.kr	adkf	32	750	
4	L1125	여	sffkg@daum.net	sffkg	50	800	
5	L3948	남	haknk@naver.com	haknk	38	650	
6	L2840	남	hyhyhui@hanbit.co.kr	hyhyhui	24	300	

- 보너스가 800점 이상이면 'VIP', 800점 미만 600점 이상은 '일반' 나머지는 공백으로 표시
- IF 함수 사용

=IF(F3)=800,"VIP",IF(F3)=600,"일반",""))

※ 다중 IF 문으로 세 개의 결과값을 갖기 때문에 IF문을 추가한다.

※ 채우기 핸들을 이용하여 [G3:G6] 영역까지 수식을 복사

④ IFERROR

형식	=IFERROR(value, value_if_error)
설명	식이나 값에 오류가 있을 때 value_if_error를 반환한다.
사용 예	=IFERROR(4/배,"논리식 오류") 결과 : 논리식 오류

문제 당첨번호 표를 이용하여 경품 추천의 [D3:D9] 영역에 표시하시오.

※ 부록_함수사전.xlsx파일의 [예제33] 시트 이용

	A	B	C	D
1	[표2]	경품 추천		
2	고객명	성별	응모번호	결과
3	문서라	여	N-2	
4	정세화	남	N-3	
5	지수연	여	N-4	
6	김애라	남	N-5	
7	김기쁨	여	N-6	
8	한서린	여	N-7	
9	최동희	남	N-8	
10	<당첨번호>			
11	응모번호	N-8	N-5	N-4
12	결과	세탁기	전기장판	라면

- 응모번호에 해당하는 결과를 [D3:D9] 영역에 표시
- 응모번호에 해당하지 않을 경우에는 공백으로 표시
- IFERROR, HLOOKUP 함수 사용

=IFERROR(HLOOKUP(C3,$B$11:$D$12,2,FALSE),"")

- 응모번호가 당첨번호에 속하지 않으면 HLOOKUP으로 결과를 찾으면 오류가 나오는데 IFERROR로 오류를 처리.

※ 응모번호가 행방향으로 입력되어 HLOOKUP함수로 응모상품을 찾는다.

※ 채우기 핸들을 이용하여 [D3:D9] 영역까지 수식을 복사

컴퓨터활용능력 실기 2급

2급 실기
컴퓨터활용능력

김경희 김혜란 문혜인 오해강 지음

YD Edition 연두에디션

기출문제집(별책) 포함

컴퓨터활용능력
실기 2급

발행일 2018년 9월 10일 초판 1쇄
지은이 김경희 · 김혜란 · 문혜인 · 오해강
펴낸이 심규남
기 획 염의섭 · 이정선
펴낸곳 연두에디션
주 소 경기도 고양시 일산동구 동국로 32 동국대학교 산학협력관 608호
등 록 2015년 12월 15일 (제2015-000242호)
전 화 031-932-9896
팩 스 070-8220-5528
ISBN 979-11-8883-110-4
정 가 22,000원

이 책에 대한 의견이나 잘못된 내용에 대한 수정정보는 연두에디션 홈페이지나 이메일로 알려주십시오.
독자님의 의견을 충분히 반영하도록 늘 노력하겠습니다.
홈페이지 www.yundu.co.kr

PREFACE

4차 산업혁명 시대를 살아가고 있는 현대인에게 정보 전달과 습득의 도구로 컴퓨터가 활용되고 있어 회사나 대학 등에서 개인의 컴퓨터 활용능력이 중요시 되고 있습니다. 특히 Microsoft의 나온 Office 프로그램 중 Excel은 필수 프로그램으로, 그만큼 많이 활용되고 있습니다.

컴퓨터활용능력 2급 자격증은 국가 기술 자격증으로 같은 종류의 자격증에 비해 높은 인지도와 검증된 자격증으로 기업에서는 실무능력 향상을 위해 활용되고 있으며, 대학에서는 특별학점 인정이나 졸업인증제로 활용되고 있습니다.

컴퓨터활용능력 2급 교재를 집필하면서 가장 중요하게 생각한 것은 초보자도 쉽게 따라하고 이해하기 쉽도록 하는 풀이입니다.

수험생이 교재를 선택하여 자격증을 취득하는 순간까지 이 책이 훌륭한 길잡이가 될 수 있도록 전문 강사진이 모여 시험문제 유형을 수차례 분석하여 출제빈도에 맞게 문제를 구성하였습니다.

본 교재로 학습하시는 모든 분들이 단번에 합격하시길 기원합니다.

2018년 8월

김경희, 김혜란, 문혜인, 오해강 드림

컴퓨터활용능력 시험 준비

컴퓨터활용능력 국가기술자격 시험은 대한상공회의소에서 시행하는 시험으로 사무자동화의 필수 프로그램인 스프레드시트(SpreadSheet), 데이터베이스(Database) 활용능력을 평가하는 시험으로써 1급, 2급 시험으로 나뉩니다. 1급 실기과목은 스프레드시트와 데이터베이스, 2급 실기과목은 스프레드시트만을 평가하는 시험입니다.

수험자의 편의를 위하여 정기검정과 상시검정 시험으로 나뉘는데, 정기시험(연 2회)은 대한상공회의소에서 지정한 시험 일정에 따라 응시할 수 있으며, 상시검정 시험은 대한상공회의소의 한달 시험일정을 확인하고 수험자가 가능한 날짜를 선택하여 시험에 응시할 수 있습니다.

● 시험 절차

컴퓨터활용능력 국가기술자격시험은 인터넷 접수로 응시할 수 있으며, 시험 응시급수와 시험 날짜를 선택하여 계획된 일정에 따라 성실하게 준비해야 합니다.

대한상공회의소 원서 접수 : http://license.korcham.net/

| 대한상공회의소 회원 가입 | ⇨ | '원서접수(필기) 정기시험 : 지정한 날짜, 장소 상설시험 : 시험장소, 날짜, 시간 선택 | ⇨ | 필기 합격 정기시험 : 지정된 날짜 상설시험 : 다음날 발표 | ⇨ | 원서접수 (실기) | ⇨ | 실기 합격 | ⇨ | 자격증 발부 |

● 컴퓨터활용능력시험의 특징

직무분야		경영·회계·사무			
직무내용	2급	컴퓨터와 주변기기를 이용하고, 인터넷을 사용하는 사무환경에서 스프레드시트 응용 프로그램을 이용하여 필요한 정보를 수집, 분석, 활용하는 업무를 수행			
등급	시험방법	시험과목	출제형태	시험시간	합격기준
2급	필기시험	컴퓨터 일반 스프레드시트 일반	객관식 (40문항)	40분	매 과목 100점 만점에 과목당 40점 이상이고, 평균 60점 이상
	실기시험	스프레드시트 실무	컴퓨터 작업형 (5문항 이내)	40분	100점 만점에 70점 이상
실기프로그램		Microsoft Office 2010			

※ 필기 : Windows 7(Home Premium) 과 Windows 10(Home) 의 공통 기능, Internet Explorer 11, Microsoft Office 2010

컴퓨터활용능력시험 출제 범위

과목명	주요 항목	세부 항목	세세 항목
컴퓨터일반	• 컴퓨터시스템 활용	• 운영체제 사용	• 윈도우즈 기본 요소와 기능 • 마우스 및 키보드 사용법 • 메뉴 및 창 사용법 • 시작 메뉴 및 작업 표시줄 • 바탕화면의 사용 • 폴더 옵션 • 폴더 만들기와 사용 • 복사, 이동, 삭제, 이름 바꾸기 • 휴지통 다루기 • 검색 및 실행 • 내 문서 및 최근 문서 • 내 컴퓨터 및 Windows 탐색기 • Windows 보조 프로그램 • 인쇄
		• 컴퓨터시스템 설정 변경	• 프로그램 추가 및 제거 • 디스플레이 설정 • 시스템 관리 • 프린터 설정 • 내게 필요한 옵션 설정
		• 컴퓨터시스템 관리	• 컴퓨터의 원리 • 컴퓨터의 기능 • 데이터 형태, 용도와 규모 등에 의한 분류 • 컴퓨터의 성능 • 중앙처리장치 • 기억장치 • 입출력장치 • 기타 장치 • 소프트웨어의 개념 및 종류 • 각종 유틸리티 프로그램 • 운영체제의 기본 개념 • 운영체제의 종류 • PC 관리 기초지식 • PC 응급처치
	• 인터넷 자료 활용	• 인터넷 활용	• 인터넷의 개요 • 웹 브라우저 사용 및 설정 • 인터넷 사용 환경 설정 • 인터넷 서비스
		• 멀티미디어 활용	• 멀티미디어 개요 • 멀티미디어 시스템 • 멀티미디어 데이터 • 멀티미디어 설정 • 멀티미디어 애플리케이션
		• 최신 정보통신기술 활용	• 정보통신기술 관련 용어 • 모바일 기기 관련 용어

과목명	주요 항목	세부 항목	세세 항목
컴퓨터일반	• 컴퓨터시스템 보호	• 정보 보안 유지	• 정보 윤리 기본 • 저작권 보호 • 개인정보 보호
		• 시스템 보안 유지	• 컴퓨터 범죄의 유형 • 컴퓨터 범죄의 예방과 대책 • 바이러스의 종류 및 특징 • 바이러스의 예방과 치료 • 방화벽 및 보안센터 • 기타 보안 기능
스프레드시트	• 응용 프로그램 준비	1. 프로그램 환경 설정하기	• 정보 가공을 위한 응용 프로그램을 실행할 수 있다. • 프로그램의 기본적인 사용을 위한 프로그램 환경을 파악할 수 있다. • 프로그램의 효율적인 사용을 위해 프로그램의 옵션을 설정할 수 있다.
		2. 파일 관리하기	• 작업할 파일을 열고 닫을 수 있다. • 파일을 다양한 저장 옵션으로 저장할 수 있다. • 공동작업을 위해 파일을 배포하고 내보낼 수 있다.
		3. 통합 문서 관리하기	• 새로운 시트를 삽입할 수 있다. • 시트 복사/이동, 이름 바꾸기, 그룹 설정하여 작업할 수 있다. • 시트 보호 설정을 할 수 있다. • 통합 문서를 보호할 수 있다. • 통합 문서를 공유하고 병합할 수 있다.
	• 데이터 입력	1. 데이터 입력하기	• 업무에 필요한 데이터를 종류별 특성에 맞게 입력할 수 있다. • 데이터의 시각화를 위해 일러스트레이션 개체를 삽입할 수 있다. • 이름, 메모, 윗주 등의 기능을 이용하여 기타 정보를 입력할 수 있다.
		2. 데이터 편집하기	• 필요에 따라 입력된 데이터를 수정할 수 있다. • 효율적인 데이터의 편집을 위한 다양한 영역 설정 방법을 사용할 수 있다. • 데이터의 다양한 활용을 위해 복사하여 다른 형식으로 붙여 넣을 수 있다.
		3. 서식 설정하기	• 데이터의 가독성을 고려하여 데이터에 기본 서식을 지정할 수 있다. • 데이터의 가독성을 높이고, 이해를 높이기 위해 사용자지정 서식을 지정할 수 있다. • 데이터의 파악을 용이하게 하기 위해 조건부 서식을 적용할 수 있다. • 업무 능률을 높이기 위해 서식파일과 스타일을 사용할 수 있다.

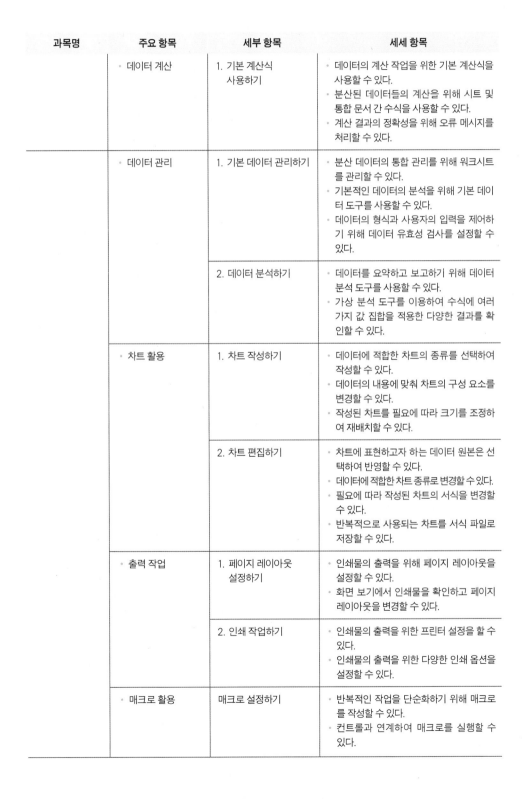

과목명	주요 항목	세부 항목	세세 항목
	• 데이터 계산	1. 기본 계산식 사용하기	• 데이터의 계산 작업을 위한 기본 계산식을 사용할 수 있다. • 분산된 데이터들의 계산을 위해 시트 및 통합 문서 간 수식을 사용할 수 있다. • 계산 결과의 정확성을 위해 오류 메시지를 처리할 수 있다.
	• 데이터 관리	1. 기본 데이터 관리하기	• 분산 데이터의 통합 관리를 위해 워크시트를 관리할 수 있다. • 기본적인 데이터의 분석을 위해 기본 데이터 도구를 사용할 수 있다. • 데이터의 형식과 사용자의 입력을 제어하기 위해 데이터 유효성 검사를 설정할 수 있다.
		2. 데이터 분석하기	• 데이터를 요약하고 보고하기 위해 데이터 분석 도구를 사용할 수 있다. • 가상 분석 도구를 이용하여 수식에 여러 가지 값 집합을 적용한 다양한 결과를 확인할 수 있다.
	• 차트 활용	1. 차트 작성하기	• 데이터에 적합한 차트의 종류를 선택하여 작성할 수 있다. • 데이터의 내용에 맞춰 차트의 구성 요소를 변경할 수 있다. • 작성된 차트를 필요에 따라 크기를 조정하여 재배치할 수 있다.
		2. 차트 편집하기	• 차트에 표현하고자 하는 데이터 원본은 선택하여 반영할 수 있다. • 데이터에 적합한 차트 종류로 변경할 수 있다. • 필요에 따라 작성된 차트의 서식을 변경할 수 있다. • 반복적으로 사용되는 차트를 서식 파일로 저장할 수 있다.
	• 출력 작업	1. 페이지 레이아웃 설정하기	• 인쇄물의 출력을 위해 페이지 레이아웃을 설정할 수 있다. • 화면 보기에서 인쇄물을 확인하고 페이지 레이아웃을 변경할 수 있다.
		2. 인쇄 작업하기	• 인쇄물의 출력을 위한 프린터 설정을 할 수 있다. • 인쇄물의 출력을 위한 다양한 인쇄 옵션을 설정할 수 있다.
	• 매크로 활용	매크로 설정하기	• 반복적인 작업을 단순화하기 위해 매크로를 작성할 수 있다. • 컨트롤과 연계하여 매크로를 실행할 수 있다.

구분	주요 함수
날짜와 시간 함수	YEAR, MONTH, HOUR, MINUTE, SECOND, WEEKDAY, DAYS360, DATE, NOW, TIME, DAY, TODAY, EDATE, EOMONTH, WORKDAY, YEARFRAC
논리 함수	IF, NOT, AND, OR, FALSE, TRUE, IFERROR
데이터베이스 함수	DSUM, DAVERAGE, DCOUNT, DCOUNTA, DMAX, DMIN
문자열 함수	LEFT, MID, RIGHT, LOWER, UPPER, PROPER, TRIM, REPLACE, SUBSTITUTE, LEN, TEXT, FIXED, CONCATENATE, VALUE, EXACT, FIND/FINDB, REPT, SEARCH/SEARCHB
수학과 삼각 함수	SUM, ROUND, ROUNDUP, ROUNDDOWN, ABS, INT, SUMIF, RAND, MOD, FACT, SQRT, PI, EXP, POWER, TRUNC, SUMIFS
재무 함수	–
찾기와 참조 함수	VLOOKUP, HLOOKUP, CHOOSE, INDEX, MATCH, COLUMN, COLUMNS, ROW, ROWS
통계 함수	AVERAGE, MAX, MIN, RANK, VAR, STDEV, COUNT, MEDIAN, MODE, AVERAGEA, LARGE, SMALL, COUNTA, COUNTBLANK, COUNTIF, AVERAGEIF, AVERAGEIFS, COUNTIFS, MAXA

▶ 시험관련 유의사항

① 반드시 필기시험에 합격해야 실기시험에 응시할 수 있습니다.

② 필기시험 합격은 2년까지가 유효하며, 유효기간이 지나면 필기시험을 재응시해야 합니다.

③ 상시검정 필기시험에 불합격하면 불합격 날짜를 기준으로 10일 후에 상시검정 필기시험에 재응시를 할 수 있습니다.

④ 시험결과는 대한상공회의소의 시험결과에서 확인할 수 있습니다.

⑤ 상시검정시험은 시험일 기준 4일 전에 날짜 변경이 가능하며, 총 3회를 변경할 수 있습니다.

⑥ 필기시험은 40분 시험으로 필기 점수 평균이 60점 이상이면서 컴퓨터일반과목과 스프레드시트과목 점수가 40점 미만 과목이 없어야 합니다.

⑦ 2급 실기시험은 40분 시험으로 엑셀 과목만을 시험보며, 실기시험 점수가 70점 이상이어야 합격할 수 있습니다.

⑧ 1급 필기시험에 합격한 수험생은 1, 2급 실기시험에 응시할 수 있습니다.

⑨ 시험 접수비는 필기 : 17,000원, 실기 : 20,000원입니다.(인터넷 접수 수수료 별도)

⑩ 상시 실기시험은 시험결과가 나오기 전에 재응시 가능하고, 실기시험을 여러 번 응시한 경우 처음 합격한 시점을 기준으로 자격증 취득이 됨으로 이후의 시험은 무효가 됩니다.

CONTENTS

실전모의고사 253

CHAPTER 1

기본작업

 출제경향

기본작업은 총 20점으로 데이터 입력, 셀 서식, 외부 데이터 가져오기, 필터, 조건부 서식, 그림 복사 및 붙여넣기 옵션 등이 출제되고 있다.

데이터 입력

출제유형 분석

✓ 워크시트에 한글, 영어, 숫자 및 특수 문자 형태의 데이터를 입력하는 문제가 출제된다.

✓ 데이터 입력 시 문제와 동일하게 입력해야 하며 내용을 수정하거나 잘못 입력할 경우 0점 처리 된다.

✓ 주어진 워크시트에 데이터를 정확하고 빠르게 입력할 수 있도록 연습해보자.

2 데이터의 입력

■ 블록 설정 후 데이터 입력 : 블록 설정한 후 데이터를 입력할 경우의 장점은 첫 번째, 열을 바꿀 때 Enter 만 눌러도 가능하다. 두 번째, 데이터를 작성할 때 한 줄씩 밀려쓰거나 빠뜨리고 쓸 경우 쉽게 파악할 수 있다.

■ 두 줄 입력 : 엑셀에서는 Enter 를 누르면 아래 행의 셀로 이동한다. 하나의 셀에 두 줄로 데이터를 입력할 때는 첫 줄에 데이터를 입력한 후 Alt + Enter 를 누르고 다음 줄에 데이터를 입력하면 된다.

■ 동일한 데이터 입력 : 여러 셀(영역)을 선택하고 데이터를 입력한 후 Ctrl + Enter 를 누르면 동일한 데이터가 입력된다.

■ 백분율(%) 입력 : [홈] 탭 → [표시 형식] 그룹에서 [%]을 적용하고 숫자를 입력하면 된다.

■ 날짜 입력 : 날짜 데이터를 입력할 때는 년, 월, 일 사이에 "-" 또는 "/"를 입력한다.

■ 한글 또는 영문 입력 : 한/영 키를 이용하여 한글과 영문을 전환한다.

■ 특수 문자 입력 : 한글 자음을 입력한 후 한자 나 오른쪽 Ctrl 을 누르면 표시되는 기호 목록에서 기호를 찾아 입력한다.

한글 자음	기호	한글 자음	기호
ㄱ	문장 부호	ㄴ	괄호
ㄷ	수학 기호	ㄹ	단위
ㅁ	그림 문자	ㅂ	연결선
ㅅ	원 및 괄호 문자 (한글)	ㅇ	원 및 괄호 문자 (숫자, 알파벳)
ㅈ	로마 숫자	ㅊ	분수 및 첨자
ㅋ	한글	ㅌ	옛 한글
ㅍ	알파벳	ㅎ	그리스어

3   데이터의 수정

- 블록 설정한 상태에서 데이터를 잘못 입력하고 **Enter** 를 눌렀을 때는 **Shift** + **Enter** 를 누르면 셀이 위로 이동하여 잘못 입력한 데이터를 수정할 수 있다.
- 데이터를 수정할 셀을 선택하고 새로운 데이터를 입력하면, 기존의 셀 내용은 사라진다.
- 수정할 셀을 더블 클릭하거나 **F2** 를 누른 후 데이터를 수정한다.
- 수정할 셀을 선택하고 수식 입력줄에서 수정할 수 있다.

4   데이터의 삭제

데이터를 삭제할 경우 해당 셀이나 영역을 범위로 지정하고 **Delete** 를 누른다.

5   데이터의 선택

- 떨어져 있는 셀(영역) 선택 : **Ctrl** 을 누른 채 셀(영역)을 선택한다.
- 연속된 셀 선택 : 마우스를 드래그해서 영역을 설정할 수 있고, 처음 셀을 선택한 후 **Shift** 를 누른 채 마지막 셀을 선택한다.

6 데이터의 자동 채우기

- **문자 자동 채우기** : 문자 데이터를 입력한 후 채우기 핸들을 드래그하면 셀에 동일한 문자 데이터가 채워진다.
- **숫자 자동 채우기** : 숫자 데이터를 입력한 후 채우기 핸들을 드래그하면 셀에 동일한 숫자 데이터가 채워진다. 반면, Ctrl 을 누른 상태에서 드래그하면 숫자 값이 1씩 증가하면서 자동으로 데이터가 채워진다.
- **문자와 숫자가 조합된 자동 채우기** : 문자와 숫자가 조합된 데이터를 입력한 후 채우기 핸들을 드래그하여 놓으면 문자는 그대로 복사되고 숫자 값은 1씩 증가하여 채워진다. 반면, Ctrl 을 누른 상태에서 채우기 핸들을 드래그하면 원래의 데이터가 복사되어 채워진다.

7 열 너비, 행 높이 조정

- **방법1** : 열 번호의 오른쪽 경계선이나 행 번호의 아래쪽 경계선에서 마우스를 클릭한 상태로 드래그하여 조정한다.
- **방법2** : 열 번호나 행 번호 위에서 바로 가기 메뉴(마우스 오른쪽 버튼)를 클릭하여 '열 너비', '행 높이' 메뉴에서 직접 값을 입력하여 조정한다.
- **방법3** : 열 번호의 오른쪽 경계선이나 행 번호의 아래쪽 경계선에서 더블 클릭하면 길이가 가장 긴 데이터를 기준으로 열 너비, 행 높이가 조정된다.

> [Part 1_유형분석\Chapter01_기본작업\01_데이터입력.xlsm]의 '예제_01' 시트에서 작업하시오.

예제_01 '예제_01' 시트에서 다음의 자료를 주어진 대로 입력하시오.

	A	B	C	D	E	F	G	H
1	2016년 10월 Best-Seller 9							
2								
3	순번	도서제목	분류	페이지	저자	출판사	판매가	
4	1	낭만적 연애와 그 후의 일상	영미소설	300	알랭 드 보통	은행나무	13500	
5	2	설민석의 조선왕조실록	역사/문화	504	설민석	세계사	22000	
6	3	자존감 수업	교양심리	304	윤홍균	심플라이프	14000	
7	4	WHEN BREATH BECOMES air	시/에세이	284	폴 칼라니티	흐름출판	14000	
8	5	빨강머리 앤이 하는 말	시/에세이	336	백영옥	arte	16000	
9	6	미움받을 용기 1	교양심리	336	고가 후미타케, 기시미 이치로	인플루엔셜	14900	
10	7	지적 대화를 위한 넓고 얕은 지식	교양인문	376	채사장	한빛비즈	16000	
11	8	나에게 고맙다	시/에세이	272	전승환	허밍버드	13800	
12	9	못 참는 아이 욱하는 부모	자녀교육	344	오은영	코리아닷컴	16800	
13								
14								

예제_01 풀이

① [A3] 셀을 클릭하여 "순번"을 입력한다.

② [A4] 셀에 "1"을 입력하고 **Ctrl** 을 누른 상태에서 채우기 핸들을 [A12] 셀까지 드래그한다.

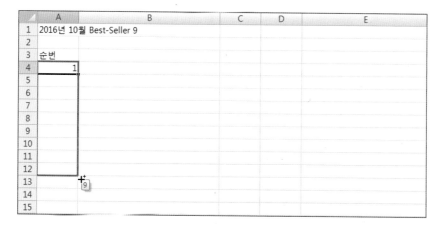

③ [B3:G12] 영역을 드래그한 후 데이터를 입력한다. 한 번 입력한 데이터는 같은 열에 다시 입력 시 '자동 완성' 기능으로 표시해준다. [C6] 셀에 "교양심리"를 입력했으면 [C9] 셀에서는 "교"만 입력하고 **Enter** 를 누르면 빠르게 입력할 수 있다.

H I N T

자동 완성 옵션 설정
[파일] 탭을 클릭하고 범주에서 [옵션]을 선택한다. [Excel 옵션] 대화상자의 [고급]에서 '셀 내용을 자동 완성' 항목에 체크한 후 [확인] 버튼을 누른다.

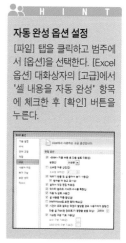

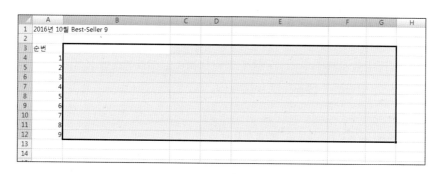

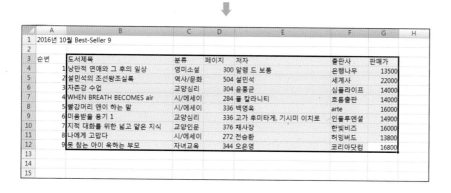

H I N T

시험에서는 입력할 데이터에 맞게 열 너비와 행 높이가 미리 조정되어 있다. 따라서 문제에서 별도의 지시가 없는 한 열 너비와 행 높이를 변경하지 않는다.

④ 데이터 입력이 완료되면 오타나 내용이 변경된 부분이 없는지 검토한다.

[Part 1_유형분석\Chapter01_기본작업\01_데이터입력.xlsm] 의 '확인_01' 시트에서 작업하시오.

확인_01 '확인_01' 시트에 다음의 자료를 주어진 대로 입력하시오.

	A	B	C	D	E	F	G	H
1	강수대학교 학과별 신입생 및 재학생 현황							
2								
3	학과명	학과번호	단대	재학생 수	학과장	신입생 정원	신입생 수	
4	컨벤션경영학과	123-4567	경상대학	220	이준재	50	52	
5	컴퓨터공학과	123-5435	공과대학	497	김경희	120	117	
6	건축학과	123-5454	공과대학	237	김혜란	60	57	
7	특허법학과	123-2324	법과대학	288	신은수	80	80	
8	무역학과	123-4578	경상대학	312	정재온	70	67	
9	디자인학과	123-6676	예술대학	251	문혜인	60	56	
10	영어영문학과	123-8468	문과대학	217	이연구	55	55	
11	경영학과	123-4588	경상대학	587	오해강	160	160	
12	수학과	123-3063	이과대학	243	박귀련	70	69	
13	생명공학과	123-3074	이과대학	378	김혜란	110	103	
14	문예창작학과	123-8435	문과대학	197	고재원	50	49	
15								
16								

(확인_01 풀이)

① [A3:G14] 영역을 드래그한 후 데이터를 정확하게 입력한다.

② 한 번 입력한 데이터는 '자동 완성' 기능으로 같은 열에 동일한 데이터 입력 시 표시해준다. [C4] 셀에 "경상대학"을 입력했으면 [C8] 셀에서는 "경"만 입력하고 **Enter** 를 누른다.

	A	B	C	D	E	F	G	H
1	강수대학교 학과별 신입생 및 재학생 현황							
2								
3								
4								
5								
6								
7								
8								
9								
10								
11								
12								
13								
14								
15								
16								

	A	B	C	D	E	F	G	H
1	강수대학교 학과별 신입생 및 재학생 현황							
2								
3	학과명	학과번호	단대	재학생 수	학과장	신입생 정원	신입생 수	
4	컨벤션경영학과	123-4567	경상대학	220	이준재	50	52	
5	컴퓨터공학과	123-5435	공과대학	497	김경회	120	117	
6	건축학과	123-5454	공과대학	237	김혜란	60	57	
7	특허법학과	123-2324	법과대학	288	신은수	80	80	
8	무역학과	123-4578	경상대학	312	정재온	70	67	
9	디자인학과	123-6676	예술대학	251	문혜인	60	56	
10	영어영문학과	123-8468	문과대학	217	이연구	55	55	
11	경영학과	123-4588	경상대학	587	오해강	160	160	
12	수학과	123-3063	이과대학	243	박귀련	70	69	
13	생명공학과	123-3074	이과대학	378	김혜란	110	103	
14	문예창작학과	123-8435	문과대학	197	고재원	50	49	
15								
16								

③ 데이터 입력이 완료되면 오타나 내용이 변경된 부분은 없는지 검토한다.

출제유형 분석

✓ 데이터가 입력된 셀이나 셀 범위에 글꼴, 정렬(맞춤), 표시 형식, 채우기 색, 테두리 등을 지정하는 문제가 출제된다.

✓ 한자 및 특수 문자를 입력하는 문제와 메모 삽입, 이름 정의 문제가 출제된다.

1 셀 서식 지정하기

▪ 방법1 : 셀 서식을 적용할 셀 위에서 바로 가기 메뉴의 [셀 서식]을 선택한다.

▪ 방법2 : [홈] 탭의 [글꼴], [맞춤], [표시 형식] 그룹에서 바로 적용하거나 [홈] 탭 → [셀] 그룹 → [서식] 명령 → [셀 서식]을 이용할 수 있다.

▪ 방법3 : 바로 가기 키 `Ctrl` + `1` 을 누르면 셀 서식 대화상자가 열린다.

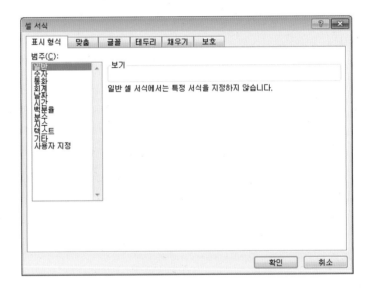

표시 형식	• 일반:데이터에 특정 서식을 지정하지 않은 경우 일반 형식으로 표시된다. 이 경우 문자 데이터는 왼쪽, 숫자 데이터는 오른쪽으로 정렬된다. • 숫자:일반적인 숫자를 표시한다. 소수 자릿수와 천 단위 구분 기호를 표시할 수 있다. • 통화:숫자 데이터를 화폐 단위로 표시한다. 통화 기호가 숫자 앞에 붙고, 천 단위 구분 기호(,)가 적용되며 오른쪽 맞춤으로 표시된다. 왼쪽 맞춤이나 가운데 맞춤이 가능하다. • 회계:기호가 해당 셀의 맨 앞에 표시된다. 왼쪽 맞춤이나 가운데 맞춤이 불가능하다. 값이 0인 경우 하이픈(-)으로 표시된다. • 날짜/시간:날짜와 시간에 해당하는 일련의 숫자를 날짜값으로 표시한다. • 백분율:셀 값에 100을 곱한 값이 백분율(%) 기호와 함께 표시된다. • 텍스트:셀에 입력한 숫자를 텍스트로 처리하여 입력한 대로 표시한다. • 기타:숫자 데이터를 우편번호, 전화번호, 주민등록번호 등으로 표시한다. • 사용자 지정:사용자가 직접 필요한 표시 형식을 지정할 수 있다.
맞춤	데이터의 가로, 세로 방향을 지정한다. 텍스트를 줄 바꿈하거나 여러 셀을 병합할 수 있다.
글꼴	데이터의 글꼴, 크기, 글꼴 색 등과 관련된 서식을 지정한다. 취소선, 위 첨자, 아래 첨자 표시도 가능하다.
테두리	셀의 테두리를 실선, 점선, 이중선, 대각선 등으로 지정할 수 있다. 또한 테두리에 다양한 색 지정도 가능하다.
채우기	셀에 배경색, 그라데이션, 무늬 색, 무늬 스타일을 지정한다.
보호	워크시트를 보호하기 위해 셀 잠금, 수식 숨기기를 설정한다.

2 표시 형식의 사용자 지정

▪ 엑셀에서 제공되는 서식 이외에 사용자가 직접 필요한 표시 형식을 지정할 수 있다.

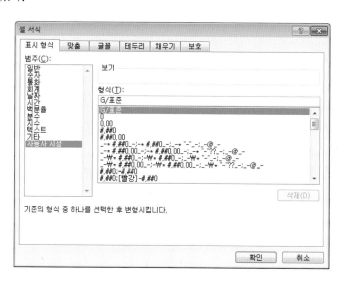

① 사용자 지정 서식의 형태

- 사용자 지정 서식은 4개의 구역으로 구성된다. 각 구역은 세미콜론(;)으로 구분한다.

> #,##0 ; [빨강]-#,##0 ; 0.00 ; @"고객"
> 양수 서식　　　음수 서식　　　0 서식　　문자 서식

- 4개의 구역으로 구분하지 않고 한 가지 서식만 입력하면 한 가지 서식으로 통일된다.

② 숫자 서식 코드

- 0(영) : 숫자의 자릿수가 서식에 지정된 자릿수보다 적으면 유효하지 않은 0을 표시한다.
- # : 0(영)과 동일한 규칙이지만 입력한 숫자의 자릿수가 소수점 위쪽 또는 아래쪽에서 서식에 지정된 # 기호보다 적은 경우 추가로 0을 표시하지 않는다.
- ? : 0(영)과 동일한 규칙이지만 소수점 기준으로 각 방향에 유효하지 않은 0 대신 공백이 추가되어 열에서 소수점 기준으로 정렬된다.
- .(마침표) : 숫자에 소수점을 표시한다.

③ 문자 서식 코드

- @ : 셀에 입력한 문자와 특정 문자를 함께 표시할 때 사용하며, 셀에 "김경희"가 입력되어 있을 경우 @ "님"을 입력하면 '김경희 님'이 표시된다.

④ 날짜 서식 코드

- m : 맨 앞에 0을 표시하지 않고 월을 숫자로 표시한다. (1~12 표시)
- mm : 한 자리 월은 맨 앞에 0을 표시하고 월을 숫자로 표시한다. (01~12 표시)
- d : 맨 앞에 0을 표시하지 않고 날짜를 숫자로 표시한다. (1~31 표시)
- dd : 한 자리 날짜에는 맨 앞에 0을 표시하고 날짜를 숫자로 표시한다. (01~31 표시)
- ddd : 요일을 영문 3음절로 표시한다. (MON, SUN)
- dddd : 요일을 영문 풀네임으로 표시한다. (monday, sunday)
- aaa : 요일을 한글 1음절로 표시한다. (월, 일)
- aaaa : 요일을 한글 3음절로 표시한다. (월요일, 일요일)

- yy : 연도를 뒤의 두 자리 숫자로 표시한다. (18 표시)
- yyyy : 연도를 네 자리 숫자로 표시한다. (2018 표시)

⑤ 시간 서식 코드

- h : 맨 앞에 0을 표시하지 않고 시간을 숫자로 표시한다. (0~12 표시)
- hh : 한 자리 시는 맨 앞에 0을 표시하고 시간을 숫자로 표시한다. (00~12 표시)
- m : 맨 앞에 0을 표시하지 않고 분을 숫자로 표시한다. (0~59 표시)
- mm : 한 자리 분은 맨 앞에 0을 표시하고 분을 숫자로 표시한다. (00~59 표시)
- s : 맨 앞에 0을 표시하지 않고 초를 숫자로 표시한다. (0~59 표시)
- ss : 한 자리 초는 맨 앞에 0을 표시하고 초를 숫자로 표시한다. (00~59 표시)

3 이름 정의

- 수식이나 조건 범위를 작성할 때, 범위를 '시트명!$A$1:$B$107'과 같이 복잡한 셀 주소 형태로 사용하지 않고, '고객명'과 같은 명칭을 사용하여 용이하게 작업을 하기 위해 이름 정의 기능을 사용한다.

  ```
  =SUM(시트명!A1:B107)  →   =SUM(고객명)
  ```

- 이름이 정의되면 수식에서 절대 참조된 것처럼 이용된다.
- 최대 255자까지 정의할 수 있고 대소문자를 구별하지 않는다. 이름 정의 시 첫 번째에는 반드시 한글이나 영문자가 와야 되고, 두 번째부터는 한글이나 영문, 숫자가 올 수 있다. 다만, 숫자만 사용하거나 특수 문자를 사용하여 이름을 정의할 수는 없다.

- 하나의 통합 문서에서 같은 이름을 2개 이상 지정할 수 없다.
- 방법1 : 수식 입력줄의 왼쪽에 있는 [이름 상자]를 클릭한 후 이름을 입력하고 **Enter** 를 누른다.
- 방법2 : [수식] 탭 → [정의된 이름] 그룹 → [이름 정의] 명령을 클릭한 후 [새 이름] 대화상자에서 이름을 입력하고 범위와 설명, 참조 대상을 지정한 후 [확인] 버튼을 누른다.
- 이름 삭제 : [수식] 탭 → [정의된 이름] 그룹 → [이름 관리자] 명령을 클릭한다. [이름 관리자] 대화상자에서 삭제할 이름을 선택한 후 [삭제] 버튼을 누른다.

4 메모 삽입

- 방법1 : [검토] 탭 → [메모] 그룹 → [새 메모] 명령을 클릭한다.
- 방법2 : 메모를 삽입할 셀의 바로 가기 메뉴에서 [메모 삽입]을 선택한다.
- 방법3 : 바로 가기 키 **Shift** + **F2** 를 누른다.

[Part 1_유형분석\Chapter01_기본작업\02_셀서식.xlsm] 의 '예제_01' 시트에서 작업하시오.

예제_01 '예제_01' 시트에서 다음의 지시사항을 처리하시오.

① A열의 너비를 '1', 1행의 높이를 '24'로 조정하시오.

② [C4:C18] 영역을 "학교명"으로 이름을 정의하시오.

③ 제목 '초등학생 영어말하기 대회 입상자 명단'의 '입상자'를 "入賞者"로 변경하시오.

④ 제목 '초등학생 영어말하기 대회 입상자 명단'의 앞에 "※ "을 삽입하시오.

⑤ [B1:H1] 영역은 '셀 병합 후 가로 가운데 맞춤', 글꼴 '바탕', 크기 15, 글꼴스타일 '기울임꼴'로 지정하시오.

⑥ [B1] 셀에 "기밀 유지"라는 메모를 삽입하고, 항상 표시되도록 하시오.

⑦ [B3:H3] 영역은 '가로 가운데 맞춤'으로 지정한 후 '바다색, 강조5'로 채우시오.

⑧ [B4:H18] 영역은 '가로 가운데 맞춤'으로 지정하시오.

⑨ [F4:F18] 영역은 사용자 지정 서식을 이용하여 문자 뒤에 "등급"을 표시
하시오.(표시 예:A → A등급)

⑩ [B3:H18] 영역의 바깥쪽 테두리를 '굵은 상자 테두리', 안쪽 모든 테두
리를 '실선'으로 표시하시오.

⑪ 상금[H4:H18] 영역은 1000의 배수로 표시하시오. (표시 예:500000 →
500천원)

예제_01 풀이

1. A열의 너비를 '1', 1행의 높이를 '24'로 조정하시오.

① A열 번호를 선택한 후 바로 가기 메뉴에서 [열 너비]를 선택한다.

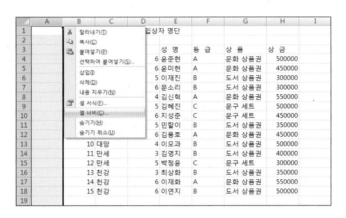

② [열 너비] 대화상자에서 '열 너비' 항목에 "1"을 입력하고 [확인] 버튼을 누른다.

③ 1행 번호를 선택한 후 바로 가기 메뉴에서 [행 높이]를 선택한다.

④ [행 높이] 대화상자에서 '행 높이' 항목에 "24"를 입력하고 [확인] 버튼을 누른다.

2. [C4:C18] 영역의 셀을 "학교명"으로 이름을 정의하시오.

① [C4:C18] 영역을 드래그하여 선택한다. [이름 상자]를 클릭하여 "학교명"을 입력하고 Enter 를 누른다.

3. 제목 '초등학생 영어말하기 대회 입상자 명단'의 '입상자'를 "入賞者"로 변경하시오.

② [B1] 셀을 선택한 후 F2 를 누른다. '입상자'를 드래그한 후 한자 를 누른다. [한글/한자 변환] 대화상자에서 해당 한자를 선택한 후 '입력 형태'에서 '漢字'에 체크하고 [변환] 버튼을 누른다.

③ 이어서 '자'에 해당하는 한자를 선택한 후 [변환] 버튼을 누른다.

4. 제목 '초등학생 영어말하기 대회 입상자 명단'의 앞에 "※ "을 삽입하시오.

① [B1] 셀을 더블 클릭한 후 제목 앞을 클릭하여 커서를 둔다.

② 자음 "ㅁ"을 입력하고 한자 를 누른 후, 해당 기호를 선택한다.
 Space bar 를 눌러 공백을 입력한다.

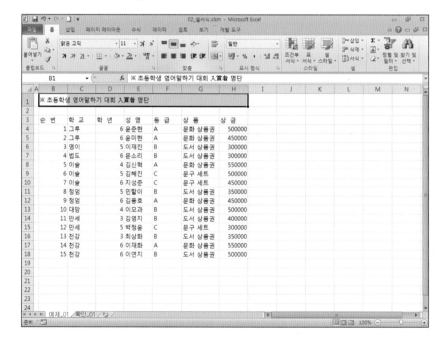

5. [B1:H1] 영역은 '셀 병합 후 가로 가운데 맞춤', 글꼴 '바탕', 크기 15, 글꼴스타일 '기울임꼴'로 지정하시오.

① [B1:H1] 영역을 드래그하여 선택한 후 [홈] 탭 → [맞춤] 그룹에서 [병합하고 가운데 맞춤(圉)] 명령을 클릭한다.

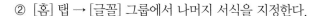

② [홈] 탭 → [글꼴] 그룹에서 나머지 서식을 지정한다.

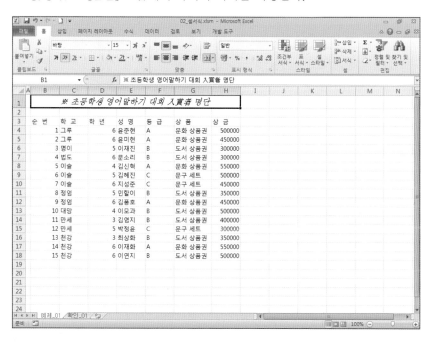

6. [B1] 셀에 "기밀 유지"라는 메모를 삽입하고, 항상 표시되도록 하시오.

① [B1] 셀을 선택한 후 [검토] 탭 → [메모] 그룹에서 [새 메모] 명령을 클릭한다.

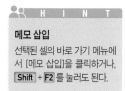

메모 삽입

선택된 셀의 바로 가기 메뉴에서 [메모 삽입]을 클릭하거나, Shift + F2 를 눌러도 된다.

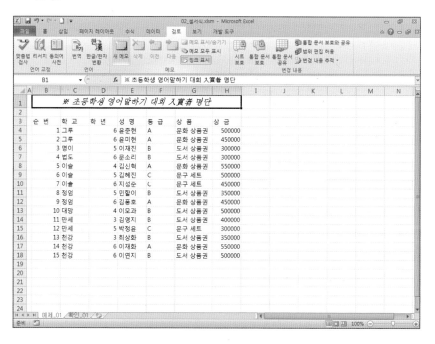

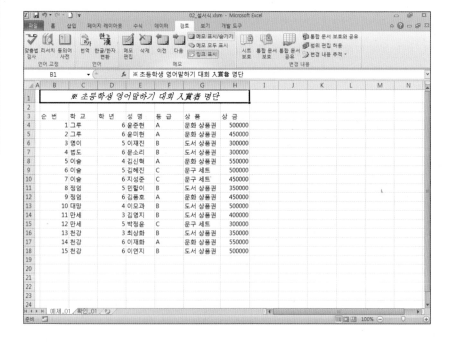

② 메모의 사용자명을 지우고 "기밀 유지" 메모 내용을 입력한다.

③ 다시 [B1] 셀을 선택하고 [검토] 탭 → [메모] 그룹에서 [메모 표시/숨기기] 명령을 클릭한다.

7. [B3:H3] 영역은 '가로 가운데 맞춤'으로 지정한 후 '바다색, 강조 5'로 채우시오.

① [B3:H3] 영역을 드래그하여 선택한 후 [홈] 탭 → [맞춤] 그룹에서 [가운데 맞춤(≣)] 명령을 클릭한다.

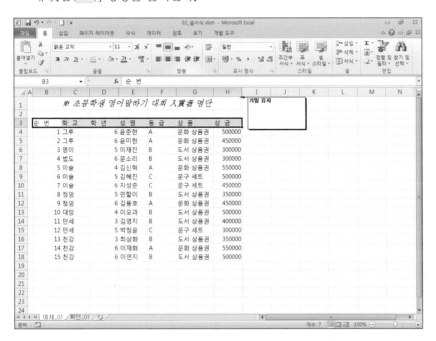

② [홈] 탭 → [글꼴] 그룹의 [채우기 색(◇▼)]명령의 목록 단추를 클릭한 후 '바다색, 강조 5'를 선택한다.

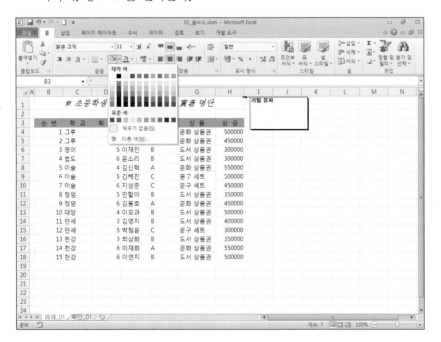

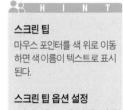
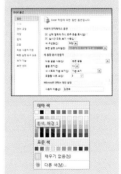

8. [B4:H18] 영역은 '가로 가운데 맞춤'으로 지정하시오.

① [B4:H18] 영역을 드래그하여 선택한 후 [홈] 탭 → [맞춤] 그룹에서 [가운데 맞춤(≡)] 명령을 클릭한다.

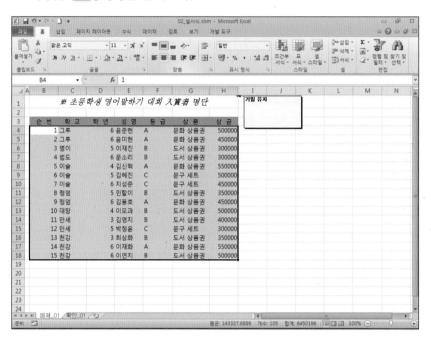

9. [F4:F18] 영역은 사용자 지정 서식을 이용하여 문자 뒤에 "등급"을 표시하시오.

① [F4:F18] 영역을 드래그하여 선택한 후 바로 가기 메뉴에서 [셀 서식]을 선택한다. (바로 가기 키 : Ctrl + 1)

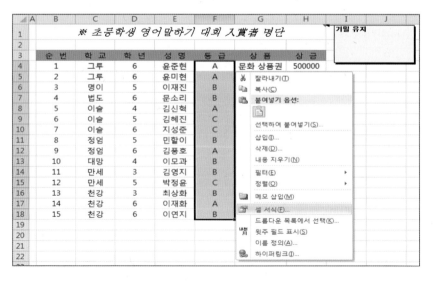

② [셀 서식] 대화상자가 열리면 [표시 형식] 탭의 '범주'에서 [사용자 지정]
을 선택하고, '형식'에 @"등급" 을 입력한 후 [확인] 버튼을 누른다.

10. [B3:H18] 영역의 바깥쪽 테두리를 '굵은 상자 테두리', 안쪽 모든 테두리를 '실선'으
로 표시하시오.

① [B3:H18] 영역을 드래그하여 선택한 후 [홈] 탭 → [글꼴] 그룹에서 [테두
리( )]명령의 목록 단추를 클릭하고, '모든 테두리'를 선택한다.

HINT
바깥쪽에 '굵은 상자 테두리'
를 지정한 후, '모든 테두리'를
지정하면 '굵은 테두리'가 사
라지므로 순서에 주의한다.

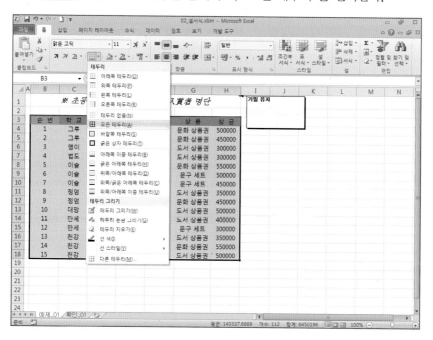

② 바깥쪽 테두리를 굵게 하기 위해 다시 [테두리(▦ ▾)]명령의 목록 단추를 클릭하여 '굵은 상자 테두리'를 선택한다.

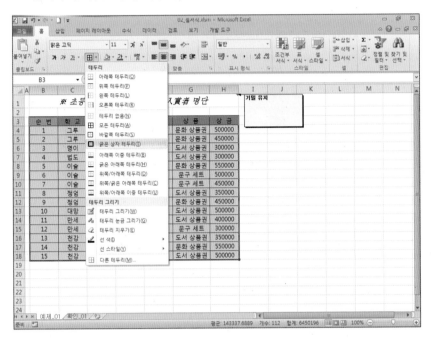

11. 상금[H4:H18] 영역은 1000의 배수로 표시하시오. (표시 예 : 500000 → 500천원)

① 상금[H4:H18] 영역을 드래그하여 선택한 후 바로 가기 메뉴에서 [셀 서식]을 선택한다. (바로 가기 키 : Ctrl + 1)

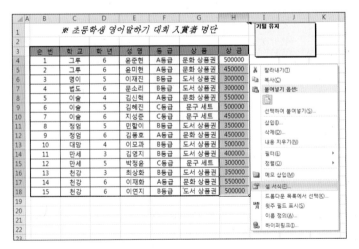

② [셀 서식] 대화상자의 [표시 형식] 탭에서 '범주'를 [사용자 지정]으로 선택하고 '형식'에 #,###,"천원" 을 입력한 후 [확인] 버튼을 누른다.

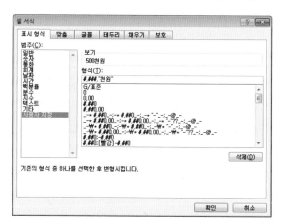

[Part 1_유형분석\Chapter01_기본작업\02_셀서식.xlsm] 의 '확인_01' 시트에서 작업하시오.

확인_01 '확인_01' 시트에서 다음의 지시사항을 처리하시오.

① A열의 너비를 '2', 1행의 높이를 '30'으로 조정하시오.

② [C4:C17] 영역 데이터의 문자와 숫자 사이에 "_"를 삽입하시오.

③ [F4:F17] 영역을 "보너스"로 정의하시오.

④ [B1:G1] 영역은 '셀 병합 후 가로 가운데 맞춤', 글꼴 '돋움', 크기 18, 글꼴스타일 '굵게'로 지정하시오.

⑤ 제목 '초코만화방 우대 고객 선정'의 '우대'를 "優待"로 변경하시오.

⑥ 제목 '초코만화방 우대 고객 선정'의 양쪽에 "♣"을 삽입하시오.

⑦ [B3:G3] 영역은 '가로 가운데 맞춤'으로 지정한 후 '주황'으로 채우시오.

⑧ [B4:G17] 영역은 '가로 가운데 맞춤'으로 지정하시오.

⑨ [E4:E17] 영역은 사용자 지정 서식을 이용하여 문자 뒤에 "점"을 표시하시오.(표시 예 : 1114 → 1114점)

⑩ [G3] 셀에 "등급변경시 승급"이라는 메모를 삽입하고, 표시되지 않도록 하시오.

⑪ [B3:G17] 영역에 테두리 스타일 '모든 테두리', 바깥 테두리 스타일을 '이중 실선'으로 지정하시오.

⑫ 사용자 지정 서식을 이용하여 고객등급[D4:D17] 뒤에 "회원"을 표시하시오. (표시 예 : 일반 → 일반회원)

	A	B	C	D	E	F	G	H
1		초코만화방 우대 고객 선정						
2								
3		고객명	고객번호	고객등급	기존점수	보너스점수	등급변경	
4		나정수	B148975	일반	589	451	변경	
5		김미래	B248547	특별	2134	347	동일	
6		최철구	B232458	우수	1543	830	변경	
7		한지성	B157845	우수	1741	165	동일	
8		허라니	B135489	일반	886	52	동일	
9		이모레	B258701	우수	1334	76	동일	
10		박지한	B337131	일반	934	169	변경	
11		은동수	B317458	일반	347	311	동일	
12		하진수	B133784	우수	1439	1106	변경	
13		오나리	B110723	일반	411	327	동일	
14		박민정	B209192	특별	2440	215	동일	
15		이유리	B330204	일반	781	327	변경	
16		조성식	B212037	특별	2871	105	동일	
17		황혜림	B322487	우수	1390	506	동일	
18								

	A	B	C	D	E	F	G	H	I
1		♣초코만화방 優待 고객 선정♣							
2									
3		고객명	고객번호	고객등급	기존점수	보너스점수	등급변경		
4		나정수	B_148975	일반회원	589점	451	변경		
5		김미래	B_248547	특별회원	2134점	347	동일		
6		최철구	B_232458	우수회원	1543점	830	변경		
7		한지성	B_157845	우수회원	1741점	165	동일		
8		허라니	B_135489	일반회원	886점	52	동일		
9		이모레	B_258701	우수회원	1334점	76	동일		
10		박지한	B_337131	일반회원	934점	169	변경		
11		은동수	B_317458	일반회원	347점	311	동일		
12		하진수	B_133784	우수회원	1439점	1106	변경		
13		오나리	B_110723	일반회원	411점	327	동일		
14		박민정	B_209192	특별회원	2440점	215	동일		
15		이유리	B_330204	일반회원	781점	327	변경		
16		조성식	B_212037	특별회원	2871점	105	동일		
17		황혜림	B_322487	우수회원	1390점	506	동일		
18									
19									

(확인_01 풀이)

1. A열의 너비를 '2', 1행의 높이를 '30'으로 조정하시오.

① A열 번호를 선택한 후 바로 가기 메뉴에서 [열 너비]를 선택한다.

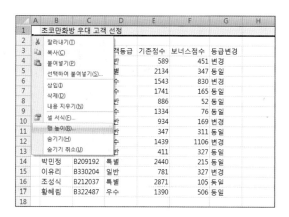

② [열 너비] 대화상자에서 '열 너비' 항목에 "2"를 입력하고 [확인] 버튼을 누른다.

③ 1행 번호를 선택한 후 바로 가기 메뉴에서 [행 높이]를 선택한다.

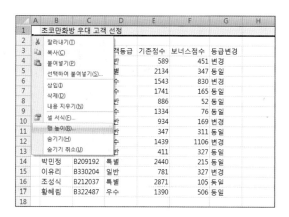

④ [행 높이] 대화상자에서 '행 높이' 항목에 "30"을 입력하고 [확인] 버튼을 누른다.

HINT

'_'을 일일이 입력하는 것보다 복사하여 붙여넣기 하는 것이 더 빠르다. '_'을 Ctrl + C 를 눌러 복사한 후, 두 번째 고객번호의 B와 숫자 사이를 더블 클릭하여 Ctrl + V 를 누른다. 이때 아래 셀로 이동하기 위해 Enter 를 누르지 말고 마찬가지로 고객번호의 B와 숫자 사이를 더블 클릭하여 셀 편집상태로 Ctrl + V 를 눌러 나머지 고객번호에도 "_"를 입력한다.

2. [C4:C17] 영역 데이터의 문자와 숫자 사이에 "_"를 삽입하시오.

① [C4] 셀을 더블 클릭하여 B와 숫자 사이에 "_"을 입력한다. 마찬가지로 나머지 고객번호에도 "_"를 입력한다.

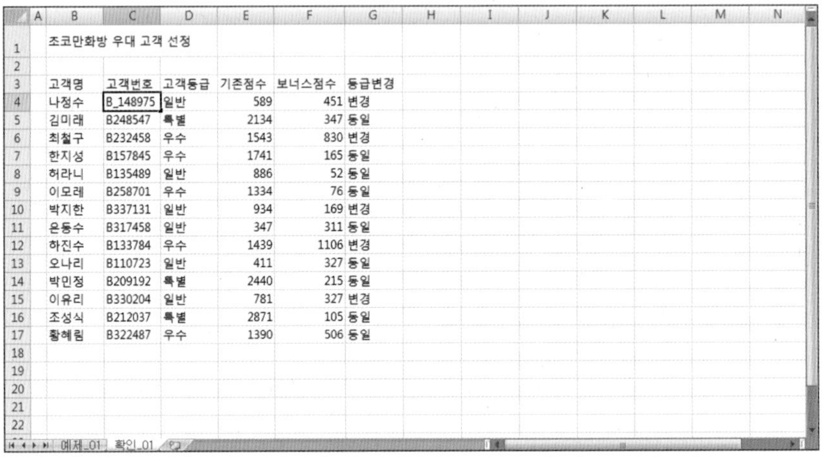

조코만화방 우대 고객 선정					
고객명	고객번호	고객등급	기존점수	보너스점수	등급변경
나정수	B_148975	일반	589	451	변경
김미래	B248547	특별	2134	347	동일
최철구	B232458	우수	1543	830	변경
한지성	B157845	우수	1741	165	동일
허라니	B135489	일반	886	52	동일
이모레	B258701	우수	1334	76	동일
박지한	B337131	일반	934	169	변경
온동수	B317458	일반	347	311	동일
하진수	B133784	우수	1439	1106	변경
오나리	B110723	일반	411	327	동일
박민정	B209192	특별	2440	215	동일
이유리	B330204	일반	781	327	변경
조성식	B212037	특별	2871	105	동일
황혜림	B322487	우수	1390	506	동일

3. [F4:F17] 영역의 이름을 "보너스"로 정의하시오.

① [F4:F17] 영역을 드래그하여 선택한다. [이름 상자]를 클릭하여 "보너스"를 입력하고 Enter 를 누른다.

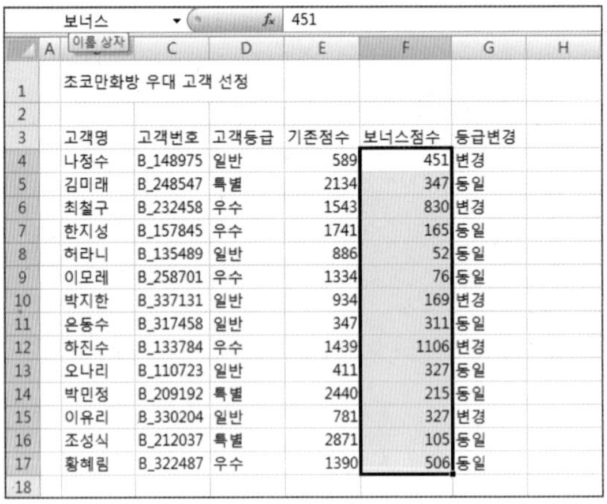

조코만화방 우대 고객 선정					
고객명	고객번호	고객등급	기존점수	보너스점수	등급변경
나정수	B_148975	일반	589	451	변경
김미래	B_248547	특별	2134	347	동일
최철구	B_232458	우수	1543	830	변경
한지성	B_157845	우수	1741	165	동일
허라니	B_135489	일반	886	52	동일
이모레	B_258701	우수	1334	76	동일
박지한	B_337131	일반	934	169	변경
온동수	B_317458	일반	347	311	동일
하진수	B_133784	우수	1439	1106	변경
오나리	B_110723	일반	411	327	동일
박민정	B_209192	특별	2440	215	동일
이유리	B_330204	일반	781	327	변경
조성식	B_212037	특별	2871	105	동일
황혜림	B_322487	우수	1390	506	동일

4. [B1:G1] 영역은 '셀 병합 후 가로 가운데 맞춤', 글꼴 '돋움', 크기 18, 글꼴스타일 '굵게'로 지정하시오.

① [B1:G1] 영역을 드래그하여 선택한 후 [홈] 탭 → [맞춤] 그룹에서 [병합하고 가운데 맞춤( )] 명령을 클릭한다.

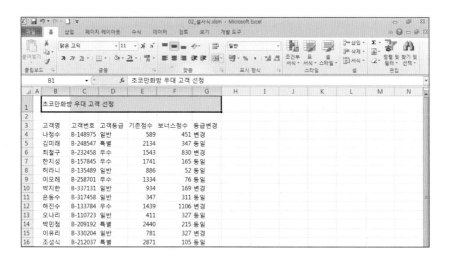

② [홈] 탭 → [글꼴] 그룹에서 나머지 서식을 지정한다.

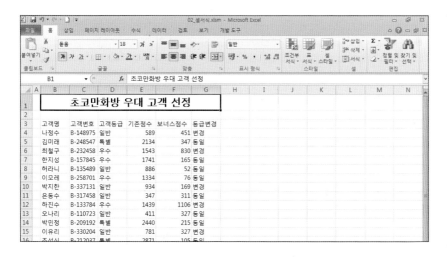

5. 제목 '초코만화방 우대 고객 선정'의 '우대'를 "優待"로 변경하시오.

① [B1] 셀을 선택한 후 F2 를 누른다. '우대'를 드래그한 후 한자 를 누른다. [한글/한자 변환] 대화상자에서 해당 한자를 선택한 후 '입력 형태'에서 '漢字'에 체크하고 [변환] 버튼을 누른다.

6. 제목 '초코만화방 우대 고객 선정'의 양쪽에 "♠"을 삽입하시오.

① [B1] 셀의 제목 앞을 클릭하여 커서를 둔다. 자음 "ㅁ"을 입력하고 한자 를 누른 후 해당 기호를 찾아 선택한다. 제목 뒤에 커서를 두고 동일하게 작업한다.

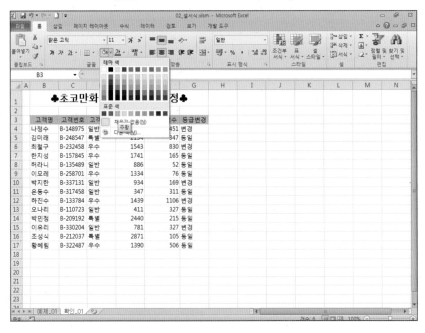

7. [B3:G3] 영역은 '가로 가운데 맞춤'으로 지정한 후 '주황'으로 채우시오.

① [B3:G3] 영역을 드래그하여 선택한다.

② [홈] 탭 → [맞춤] 그룹에서 [가운데 맞춤(≡)] 명령을 클릭하고, [글꼴] 그룹의 [채우기 색(🖌▾)]명령의 목록 단추를 클릭한 후 '주황'을 선택한다.

8. [B4:G17] 영역은 '가로 가운데 맞춤'으로 지정하시오.

① [B4:G17] 영역을 드래그하여 선택한 후 [홈] 탭 → [맞춤] 그룹에서 [가운데 맞춤(≡)] 명령을 클릭한다.

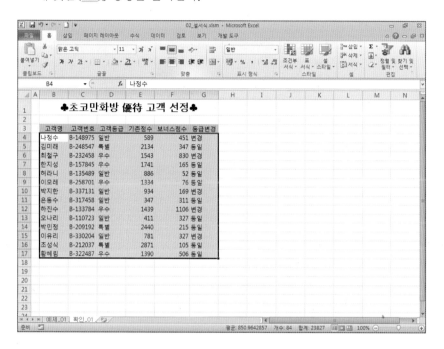

9. [E4:E17] 영역은 사용자 지정 서식을 이용하여 문자 뒤에 "점"을 표시하시오.
(표시 예 : 1114 → 1114점)

① [E4:E17] 영역을 드래그하여 선택한 후 바로 가기 메뉴에서 [셀 서식]을 선택한다. (바로 가기 키 : **Ctrl** + **1**)

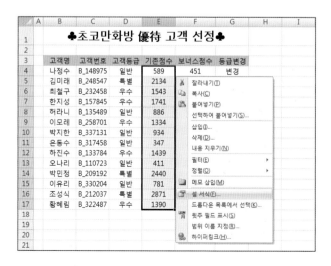

② [셀 서식] 대화상자의 '범주'에서 [사용자 지정]을 선택하고, '형식'에 G/표준"점" 을 입력한 후, [확인] 버튼을 누른다.

10. [G3] 셀에 "등급변경시 승급"이라는 메모를 삽입하고, 표시되지 않도록 하시오.

① [G3] 셀을 선택하고 [검토] 탭 → [메모] 그룹에서 [새 메모] 명령을 클릭한다.

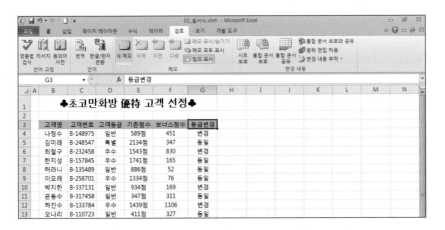

② 메모의 사용자명을 지우고 "등급변경시 승급" 메모 내용을 입력한다.

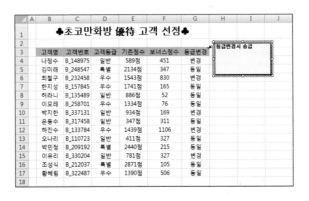

11. [B3:G17] 영역에 테두리 스타일 '모든 테두리', 바깥 테두리 스타일을 '이중 실선'으로 지정하시오.

① [B3:G17] 영역을 드래그하여 선택한 후 [홈] 탭 → [글꼴] 그룹에서 [테두리(⊞ ▾)] 명령의 목록 단추를 클릭하고 '모든 테두리'를 선택한다.

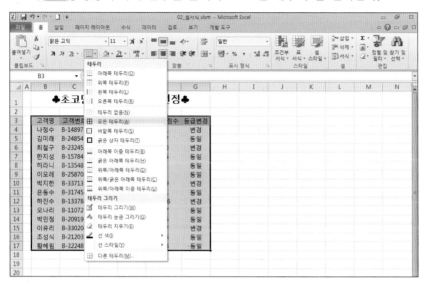

② 바깥쪽 테두리를 이중 실선으로 지정하기 위해 [B3:G17] 영역의 바로 가기 메뉴에서 [셀 서식]을 선택한다. (바로 가기 키: Ctrl + 1)

③ [셀 서식] 대화상자에서 [테두리] 탭을 선택한다. 선의 스타일에서 '이중 실선'을 선택하고, 미리 설정의 '윤곽선'을 클릭한 후, [확인] 버튼을 누른다.

12. 사용자 지정 서식을 이용하여 고객등급[D4:D17] 뒤에 "회원"을 표시하시오. (표시 예 : 일반 → 일반회원)

① [D4:D17] 영역을 드래그하여 선택한 후 바로 가기 메뉴에서 [셀 서식]을 선택한다. (바로 가기 키 : Ctrl + 1)

② [셀 서식] 대화상자의 [표시 형식] 탭의 '범주'에서 [사용자 지정]을 선택하고, '형식'에 @"회원" 을 입력한 후, [확인] 버튼을 누른다.

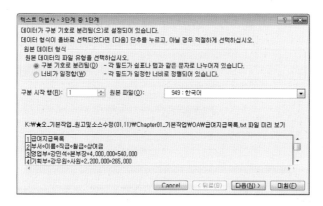

출제유형 분석

✓ 주로 텍스트 파일(.txt)을 가져오는 기능에 대하여 시험문제가 출제된다.

✓ 엑셀과 다른 파일 형식의 외부 데이터를 가져와 엑셀 형식으로 입력 및 작업하는 방법을 알아야 한다.

✓ 외부 데이터를 가져올 때 텍스트 마법사의 단계를 정확하게 설정하는 것이 중요하다.

1 외부 데이터

- 엑셀에서는 동일한 파일 형식의 엑셀 데이터를 가져올 수 있다. 또한 파일 형식이 다른 액세스(데이터베이스) 혹은 워드, 메모장 등에 작성되어 있는 데이터를 가져와 사용할 수 있다.

- 외부 데이터 가져오기 : [데이터] 탭 → [외부 데이터 가져오기] 그룹 → 택 1

2 텍스트 마법사 – 3단계 중 1단계

- 데이터의 각 필드가 탭, 세미콜론, 쉼표, 공백 등과 같은 문자로 나누어져 있다면 '구분 기호로 분리됨'을 선택한다.

- 각 필드가 일정한 너비로 정렬되어 있다면 '너비가 일정함'을 선택한다.

3 텍스트 마법사 – 3단계 중 2단계

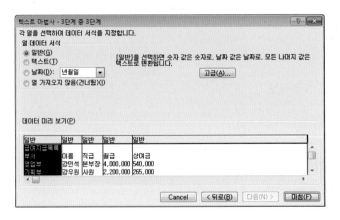

- 구분 기호 : 탭, 세미콜론, 쉼표, 공백 등 데이터의 각 필드를 나눈 구분 기호를 선택한다. 사용된 구분 기호가 없을 경우 '기타'를 선택하여 직접 구분 기호를 입력한다.
- 연속된 구분 기호를 하나로 처리 : 동일한 구분 기호가 중복된 경우에 하나로 처리한다.
- 텍스트 한정자 : 문자 데이터를 구분하기 위해 사용하는 기호를 선택한다.

4 텍스트 마법사 – 3단계 중 3단계

- 일반 : 숫자 값은 숫자, 날짜 값은 날짜, 모든 나머지 값은 텍스트로 변환한다.
- 텍스트 : 데이터를 텍스트 형식으로 변환한다.
- 날짜 : 데이터를 날짜 형식으로 변환한다.

- 열 가져오지 않음(건너뜀): '데이터 미리 보기'에서 선택한 열을 해당 시트로 가져오지 않는다.

- 고급: 숫자 데이터의 표시 형식을 지정할 경우 사용한다.

> [Part 1_유형분석\Chapter01_기본작업\03_외부 데이터.xlsm] 의 '예제_01' 시트에서 작업하시오.

예제_01 '예제_01' 시트에서 다음의 지시사항을 처리하시오.

1. 외부 데이터 기능을 이용하여 다음의 텍스트 파일을 '예제_01'시트의 [A1:E10] 영역에 가져오시오.

   - 외부 데이터의 파일명은[Part 1_유형분석\Chapter01_기본작업\OA] 폴더의 '급여지급목록.txt'

   - 외부 데이터는 탭으로 구분되어 있음

   - 열 너비는 조정하지 않음

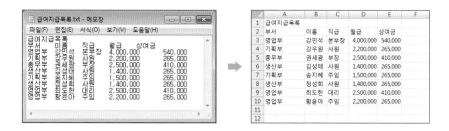

(예제_01 풀이)

① [A1] 셀을 선택하고, [데이터] 탭 → [외부 데이터 가져오기] 그룹 → [텍스트] 명령을 클릭한다.

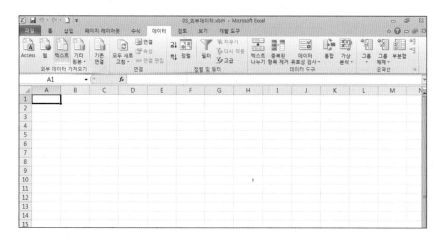

② [텍스트 파일 가져오기] 대화상자의 [Chapter01_기본작업\OA] 위치에서 '급여지급목록.txt'을 선택한 후 [가져오기] 버튼을 누른다.

③ [텍스트 마법사 → 3단계 중 1단계] 대화상자에서 원본 데이터 형식을 '구분 기호로 분리됨'으로 선택한 후, [다음] 버튼을 누른다.

※ 텍스트 파일의 데이터가 탭으로 구분되어 있으므로 '구분 기호로 분리됨'을 선택한다.

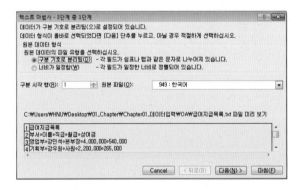

④ [텍스트 마법사 → 3단계 중 2단계] 대화상자에서 구분 기호는 '탭'으로 지정하고, [다음] 버튼을 누른다.

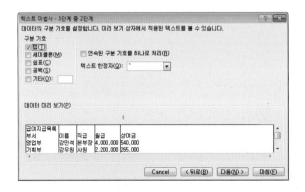

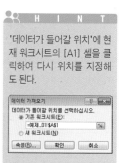

⑤ [텍스트 마법사 – 3단계 중 3단계] 대화상자에서 [마침] 버튼을 누른다.

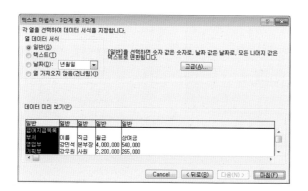

⑥ [데이터 가져오기] 대화상자의 '기존 워크시트'가 '=$A$1'으로 표시되면 [확인] 버튼을 누른다.

[Part 1_유형분석:\Chapter01_기본작업\03_외부 데이터.xlsm] 의 '확인_01' 시트에서 작업하시오.

확인_01   '확인_01' 시트에서 다음의 지시사항을 처리하시오.

1. 외부 데이터 기능을 이용하여 다음의 텍스트 파일을 '확인_01' 시트의 [B2:D13] 영역에 가져오시오.

   ▪ 외부 데이터의 파일명은 [Part 1_유형분서\Chaptcr01_기본작업\OA] 폴더의 '원두판매목록.txt'

   ▪ 외부 데이터는 쉼표(,)로 구분되어 있음

   ▪ 열 너비는 조정하지 않음

   ▪ '고객' 열은 가져오지 마시오.

① [B2] 셀을 선택하고, [데이터] 탭 → [외부 데이터 가져오기] 그룹 → [텍스트] 명령을 클릭한다.

② [텍스트 파일 가져오기] 대화상자의 [Chapter01_기본작업\OA] 위치에서 '원두판매목록.txt'을 선택한 후 [가져오기] 버튼을 누른다.

③ [텍스트 마법사 – 3단계 중 1단계] 대화 상자에서 원본 데이터 형식을
'구분 기호로 분리됨'으로 선택한 후, [다음] 버튼을 누른다.

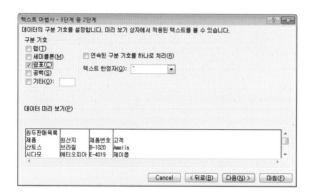

④ [텍스트 마법사 – 3단계 중 2단계] 대화상자에서 구분 기호의 '탭'을 해
제한 후 '쉼표'로 지정하고, [다음] 버튼을 누른다.

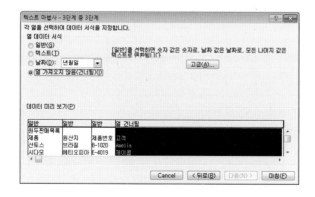

⑤ [텍스트 마법사 – 3단계 중 3단계] 대화상자에서 '고객' 열을 제외하기
위해 '데이터 미리 보기'에서 '고객' 열을 선택하고 '열 가져오지 않음(건
너뜀)'에 체크한 후 [마침] 버튼을 누른다.

⑥ [데이터 가져오기] 대화상자의 '기존 워크시트'에 '=$B$2'로 표시되면
　[확인] 버튼을 누른다.

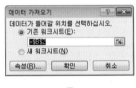

	A	B	C	D	E
1					
2		원두판매목록			
3		제품	원산지	제품번호	
4		산토스	브라질	B-1020	
5		시다모	에티오피아	E-4019	
6		블루마운틴	자메이카	J-1048	
7		예가체프	에티오피아	E-5837	
8		엑셀소	콜롬비아	C-0919	
9		시다모	에티오피아	E-4611	
10		산토스	브라질	B-1123	
11		슈프리모	콜롬비아	C-0501	
12		예가체프	에티오피아	E-1021	
13		블루마운틴	자메이카	J-5873	
14					

출제유형 분석

✓ 필터 중에서도 특히 '고급 필터'는 출제 빈도수가 아주 높은 기능이다. 단골손님처럼 자주 출제되는 유형으로 고급 필터를 수행하기 위한 조건을 지정하는 방법에 대해서도 명확히 이해하고 익혀둬야 한다.

1 자동 필터

- 자동 필터는 단순 조건을 지정하여 마우스의 간단한 조작만으로 목록에서 원하는 데이터만 필터링하는 기능이다.
- 주의할 점은 자동 필터를 실행하기 전에 반드시 원본 데이터의 임의의 셀을 선택해야 한다.
- 자동 필터 기능을 이용하면 지정한 데이터의 필드명(머리글) 옆에 [모두 표시(▼)] 라는 버튼이 나타난다. 이 버튼을 사용하여 원하는 필터 조건을 선택할 수 있다.
- **사용자 지정 자동 필터**: 자동 필터에서의 조건은 텍스트, 숫자, 날짜/시간 등에 대해 비교 연산자를 지정하거나 두 개의 조건을 지정할 수 있다. 또한 와일드 카드(만능 문자)를 사용하여 데이터를 필터링할 수 있다.

비교 연산자 및 와일드 카드

조건	설명
=	같다
〈〉	제외, 같지 않다
〉	초과, 크다
〈	미만, 작다
〉=	이상, 크거나 같다
〈=	이하, 작거나 같다
이*	'이'로 시작하는 모든 문자
〈〉이*	'이'로 시작하지 않는 모든 문자
*준	'준'으로 끝나는 모든 문자
준	'준'을 포함하는 문자
이?윤	'이'로 시작, '윤'으로 끝나는 3음절 예시) 이경윤, 이희윤 등

ex 국어 점수가 80 이상인 데이터

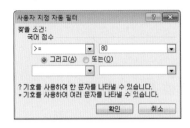

ex 국어 점수가 80점 이상이고, 90점 이하인 데이터

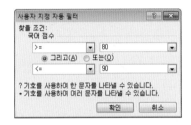

ex 이름의 첫 글자가 '김'이거나 마지막 글자가 '준'인 데이터

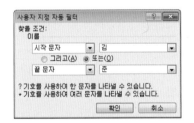

- 선택한 조건에 따라 데이터 목록이 표시되며, [모두 표시(▼)] 버튼은 [항목 표시(▼)] 버튼으로 변경되어 표시된다.
- 자동 필터 : [데이터] 탭 → [정렬 및 필터] 그룹 → [필터] 명령

2 고급 필터

- 고급 필터는 기존 데이터 중 특정 조건을 직접 입력하여 보다 더 자세한 조건에 해당하는 데이터를 필터링하는 기능이다.
- 데이터 목록의 임의의 셀을 클릭한 후 고급 필터를 실행하면 전체 영역을 선택하지 않아도 목록 범위를 쉽게 지정할 수 있다.
- 고급 필터의 조건식 작성

① 조건식을 작성할 때 원본 데이터 목록의 필드명(머리글)과 조건식의 제목이 반드시 일치해야 한다. 단, 시험에서 고급 필터 조건에 사용할 '함수'가 주어지거나 '수식'으로 하나의 셀에 입력하라는 지시가 있을 경우에는 조건식의 제목을 필드명(머리글)과 다르게 입력해야 한다. 이 경우에 조건식의 결과는 'TRUE' 또는 'FALSE'로 표시된다. 조건 셀의 수식 결과가 'TRUE' 또는 'FALSE'가 표시될 경우, 조건식의 제목을 바꾸지 않으면 일치하는 조건이 없다고 나온다. 이유는 예시와 같이 원본 데이터(국어, 수학)의 목록에 'TRUE' 또는 'FALSE' 데이터가 없기 때문이다. 따라서 반드시 원본 데이터의 필드명(머리글)과 일치하지 않는 것으로 조건식의 제목을 바꾸어야 한다.

ex 국어 점수가 80 이상이고, 수학 점수가 90 미만인 조건을 [B8:B9] 영역 내에 알맞게 입력하시오.

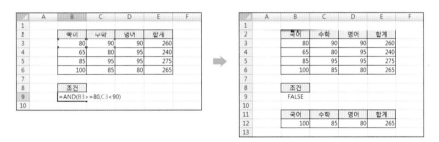

② AND 조건과 OR 조건을 정확하게 구분하여 사용한다. AND 조건은 같은 행에 입력하고, OR 조건은 다른 행에 입력한다. 고급 필터 지정 시 목록 범위, 조건 범위, 복사 위치 등을 정확하게 지정한다.

ex AND 조건:조건 모두를 만족해야 결과가 표시된다.

▪ 국어 점수가 80 이상이고, 수학 점수가 90 이상인 데이터를 추출할 때

	A	B	C	D
1				
2		국어	수학	
3		>=80	>=90	
4				

ex OR 조건:조건 중 하나만 만족해도 결과가 표시된다.

▪ 국어 점수가 70 미만이거나, 수학 점수가 80 이상인 데이터를 추출할 때

	A	B	C	D
1				
2		국어	수학	
3		<70		
4			>=80	
5				

▪ 고급 필터 : [데이터] 탭 → [정렬 및 필터] 그룹 → [고급] 명령

❶ 현재 위치에 필터 : 원본 데이터 영역에 필터링한 결과를 표시

❷ 다른 장소에 복사 : 원본 데이터 영역이 아닌 다른 위치(복사 위치)에 필터링한 결과를 표시

❸ 목록 범위 : 원본 데이터의 전체 영역

❹ 조건 범위 : 조건이 입력된 범위

❺ 복사 위치 : 필터링한 결과를 붙여넣는 위치로 '다른 장소에 복사'를 선택해야 활성화 됨

[Part 1_유형분석\Chapter01_기본작업\04_자동고급필터.xlsm] 의 '예제_01' 시트에서 작업하시오.

예제_01   '예제_01' 시트에서 다음의 지시사항을 처리하시오.

1. 자동 필터를 이용하여 학과가 '경영학과'이고, 총점이 90 이상인 자료의 데이터만 추출하시오.

[Part 1_유형분석\Chapter01_기본작업\04_자동고급필터.xlsm] 의 '예제_02' 시트에서 작업하시오.

예제_02 '예제_02' 시트에서 다음의 지시사항을 처리하시오.

1. 학과가 '경영학과'이면서, 총점이 90 이상인 데이터 값을 고급 필터를 사용하여 검색하시오.

▪ 고급 필터 조건은 [B20:C22] 영역 내에 알맞게 입력하시오.

▪ 고급 필터 결과 복사 위치는 동일 시트의 [B25] 셀에서 시작하시오.

▪ 열은 이름, 학과, 총점만 표시하시오.

이름	학과	학번	출석점수	과제점수	중간고사점수	기말고사점수	총점
			엑셀 고급반 수강생 명단				
김민찬	경영학과	20122009	10	9	38	38	95
김민준	경영학과	20122614	9	7	36	37	89
박수강	회계학과	20154248	6	5	32	34	77
이가을	국문학과	20140101	8	7	35	35	85
한대신	회계학과	20153042	6	7	31	38	82
최시운	영문학과	20134582	8	6	35	34	83
윤상균	국문학과	20121352	8	5	35	36	84
문종석	경영학과	20130116	10	9	38	38	95
김도운	경영학과	20141224	8	9	35	37	89
오하늘	교육학과	20131121	4	5	29	33	71
강시훈	역사학과	20160214	2	5	27	34	68
이승희	통계학과	20142064	4	3	35	33	75
신수표	교육학과	20131111	6	5	31	34	76
나도야	통계학과	20150026	6	4	33	31	74

이름	학과	총점
김민찬	경영학과	95
문종석	경영학과	95

예제_01 풀이

1. 학과가 '경영학과'이고, 총점이 90 이상인 자동 필터

① 원본 데이터 [B3:I17] 영역 내에 임의의 셀을 선택한 후 [데이터] 탭 → [정렬 및 필터] 그룹 → [필터] 명령을 클릭한다.

② 학과[C3] 셀의 [모두 표시(▼)] 버튼을 눌러 '모두 선택'을 해제하고, '경영학과'만 선택한 후 [확인] 버튼을 누른다.

③ 총점[I3] 셀의 [모두 표시(▼)] 버튼을 눌러 [숫자 필터] → [크거나 같음]
을 선택한다.

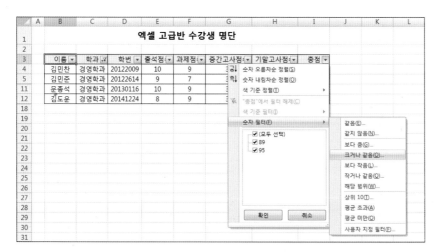

④ [사용자 지정 자동 필터] 대화상자의 '찾을 조건'에서 '총점이 90점 이
상'을 나타내는 비교 연산자 '>='을 지정하고, 옆 빈칸에 "90"을 입력한
후 [확인] 버튼을 누른다.

(예제_02 풀이)

1. 학과가 '경영학과'이고, 총점이 90 이상인 고급 필터

① 조건을 입력하기 위해 [C3] 셀을 선택하고 Ctrl 을 눌러 [I3] 셀을 함께
선택한 후 복사하여 조건의 시작 위치인 [B20] 셀에 붙여넣기 한다.

이름	학과	학번	출석점수	과제점수	중간고사점수	기말고사점수	총점
					엑셀 고급반 수강생 명단		
김민찬	경영학과	20122009	10	9	38	38	95
김민준	경영학과	20122614	9	7	36	37	89
박수강	회계학과	20154248	6	5	32	34	77
이가을	국문학과	20140101	8	7	35	35	85
한대신	회계학과	20153042	6	7	31	38	82
최시윤	영문학과	20134582	8	6	35	34	83
윤상균	국문학과	20121352	8	5	35	36	84
문종석	경영학과	20130116	10	9	38	38	95
김도운	경영학과	20141224	8	9	35	37	89
오하늘	교육학과	20131121	4	5	29	33	71
강시훈	역사학과	20160214	2	5	27	34	68
이승회	통계학과	20142064	4	3	35	33	75
신수표	교육학과	20131111	6	5	31	34	76
나도야	통계학과	20150026	6	4	33	31	74

② 주어진 문제의 조건에 맞게 [B21] 셀에 "경영학과"를 입력하고, [C21] 셀에 ">=90"을 입력한다. 이때 주어진 조건은 둘 다 만족해야 하는 AND 조건이므로 반드시 같은 행에 입력한다.

	이름	학과	학번	출석점수	과제점수	중간고사점수	기말고사점수	총점
7	이가을	국문학과	20140101	8	7	35	35	85
8	한대신	회계학과	20153042	6	7	31	38	82
9	최시윤	영문학과	20134582	8	6	35	34	83
10	윤상균	국문학과	20121352	8	5	35	36	84
11	문종석	경영학과	20130116	10	9	38	38	95
12	김도운	경영학과	20141224	8	9	35	37	89
13	오하늘	교육학과	20131121	4	5	29	33	71
14	강시훈	역사학과	20160214	2	5	27	34	68
15	이승회	통계학과	20142064	4	3	35	33	75
16	신수표	교육학과	20131111	6	5	31	34	76
17	나도야	통계학과	20150026	6	4	33	31	74
18								
19								
20	학과	총점						
21	경영학과	>=90						

③ 고급 필터의 결과로 이름, 학과, 총점 열만 표시하기 위해 [B3:C3], [I3] 셀을 선택하여 복사한 후, 필터 결과 복사 위치인 [B25] 셀을 클릭하여 붙여넣기 한다.

④ 원본 데이터 [B3:I17] 영역 내에 임의의 셀을 선택한 후 [데이터] 탭 → [정렬 및 필터] 그룹 → [고급] 명령을 클릭한다.

⑤ [고급 필터] 대화상자에서 '다른 장소에 복사'를 선택한다. 원본 데이터 내에 임의의 셀을 선택하였기 때문에 '목록 범위'는 [B3:I17] 영역이 자동으로 지정되어 있다.

HINT

특정 열만 필터
원본 데이터의 모든 열이 아닌 특정 열만 필터링할 경우에는 '복사 위치'에 복사해놓은 필드명의 범위를 지정한다.

⑥ '조건 범위'에 [B20:C21] 영역을 드래그하여 선택한다. '복사 위치'에 [B25:D25] 영역을 드래그하여 선택한 후 [확인] 버튼을 누른다.

엑셀 고급반 수강생 명단

이름	학과	학번	출석점수	과제점수	중간고사점수	기말고사점수	총점
김민찬	경영학과	20122009	10	9	38	38	95
김민준	경영학과	20122614	9	7	36	37	89
박수강	회계학과	20154248	6	5	32	34	77
이가을	국문학과	20140101	8	7	35	35	85
한대신	회계학과	20153042	6	7	31	38	82
최시운	영문학과	20134582	8	6	35	34	83
윤상균	국문학과	20121352	8	5	35	36	84
문종석	경영학과	20130116	10	9	38	38	95
김도운	경영학과	20141224	8	9	35	37	89
오하늘	교육학과	20131121	4	5	29	33	71
강시훈	역사학과	20160214	2	4	27	34	68
이승희	통계학과	20142064	4	3	35	33	75
신수표	교육학과	20131111	6	5	31	34	76
나도야	통계학과	20150026	6	4	33	31	74

학과	총점
경영학과	>=90

이름	학과	총점
김민찬	경영학과	95
문종석	경영학과	95

[Part 1_유형분석\Chapter01_기본작업\04_자동고급필터.xlsm] 의 '확인_01' 시트에서 작업하시오.

확인_01   '확인_01' 시트에서 다음의 지시사항을 처리하시오.

1. 자동 필터를 이용하여 판매가가 판매가의 '평균' 이상이고, 주문자명이 '이'로 시작하는 자료의 데이터만 추출하시오.

	A	B	C	D	E	F	G	H	I	J	K
1			한빛상사 사무용품 판매현황								
2											
3	상품코드	상품명	상품규격	판매가	주문자명	주문날짜	주문수량	합계금액		판매가평균	
4	2124001	코팅키 프로	338x154x64mm	75,000	이재진	2016-05-01	3	225,000		63,900	
5	2054001	코팅기 라크	357x109x96mm	85,000	이혜림	2016-05-03	2	170,000			
6	4344001	코팅 필름	216x303mm	14,000	이재진	2016-05-03	5	70,000			
7	5014001	OHP 필름	216x303mm	12,000	이재진	2016-05-03	5	60,000			
8	4683001	제본표지	303x426mm	18,000	정권상	2016-05-05	3	54,000			
9	2029001	재단기 JKS-100	297x420mm	70,000	김동주	2016-05-07	2	140,000			
10	1030202	무선프리젠터HB	109x27x17mm	75,000	이혜림	2016-05-07	5	375,000			
11	1040203	무선프리젠터HK	135x39x25mm	85,000	이진구	2016-05-09	5	425,000			
12	1061011	그린 레이져포인터	15x145mm	130,000	임균상	2016-05-12	3	390,000			
13	1110203	레이져포인터	13x140mm	75,000	강수라	2016-05-13	4	300,000			
14											
15											

	A	B	C	D	E	F	G	H	I	J	K
1			한빛상사 사무용품 판매현황								
2											
3	상품코 ▼	상품명 ▼	상품규격 ▼	판매가 ▼	주문자 ▼	주문날찌 ▼	주문수 ▼	합계금 ▼		판매가평균	
4	2124001	코팅키 프로	338x154x64mm	75,000	이재진	2016-05-01	3	225,000		63,900	
5	2054001	코팅기 라크	357x109x96mm	85,000	이혜림	2016-05-03	2	170,000			
10	1030202	무선프리젠터HB	109x27x17mm	75,000	이혜림	2016-05-07	5	375,000			
11	1040203	무선프리젠터HK	135x39x25mm	85,000	이진구	2016-05-09	5	425,000			
14											
15											

[Part 1_유형분석\Chapter01_기본작업\04_자동고급필터.xlsm] 의 '확인_02' 시트에서 작업하시오.

확인_02   '확인_02' 시트에서 다음의 지시사항을 처리하시오.

1. 판매가가 판매가의 '평균' 이상이고, 주문자명이 '이'로 시작하는 데이터 값을 고급 필터를 사용하여 검색하시오.

▪ 고급 필터 조건은 [A15:C17] 영역 내에 알맞게 입력하시오.
▪ 고급 필터 결과 복사 위치는 동일 시트의 [A20] 셀에서 시작하시오.
▪ AVERAGE 함수 이용

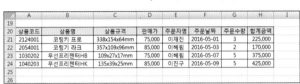

[Part 1_유형분석\Chapter01_기본작업\04_자동고급필터.xlsm] 의 '확인_03' 시트에서 작업하시오.

확인_03 '확인_03' 시트에서 다음의 지시사항을 처리하시오.

1. 판매가가 판매가의 '평균' 이상이거나, 주문자명이 '정'으로 시작하는 데이터 값을 고급 필터를 사용하여 검색하시오.

- 고급 필터 조건은 [A15:C17] 영역 내에 알맞게 입력하시오.
- 고급 필터 결과 복사 위치는 동일 시트의 [A20] 셀에서 시작하시오.
- AVERAGE 함수 이용

확인_01 풀이

1. 판매가가 판매가의 '평균' 이상이고, 주문자명이 '이'로 시작하는 자동 필터

① 원본 데이터 [A3:H13] 영역 내에 임의의 셀을 선택한 후 [데이터] 탭 → [정렬 및 필터] 그룹 → [필터] 명령을 클릭한다.

② 판매가[D3] 셀의 [모두 표시(▼)] 버튼을 눌러 [숫자 필터] → [크거나 같음]을 선택한다.

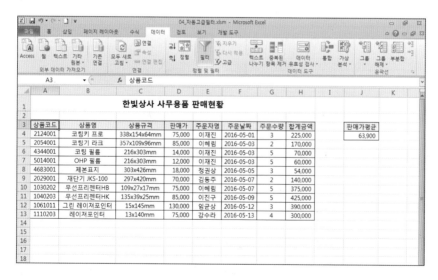

③ [사용자 지정 자동 필터] 대화상자의 '찾을 조건'에서 '판매가의 평균 이상'을 나타내는 비교 연산자 '>='을 지정하고, 옆 빈칸에 판매가의 평균인 "63900"을 입력한 후 [확인] 버튼을 누른다.

　※ 문제에 '판매가 평균 이상'이라는 조건이 주어졌고, [J4]셀에 판매가 평균인 '63900'이 제시되어 있다.

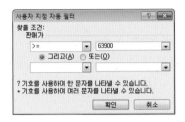

④ 주문자명[E3] 셀의 [모두 표시(▼)] 버튼을 눌러 [텍스트 필터] → [시작 문자]를 선택한다.

⑤ [사용자 지정 자동 필터] 대화상자의 '찾을 조건'에서 '주문자명이 이로 시작'을 나타내는 조건에 맞게 '시작 문자'를 선택하고, 옆의 빈칸에 "이"를 입력한 후 [확인] 버튼을 누른다.

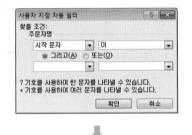

(확인_02 풀이)

1. 판매가가 판매가의 '평균' 이상이고, 주문자명이 '이'로 시작하는 고급 필터

① 조건을 입력 하기 위해 [D3:E3] 영역을 드래그하여 선택한 후 복사하여 조건의 시작 위치인 [A15] 셀에 붙여넣기 한다.

	A	B	C	D	E	F	G	H	I
1			한빛상사 사무용품 판매현황						
2									
3	상품코드	상품명	상품규격	판매가	주문자명	주문날짜	주문수량	합계금액	
4	2124001	코팅키 프로	338x154x64mm	75,000	이재진	2016-05-01	3	225,000	
5	2054001	코팅기 라크	357x109x96mm	85,000	이혜림	2016-05-03	2	170,000	
6	4344001	코팅 필름	216x303mm	14,000	이재진	2016-05-03	5	70,000	
7	5014001	OHP 필름	216x303mm	12,000	이재진	2016-05-03	5	60,000	
8	4683001	제본표지	303x426mm	18,000	정권상	2016-05-05	3	54,000	
9	2029001	재단기 JKS-100	297x420mm	70,000	김동주	2016-05-07	2	140,000	
10	1030202	무선프리젠터HB	109x27x17mm	75,000	이혜림	2016-05-07	5	375,000	
11	1040203	무선프리젠터HK	135x39x25mm	85,000	이진구	2016-05-09	5	425,000	
12	1061011	그린 레이져포인터	15x145mm	130,000	임균상	2016-05-12	3	390,000	
13	1110203	레이져포인터	13x140mm	75,000	강수라	2016-05-13	4	300,000	
14									
15									

⬇

	A	B	C	D	E	F	G	H	I
1			한빛상사 사무용품 판매현황						
2									
3	상품코드	상품명	상품규격	판매가	주문자명	주문날짜	주문수량	합계금액	
4	2124001	코팅키 프로	338x154x64mm	75,000	이재진	2016-05-01	3	225,000	
5	2054001	코팅기 라크	357x109x96mm	85,000	이혜림	2016-05-03	2	170,000	
6	4344001	코팅 필름	216x303mm	14,000	이재진	2016-05-03	5	70,000	
7	5014001	OHP 필름	216x303mm	12,000	이재진	2016-05-03	5	60,000	
8	4683001	제본표지	303x426mm	18,000	정권상	2016-05-05	3	54,000	
9	2029001	재단기 JKS-100	297x420mm	70,000	김동주	2016-05-07	2	140,000	
10	1030202	무선프리젠터HB	109x27x17mm	75,000	이혜림	2016-05-07	5	375,000	
11	1040203	무선프리젠터HK	135x39x25mm	85,000	이진구	2016-05-09	5	425,000	
12	1061011	그린 레이져포인터	15x145mm	130,000	임균상	2016-05-12	3	390,000	
13	1110203	레이져포인터	13x140mm	75,000	강수라	2016-05-13	4	300,000	
14									
15	판매가	주문자명							
16									
17									
18									

② 문제의 조건 중 함수를 사용하기 위해 [A15] 셀의 '판매가'를 지우고 "조건"을 입력한다.

조건에 '함수'나 '수식'을 입력해야 할 경우, 필드명은 원본 데이터의 필드와 다르게 입력해야 한다.

	A	B	C	D	E	F	G	H	I
1			한빛상사 사무용품 판매현황						
2									
3	상품코드	상품명	상품규격	판매가	주문자명	주문날짜	주문수량	합계금액	
4	2124001	코팅키 프로	338x154x64mm	75,000	이재진	2016-05-01	3	225,000	
5	2054001	코팅기 라크	357x109x96mm	85,000	이혜림	2016-05-03	2	170,000	
6	4344001	코팅 필름	216x303mm	14,000	이재진	2016-05-03	5	70,000	
7	5014001	OHP 필름	216x303mm	12,000	이재진	2016-05-03	5	60,000	
8	4683001	제본표지	303x426mm	18,000	정권상	2016-05-05	3	54,000	
9	2029001	재단기 JKS-100	297x420mm	70,000	김동주	2016-05-07	2	140,000	
10	1030202	무선프리젠터HB	109x27x17mm	75,000	이혜림	2016-05-07	5	375,000	
11	1040203	무선프리젠터HK	135x39x25mm	85,000	이진구	2016-05-09	5	425,000	
12	1061011	그린 레이져포인터	15x145mm	130,000	임균상	2016-05-12	3	390,000	
13	1110203	레이져포인터	13x140mm	75,000	강수라	2016-05-13	4	300,000	
14									
15	조건	주문자명							
16									
17									
18									
19									

③ '조건'을 입력한 셀의 아래 [A16] 셀에 "=D4>=AVERAGE($D$4:$D$13)" 을 입력한 후 Enter 를 누른다.

	A	B	C	D	E	F	G	H	I
1			한빛상사 사무용품 판매현황						
2									
3	상품코드	상품명	상품규격	판매가	주문자명	주문날짜	주문수량	합계금액	
4	2124001	코팅키 프로	338x154x64mm	75,000	이재진	2016-05-01	3	225,000	
5	2054001	코팅기 라크	357x109x96mm	85,000	이혜림	2016-05-03	2	170,000	
6	4344001	코팅 필름	216x303mm	14,000	이재진	2016-05-03	5	70,000	
7	5014001	OHP 필름	216x303mm	12,000	이재진	2016-05-03	5	60,000	
8	4683001	제본표지	303x426mm	18,000	정권상	2016-05-05	3	54,000	
9	2029001	재단기 JKS-100	297x420mm	70,000	김동주	2016-05-07	2	140,000	
10	1030202	무선프리젠터HB	109x27x17mm	75,000	이혜림	2016-05-07	5	375,000	
11	1040203	무선프리젠터HK	135x39x25mm	85,000	이진구	2016-05-09	5	425,000	
12	1061011	그린 레이저포인터	15x145mm	130,000	임균상	2016-05-12	3	390,000	
13	1110203	레이저포인터	13x140mm	75,000	강수라	2016-05-13	4	300,000	
14									
15	조건	주문자명							
16	=D4>=AVERAGE($D$4:$D$13)								
17									
18									
19									

⧖ TIP

셀 참조

수식에서 참조하는 셀의 유형에는 '상대 참조'와 '절대 참조', 그리고 두 방식을 혼합한 '혼합 참조'가 있다.

- 상대 참조:선택한 셀을 기준으로 채우기 핸들을 드래그하면 상대적으로 셀의 주소 가 변한다.
  예 A13
- 절대 참조:선택한 셀을 기준으로 채우기 핸들을 드래그해도 셀의 주소가 변하지 않는 다. 셀을 선택한 상태에서 F4 를 한 번 누르면 셀의 행과 열의 주소에 '$'가 표시된다.
  예 $A$13
- 혼합 참조:상대 참조와 절대 참조가 혼합된 것으로 선택한 셀을 기준으로 채우기 핸 들을 드래그하면 행이나 열 중 하나만 고정된다. 셀을 선택한 상태에서 F4 를 두 번 누르면 행 고정, 세 번 누르면 열 고정이 된다.
  예 행 고정:A$13, 열 고정:$A13

④ 두 번째 조건을 입력하기 위하여 '주문자명' 바로 아래 [B16] 셀에 "이*"
를 입력한다.

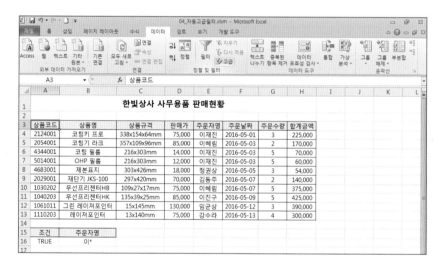

⑤ 원본 데이터 [A3:H13] 영역 내에 임의의 셀을 선택한 후 [데이터] 탭 →
[정렬 및 필터] 그룹 → [고급] 명령을 클릭한다.

⑥ [고급 필터] 대화상자에서 '다른 장소에 복사'를 선택한다. 원본 데이터
내에 임의의 셀을 선택하였기 때문에 '목록 범위'는 [A3:H13] 영역이 자
동으로 지정되어 있다.

⑦ '조건 범위'에 [A15:B16] 영역을 드래그하여 선택한다. '복사 위치'에 [A20] 셀을 선택한 후 [확인] 버튼을 누른다.

확인_03 풀이

1. 판매가가 판매가의 '평균' 이상이거나, 주문자명이 '정'으로 시작하는 고급 필터

① 조건을 입력 하기 위해 [D3:E3] 영역을 드래그하여 선택한 후 복사하여 조건의 시작 위치인 [A15] 셀에 붙여넣기 한다.

② 문제의 조건 중 함수를 사용하기 위해 [A15] 셀의 '판매가'를 지우고 "조
건"을 입력한다.

	A	B	C	D	E	F	G	H	I
1			한빛상사 사무용품 판매현황						
2									
3	상품코드	상품명	상품규격	판매가	주문자명	주문날짜	주문수량	합계금액	
4	2124001	코팅키 프로	338x154x64mm	75,000	이재진	2016-05-01	3	225,000	
5	2054001	코팅기 라크	357x109x96mm	85,000	이혜림	2016-05-03	2	170,000	
6	4344001	코팅 필름	216x303mm	14,000	이재진	2016-05-03	5	70,000	
7	5014001	OHP 필름	216x303mm	12,000	이재진	2016-05-03	5	60,000	
8	4683001	제본표지	303x426mm	18,000	정권상	2016-05-05	3	54,000	
9	2029001	재단기 JKS-100	297x420mm	70,000	김동주	2016-05-07	2	140,000	
10	1030202	무선프리젠터HB	109x27x17mm	75,000	이혜림	2016-05-07	5	375,000	
11	1040203	무선프리젠터HK	135x39x25mm	85,000	이진구	2016-05-09	5	425,000	
12	1061011	그린 레이져포인터	15x145mm	130,000	임균상	2016-05-12	3	390,000	
13	1110203	레이져포인터	13x140mm	75,000	강수라	2016-05-13	4	300,000	
14									
15	조건	주문자명							
16									
17									

③ '조건'을 입력한 셀의 아래 [A16] 셀에 "=Đ4>=AVERAGE($D$4:
$D$13)"을 입력한 후 **Enter** 를 누른다.

	A	B	C	D	E	F	G	H	I
1			한빛상사 사무용품 판매현황						
2									
3	상품코드	상품명	상품규격	판매가	주문자명	주문날짜	주문수량	합계금액	
4	2124001	코팅키 프로	338x154x64mm	75,000	이재진	2016-05-01	3	225,000	
5	2054001	코팅기 라크	357x109x96mm	85,000	이혜림	2016-05-03	2	170,000	
6	4344001	코팅 필름	216x303mm	14,000	이재진	2016-05-03	5	70,000	
7	5014001	OHP 필름	216x303mm	12,000	이재진	2016-05-03	5	60,000	
8	4683001	제본표지	303x426mm	18,000	정권상	2016-05-05	3	54,000	
9	2029001	재단기 JKS-100	297x420mm	70,000	김동주	2016-05-07	2	140,000	
10	1030202	무선프리젠터HB	109x27x17mm	75,000	이혜림	2016-05-07	5	375,000	
11	1040203	무선프리젠터HK	135x39x25mm	85,000	이진구	2016-05-09	5	425,000	
12	1061011	그린 레이져포인터	15x145mm	130,000	임균상	2016-05-12	3	390,000	
13	1110203	레이져포인터	13x140mm	75,000	강수라	2016-05-13	4	300,000	
14									
15	조건	주문자명							
16	=D4>=AVERAGE($D$4:$D$13)								
17									
18									

④ 두 번째 조건을 입력하기 위하여 [B17] 셀에 "정*"을 입력한다. 이때 주
어진 조건 중 하나만 충족해도 결과를 표시하기 위한 OR 조건이므로 다
른 행에 입력한다.

	A	B	C	D	E	F	G	H	I
1			한빛상사 사무용품 판매현황						
2									
3	상품코드	상품명	상품규격	판매가	주문자명	주문날짜	주문수량	합계금액	
4	2124001	코팅키 프로	338x154x64mm	75,000	이재진	2016-05-01	3	225,000	
5	2054001	코팅기 라크	357x109x96mm	85,000	이혜림	2016-05-03	2	170,000	
6	4344001	코팅 필름	216x303mm	14,000	이재진	2016-05-03	5	70,000	
7	5014001	OHP 필름	216x303mm	12,000	이재진	2016-05-03	5	60,000	
8	4683001	제본표지	303x426mm	18,000	정권상	2016-05-05	3	54,000	
9	2029001	재단기 JKS-100	297x420mm	70,000	김동주	2016-05-07	2	140,000	
10	1030202	무선프리젠터HB	109x27x17mm	75,000	이혜림	2016-05-07	5	375,000	
11	1040203	무선프리젠터HK	135x39x25mm	85,000	이진구	2016-05-09	5	425,000	
12	1061011	그린 레이져포인터	15x145mm	130,000	임균상	2016-05-12	3	390,000	
13	1110203	레이져포인터	13x140mm	75,000	강수라	2016-05-13	4	300,000	
14									
15	조건	주문자명							
16	TRUE								
17		정*							
18									
19									

⑤ 원본 데이터 [A3:H13] 영역 내에 임의의 셀을 선택한 후 [데이터] 탭 →
[정렬 및 필터] 그룹 → [고급] 명령을 클릭한다.

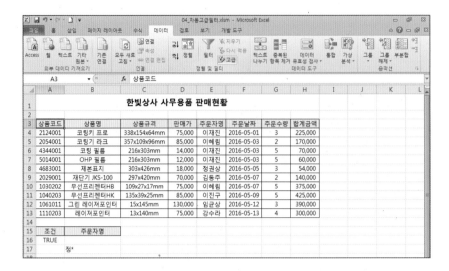

⑥ [고급 필터] 대화상자에서 '다른 장소에 복사'를 선택한다. 원본 데이터 내에 임의의 셀을 선택하였기 때문에 '목록 범위'는 [A3:H13] 영역이 자동으로 지정되어 있다.

⑦ '조건 범위'에 [A15:B17] 영역을 드래그하여 선택한다. '복사 위치'에 [A20] 셀을 클릭한 후 [확인] 버튼을 누른다.

조건부 서식

✓ 조건 중 '수식을 사용하여 서식을 지정할 셀 결정'에 관한 문제가 주로 출제된다.

✓ '수식' 문제 중 '함수'를 사용하여 조건을 부여하는 방법을 반드시 익혀둬야 한다.

- 조건부 서식이란 조건에 만족하는 셀들만 서식을 변경한다는 의미이다.

- 지정 조건을 만족하는 셀에 대해서만 특정 서식을 적용한다. 조건부 서식이 적용된 후에 셀 값이 변경되어 해당 조건을 만족하지 못하는 경우에는 적용된 서식이 해제되고, 반대로 셀 값이 지정 조건에 부합하게 변경될 경우, 서식이 다시 적용된다.

- 조건부 서식에서 수식 셀을 절대 참조 또는 혼합 참조로 변경해야 하는 경우가 있다. 이를 바꿔주지 않으면 모두 참이거나 모두 거짓이 된다. 반드시 행에 해당하는 숫자 앞에 '$' 표시를 추가 또는 삭제해줘야 한다.

- 셀 참조 : 수식에서 참조하는 셀의 유형에는 '상대 참조'와 '절대 참조', 그리고 두 방식을 혼합한 '혼합 참조'가 있다.

  - 상대 참조 : 선택한 셀을 기준으로 채우기 핸들을 드래그하면 상대적으로 셀의 주소가 변한다. 예 A13

  - 절대 참조 : 선택한 셀을 기준으로 채우기 핸들을 드래그해도 셀의 주소가 변하지 않는다. 셀을 선택한 상태에서 F4 를 한 번 누르면 셀의 주소에 '$'가 표시된다. 예 $A$13

  - 혼합 참조 : 상대 참조와 절대 참조가 혼합된 것으로 선택한 셀을 기준으로 채우기 핸들을 드래그하면 행이나 열 중 하나만 고정된다. 셀을 선택한 상태에서 F4 를 두 번 누르면 행 고정, 세 번 누르면 열 고정이 된다.

    예 행 고정 : A$13, 열 고정 : $A13

- 조건부 서식을 적용할 영역을 선택할 때에는 반드시 필드명(머리글)을 제외한 데이터 범위만 지정한다.

- 조건부 서식 : [홈] 탭 → [스타일] 그룹 → [조건부 서식] 명령

[Part 1_유형분석\Chapter01_기본작업\05_조건부서식.xlsm] 의 '예제_01' 시트에서 작업하시오.

예제_01 [표1]에서 '근무년수'가 10년 이상인 행 전체에 대해 글꼴 스타일 '굵게', 글꼴 색 '표준 색−파랑' 으로 지정하는 조건부 서식을 작성하시오.

- 단, 규칙 유형은 '수식을 사용하여 서식을 지정할 셀 결정'을 사용하고, 한 개의 규칙으로만 작성하시오.

예제_01 풀이

HINT

반드시 데이터 목록의 필드 명(머리글)을 제외한 데이터 범위만 영역으로 지정한다.

① [표1]에서 [A3:F14] 영역을 드래그 한 후, [홈] 탭 → [스타일] 그룹 → [조건부 서식] 명령 → [새 규칙]을 클릭한다.

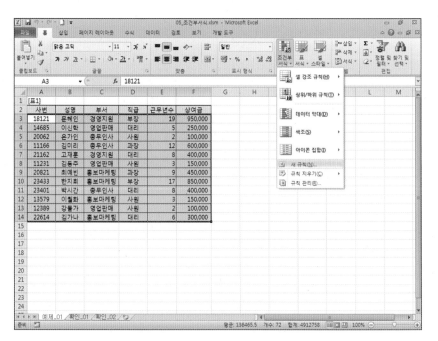

② [새 서식 규칙] 대화상자가 표시되면 '수식을 사용하여 서식을 지정할 셀 결정'을 선택한 후 수식입력란에 "=$E3>=10"을 입력하고, [서식] 버튼을 누른다.

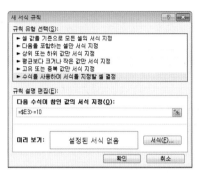

행 전체 조건부 서식 적용
수식을 사용하여 행 전체에 조건부 서식을 적용할 시, 해당 셀을 클릭한 후 F4를 두 번 눌러 숫자 앞의 $를 제거하고, 열만 고정시킨다.

③ [셀 서식] 대화상자의 [글꼴] 탭에서 글꼴 스타일 '굵게', 글꼴 색 '표준 색-파랑'을 선택한 후 [확인] 버튼을 누른다.

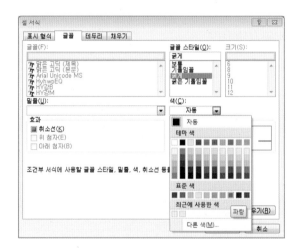

조건부 서식 편집
조건부 서식을 잘못 적용하여 답안과 다르다면 규칙을 편집한다. [홈] 탭 → [스타일] 그룹 → [조건부 서식] 명령의 [규칙 관리]를 클릭하여 [조건부 서식 규칙 관리자] 대화상자에서 [규칙 편집] 버튼을 눌러 조건 또는 서식을 수정한 후 [확인] 버튼을 누른다.

④ [새 서식 규칙] 대화상자에서 [확인] 버튼을 누르고 조건부 서식을 적용한다.

조건부 서식 삭제
[홈] 탭 → [스타일] 그룹 → [조건부 서식] 명령의 [규칙 관리]를 클릭하여 [조건부 서식 규칙 관리자] 대화상자에서 삭제할 규칙을 선택하고 [규칙 삭제] 버튼을 누른다. 시트 전체에서 조건부 서식을 삭제하고 싶다면 [홈] 탭 → [스타일] 그룹 → [조건부 서식] 명령의 [규칙 지우기]를 클릭하여 [시트 전체에서 규칙 지우기]를 클릭한다.

	A	B	C	D	E	F	G
1	[표1]						
2	사번	성명	부서	직급	근무년수	상여금	
3	18121	문혜인	경영지원	부장	19	950,000	
4	14685	이신학	영업판매	대리	5	250,000	
5	20062	온가인	총무인사	사원	2	100,000	
6	11166	김미라	총무인사	과장	12	600,000	
7	21162	고재훈	경영지원	대리	8	400,000	
8	11231	김동주	영업판매	사원	3	150,000	
9	20821	최예빈	홍보마케팅	과장	9	450,000	
10	23433	한지희	홍보마케팅	부장	17	850,000	
11	23401	박시간	총무인사	대리	8	400,000	
12	13579	이철화	홍보마케팅	사원	3	150,000	
13	12389	강물가	영업판매	사원	2	100,000	
14	22614	김가나	홍보마케팅	대리	6	300,000	
15							

[Part 1_유형분석\Chapter01_기본작업\05_조건부서식.xlsm] 의 '확인_01' 시트에서 작업하시오.

확인_01 [표2]에서 '출석'이 10 이상이고, '총점'이 80 미만인 행 전체에 대해 글꼴 스타일 '기울임꼴', 글꼴 색 '표준 색−빨강' 으로 지정하는 조건부 서식을 작성하시오.

- 단, 규칙 유형은 '수식을 사용하여 서식을 지정할 셀 결정'을 사용하고, 한 개의 규칙으로만 작성하시오.

	A	B	C	D	E	F	G	H
1	[표2]							
2	학번	성명	출석	과제	중간고사	기말고사	총점	
3	20092614	문조코	20	19	30	29	98	
4	20080860	김바니	18	15	25	28	86	
5	20082089	이다라	18	17	25	25	85	
6	20092469	박하스	19	17	25	26	87	
7	20093078	최상하	15	18	30	25	88	
8	20093108	박만구	20	17	25	25	87	
9	20081123	방기남	13	15	20	25	73	
10	20093684	이도류	20	17	25	23	85	
11	20092415	황소독	19	19	25	23	86	
12	20092627	지우개	17	18	25	28	88	
13	20093308	한미남	20	20	30	27	97	
14	20080202	온근회	20	15	20	25	80	
15	20090720	배나무	20	17	25	25	87	
16	20091789	김예쁨	19	15	20	25	79	
17								

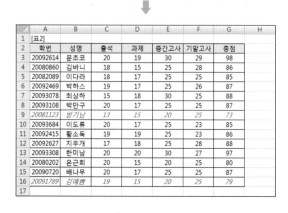

	A	B	C	D	E	F	G	H
1	[표2]							
2	학번	성명	출석	과제	중간고사	기말고사	총점	
3	20092614	문조코	20	19	30	29	98	
4	20080860	김바니	18	15	25	28	86	
5	20082089	이다라	18	17	25	25	85	
6	20092469	박하스	19	17	25	26	87	
7	20093078	최상하	15	18	30	25	88	
8	20093108	박만구	20	17	25	25	87	
9	20081123	방기남	13	15	20	25	73	
10	20093684	이도류	20	17	25	23	85	
11	20092415	황소독	19	19	25	23	86	
12	20092627	지우개	17	18	25	28	88	
13	20093308	한미남	20	20	30	27	97	
14	20080202	온근회	20	15	20	25	80	
15	20090720	배나무	20	17	25	25	87	
16	20091789	김예쁨	19	15	20	25	79	
17								

[Part 1_유형분석\Chapter01_기본작업\05_조건부서식.xlsm] 의 '확인_02' 시트에서 작업하시오.

확인_02   [표3]에서 출석[C3:C16] 영역에서 각 셀의 값이 '20'이면 글꼴 색을 '빨강', 배경색을 '노랑'으로 지정하는 조건부 서식을 작성하시오.

▪ 단, 다음을 포함하는 셀만 서식 지정을 이용하시오.

	A	B	C	D	E	F	G	H
1	[표3]							
2	학번	성명	출석	과제	중간고사	기말고사	총점	
3	20092614	문초코	20	19	30	29	98	
4	20080860	김바니	18	15	25	28	86	
5	20082089	이다라	18	17	25	25	85	
6	20092469	박하스	19	17	25	26	87	
7	20093078	최상하	15	18	30	25	88	
8	20093108	박만구	20	17	25	25	87	
9	20081123	방기남	13	15	20	25	73	
10	20093684	이도류	20	17	25	23	85	
11	20092415	황소둑	19	19	25	23	86	
12	20092627	지우개	17	18	25	28	88	
13	20093308	한미남	20	20	30	27	97	
14	20080202	은근회	20	15	20	25	80	
15	20090720	배나무	20	17	25	25	87	
16	20091789	김예쁨	19.	15	20	25	79	
17								

⬇

	A	B	C	D	E	F	G	H
1	[표3]							
2	학번	성명	출석	과제	중간고사	기말고사	총점	
3	20092614	문초코	20	19	30	29	98	
4	20080860	김바니	18	15	25	28	86	
5	20082089	이다라	18	17	25	25	85	
6	20092469	박하스	19	17	25	26	87	
7	20093078	최상하	15	18	30	25	88	
8	20093108	박만구	20	17	25	25	87	
9	20081123	방기남	13	15	20	25	73	
10	20093684	이도류	20	17	25	23	85	
11	20092415	황소둑	19	19	25	23	86	
12	20092627	지우개	17	18	25	28	88	
13	20093308	한미남	20	20	30	27	97	
14	20080202	은근회	20	15	20	25	80	
15	20090720	배나무	20	17	25	25	87	
16	20091789	김예쁨	19	15	20	25	79	
17								

확인_01 풀이

1. '출석'이 10 이상이고, '총점'이 80 미만인 행 전체에 대해 글꼴 스타일 '기울임꼴', 글꼴 색 '표준 색-빨강' 으로 지정하는 조건부 서식

① [A3:G16] 영역을 드래그 한 후, [홈] 탭 → [스타일] 그룹 → [조건부 서식] 명령 → [새 규칙]을 클릭한다.

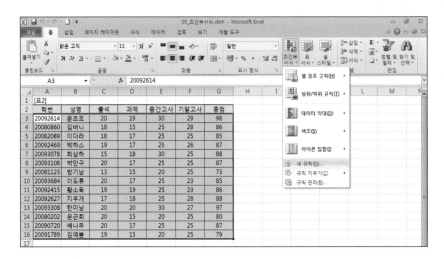

② [새 서식 규칙] 대화상자가 표시되면 '▶수식을 사용하여 서식을 지정할 셀 결정'을 선택한 후 수식입력란에 "=and($C3>=10,$G3<80)" 을 입력하고, [서식] 버튼을 누른다.

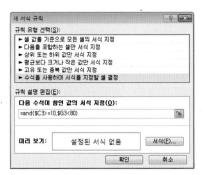

③ [셀 서식] 대화상자의 [글꼴] 탭에서 글꼴 스타일 '기울임꼴', 글꼴 색 '표준 색-빨강'을 선택한 후 [확인] 버튼을 누른다.

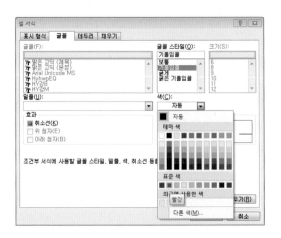

④ [새 서식 규칙] 대화상자에서도 [확인] 버튼을 눌러 조건부 서식을 적용한다.

확인_02 풀이

1. 출석[C3:C16] 영역에서 각 셀의 값이 '20'이면 글꼴 색을 '빨강', 배경색을 '노랑'으로 지정하는 조건부 서식

① 출석[C3:C16] 영역을 드래그 한 후, [홈] 탭 → [스타일] 그룹 → [조건부 서식] 명령 → [새 규칙]을 클릭한다.

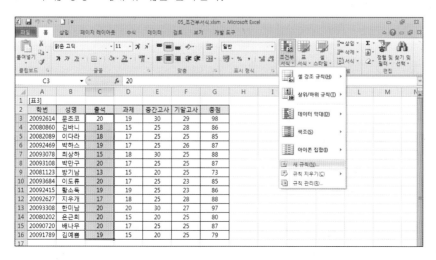

② [새 서식 규칙] 대화상자가 표시되면 '▶다음을 포함하는 셀만 서식 지정'
을 선택한 후 '규칙 설명 편집'에서 아래 그림과 같이 지정하고, [서식] 버
튼을 누른다.

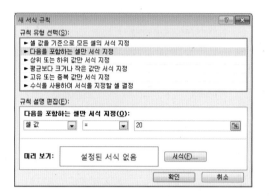

③ [셀 서식] 대화상자의 [글꼴] 탭에서 글꼴 색 '표준 색-빨강'을 선택한다.

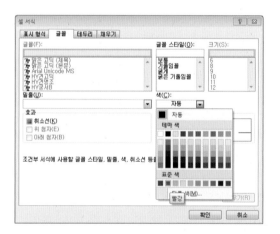

④ 이어서 [채우기] 탭에서 배경색 '노랑'을 선택하고 [확인] 버튼을 누른다.

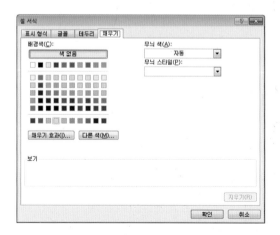

⑤ [새 서식 규칙] 대화상자에서도 [확인] 버튼을 눌러 조건부 서식을 적용한다.

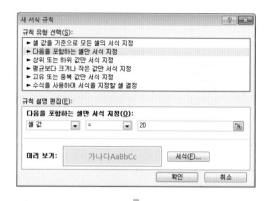

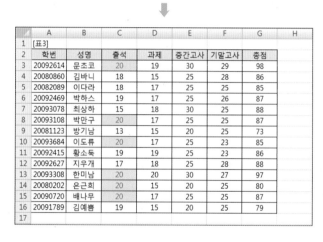

그림 복사/붙여넣기

출제유형 분석

✓ 기본 작업 중 출제빈도가 낮은 편이다.

✓ 카메라 기능을 이용하여 붙여넣기, 연결하여 붙여넣기, 연결하여 그림 붙여넣기 문제가 출제된다. 세 가지 문제 유형을 정확히 구분하여 모든 방법을 충분히 익혀두자.

1 카메라 기능

- 카메라 기능이란, 특정 데이터 혹은 영역을 카메라를 이용하여 하나의 개체로 복사한 후, 그림처럼 붙여넣는 기능이다.
- 빠른 실행 도구 모음에 카메라 기능을 추가하여, 특정 데이터 또는 영역을 카메라로 찍고, 주어진 위치에 붙여넣는 방법을 알아야 한다.
- 카메라 기능: [파일] 탭 → [옵션] → [빠른 실행 도구 모음]에 '카메라(◙)' 추가

2 연결하여 붙여넣기

- 특정 영역을 복사하여, 필요한 위치에 연결하여 붙여넣는 방법으로 원본 데이터를 변경할 경우, 연결되어 붙여진 데이터도 함께 변경되는 기능이다.
- 연결하여 붙여넣기: 특정 영역 복사[**Ctrl** + **C**] → [홈] 탭 → [클립보드] 그룹 → [붙여넣기] 명령 → [기타 붙여넣기 옵션] → [연결하여 붙여넣기]

3 연결하여 그림 붙여넣기

- 특정 영역을 복사하여, 필요한 위치에 연결하여 그림으로 붙여넣는 기능이다.
- 연결하여 그림 붙여넣기: 특정영역 복사[**Ctrl** + **C**] → [홈] 탭 → [클립보드] 그룹 → [붙여넣기] 명령 → [기타 붙여넣기 옵션] → [연결된 그림]

[Part 1_유형분석\Chapter01_기본작업\06_그림복사_붙여넣기.xlsm] 의 '예제_01'
시트에서 작업하시오.

예제_01   '예제_01' 시트에 대하여 다음의 지시사항을 처리하시오.

- [A15:E16] 영역을 카메라 기능을 사용하여 [B1:E4] 영역에 붙여 넣으시오.
- 작업을 마친 후 원본 데이터 영역을 모두 삭제하시오.
  ※ [파일] 탭 → [옵션] → [빠른 실행 도구 모음]에 '카메라' 추가

[Part 1_유형분석\Chapter01_기본작업\06_그림복사_붙여넣기.xlsm] 의 '예제_02'
시트에서 작업하시오.

예제_02   '예제_02' 시트의 [J17:O27] 영역을 복사하여 [A2] 셀에 연결하여 붙여
넣으시오.

- 단, 원본 데이터를 삭제하지 마시오.

상품코드	상품명	분류	주문자명	지역	요청사항
JJ-0101P	롱다리	팬츠	강이유	안성	연락배송
JJ-2012S	S라인	스커트	오한동	평창	연락배송
JJ-1026S	트렌디	셔츠	최유라	대전	경비실
JJ-5039P	데일리	팬츠	임지호	안성	연락배송
JJ-4395S	폭신폭신	스웨터	문서진	대구	경비실
JJ-7932C	영두무늬	가디건	서지운	평창	선물포장
JJ-9683H	후디	티셔츠	김동주	안성	연락배송
JJ-0501S	겨울러	스커트	가호진	무주	연락배송
JJ-6948V	따뜻VEST	조끼	고재홍	문경	경비실
JJ-7102P	무릎까지	패딩	이주열	안성	선물포장

상품코드	상품명	분류	주문자명	지역	요청사항
JJ-0101P	롱다리	팬츠	강이유	안성	연락배송
JJ-2012S	S라인	스커트	오한동	평창	연락배송
JJ-1026S	트렌디	셔츠	최유라	대전	경비실
JJ-5039P	데일리	팬츠	임지효	안성	연락배송
JJ-4395S	폭신폭신	스웨터	문서진	대구	경비실
JJ-7932C	양두무늬	가디건	서지윤	평창	선물포장
JJ-9683H	후디	티셔츠	김동주	안성	연락배송
JJ-0501S	겨울러	스커트	가호진	무주	연락배송
JJ-6948V	따듯VEST	조끼	고재홍	문경	경비실
JJ-7102P	무릎까지	패딩	이주열	안성	선물포장

상품코드	상품명	분류	주문자명	지역	요청사항
JJ-0101P	롱다리	팬츠	강이유	안성	연락배송
JJ-2012S	S라인	스커트	오한동	평창	연락배송
JJ-1026S	트렌디	셔츠	최유라	대전	경비실
JJ-5039P	데일리	팬츠	임지효	안성	연락배송
JJ-4395S	폭신폭신	스웨터	문서진	대구	경비실
JJ-7932C	양두무늬	가디건	서지윤	평창	선물포장
JJ-9683H	후디	티셔츠	김동주	안성	연락배송
JJ-0501S	겨울러	스커트	가호진	무주	연락배송
JJ-6948V	따듯VEST	조끼	고재홍	문경	경비실
JJ-7102P	무릎까지	패딩	이주열	안성	선물포장

[Part 1_유형분석\Chapter01_기본작업\06_그림복사_붙여넣기.xlsm] 의 '예제_03' 시트에서 작업하시오.

예제_03 '예제_03' 시트의 [J17:N26] 영역을 복사하여 [B2] 셀에 연결하여 그림으로 붙여 넣으시오.

- 단, 원본 데이터를 삭제하지 마시오.

사원번호	성명	성별	분반	근속기간
20015	안현아	여	초급반	5년
18462	이율하	여	고급반	3년
21542	이서현	여	초급반	5년
16504	채진예	여	중급반	8년
10548	김성열	남	중급반	5년
20132	박석환	남	고급반	7년
22158	박다은	여	고급반	3년
14324	고성룡	남	중급반	2년
24254	송다슬	여	초급반	3년

사원번호	성명	성별	분반	근속기간
20015	안현아	여	초급반	5년
18462	이율하	여	고급반	3년
21542	이서현	여	초급반	5년
16504	채진예	여	중급반	8년
10548	김성열	남	중급반	5년
20132	박석환	남	고급반	7년
22158	박다은	여	고급반	3년
14324	고성용	남	중급반	2년
24254	송다슬	여	초급반	3년

사원번호	성명	성별	분반	근속기간
20015	안현아	여	초급반	5년
18462	이율하	여	고급반	3년
21542	이서현	여	초급반	5년
16504	채진예	여	중급반	8년
10548	김성열	남	중급반	5년
20132	박석환	남	고급반	7년
22158	박다은	여	고급반	3년
14324	고성용	남	중급반	2년
24254	송다슬	여	초급반	3년

예제_01 풀이

1. 카메라 기능을 이용하여 붙여넣기

① 빠른 실행 도구 모음에 카메라 기능을 추가하기 위해 [파일] 탭 → [옵션]을 클릭한다.

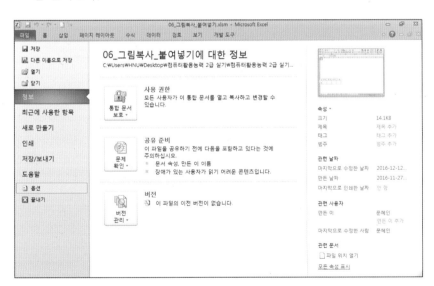

② [Excel 옵션] 대화상자의 [빠른 실행 도구 모음]을 선택한 후 '다음에서 명령 선택' 항목에 '리본 메뉴에 없는 명령'을 선택한다. '카메라'를 찾아 선택하고, [추가] 버튼을 눌러 '빠른 실행 도구 모음 사용자 지정' 목록에 추가한 후 [확인] 버튼을 누른다.

③ [A15:E16] 영역을 드래그하여 선택한 후 [빠른 실행 도구 모음]에서 [카메라] 명령을 누른다.

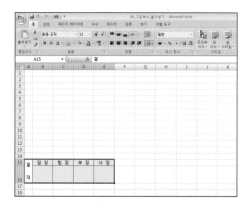

④ [B1] 셀에서 **Alt** 를 누르고 클릭하여, 적당히 드래그하고 복사본을 그려 넣는다.

⑤ 다시 **Alt** 를 누르고, 영역에 벗어난 부분을 조절하여 [E4] 셀에 영역을 맞춘다.

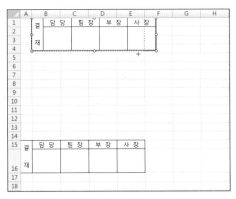

⑥ 원본 데이터를 삭제하기 위해 15행과 16행을 드래그하여 영역을 선택하고, 바로 가기 메뉴(마우스 오른쪽 버튼)에서 [삭제]를 선택한다.

예제_02 풀이

1. 연결하여 붙여넣기

① [J17:O27] 영역을 드래그하여 선택한 후 **Ctrl** + **C** 를 눌러 해당 영역을 복사한다.

상품코드	상품명	분류	주문자명	지역	요청사항
JJ-0101P	롱다리	팬츠	강이유	안성	연락배송
JJ-2012S	S라인	스커트	오한동	평창	연락배송
JJ-1026S	트렌디	셔츠	최유라	대전	경비실
JJ-5039P	데일리	팬츠	임지호	안성	연락배송
JJ-4395S	폭신폭신	스웨터	문서진	대구	경비실
JJ-7932C	앵두무늬	가디건	서지윤	평창	선물포장
JJ-9683H	후디	티셔츠	김동주	안성	연락배송
JJ-0501S	겨울러	스커트	가호진	무주	연락배송
JJ-6948V	따듯VEST	조끼	고재홍	문경	경비실
JJ-7102P	무릉까지	패딩	이주영	안성	선물포장

② [A2] 셀을 클릭하고, [홈] 탭 → [클립보드] 그룹 → [붙여넣기] 명령 → [기타 붙여넣기 옵션] → [연결하여 붙여넣기]를 클릭한다.

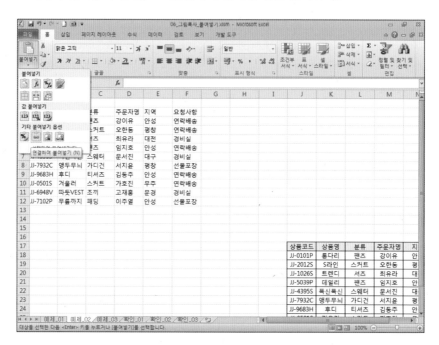

③ [A2:F12] 영역에 [J17:O27] 영역의 데이터가 연결하여 붙여 넣어진 것을 확인하고, 원본 데이터는 삭제하지 않는다.

예제_03 풀이

1. 연결하여 그림으로 붙여넣기

① [J17:N26] 영역을 선택하고, **Ctrl** + **C**를 눌러 영역을 복사한다.

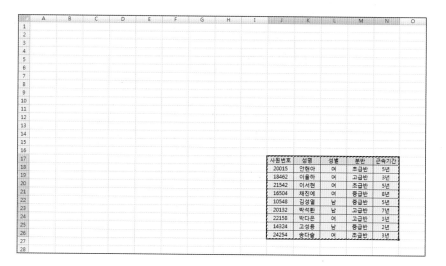

② [B2] 셀을 클릭하고, [홈] 탭 → [클립보드] 그룹 → [붙여넣기] 명령 → [기타 붙여넣기 옵션] → [연결된 그림]을 클릭한다.

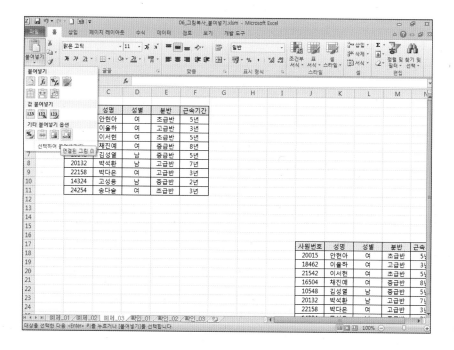

③ [B2] 셀을 시작으로 [J17:N26] 영역의 데이터가 연결하여 그림으로 붙여 넣어진 것을 확인하고, 원본 데이터는 삭제하지 않는다.

	사원번호	성명	성별	분반	근속기간
	20015	안현아	여	초급반	5년
	18462	이율하	여	고급반	3년
	21542	이서현	여	초급반	5년
	16504	채진예	여	중급반	8년
	10548	김성열	남	중급반	5년
	20132	박석환	남	고급반	7년
	22158	박다은	여	고급반	3년
	14324	고성용	남	중급반	2년
	24254	송다슬	여	초급반	3년

사원번호	성명	성별	분반
20015	안현아	여	초급반
18462	이율하	여	고급반
21542	이서현	여	초급반
16504	채진예	여	중급반
10548	김성열	남	중급반

[Part 1_유형분석\Chapter01_기본작업\06_그림복사_붙여넣기.xlsm] 의 '확인_01' 시트에서 작업하시오.

확인_01 '확인_01' 시트에 대하여 다음의 지시사항을 처리하시오.

- [E18:G19] 영역을 카메라 기능을 사용하여 [E1:G2] 영역에 붙여 넣으시오.
- 작업을 마친 후 원본 데이터 영역을 모두 삭제하시오.

※ [파일] 탭 → [옵션] → [빠른 실행 도구 모음] 에 '카메라' 추가

				담당	교수	학과장
엑셀 심화과정 성적 결과						
학년	성명	출석	과제	중간(필기)	기말(실기)	합계
4학년	송경온	8	7	38	36	89
3학년	황혁재	7	9	36	34	86
2학년	김현주	6	8	35	38	87
4학년	정호정	9	9	34	36	88
3학년	이연희	6	10	32	37	85
1학년	강선빈	5	8	33	35	81
2학년	김영민	6	9	38	34	87
3학년	이은주	7	10	34	36	87
4학년	박종구	8	9	31	32	80
1학년	기태회	4	8	30	32	74
1학년	오로라	10	8	36	37	91
3학년	노장미	4	7	34	38	83
2학년	도해상	8	6	33	35	82

[Part 1_유형분석\Chapter01_기본작업\06_그림복사_붙여넣기.xlsm] 의 '확인_02' 시트에서 작업하시오.

확인_02 '확인_02' 시트의 [I14:M24] 영역을 복사하여 [B2] 셀에 연결하여 붙여 넣으시오.

▪ 단, 원본 데이터를 삭제하지 마시오.

순번	상품코드	분류	상품명	수량
1	LST-001	립스틱	로맨틱R	75
2	LST-002	립스틱	코랄레드	40
3	LGS-001	립글로스	라이트P	50
4	LGS-002	립글로스	핫 핑크	55
5	LST-003	립스틱	오렌지R	45
6	LST-004	립스틱	섹시레드	45
7	MK-001	마스카라	롱컬블랙	60
8	MK-002	마스카라	브라운	65
9	LGS-003	립글로스	딥 핑크	45
10	MK-003	마스카라	볼륨블랙	40

↓

순번	상품코드	분류	상품명	수량
1	LST-001	립스틱	로맨틱R	75
2	LST-002	립스틱	코랄레드	40
3	LGS-001	립글로스	라이트P	50
4	LGS-002	립글로스	핫 핑크	55
5	LST-003	립스틱	오렌지R	45
6	LST-004	립스틱	섹시레드	45
7	MK-001	마스카라	롱컬블랙	60
8	MK-002	마스카라	브라운	65
9	LGS-003	립글로스	딥 핑크	45
10	MK-003	마스카라	볼륨블랙	40

순번	상품코드	분류	상품명	수량
1	LST-001	립스틱	로맨틱R	75
2	LST-002	립스틱	코랄레드	40
3	LGS-001	립글로스	라이트P	50
4	LGS-002	립글로스	핫 핑크	55
5	LST-003	립스틱	오렌지R	45
6	LST-004	립스틱	섹시레드	45
7	MK-001	마스카라	롱컬블랙	60
8	MK-002	마스카라	브라운	65
9	LGS-003	립글로스	딥 핑크	45
10	MK-003	마스카라	볼륨블랙	40

[Part 1_유형분석\Chapter01_기본작업\06_그림복사_붙여넣기.xlsm] 의 '확인_03' 시트에서 작업하시오.

확인_03 '확인_03' 시트의 [I15:N23] 영역을 복사하여 [A2] 셀에 연결하여 그림으로 붙여 넣으시오.

▪ 단, 원본 데이터를 삭제하지 마시오.

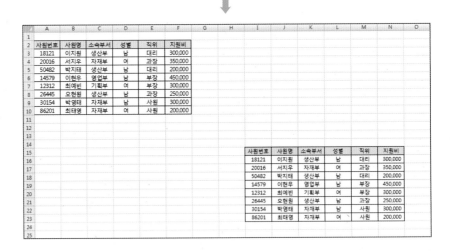

확인_01 풀이

1. 카메라 기능을 이용하여 붙여넣기

① [E18:G19] 영역을 드래그하여 선택하고, [빠른 실행 도구 모음]에서 [카메라] 명령을 클릭한다.

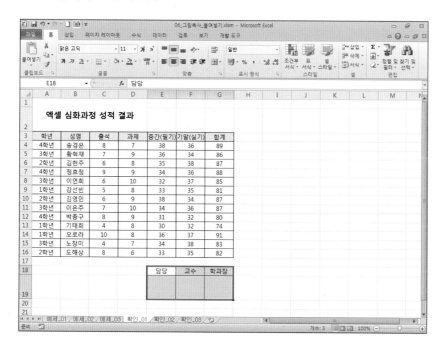

② [E1] 셀에서 Alt 를 누르고 클릭하여, 적당히 드래그하고 복사본을 그려 넣는다.

③ 원본 데이터 영역을 삭제하기 위해 18행과 19행을 드래그하여 영역을 선택하고, 바로 가기 메뉴에서 [삭제]를 클릭한다.

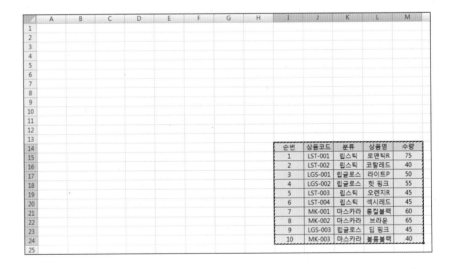

(확인_02 풀이)

1. 연결하여 붙여넣기

① [I14:M24] 영역을 선택한 후 Ctrl + C 를 눌러 영역을 복사한다.

② [B2] 셀을 클릭하고, [홈] 탭 → [클립보드] 그룹 → [붙여넣기] 명령 → [기타 붙여넣기 옵션] → [연결하여 붙여넣기]를 클릭한다.

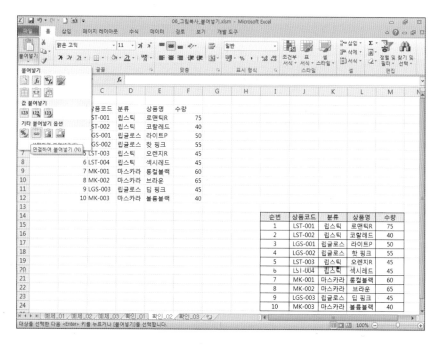

연결하여 붙여넣기의 또다른 방법

1. [B2] 셀의 바로 가기 메뉴에서 [선택하여 붙여넣기]를 클릭한다.
2. [선택하여 붙여넣기] 대화상자에서 [연결하여 붙여넣기]를 선택해도 가능하다.

③ [B2:F12] 영역에 [I14:M24] 영역의 데이터가 연결하여 붙여 넣어진 것을 확인하고, 원본 데이터는 삭제하지 않는다.

(확인_03 풀이)

1. 연결하여 그림으로 붙여넣기

① [I15:N23] 영역을 선택하고, **Ctrl** + **C** 를 눌러 영역을 복사한다.

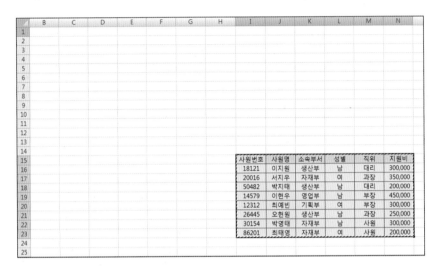

② [A2] 셀을 클릭하고, [홈] 탭 → [클립보드] 그룹 → [붙여넣기] 명령 → [기타 붙여넣기 옵션] → [연결된 그림]을 클릭한다.

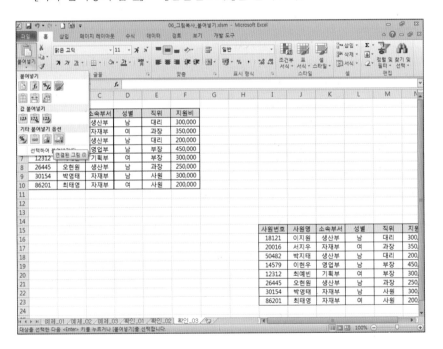

③ [A2] 셀을 시작으로 [I15:N23] 영역의 데이터가 연결하여 그림으로 붙여
넣어진 것을 확인하고, 원본 데이터는 삭제하지 않는다.

사원번호	사원명	소속부서	성별	직위	지원비
18121	이지원	생산부	남	대리	300,000
20016	서지우	자재부	여	과장	350,000
50482	박지태	생산부	남	대리	200,000
14579	이현우	영업부	남	부장	450,000
12312	최예빈	기획부	여	부장	300,000
26445	오현원	생산부	남	과장	250,000
30154	박영태	자재부	남	사원	300,000
86201	최태영	자재부	여	사원	200,000

사원번호	사원명	소속부서	성별	직위
18121	이지원	생산부	남	대리
20016	서지우	자재부	여	과장
50482	박지태	생산부	남	대리
14579	이현우	영업부	남	부장
12312	최예빈	기획부	여	부장
26445	오현원	생산부	남	과장
30154	박영태	자재부	남	사원
86201	최태영	자재부	여	사원

CHAPTER 2

계산작업

 출제경향

계산작업은 총 40점이고, 문제당 배점은 8점이다. 여러 함수를 중첩하여 논리식을 세우는 문제를 많이 풀어보는 것이 좋다. 각 섹션에서 함수의 기본을 익히고 반복해서 연습해보자.

⃝ 수식의 기초

1 함수의 구성

> =함수명(인수1, 인수2....) ex) =SUM(A3:A10,A13,A15)

① 수식은 등호(=)의 입력과 동시에 시작된다.

② 함수는 이름과 기능이 엑셀에 내장되어 있어 각 함수의 작성 형식에 맞추어 사용할 수 있으며, 사용자가 함수를 만들어 추가 사용할 수도 있다.

③ 함수는 함수명, 괄호( ), 인수로 구성되어 있으며, 괄호 안에 사용되는 인수는 함수에 따라 다르다.

④ 예를 들어 함수식 '=SUM(A3:A10)'에서 SUM은 함수명이며, [A3:A10]은 인수로 [A3] 셀에서 [A10] 셀까지 모든 값을 더하라는 의미이다.

⑤ [A13,A15]는 떨어져 있는 [A13] 셀과 [A15] 셀을 의미하며, [A3:A10]은 [A3] 셀부터 [A10] 셀까지를 의미한다.

2 셀 참조

수식에 참조되는 셀의 유형에는 '상대 참조'와 '절대 참조', 두 방식을 혼합한 형태인 '혼합 참조'가 있다.

① 상대 참조 : 선택한 셀을 기준으로 채우기 핸들을 이용할 때 상대적으로 셀의 주소가 변하는 것. 예 [A13]

② 절대 참조 : 선택한 셀을 기준으로 채우기 핸들을 이용할 때 셀의 주소가 변하지 않는 것으로 셀을 선택한 상태에서 키보드의 F4 키를 누르면 셀의 행과 열의 주소에 '$'표시됨. 예 [$A$13]

③ 혼합 참조 : 상대 참조와 절대 참조가 혼합된 것으로 선택한 셀을 기준으로 채우기 핸들을 이용할 때 행이나 열 중 하나만 고정한 것으로 셀을 선택한 상태에서 키보드의 F4 키를 두 번 누르면 행 고정, 세 번을 누르면 열이 고정됨. 예 [A$13], [$A13]

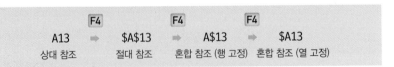

01 텍스트 함수

출제유형 분석

✓ LEFT, RIGHT, MID, REPT, LOWER, UPPER, PROPER, TRIM, FIND, FINDB, SEARCH, SEARCHB

✓ 텍스트 함수는 문자열(일련의 문자)의 일부를 추출하거나 대/소문자의 변환, 공백 제거 등을 다룰 때 사용하는 함수이다.

✓ 반복 출제 함수:LEFT, MID, RIGHT, UPPER, PROPER

함수	설명	형식
LEFT	왼쪽에서 추출할 문자 수 만큼 표시	=LEFT(텍스트, 추출할 문자수) 예 A3=abcde → left(A3,2) → ab
RIGHT	오른쪽에서 추출할 문자 수 만큼 표시	=RIGHT(텍스트, 추출할 문자수) 예 A3=abcde → right(A3,2) → de
MID	시작 위치부터 추출할 문자 수 만큼 표시	=MID(텍스트, 시작 위치, 추출할 문자수) 예 A3=abcde → mid(A3,2,2) → bc
REPT	표시할 문자를 개수만큼 반복해서 표시	=REPT(텍스트, 반복할 횟수) 예 rept("★",2) → ★★
LOWER	대문자를 모두 소문자로 변환	=LOWER(텍스트) 예 A3=ABCDE → lower(A3) → abcde
UPPER	소문자를 모두 대문자로 변환	=UPPER(텍스트) 예 A3=abcde → upper(A3) → ABCDE
PROPER	영문 텍스트에서 첫 글자만 대문자로 변환	=PROPER(텍스트) 예 A3=abcde → proper(A3) → Abcde
TRIM	문자열에서 불필요한 공백을 제거 (텍스트 문자열 앞과 뒤의 모든 공백, 문자열 사이의 1칸이 넘는 공백)	=TRIM(텍스트) 예 A3= a bc de → a bc de
LEN	문자열에 사용된 문자들의 개수를 숫자로 반환	=LEN(텍스트) 예 A3=abcde → len(A3) → 5
FIND	문자열에서 특정 문자의 위치를 글자 단위로 찾아 글자의 위치를 숫자로 표시해 주는 함수(대소문자구분 함)	=FIND(찾을 문자, 텍스트, 시작 위치) 예 A3=abcdea → find("a",A3,1) → 1 A3=abcdea → find("a",A3,2) → 6
FINDB	문자열에서 특정 문자의 위치를 Byte 단위로 찾는 함수 (2Byte:한글, 한자, 특수 문자 / 1Byte:영문, 숫자, 공백, 기호)	=FINDB(찾을 문자, 텍스트, 시작 위치)
SEARCH	문자열에서 특정 문자의 위치를 글자 단위로 찾아 글자의 위치를 숫자로 표시해 주는 함수(대소문자구분 안 함)	=SEARCH(찾을 문자, 텍스트, 시작 위치) 예 A3=abcde → search("a",A3) → 1

예제_01 [Part 1_유형분석\Chapter02_계산작업\01_텍스트 함수.xlsm]의 '예제_01' 시트에서 작업하시오.

	A	B	C	D	E	F	G	H	I
1	[표1]		상반기 판매량			[표2]		11월 세계아구랭킹	
2	제품코드	제품명	제조국	판매량		순위	국가	포인트	국가명
3	SR-KOR-011			110		1	japan	5669	
4	SH-JPN-072			230		2	usa	4928	
5	MC-KOR-024			132		3	korea	4823	
6	HJ-CHN-023			400		4	taiwan	4239	
7	JH-JPN-014			236		5	cuba	3857	
8	JH-CHN-002			301		6	mexico	3082	
9						7	venezuela	2684	
10						8	canada	2200	
11									
12									
13	[표3]		원두 관리현황						
14	제품	원산지	제품 코드	수입	판매	생산지			
15	블루마운틴	jamaica	J-1024	5,255	464				
16	슈프리모	jamaica	J-1031	15,564	14,998				
17	엑셀소	colombia	C-0914	15,564	5,355				
18	블루마운틴	jamaica	J-1028	23,526	20,896				
19	슈프리모	colombia	C-0909	23,526	5,646				
20	산토스	brazil	B-1030	41,546	6,266				
21	예가체프	ethiopia	E-4710	41,546	23,526				
22									

	A	B	C	D	E	F	G	H	I
1	[표1]		상반기 판매량			[표2]		11월 세계아구랭킹	
2	제품코드	제품명	제조국	판매량		순위	국가	포인트	국가명
3	SR-KOR-011	SR	KOR	110		1	japan	5669	Japan
4	SH-JPN-072	SH	JPN	230		2	usa	4928	Usa
5	MC-KOR-024	MC	KOR	132		3	korea	4823	Korea
6	HJ-CHN-023	HJ	CHN	400		4	taiwan	4239	Taiwan
7	JH-JPN-014	JH	JPN	236		5	cuba	3857	Cuba
8	JH-CHN-002	JH	CHN	301		6	mexico	3082	Mexico
9						7	venezuela	2684	Venezuela
10						8	canada	2200	Canada
11									
12									
13	[표3]		원두 관리현황						
14	제품	원산지	제품 코드	수입	판매	생산지			
15	블루마운틴	jamaica	J-1024	5,255	464	JAMAICA			
16	슈프리모	jamaica	J-1031	15,564	14,998	JAMAICA			
17	엑셀소	colombia	C-0914	15,564	5,355	COLOMBIA			
18	블루마운틴	jamaica	J-1028	23,526	20,896	JAMAICA			
19	슈프리모	colombia	C-0909	23,526	5,646	COLOMBIA			
20	산토스	brazil	B-1030	41,546	6,266	BRAZIL			
21	예가체프	ethiopia	E-4710	41,546	23,526	ETHIOPIA			
22									

2. [표1]에서 제품코드[A3:A8]의 왼쪽 두 글자를 추출하여 제품명[B3:B8]을 표시하고, 제품코드의 네 번째 문자부터 세 글자를 추출하여 제조국[C3:C8]을 표시하시오.
   - LEFT, MID 함수 사용

3. 국가[G3:G10]에서 첫 문자를 대문자로 변환하여 국가명[I3:I10]을 표시하시오.
   - LOWER, UPPER, PROPER 중 알맞은 함수 사용

4. 원산지[B15:B21]의 앞뒤 공백을 제거하고 전체 문자를 대문자로 변환하여 생산지[F15:F21]를 표시하시오.
   - UPPER와 TRIM함수 사용

예제_01 풀이

1. 제품명과 제조국 표시

① 제품명을 구하기 위해 [B3] 셀에 "=LEFT(A3,2)"을 입력하고 Enter 를 누른다. 채우기 핸들을 드래그하여 [B8] 셀까지 수식을 복사한다.

DMIN		✗ ✓ ƒx	=LEFT(A3,2)
	A	B	C	D
1	[표1]		상반기 판매량	
2	제품코드	제품명	제조국	판매량
3	SR-KOR-011	=LEFT(A3,2)		110
4	SH-JPN-072			230
5	MC-KOR-024			132
6	HJ-CHN-023			400
7	JH-JPN-014			236
8	JH-CHN-002			301

	A	B	C	D
1	[표1]		상반기 판매량	
2	제품코드	제품명	제조국	판매량
3	SR-KOR-011	SR		110
4	SH-JPN-072			230
5	MC-KOR-024			132
6	HJ-CHN-023			400
7	JH-JPN-014			236
8	JH-CHN-002			301
9				

- LEFT(텍스트, 추출할 문자 수): 텍스트의 왼쪽에서 추출할 문자 수만큼 반환하는 함수로 =LEFT(A3,2)는 제품코드의 왼쪽 두 문자를 표시한다.

② 제조국을 구하기 위해 [C3] 셀에 "=MID(A3,4,3)"을 입력하고 **Enter** 를 누른다. 채우기 핸들을 드래그하여 [C8] 셀까지 수식을 복사한다.

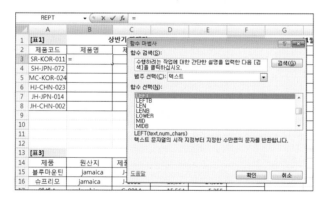

- MID(텍스트, 시작 위치, 추출할 문자 수) : 텍스트에서 시작 위치부터 추출할 문자 수만큼 반환하는 함수로 =MID(A3,4,3)는 제품코드에서 4번째 음절부터 3개의 문자를 표시한다.

❖ 방법2. 함수 마법사 사용 방법

① '제품명'을 표시하기 위해 [B3] 셀을 클릭하고 [함수 삽입] 버튼(*fx*)을 누른다.

[함수 마법사] 대화상자의 [범주 선택] → [텍스트] → [LEFT]를 선택하고 [확인] 버튼을 누른다.

② [Text] 입력란에 [A3] 셀을 클릭하고, [Num_chars] 입력란에 "2"를 입력한 후 [확인] 버튼을 누른다.

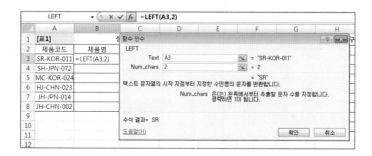

③ [B3] 셀에 제품명 'SR'이 입력되면 채우기 핸들을 드래그하여 [B8] 셀까지 수식을 복사한다.

④ '제조국'을 표시하기 위해 [C3] 셀을 클릭하고 [함수 삽입] 버튼(*fx*)을 누른다. [함수 마법사] 대화상자의 [범주 선택] → [텍스트] → [MID]를 선택하고 [확인] 버튼을 누른다.

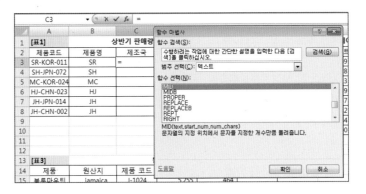

⑤ [Text] 입력란에 [A3] 셀을 클릭하고, [Start_num] 입력란에 "4"를 입력한다. [Num_chars] 입력란에는 "3"을 입력한 후 [확인] 버튼을 누른다.

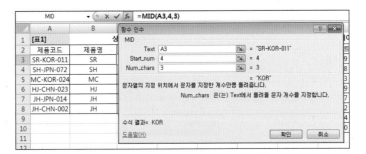

⑥ [C3] 셀에 'KOR'가 입력되면 채우기 핸들을 드래그하여 [C8] 셀까지 수식을 복사한다.

2. 국가명 표시

① 국가명을 구하기 위해 [I3] 셀에 "=PROPER(G3)" 수식을 입력하고 Enter 를 누른다. 채우기 핸들을 드래그하여 [I10] 셀까지 수식을 복사한다.

- PROPER(텍스트) : 영문 텍스트에서 첫 글자만 대문자로 변환하는 함수로 =PROPER(G3)은 [G3] 셀의 첫 문자를 대문자로 표시한다.

3. 생산지 표시

① 생산지를 구하기 위해 [F15] 셀에 "=UPPER(TRIM(B15))" 수식을 입력하고 Enter 를 누른다. 채우기 핸들을 드래그하여 [F21] 셀까지 수식을 복사한다.

DMIN	▾ ⊙ × ✓ *fx*	=UPPER(TRIM(B15))			
	A	B	C	D	E	F
13	[표3]			원두 관리현황		
14	제품	원산지	제품 코드	수입	판매	생산지
15	블루마운틴	jamaica	J-1024	5,255		=UPPER(TRIM(B15))
16	슈프리모	jamaica	J-1031	15,564	14,998	
17	엑셀소	colombia	C-0914	15,564	5,355	
18	블루마운틴	jamaica	J-1028	23,526	20,896	
19	슈프리모	colombia	C-0909	23,526	5,646	
20	산토스	brazil	B-1030	41,546	6,266	
21	예가체프	ethiopia	E-4710	41,546	23,526	
22						

F15	▾ ⊙	*fx*	=UPPER(TRIM(B15))		
	A	B	C	D	E	F
13	[표3]			원두 관리현황		
14	제품	원산지	제품 코드	수입	판매	생산지
15	블루마운틴	jamaica	J-1024	5,255	464	JAMAICA
16	슈프리모	jamaica	J-1031	15,564	14,998	
17	엑셀소	colombia	C-0914	15,564	5,355	
18	블루마운틴	jamaica	J-1028	23,526	20,896	
19	슈프리모	colombia	C-0909	23,526	5,646	
20	산토스	brazil	B-1030	41,546	6,266	
21	예가체프	ethiopia	E-4710	41,546	23,526	

- TRIM(텍스트) : 공백을 제거하는 함수로 TRIM(B15) 식은 원산지 앞 뒤의 공백을 제거하여 표시한다.
- UPPER(텍스트) : 소문자를 모두 대문자로 변환하는 함수로 UPPER (TRIM(B15)) 식은 원산지를 대문자로 표시한다.

확인_01 [Part 1_유형분석₩Chapter02_계산작업₩01_텍스트 함수.xlsm]의 '확인_01' 시트에서 작업하시오.

	A	B	C	D	E	F	G	H	I	J	K	L	M
1	[표1]	도서 대여 현황				[표2]		응시자 명단					
2	도서번호	도서명	도서분류	성명		접수번호	성명	구분	지역				
3	18711	따끈한 빵 이야기		오해랑		DJ123	김소라		서울				
4	15216	새해 하루 설날		김성호		BJ325	김영걸		대전				
5	82537	개구리가 되었네		이제훈		BU902	김은혜		대전				
6	82679	토끼는 겁이 많아		김수현		B8212	김춘태		서울				
7	11133	눈 내린 겨울 공원		한효원		DJ582	김태훈		청주				
8	12597	열두 달 우리 음식		김지수		BJ224	김형섭		서산				
9	24657	아스닥과 잉카		안홍건		DU822	명서연		성남				
10	22367	고대 이집트		요이현		B8291	문재활		부산				
11						DJ667	박한영		제주				
12						BJ121	서한빛		대구				
13													
14													
15	[표3]	사내 동호회 신청자 명단				[표4]		재고 현황					
16	사번	성명	지역	부서		제품 번호	지역	매출액	재고량	비고			
17	187-A	엄보라	대전			J-1030	중구	552,300	50				
18	236-B	양회성	서울			J-1026	유성구	655,890	35				
19	556-C	최승호	청주			J-1025	중구	695,890	10				
20	326-B	김현옥	서울			J-1027	중구	356,460	55				
21	106-A	승지혜	대전			J-1029	중구	789,210	20				
22	153-A	박재랑	대전			J-1028	유성구	235,260	32				
23	127-B	황정하	부산			J-1031	중구	1,556,400	19				
24	232-C	정혜정	제주			J-1024	유성구	525,500	23				
25						B-1030	유성구	215,460	65				
26						B-1032	중구	278,950	30				
27													
28													
29	[표5]		제품관리			[표6]		상반기 제품 현황					
30	제품번호	모델명	색 상	재고		상품코드	상품명(1)	상품명(2)	단 가	판매량	재고량	주문량	
31	17 - a1			350		A-프린센터(360)			95000	350	200	250	
32	12 - a2			180		A-프린센터(122)			115000	180	260	150	
33	25 - a3			230		B-마이크(325)			75000	230	120	180	
34	26 - a7			120		B-마이크(257)			132000	120	180	100	
35	29 - a8			150		C-마이크(997)			383000	150	120	170	
36	33 - q3			205		B-스피커(971)			89000	205	95	200	
37	34 - q5			140		B-스피커(174)			116000	140	160	150	
38	17 - ct			90		D-키보드(755)			413250	90	140	100	
39	22 - lx			55		F-키보드(717)			665850	55	90	50	

[표1] 도서 대여 현황

도서번호	도서명	도서분류	성명
18711	따끈한 빵 이야기	지식	요혜랑
15216	새하 하룬 설날	지식	김성호
32537	개구리가 되었네	자연	이제훈
32679	토끼는 겁이 많아	자연	김수현
11153	눈 내린 겨울 풍원	지식	민효원
12597	엄두 달 우리 음식	지식	김지수
24657	아스떼까 잉카	역사	안용건
22367	고대 이집트	역사	요이현

[표2] 응시자 명단

접수번호	성명	구분	지역
DJ129	김소라	중고생	서울
BJ325	김영걸	일반	대전
BU902	김윤혜	일반	대전
BB212	김윤태	대학생	세종
DU002	김대호	일반	청주
BJ224	김철섭	대학생	서산
DJ522	명서연	일반	성남
BB291	문재환	대학생	부산
DJ567	박찬영	일반	제주
BJ121	서함빛	중고생	대구

[표3] 사내 동호회 신청자 명단

사번	성명	지역	부서
187-A	염보라	대전	인사부
236-B	양희성	세종	마케팅부
556-C	최송효	청주	홍보부
326-B	김현욱	서울	마케팅부
106-A	송지혜	대전	인사부
153-A	박재령	대전	인사부
127-B	황정하	부산	마케팅부
232-C	정혜정	제주	홍보부

[표4] 재고 현황

제품 번호	지역	매출액	재고량	비고
J-1030	중구	552,300	50	■■■■■
J-1026	유성구	655,890	35	■■■■
J-1025	중구	695,890	10	■
J-1027	중구	356,460	55	
J-1029	중구	789,210	20	■■
J-1028	유성구	235,260	32	
J-1031	중구	1,556,400	19	■
J-1024	유성구	525,500	23	■■
B-1030	유성구	215,460	65	
B-1032	중구	278,950	30	

[표5] 제품관리

제품번호	모델명	색 상	재고
17 - a1	A1	검정색	350
12 - a2	A2	검정색	180
25 - a3	A3	은색	230
26 - a7	A7	은색	120
29 - a8	A8	은색	150
33 - q3	Q3	흰색	205
34 - q5	Q5	흰색	140
17 - ct	CT	검정색	90
22 - lx	LX	은색	55

[표6] 상반기 제품 현황

상품코드	상품명(1)	상품명(2)	단 가	판매량	재고량	주문량
A-프리젠터(360)	A-프리젠터	프리젠터	95000	350	200	250
A-프리젠터(122)	A-프리젠터	프리젠터	115000	180	260	150
B-마이크(325)	B-마이크	마이크	75000	230	120	180
B-마이크(257)	B-마이크	마이크	132000	120	180	100
C-마이크(997)	C-마이크	마이크	383000	150	120	170
B-스피커(371)	B-스피커	스피커	89000	205	95	200
B-스피커(174)	B-스피커	스피커	116000	140	160	150
D-키보드(755)	D-키보드	키보드	413250	90	140	100
F-키보드(717)	F-키보드	키보드	665850	55	90	50

1. [표1]에서 도서번호[A3:A10]의 첫 자리가 1이면 "지식", 2이면 "역사", 3이면 "자연" 으로 도서분류[C3:C10]에 표시하시오.
   - CHOOSE와 LEFT 함수 사용

2. [표2]에서 접수번호[F3:F12]를 이용하여 구분[H3:H12]을 표시하시오.
   - 접수번호의 세 번째 자리가 1이면 "중고생", 2이면 "대학생"을 표시하고, 3 이상의 숫자는 "일반"으로 표시하시오.
   - IF와 MID 함수 사용

3. [표3]에서 사번[A17:A24]의 마지막 자리가 A이면 "인사부", B이면 "마케팅부", C이면 "홍보부"를 부서[D17:D24]에 표시하시오.
   - IF와 RIGHT 함수 사용

4. [표4]에서 매출액[H17:H26]이 400,000 이상인 경우 재고량[I17:I26]을 10으로 나눈 숫자 만큼 비고[J17:J26]에 "■"을 입력하고, 그 외에는 공백으로 처리하시오.
   - IF와 REPT 함수

5. [표5]에서 제품번호[A31:A39]를 이용하여 모델명[B31:B39]과 색상[C31:C39]을 구하시오.
   - 모델명 : 제품번호의 오른쪽 세 문자를 이용하여 양쪽 공백 없이 대문자로 표시
   - 색상 : 제품번호 첫 번째 자리가 1이면 "검정색", 2이면 "은색", 3이면 "흰색"을 적용
   - UPPER, PROPER, TRIM, LEFT, RIGHT, MID, IF 중 알맞은 함수 사용

6. [표6]에서 상품코드[F31:F39]를 이용하여 상품명(1)[G31:G39]을 표시하시오.

   - 상품명(1) : 상품코드 뒤 다섯 글자를 뺀 나머지

   - LEFT와 LEN 함수 사용

7. [표6]에서 상품코드[F31:F39]를 이용하여 상품명(2)[H31:H39]을 표시하시오.

   - 상품명(2) : 상품코드의 중간 한글 부분을 표시(상품코드 3번째 문자부터 '(' 괄호 전까지를 추출)

   - MID와 SEARCH함수 사용

(확인_01 풀이)

1. 도서분류 표시하기

① 도서분류를 표시하기 위해 [C3] 셀에 "=CHOOSE(LEFT(A3,1),"지식","역사","자연")" 수식을 입력하고 Enter 를 누른다. 채우기 핸들을 드래그하여 [C10] 셀까지 수식을 복사한다.

	A	B	C	D	E	F	G	H	I
1	[표1]	도서 대여 현황				[표2]		응시자 명단	
2	도서번호	도서명	도서분류	성명		접수번호	성명	구분	지역
3	18711	=CHOOSE(LEFT(A3,1),"지식","역사","자연")				DJ123	김소라		서울
4	15216	새해 하루 설날		김성호		SJ325	김영걸		대전
5	32537	개구리가 되었네		이제훈		SU902	김은혜		대전
6	32679	토끼는 겁이 많아		김수현		BS212	김준태		세종
7	11133	눈 내린 겨울 공원		한효현		DJ382	김태훈		청주
8	12597	열두 달 우리 음식		김지수		SJ224	김형섭		서산
9	24657	아스텍과 잉카		안중건		DJ322	명서연		성남
10	22367	고대 이집트		오이현		BS291	문재환		부산
11						DJ567	박찬영		제주
12						SJ121	서한빛		대구
13									

	A	B	C	D
1	[표1]	도서 대여 현황		
2	도서번호	도서명	도서분류	성명
3	18711	따끈한 빵 이야기	지식	오해강
4	15216	새해 하루 설날		김성호
5	32537	개구리가 되었네		이제훈
6	32679	토끼는 겁이 많아		김수현
7	11133	눈 내린 겨울 공원		한효현
8	12597	열두 달 우리 음식		김지수
9	24657	아스텍과 잉카		안중건
10	22367	고대 이집트		오이현
11				

- LEFT(텍스트, 추출할 문자 수) : 왼쪽에서 추출할 문자 수만큼 반환하는 함수로 LEFT(A3,1) 식은 도서번호의 첫 자리를 표시한다.

- CHOOSE(인덱스 번호, 값1, 값2, …) : 인덱스 번호를 이용하여 특정 번째에 있는 값을 반환하는 함수로 CHOOSE(LEFT(A3,1),"지식","역사","자연") 식은 도서번호의 첫 자리가 1일 경우 "지식", 2일 경우 "역사", 3일 경우 "자연"으로 표시한다. **예** 인덱스 번호가 1일 경우 값1이, 인덱스 번호가 2일 경우 값2가 반환됨.

2. 구분 표시하기

① 구분을 표시하기 위해 [H3] 셀에 "=IF(MID(F3,3,1)="1","중고생",IF(MID(F3,3,1)="2","대학생","일반"))" 수식을 입력하고 Enter 를 누른다. 채우기 핸들을 드래그하여 [H12] 셀까지 수식을 복사한다.

> **! CAUTION**
>
> **인덱스 번호**
>
> CHOOSE 함수에서는 인덱스 번호에 해당하는 값이 반드시 존재해야 한다. 인덱스 넘버가 5개이면 값도 5개여야 한다. 인덱스 번호가 4개일 때 값이 3개이면 인덱스 번호가 4인 값은 에러로 표시된다.
> 그리고 인덱스 번호는 무조건 1부터 반환된다. 인덱스 번호가 1이 없이 3부터 시작할 때는 =CHOOSE(A3,"","","지식") 식과 같이 1과 2의 자리에 ""(공백)을 입력한다.

| DMIN | ▼ | × ✓ ƒx | =IF(MID(F3,3,1)="1","중고생",IF(MID(F3,3,1)="2","대학생","일반")) |

	E	F	G	H	I	J	K
1		[표2]		응시자 명단			
2		접수번호	성명	구분	지역		
3		=IF(MID(F3,3,1)="1","중고생",IF(MID(F3,3,1)="2","대학생","일반"))					
4		SJ325	김영걸		대전		
5		SU902	김은혜		대전		
6		BS212	김준태		세종		
7		DJ382	김태훈		청주		
8		SJ224	김형섭		서산		
9		DJ322	명서연		성남		
10		BS291	문재환		부산		
11		DJ567	박찬영		제주		
12		SJ121	서한빛		대구		

| H3 | ▼ | ƒx | =IF(MID(F3,3,1)="1","중고생",IF(MID(F3,3,1)="2","대학생","일반")) |

	E	F	G	H	I	J	K
1		[표2]		응시자 명단			
2		접수번호	성명	구분	지역		
3		DJ123	김소라	중고생	서울		
4		SJ325	김영걸		대전		
5		SU902	김은혜		대전		
6		BS212	김준태		세종		
7		DJ382	김태훈		청주		
8		SJ224	김형섭		서산		
9		DJ322	명서연		성남		
10		BS291	문재환		부산		
11		DJ567	박찬영		제주		
12		SJ121	서한빛		대구		

▪ MID(텍스트, 시작 위치, 추출할 문자 수) : 시작 위치부터 추출할 문자 수만큼 반환하는 함수로 MID(F3,3,1) 식은 접수번호의 세 번째 1자리를 표시한다.

▪ IF(조건식, 참, 거짓) : 조건을 만족하면 TRUE 값을, 만족하지 않으면 FALSE 값을 표시하며, FALSE가 두 개 이상일 경우에는 중첩 IF 함수(IF(조건식, 참, IF(조건식, 참, 거짓……)))를 사용한다.

IF(MID(F3,3,1)="1","중고생",IF(MID(F3,3,1)="2","대학생","일반")) 식은 접수번호의 세 번째 1자리가 1일 경우 "중고생", 2일 경우 "대학생", 그 외에는 "일반"으로 표시한다.

3. 부서 표시하기

① 부서를 표시하기 위해 [D17] 셀에 "=IF(RIGHT(A17,1)="A","인사부", IF(RIGHT(A17,1)="B","마케팅부","홍보부"))" 수식을 입력하고 **Enter** 를 누른다. 채우기 핸들을 드래그하여 [D24] 셀까지 수식을 복사한다.

텍스트 함수

텍스트 함수에 의해 추출되는 값은 모두 문자로 취급된다. 숫자 형태로 추출되는 값도 텍스트의 성질을 띤다. 그래서 MID(F3,3,1)="1" 수식을 입력한다. 추출되는 값이 1일 경우 문자 1을 뜻하는 "1"로 입력해야 한다.

| DMIN | ▼ | × ✓ ƒx | =IF(RIGHT(A17,1)="A","인사부",IF(RIGHT(A17,1)="B","마케팅부","홍보부")) |

	A	B	C	D	E	F	G	H	I	J
15	[표3]		사내 동호회 신청자 명단			[표4]		재고 현황		
16	사번	성명	지역	부서		제품 번호	지역	매출액	재고량	비고
17	187-A	=IF(RIGHT(A17,1)="A","인사부",IF(RIGHT(A17,1)="B","마케팅부","홍보부"))					중구	552,300	50	
18	236-B	양회성	세종			J-1026	유성구	655,890	35	
19	556-C	최승호	청주			J-1025	중구	695,890	10	
20	326-B	김현욱	서울			J-1027	중구	356,460	55	
21	106-A	송지혜	대전			J-1029	중구	789,210	20	
22	153-A	박재형	대전			J-1028	유성구	235,260	32	
23	127-B	황정하	부산			J-1031	중구	1,556,400	19	
24	232-C	정혜정	제주			J-1024	유성구	525,500	23	
25						B-1030	유성구	215,460	65	
26						B-1032	중구	278,950	30	

| D17 | | | | fx | =IF(RIGHT(A17,1)="A","인사부",IF(RIGHT(A17,1)="B","마케팅부","홍보부")) | | | | |

[표3] 사내 동호회 신청자 명단 / [표4] 재고 현황

사번	성명	지역	부서		제품 번호	지역	매출액	재고량	비고
187-A	염보라	대전	인사부		J-1030	중구	552,300	50	
236-B	양희성	세종			J-1026	유성구	655,890	35	
556-C	최승호	청주			J-1025	중구	695,890	10	
326-B	김현욱	서울			J-1027	중구	356,460	55	
106-A	송지혜	대전			J-1029	중구	789,210	20	
153-A	박재령	대전			J-1028	유성구	235,260	32	
127-B	황정하	부산			J-1031	중구	1,556,400	19	
232-C	정혜정	제주			J-1024	유성구	525,500	23	
					B-1030	유성구	215,460	65	
					B-1032	중구	278,950	30	

- RIGHT(텍스트, 추출할 문자 수) : 텍스트의 오른쪽부터 추출할 문자 수만큼 반환하는 함수로 RIGHT(A17,1) 식은 사번의 마지막 문자를 표시한다.
- IF(조건식, 참, 거짓) : 조건을 만족하면 참 값을, 만족하지 않으면 거짓 값을 표시하는 함수로 IF(RIGHT(A17,1)="A","인사부", IF(RIGHT(A17,1)="B", "마케팅부","홍보부")) 식은 사번의 마지막 문자가 "A"이면 "인사부", "B"이면 "마케팅부", 그 외에는 "홍보부"를 표시한다.

4. 재고 현황 표시하기

① 비고를 표시하기 위해 [J17] 셀에 "=IF(H17>=400000,REPT("■", I17/10),"")" 수식을 입력하고 Enter 를 누른다. 채우기 핸들을 드래그하여 [J26] 셀까지 수식을 복사한다.

공백 표시
수식에서 공백을 표시할 때에는 ""을 입력한다. 쌍따옴표와 쌍따옴표는 띄어쓰기 없이 붙여 입력한다.

| DMIN | | | fx | =IF(H17>=400000,REPT("■",I17/10),"") |

[표4] 재고 현황

제품 번호	지역	매출액	재고량	비고
J-1030	중구	552,300		=IF(H17>=400000,REPT("■",I17/10),"")
J-1026	유성구	655,890	35	
J-1025	중구	695,890	10	
J-1027	중구	356,460	55	
J-1029	중구	789,210	20	
J-1028	유성구	235,260	32	
J-1031	중구	1,556,400	19	
J-1024	유성구	525,500	23	
B-1030	유성구	215,460	65	
B-1032	중구	278,950	30	

| J17 | | | fx | =IF(H17>=400000,REPT("■",I17/10),"") |

[표4] 재고 현황

제품 번호	지역	매출액	재고량	비고
J-1030	중구	552,300	50	■■■■■
J-1026	유성구	655,890	35	
J-1025	중구	695,890	10	
J-1027	중구	356,460	55	
J-1029	중구	789,210	20	
J-1028	유성구	235,260	32	
J-1031	중구	1,556,400	19	
J-1024	유성구	525,500	23	
B-1030	유성구	215,460	65	
B-1032	중구	278,950	30	

- REPT(텍스트, 반복할 횟수) : 표시할 문자를 개수만큼 반복해서 표시하는 함수로 REPT("■",I17/10) 식은 재고량을 10으로 나눈 수만큼 '■' 텍스트를 표시한다.

- IF(조건식, 참, 거짓) : 조건식을 만족하면 참 값을, 만족하지 않으면 거짓 값을 반환하는 함수로 IF(H17>=400000,REPT ("■",I17/10),"") 식은 매출액이 400,000 이상일 경우 재고량을 10으로 나눈 수만큼 '■'를 표시하고, 아닐 경우 공백으로 표시한다.

5. 모델명과 색상 표시하기

① 모델명을 표시하기 위해 [B31] 셀에 "=UPPER(TRIM(RIGHT(A31,3)))" 수식을 입력하고 Enter 를 누른다. 채우기 핸들을 드래그하여 [B39] 셀까지 수식을 복사한다.

29 [표5]	제품관리		
30 제품번호	모델명	색 상	재고
31	=UPPER(TRIM(RIGHT(A31,3)))		350
32 12 - a2			180
33 25 - a3			230
34 26 - a7			120
35 29 - a8			150
36 33 - q3			205
37 34 - q5			140
38 17 - ct			90
39 22 - lx			55

29 [표5]	제품관리		
30 제품번호	모델명	색 상	재고
31 17 - a1	A1		350
32 12 - a2			180
33 25 - a3			230
34 26 - a7			120
35 29 - a8			150
36 33 - q3			205
37 34 - q5			140
38 17 - ct			90
39 22 - lx			55

- RIGHT(텍스트, 추출할 문자 수) : 텍스트에서 오른쪽을 기준으로 추출할 문자 수만큼 반환하는 함수로 RIGHT(A31,3) 식은 제품번호의 오른쪽을 기준으로 3음절을 표시한다.

- TRIM(텍스트) : 문자열에서 불필요한 공백을 제거하는 함수로 추출한 텍스트의 공백을 제거한다.

- UPPER(텍스트) : 소문자를 모두 대문자로 변환하는 함수로 공백이 제거된 텍스트를 모두 대문자로 바꾼다.

② 색상을 표시하기 위해 [C31] 셀에 "=IF(LEFT(A31,1)="1","검정색", IF(LEFT(A31,1) ="2","은색","흰색"))" 수식을 입력하고 Enter 를 누른다. 채우기 핸들을 드래그하여 [C39] 셀까지 수식을 복사한다.

29 [표5]	제품관리				[표6]	상반기 제품 현황					
30 제품번호	모델명	색 상	재고		상품코드	상품명(1)	상품명(2)	단 가	판매량	재고량	주문량
31	=IF(LEFT(A31,1)="1","검정색",IF(LEFT(A31,1)="2","은색","흰색"))		(360)				95000	350	200	250
32 12 - a2	A2		180		A-프린젠터(122)			115000	180	260	150
33 25 - a3	A3		230		B-마이크(325)			75000	230	120	180
34 26 - a7	A7		120		B-마이크(257)			132000	120	180	100
35 29 - a8	A8		150		C-마이크(997)			383000	150	120	170
36 33 - q3	Q3		205		B-스피커(371)			89000	205	95	200
37 34 - q5	Q5		140		B-스피커(174)			116000	140	160	150
38 17 - ct	CT		90		D-키보드(755)			413250	90	140	100
39 22 - lx	LX		55		F-키보드(717)			665850	55	90	50

C31			fx	=IF(LEFT(A31,1)="1","검정색",IF(LEFT(A31,1)="2","은색","흰색"))							
	A	B	C	D	E	F	G	H	I	J	K	L

29 [표5]		제품관리			[표6]				상반기 제품 현황			
30 제품번호	모델명	색 상	재고		상품코드	상품명(1)	상품명(2)	단 가	판매량	재고량	주문량
31 17 - a1	A1	검정색	350		A-프리젠터(360)			95000	350	200	250
32 12 - a2	A2		180		A-프리젠터(122)			115000	180	260	150
33 25 - a3	A3		230		B-마이크(325)			75000	230	120	180
34 26 - a7	A7		120		B-마이크(257)			132000	120	180	100
35 29 - a8	A8		150		C-마이크(997)			383000	150	120	170
36 33 - q3	Q3		205		B-스피커(371)			89000	205	95	200
37 34 - q5	Q5		140		B-스피커(174)			116000	140	160	150
38 17 - ct	CT		90		D-키보드(755)			413250	90	140	100
39 22 - lx	LX		55		F-키보드(717)			665850	55	90	50
40											

- LEFT(텍스트, 추출할 문자 수) : 텍스트의 왼쪽에서 추출할 문자 수를 반환하는 함수로 제품번호의 첫 글자를 표시한다.

- IF(조건식, 참, 거짓) : 조건을 만족하면 참 값을, 만족하지 않으면 거짓 값을 반환하는 함수로 IF(LEFT(A31,1)="1","검정색", IF(LEFT(A31,1) = "2","은색","흰색")) 식은 제품번호의 첫 글자가 1이면 "검정색", 2이면 "은색", 그 외에는 "흰색"으로 표시한다.

6. 상품명(1) 표시하기

① 상품명(1)을 표시하기 위해 [G31] 셀에 "=LEFT(F31,LEN(F31)−5)" 수식을 입력하고 Enter 를 누른다. 채우기 핸들을 드래그하여 [G39] 셀까지 수식을 복사한다.

DMIN			fx	=LEFT(F31,LEN(F31)-5)		
	F	G	H	I	J	K	L

29 [표6]			상반기 제품 현황			
30 상품코드	상품명(1)	상품명(2)	단 가	판매량	재고량	주문량
31 A-프	=LEFT(F31,LEN(F31)-5)		95000	350	200	250
32 A-프리젠터(122)			115000	180	260	150
33 B-마이크(325)			75000	230	120	180
34 B-마이크(257)			132000	120	180	100
35 C-마이크(997)			383000	150	120	170
36 B-스피커(371)			89000	205	95	200
37 B-스피커(174)			116000	140	160	150
38 D-키보드(755)			413250	90	140	100
39 F-키보드(717)			665850	55	90	50
40						

G31			fx	=LEFT(F31,LEN(F31)-5)		
	F	G	H	I	J	K	L

29 [표6]			상반기 제품 현황			
30 상품코드	상품명(1)	상품명(2)	단 가	판매량	재고량	주문량
31 A-프리젠터(360)	A-프리젠터		95000	350	200	250
32 A-프리젠터(122)			115000	180	260	150
33 B-마이크(325)			75000	230	120	180
34 B-마이크(257)			132000	120	180	100
35 C-마이크(997)			383000	150	120	170
36 B-스피커(371)			89000	205	95	200
37 B-스피커(174)			116000	140	160	150
38 D-키보드(755)			413250	90	140	100
39 F-키보드(717)			665850	55	90	50
40						

- LEN(텍스트) : 텍스트의 개수를 반환하는 함수로 LEN(F31) 식은 상품코드의 문자 수를 표시한다.

- LEFT(텍스트, 추출할 문자 수) : 텍스트의 왼쪽에서 추출할 문자 수만큼 반환하는 함수로 LEFT(F31,LEN(F31)-5) 식은 상품코드의 글자수에서 5를 뺀 숫자만큼의 상품코드를 표시한다.

7. 상품명(2) 표시하기

① 상품명(2)를 표시하기 위해 [H31] 셀에 "=MID(F31,3,SEARCH(" (",F31)-3)" 수식을 입력하고 [Enter]를 누른다. 채우기 핸들을 드래그하여 [H39] 셀까지 수식을 복사한다.

	DMIN			fx	=MID(F31,3,SEARCH("(",F31)-3)		
	F	G	H		I	J	K	L
29	[표6]				상반기 제품 현황			
30	상품코드	상품명(1)	상품명(2)	단 가		판매량	재고량	주문량
31	A-프리젠터(360)	A-프리젠터	=MID(F31,3,SEARCH("(",F31)-3)				200	250
32	A-프리젠터(122)	A-프리젠터		115000		180	260	150
33	B-마이크(325)	B-마이크		75000		230	120	180
34	B-마이크(257)	B-마이크		132000		120	180	100
35	C-마이크(997)	C-마이크		383000		150	120	170
36	B-스피커(371)	B-스피커		89000		205	95	200
37	B-스피커(174)	B-스피커		116000		140	160	150
38	D-키보드(755)	D-키보드		413250		90	140	100
39	F-키보드(717)	F-키보드		665850		55	90	50
40								

	H31			fx	=MID(F31,3,SEARCH("(",F31)-3)		
	F	G	H		I	J	K	L
29	[표6]				상반기 제품 현황			
30	상품코드	상품명(1)	상품명(2)	단 가		판매량	재고량	주문량
31	A-프리젠터(360)	A-프리젠터	프리젠터	95000		350	200	250
32	A-프리젠터(122)	A-프리젠터		115000		180	260	150
33	B-마이크(325)	B-마이크		75000		230	120	180
34	B-마이크(257)	B-마이크		132000		120	180	100
35	C-마이크(997)	C-마이크		383000		150	120	170
36	B-스피커(371)	B-스피커		89000		205	95	200
37	B-스피커(174)	B-스피커		116000		140	160	150
38	D-키보드(755)	D-키보드		413250		90	140	100
39	F-키보드(717)	F-키보드		665850		55	90	50

HINT

SEARCH
영문을 찾을 때 대소문자를 구분하지 않는다. 대소문자를 구분해서 찾을 경우 FIND를 쓴다.

- SEARCH(찾을 문자, 텍스트, 시작 위치) : 문자열에서 특정 문자의 위치를 글자 단위로 찾아 글자의 위치를 숫자로 반환하는 함수로 SEARCH ("(",F31) 식은 상품코드에서 '('의 위치를 숫자로 표시한다.
- MID(텍스트, 시작 위치, 추출할 문자 수) : 텍스트에서 시작 위치부터 추출할 문자 수만큼 반환하는 함수로 상품코드의 세 번째부터 '('의 위치를 구한 값에서 앞의 'A-'와 '('의 개수를 제외하기 위해 SEARCH ("(",F31)-3을 한 값을 표시한다.

출제유형 분석

✓ YEAR, MONTH, HOUR, MINUTE, SECOND, WEEKDAY, DAYS360, DATE, NOW, TIME, DAY, TODAY, EDATE, EOMONTH, WORKDAY, YEARFRAC

✓ 날짜 및 시간 함수는 날짜에서 연도, 월, 일을 추출하거나 시간에서 시, 분, 초를 추출할 수 있다. 또한 현재 날짜나 현재 시각을 표시할 수 있다.

✓ 반복 출제 함수 : YEAR, MONTH, HOUR, WEEKDAY, DAYS360, DATE, TODAY

함수	설명	형식
TODAY	현재 컴퓨터의 날짜를 표시 무인수 함수로 함수명 뒤에 괄호만 표시	=TODAY() 예 TODAY() → 2018-01-01
NOW	현재 컴퓨터의 날짜와 시간을 표시 무인수 함수로 함수명 뒤에 괄호만 표시	=NOW() 예 NOW() → 2018-01-01 13:33:00
YEAR	날짜에서 연도만 추출하여 표시	=YEAR(날짜) 예 YEAR(2018-01-01) → 2018
MONTH	날짜에서 월만 추출하여 표시	=MONTH(날짜) 예 MONTH(2018-01-01) → 1
DAY	날짜에서 일만 추출하여 표시	=DAY(날짜) 예 DAY(2018-01-01) → 1
HOUR	시간에서 시만 추출하여 표시	=HOUR(시간) 예 HOUR(13:30:33) → 13
MINUTE	시간에서 분만 추출하여 표시	=MINUTE(시간) 예 MINUTE(13:30:33) → 30
SECOND	시간에서 초만 추출하여 표시	=SECOND(시간) 예 SECOUND(13:30:33) → 33
DATE	숫자로 표시한 연, 월, 일을 날짜 형식으로 표시	=DATE(연도, 월, 일) 예 DATE(2018,01,01) → 2018-01-01
TIME	숫자로 표시한 시, 분, 초를 시간형식으로 표시	=TIME(시, 분, 초) 예 TIME(13,30,33) → 13:30:33
WEEKDAY	날짜의 해당 요일을 숫자로 반환 옵션이 1이면 일요일 1 토요일 7 옵션이 2이면 월요일 1 일요일 7 옵션이 3이면 월요일 0 일요일 6	=WEEKDAY(날짜, 옵션) 예 =WEEKDAY(2018-02-01,1) → 5 예 =WEEKDAY(2018-02-01,2) → 4
DAYS360	1년을 360(30일 기준의 12개월)로 하여, 두 날짜 사이의 일수를 반환	=DAYS360(날짜1,날짜2, 옵션) 예 DAYS360(2018-01-01,2018-01-20) → 19

함수	설명	형식
EDATE	지정한 날짜 전이나 후의 개월 수를 나타내는 날짜의 일련 번호를 반환	=EDATE(시작 날짜, 개월 수) 예 = EDATE ("2018-01-02",3) → 2018-04-02
EO-MONTH	지정된 달 수 이전이나 이후 달의 마지막 날의 날짜 일련 번호를 반환	=EOMONTH(시작 날짜, 개월 수) 예 = EOMONTH("2018-01-02",3) → 2018-04-30
WORK-DAY	특정 일(시작 날짜)의 전이나 후의 날짜 수에서 토요일, 일요일, 휴일을 제외한 날짜 수, 즉 평일 수를 반환	=WORKDAY(시작 날짜, 날짜 수, 휴일 날짜) 예 =WORKDAY("2018-01-01",20) → 2018-01-29
YEAR-FRAC	시작 날짜와 끝 날짜 사이의 날짜 수가 1년 중 차지하는 비율을 반환	=YEARFRAC(시작 날짜, 끝 날짜, 옵션) 예 =YEARFRAC("2018-01-01","2018-06-01")

예제_01 [Part 1_유형분석₩Chapter02_계산작업₩02_날짜 및 시간 함수.xlsm]의 '예제_01' 시트에서 작업하시오.

	A	B	C	D	E	F	G	H	I
1	[표1]		신입사원 명단			[표2]		주문 현황	
2	성명	성별	주민등록번호	생년월일		해당 월			
3	오연철	남	861027-1636567			회원명	품목	연락처	지역
4	박진영	남	990907-2309866			한예슬	스커트	010-712-2321	세종
5	명서연	여	891047-1564343			오성보	가디건	010-4121-5654	서울
6	문재환	남	880302-1405828			유진주	니트	011-432-2343	충북
7	박찬영	남	910729-2011017			이재진	정장	010-321-2223	대구
8	정인호	남	871665-2017966			최지연	캐주얼셔츠	010-712-2321	인천
9	정정윤	여	980707-1429837			한이슬	베스트	010-4121-5654	광주
10	한효진	여	790844-2304111			임채원	점퍼	010-432-2343	대전
11						양회원	코트	010-321-2223	대전
12									
13									
14	[표3]		수강신청현황						
15	현재 날짜와 시간								
16		시간							
17	신청자	학년	과목						
18	김규언	2	경영정보						
19	이다현	3	마케팅						
20	최유선	1	경영정보						
21	조아라	1	회계						
22	임규리	2	재무관리						

	A	B	C	D	E	F	G	H	I
1	[표1]		신입사원 명단			[표2]		주문 현황	
2	성명	성별	주민등록번호	생년월일		해당 월		9월	
3	오연철	남	861027-1636567	1986-10-27		회원명	품목	연락처	지역
4	박진영	남	990907-2309866	1999-09-07		한예슬	스커트	010-712-2321	세종
5	명서연	여	891047-1564343	1989-11-16		오성보	가디건	010-4121-5654	서울
6	문재환	남	880302-1405828	1988-03-02		유진주	니트	011-432-2343	충북
7	박찬영	남	910729-2011017	1991-07-29		이재진	정장	010-321-2223	대구
8	정인호	남	871665-2017966	1988-06-04		최지연	캐주얼셔츠	010-712-2321	인천
9	정정윤	여	980707-1429837	1998-07-07		한이슬	베스트	010-4121-5654	광주
10	한효진	여	790844-2304111	1979-09-13		임채원	점퍼	010-432-2343	대전
11						양회원	코트	010-321-2223	대전
12									
13									
14	[표3]		수강신청현황						
15	현재 날짜와 시간		2018-09-03 14:50						
16		시간	14시 50분						
17	신청자	학년	과목						
18	김규언	2	경영정보						
19	이다현	3	마케팅						
20	최유선	1	경영정보						
21	조아라	1	회계						
22	임규리	2	재무관리						

1. [표1]에서 주민등록번호[C3:C10]를 이용하여 생년월일[D3:D10]을 표시하시오.

   ▪ 주민등록번호 여덟 번째 자리의 숫자가 2보다 크면 2000년대 생이고, 아니면 1900년대 생임

   ▪ 생년월일은 yyyy-mm-dd 형식으로 표시

   ▪ IF, DATE, MID함수와 & 연산자 사용

2. [표2]에서 현재 날짜를 이용하여 해당 월[H2]을 표시하시오.

   ▪ 표시 예 : 1월

   ▪ TODAY, MONTH 함수와 & 연산자 사용

3. [표3]의 [C15] 셀에 현재 날짜와 시간을 표시하고, [C15] 셀을 이용하여 [C16] 셀에는 시간을 표시하시오.

   ▪ [C15] 셀은 현재 날짜와 시간 표시

   ▪ [C16] 셀의 표기 예 : 13시 25분

   ▪ NOW, HOUR, MINUTE 함수와 & 연산자 사용

(예제_01 풀이)

1. 생년월일 표시하기

① 생년월일을 표시하기 위해 [D3] 셀에 "=DATE(IF(MID(C3,8,1)>"2","20"," 19")&MID(C3,1,2),MID(C3,3,2),MID(C3,5,2))" 수식을 입력하고 Enter 를 누른다. 채우기 핸들을 드래그하여 [D10] 셀까지 수식을 복사한다.

DMIN		× ✓ fx	=DATE(IF(MID(C3,8,1) > "2","20","19")&MID(C3,1,2),MID(C3,3,2),MID(C3,5,2))					
	A	B	C	D	E	F	G	H	I
1	[표1]		신입사원 명단			[표2]		주문 현황	
2	성명	성별	주민등록번호	생년월일			해당 월		
3	오연철		=DATE(IF(MID(C3,8,1) > "2","20","19")&MID(C3,1,2),MID(C3,3,2),MID(C3,5,2))					연락처	지역
4	박진영	남	990907-2309866			한예슬	스커트	010-712-2321	세종
5	명서연	여	891047-1564343			오성보	가디건	010-4121-5654	서울
6	문재환	남	880302-1405828			유진주	니트	011-432-2343	충북
7	박찬영	남	910729-2011017			이재진	정장	010-321-2223	대구
8	정인호	남	871665-2017966			최지연	캐주얼셔츠	010-712-2321	인천
9	정정윤	여	980707-1429837			한이슬	베스트	010-4121-5654	광주
10	한효진	여	790844-2304111			임채원	점퍼	010-432-2343	대전
11						양회원	코트	010-321-2223	대전
12									

D3			fx	=DATE(IF(MID(C3,8,1) > "2","20","19")&MID(C3,1,2),MID(C3,3,2),MID(C3,5,2))				
	A	B	C	D	E	F	G	H	I
1	[표1]		신입사원 명단			[표2]		주문 현황	
2	성명	성별	주민등록번호	생년월일		회원명	품목	연락처	지역
3	오연철	남	861027-1636567	1986-10-27		한예슬	스커트	010-712-2321	세종
4	박진영	남	990907-2309866			오성보	가디건	010-4121-5654	서울
5	명서연	여	891047-1564343			유진주	니트	011-432-2343	충북
6	문재환	남	880302-1405828			이재진	정장	010-321-2223	대구
7	박찬영	남	910729-2011017			최지연	캐주얼셔츠	010-712-2321	인천
8	정인호	남	871665-2017966			한이슬	베스트	010-4121-5654	광주
9	정정윤	여	980707-1429837			임채원	점퍼	010-432-2343	대전
10	한효진	여	790844-2304111			양회원	코트	010-321-2223	대전
11									

- MID(텍스트, 시작 위치, 추출할 문자 수): 시작 위치부터 추출할 문자 수만
  큼 반환하는 함수로 MID(C3,8,1) 수식은 주민등록번호의 8번째 문자
  를 표시한다.

- IF(조건식, 참, 거짓): 조건을 만족하면 참 값을, 만족하지 않으면 거짓 값
  을 반환하는 함수로 주민등록번호의 8번째 문자가 "2"보다 크면 "20",
  아니면 "19"를 반환한다. 이 때, MID 함수는 텍스트 함수이므로 추출
  되는 값이 숫자나 문자 모두 문자로 간주한다.

- DATE(연도, 월, 일): 숫자로 표시한 연, 월, 일을 날짜 형식으로 반환하는
  함수로 주민등록번호를 이용하여 날짜 형식의 생년월일을 표시한다.

2. 해당 월 표시하기

① 해당 월을 표시하기 위해 [H2] 셀에 "=MONTH(TODAY())&"월"" 수식
을 입력하고 **Enter** 를 누른다.

	F	G	H	I	J
1	[표2]		주문 현황		
2		해당 월	=MONTH(TODAY())&"월"		
3	회원명	품목	연락처	지역	
4	한예슬	스커트	010-712-2321	세종	
5	오성보	가디건	010-4121-5654	서울	
6	유진주	니트	011-432-2343	충북	
7	이재진	정장	010-321-2223	대구	
8	최지연	캐주얼셔츠	010-712-2321	인천	
9	한이슬	베스트	010-4121-5654	광주	
10	임채원	점퍼	010-432-2343	대전	
11	양희원	코트	010-321-2223	대전	
12					

- TODAY(): 오늘 날짜를 나타내는 함수로 인수가 없는 무인수 함수이다.

- MONTH(날짜): 날짜에서 월만 추출하여 나타내는 함수이다.

3. 현재 날짜와 시간, 현재 시간 표시하기

① 현재 날짜와 시간을 표시하기 위해 [C15] 셀에 "=NOW()" 수식을 입력하
고 **Enter** 를 누른다.

	A	B	C	D
14	[표3]		수강신청현황	
15	현재 날짜와 시간		=NOW()	
16		시간		
17	신청자	학년	과목	
18	김규언	2	경영정보	
19	이다현	3	마케팅	
20	최유선	1	경영정보	
21	조아라	1	회계	
22	임규리	2	재무관리	
23				

- [C15] 셀에 현재 날짜 표시

- NOW() : 현재 시스템의 날짜와 시간을 나타내는 함수로 무인수 함수이다.

② 현재 시간을 표시하기 위해 [C16] 셀에 "=HOUR(C15)&"시 "&MINUTE(C15)&"분"" 수식을 입력하고 **Enter** 를 누른다.

	A	B	C
14	[표3]		수강신청현황
15	현재 날짜와 시간		2018-09-03 14:50
16	시간		14시 50분
17	신청자	학년	과목
18	김규연	2	경영정보
19	이다현	3	마케팅
20	최유선	1	경영정보
21	조아라	1	회계
22	임규리	2	재무관리
23			

- HOUR(시간) : 날짜와 시간에서 시만 추출하는 함수로 시간(시:분:초)에서 시만 표시

- MINUTE(시간) : 날짜와 시간에서 분만 추출하는 함수로 분만 표시

확인_01 [Part 1_유형분석\Chapter02_계산작업\02_날짜 및 시간 함수.xlsm]의 '확인_01' 시트에서 작업하시오.

	A	B	C	D	E	F	G	H	I	J	K
1	[표1]			오디션 신청자 명단			[표2]		주문 현황		
2	성명	장르	성별	주민등록번호	나이		회원명	주문 날짜	배송기간	배송 예정일	
3	오연철	발라드	남	871007-1636567			엄재은	2017-03-25	2		
4	박진영	댄스	남	990907-2309866			오성보	2017-03-25	3		
5	명서연	힙합	여	821047-4564343			유진주	2017-03-26	5		
6	문재환	R&B	남	880302-1405828			이재진	2017-03-26	5		
7	박찬영	인디	남	910729-2011017			최지연	2017-03-28	3		
8	정인호	트로트	남	911665-3017966			한이슬	2017-03-28	2		
9	정정윤	R&B	여	980707-1429837			임채원	2017-03-29	3		
10	한효진	재즈	여	930844-4304111			양희원	2017-03-29	2		
11											
12											
13	[표3]			취업 지원 대상자			[표4]		회원관리		
14	이름	전공	성별	주민등록번호	생년월일		회원명	방문 일자	적립금	방문 요일	
15	원영진	경영학		901007-1234567			박신혜	2017-01-24	12,000		
16	임연수	회계학		020907-4309866			전지윤	2016-10-27	3,000		
17	이준용	영문학		891027-1562323			강승윤	2017-03-02	7,500		
18	김재호	컨벤션		030302-3405828			백아연	2015-11-24	59,000		
19	황인정	경영학		010729 4011017			윤은혜	2017 07 27	2,300		
20	김채린	간호학		871225-2017922			김지현	2016-06-19	34,100		
21	이유림	교육학		860707-2429837			정희철	2015-11-10	7,700		
22	이슬기	경영학		920824-2302111			차현아	2017-05-05	10,000		
23											

	A	B	C	D	E	F	G	H	I	J
1	[표1]			오디션 신청자 명단			[표2]		주문 현황	
2	성명	장르	성별	주민등록번호	나이		회원명	주문 날짜	배송기간	배송 예정일
3	오연철	발라드	남	871007-1636567	30		엄재은	2017-03-25	2	2017-03-28
4	박진영	댄스	남	990907-2309866	18		오성보	2017-03-25	3	2017-03-29
5	명서연	힙합	여	821047-4564343	35		유진주	2017-03-26	5	2017-03-31
6	문재환	R&B	남	880302-1405828	29		이재진	2017-03-26	5	2017-03-31
7	박찬영	인디	남	910729-2011017	26		최지연	2017-03-26	3	2017-03-29
8	정인호	트로트	남	911665-3017966	26		한이슬	2017-03-28	2	2017-03-30
9	정정윤	R&B	여	980707-1429837	19		임채원	2017-03-29	3	2017-04-03
10	한효진	재즈	여	930844-4304111	24		양회원	2017-03-29	2	2017-03-31
11										
12										
13	[표3]			취업 지원 대상자			[표4]		회원관리	
14	이름	전공	성별	주민등록번호	생년월일		회원명	방문 일자	적립금	방문 요일
15	원영진	경영학	남자	901007-1234567	1990-10-07		박신혜	2017-01-24	12,000	화요일
16	임연수	회계학	여자	020907-4309866	2002-09-07		전지윤	2016-10-27	3,000	목요일
17	이준용	영문학	남자	891027-1562323	1989-10-27		강승윤	2017-03-02	7,500	목요일
18	김재호	컨벤션	남자	030302-3405828	2003-03-02		백아연	2015-11-24	59,000	화요일
19	황인정	경영학	여자	010729-4011017	2001-07-29		윤은혜	2017-07-27	2,300	목요일
20	김채린	간호학	여자	871225-2017922	1987-12-25		김지현	2016-06-19	34,100	일요일
21	이유림	교육학	여자	860707-2429837	1986-07-07		정희철	2015-11-10	7,700	화요일
22	이슬기	경영학	여자	920824-2302111	1992-08-24		차현아	2017-05-05	10,000	금요일
23										

1. [표1]에서 주민등록번호[D3:D10]를 이용하여 나이[E3:E10]를 구하시오.

   ▪ 나이 = 현재 연도 − 태어난 연도

   ▪ TODAY, YEAR, LEFT 함수 사용

2. [표2]에서 주문 날짜[H3:H10]와 배송기간[I3:I10]을 이용하여 배송 예정일[J3:J10]을 표시하시오.

   ▪ 주말(토, 일요일)은 제외

   ▪ WORKDAY, WEEKDAY, YEARFRAC, EDATE 중 알맞은 함수 선택

3. [표3]에서 주민등록번호를 이용하여 성별[C15:C22]과 생년월일[E15:E22]을 표시하시오.

   ▪ 성별 : 주민등록번호의 여덟 번째 숫자가 짝수이면 "여자", 홀수이면 "남자"로 표시

   ▪ 주민등록번호의 여덟 번째 숫자가 2보다 크면 2000년대에 태어난 것이고, 아니면 1900년대에 태어난 것임

   ▪ 생년월일 : yyyy-mm-dd 형식으로 표시

   ▪ IF, DATE, MID, MOD 함수와 & 연산자 사용

4. [표4]에서 방문 일재[H15:H22]를 이용하여 방문 요일[J15:J22]을 구하시오.

   ▪ 월요일부터 시작하는 2번 유형 사용

   ▪ 표시 예 : 월요일

   ▪ CHOOSE와 WEEKDAY 함수 사용

확인_01 풀이

1. 나이 표시하기

① 나이를 표시하기 위해 [E3] 셀에 "=YEAR(TODAY())−(LEFT(D3,2)+ 1900)" 수식을 입력하고 **Enter** 를 누른다. 채우기 핸들을 드래그하여 [E10] 셀까지 수식을 복사한다.

	A	B	C	D	E	F	G	H	I	J
		DMIN	▼	× ✓ *fx*	=YEAR(TODAY())-(LEFT(D3,2)+1900)					
1	[표1]			오디션 신청자 명단			[표2]		주문 현황	
2	성명	장르	성별	주민등록번호	나이		회원명	주문 날짜	배송기간	배송 예정일
3	오연철	발라드	남	=YEAR(TODAY())-(LEFT(D3,2)+1900)			엄재온	2017-03-25	2	
4	박진영	댄스	남	990907-2309866			오성보	2017-03-25	3	
5	명서연	힙합	여	821047-4564343			유진주	2017-03-26	5	
6	문재환	R&B	남	880302-1405828			이재진	2017-03-26	5	
7	박찬영	인디	남	910729-2011017			최지연	2017-03-26	3	
8	정인호	트로트	남	911665-3017966			한이슬	2017-03-28	2	
9	정정윤	R&B	여	980707-1429837			임채원	2017-03-29	3	
10	한효진	재즈	여	930844-4304111			양회원	2017-03-29	2	
11										

	A	B	C	D	E	F	G	H	I	J
		E3	▼	*fx*	=YEAR(TODAY())-(LEFT(D3,2)+1900)					
1	[표1]			오디션 신청자 명단			[표2]		주문 현황	
2	성명	장르	성별	주민등록번호	나이		회원명	주문 날짜	배송기간	배송 예정일
3	오연철	발라드	남	871007-1636567	30		엄재온	2017-03-25	2	
4	박진영	댄스	남	990907-2309866			오성보	2017-03-25	3	
5	명서연	힙합	여	821047-4564343			유진주	2017-03-26	5	
6	문재환	R&B	남	880302-1405828			이재진	2017-03-26	5	
7	박찬영	인디	남	910729-2011017			최지연	2017-03-26	3	
8	정인호	트로트	남	911665-3017966			한이슬	2017-03-28	2	
9	정정윤	R&B	여	980707-1429837			임채원	2017-03-29	3	
10	한효진	재즈	여	930844-4304111			양회원	2017-03-29	2	
11										

- TODAY() : 현재 컴퓨터의 날짜를 표시하는 함수로 오늘 날짜를 표시한다.
- LEFT(텍스트, 추출할 문자 수) : 텍스트의 왼쪽에서 추출할 문자 수만큼 반환하는 함수로 주민등록번호의 왼쪽부터 두 글자를 표시한다.
- YEAR(날짜) : 날짜에서 연도만 추출하는 함수이다.

※ 현재 날짜에 따라 결과값이 다름

2. 배송 예정일 표시하기

① 배송 예정일을 표시하기 위해 [J3] 셀에 "=WORKDAY(H3,I3)" 수식을 입력하고 **Enter** 를 누른다. 채우기 핸들을 드래그하여 [J10] 셀까지 수식을 복사한다.

	G	H	I	J
	DMIN	▼ × ✓ *fx*	=WORKDAY(H3,I3)	
1	[표2]		주문 현황	
2	회원명	주문 날짜	배송기간	배송 예정일
3	엄재온	2017-03-25		=WORKDAY(H3,I3)
4	오성보	2017-03-25	3	
5	유진주	2017-03-26	5	
6	이재진	2017-03-26	5	
7	최지연	2017-03-26	3	
8	한이슬	2017-03-28	2	
9	임채원	2017-03-29	3	
10	양회원	2017-03-29	2	
11				

	G	H	I	J
	J3	▼	*fx*	=WORKDAY(H3,I3)
1	[표2]		주문 현황	
2	회원명	주문 날짜	배송기간	배송 예정일
3	엄재온	2017-03-25	2	2017-03-28
4	오성보	2017-03-25	3	
5	유진주	2017-03-26	5	
6	이재진	2017-03-26	5	
7	최지연	2017-03-26	3	
8	한이슬	2017-03-28	2	
9	임채원	2017-03-29	3	
10	양회원	2017-03-29	2	
11				

- WORKDAY(시작 날짜, 날짜 수, [휴일 날짜]) : 특정 일(시작 날짜)의 전이나 후의 날짜 수에서 토요일, 일요일, 휴일을 제외한 날짜 수, 즉 평일 수를 반환하는 함수로, 주문 날짜에서 토요일, 일요일, 휴일을 제외한 배송기간을 더한 배송 예정일을 표시한다.

3. 성별, 생년월일 표시하기

① 성별을 표시하기 위해 [C15] 셀에 "=IF(MOD(MID(D15,8,1),2)=1,"남자","여자")" 수식을 입력하고 **Enter** 를 누른다. 채우기 핸들을 드래그하여 [C22] 셀까지 수식을 복사한다.

DMIN						=IF(MOD(MID(D15,8,1),2)=1,"남자","여자")		
	B	C	D	E	F	G	H	I	J
13	취업 지원 대상자					[표4]	회원관리		
14	전공	성별	주민등록번호	생년월일		회원명	방문 일자	적립금	방문 요일
15	=IF(MOD(MID(D15,8,1),2)=1," 234567					박신혜	2017-01-24	12,000	
16	남자","여자")		309866			전지윤	2016-10-27	3,000	
17	영문학		891027-1562323			강승윤	2017-03-02	7,500	
18	컨벤션		030302-3405828			백아연	2015-11-24	59,000	
19	경영학		010729-4011017			윤은혜	2017-07-27	2,300	
20	간호학		871225-2017922			김지현	2016-06-19	34,100	
21	교육학		860707-2429837			정희철	2015-11-10	7,700	
22	경영학		920824-2302111			차현아	2017-05-05	10,000	
23									

C15						=IF(MOD(MID(D15,8,1),2)=1,"남자","여자")		
	B	C	D	E	F	G	H	I	J
13	취업 지원 대상자					[표4]	회원관리		
14	전공	성별	주민등록번호	생년월일		회원명	방문 일자	적립금	방문 요일
15	경영학	남자	901007-1234567			박신혜	2017-01-24	12,000	
16	회계학		020907-4309866			전지윤	2016-10-27	3,000	
17	영문학		891027-1562323			강승윤	2017-03-02	7,500	
18	컨벤션		030302-3405828			백아연	2015-11-24	59,000	
19	경영학		010729-4011017			윤은혜	2017-07-27	2,300	
20	간호학		871225-2017922			김지현	2016-06-19	34,100	
21	교육학		860707-2429837			정희철	2015-11-10	7,700	
22	경영학		920824-2302111			차현아	2017-05-05	10,000	
23									

H I N T

○ 중요
MOD 함수에 의해 계산된 결과는 문자가 아닌 숫자형 데이터로 자동으로 전환된다. 텍스트 함수에 의해 구해진 결과는 '사칙연산'을 수행할 경우 숫자화된다.

- IF(조건식, 참, 거짓) : 조건을 만족하면 참 값을, 만족하지 않으면 FALSE 값을 표시하는 함수로 주민등록번호의 8번째 수를 2로 나눈 나머지가 1일 경우 "남자"를, 그렇지 않으면 "여자"를 표시한다.
- MOD(숫자(피젯수), 나누는 수(젯수)) : 두 값을 나눈 나머지를 구하는 함수로 주민등록번호의 8번째 수를 2로 나눈 나머지를 표시한다.
- MID(텍스트, 시작 위치, 추출할 문자 수) : 시작 위치부터 추출할 문자 수만큼 반환하는 함수로 주민등록번호의 8번째 문자를 표시한다.

② 생년월일을 표시하기 위해 [E15] 셀에 "=DATE(IF(MID(D15,8,1)>"2", "20","19")&MID(D15,1,2),MID(D15,3,2),MID(D15,5,2))" 수식을 입력하고 Enter 를 누른다. 채우기 핸들을 드래그하여 [E22] 셀까지 수식을 복사한다.

| DMIN | | | | | =DATE(IF(MID(D15,8,1)>"2","20","19")&MID(D15,1,2),MID(D15,3,2),MID(D15,5,2)) | | | | |
A	B	C	D	E	F	G	H	I	J
[표3]		취업 지원 대상자				**[표4]**	회원관리		
이름	전공	성별	주민등록번호	생년월일		회원명	방문 일자	적립금	방문 요일
원영진	경	=DATE(IF(MID(D15,8,1)>"2","20","19")&MID(D15,1,2),MID(D15,3,2),MID(D15,5,2))				박신혜		12,000	
임연수	회계학	여자	020907-4309866			전지윤	2016-10-27	3,000	
이준용	영문학	남자	891027-1562323			강승윤	2017-03-02	7,500	
김재호	컨벤션	남자	030302-3405828			백아연	2015-11-24	59,000	
황인정	경영학	여자	010729-4011017			윤은혜	2017-07-27	2,300	
김채린	간호학	여자	871225-2017922			김지현	2016-06-19	34,100	
이유림	교육학	여자	860707-2429837			정회철	2015-11-10	7,700	
이슬기	경영학	여자	920824-2302111			차현아	2017-05-05	10,000	

| E15 | | | =DATE(IF(MID(D15,8,1)>"2","20","19")&MID(D15,1,2),MID(D15,3,2),MID(D15,5,2)) | | | | | | |
A	B	C	D	E	F	G	H	I	J
[표3]		취업 지원 대상자				**[표4]**	회원관리		
이름	전공	성별	주민등록번호	생년월일		회원명	방문 일자	적립금	방문 요일
원영진	경영학	남자	901007-1234567	1990-10-07		박신혜	2017-01-24	12,000	
임연수	회계학	여자	020907-4309866			전지윤	2016-10-27	3,000	
이준용	영문학	남자	891027-1562323			강승윤	2017-03-02	7,500	
김재호	컨벤션	남자	030302-3405828			백아연	2015-11-24	59,000	
황인정	경영학	여자	010729-4011017			윤은혜	2017-07-27	2,300	
김채린	간호학	여자	871225-2017922			김지현	2016-06-19	34,100	
이유림	교육학	여자	860707-2429837			정회철	2015-11-10	7,700	
이슬기	경영학	여자	920824-2302111			차현아	2017-05-05	10,000	

- MID(텍스트, 시작 위치, 추출할 문자 수) : 시작 위치부터 추출할 문자 수만큼 반환하는 함수로 주민등록번호의 년, 월, 일을 반환한다.
- DATE(연도, 월, 일) : 숫자로 표시한 연, 월, 일을 날짜 형식으로 표시하는 함수로 주민등록번호를 참조해서 생년월일을 날짜 형식으로 반환한다.
  - 표시형식 : yyyy-mm-dd
- [홈] 탭 → [표시 형식] 그룹에서 [간단한 날짜] 선택

4. 방문 요일 표시하기

① 방문 요일을 표시하기 위해 [J15] 셀에 "=CHOOSE(WEEKDAY(H15, 2),"월요일","화요일","수요일","목요일","금요일","토요일","일요일")" 수식을 입력하고 Enter 를 누른다. 채우기 핸들을 드래그하여 [J22] 셀까지 수식을 복사한다.

DMIN	▼	× ✓ fx	=CHOOSE(WEEKDAY(H15,2),"월요일","화요일","수요일","목요일","금요일","토요일","일요일")						
	G	H	I	J	K	L	M	N	O	P	Q

13	[표4]		회원관리			
14	회원명	방문 일자	적립금	방문 요일		
15	=CHOOSE(WEEKDAY(H15,2),"월요일","화요일","수요일","목요일","금요일","토요일","일요일")					
16	전지윤	2016-10-27	3,000			
17	강승윤	2017-03-02	7,500			
18	백아연	2015-11-24	59,000			
19	윤은혜	2017-07-27	2,300			
20	김지현	2016-06-19	34,100			
21	정회철	2015-11-10	7,700			
22	차현아	2017-05-05	10,000			

J15	▼	fx	=CHOOSE(WEEKDAY(H15,2),"월요일","화요일","수요일","목요일","금요일","토요일","일요일")						
	G	H	I	J	K	L	M	N	O	P	Q

13	[표4]		회원관리			
14	회원명	방문 일자	적립금	방문 요일		
15	박신혜	2017-01-24	12,000	화요일		
16	전지윤	2016-10-27	3,000			
17	강승윤	2017-03-02	7,500			
18	백아연	2015-11-24	59,000			
19	윤은혜	2017-07-27	2,300			
20	김지현	2016-06-19	34,100			
21	정회철	2015-11-10	7,700			
22	차현아	2017-05-05	10,000			

- CHOOSE(인덱스 번호, 값1, 값2, …) : 인덱스 번호를 이용하여 특정 번째에 있는 값을 반환하는 함수로 CHOOSE(WEEKDAY(H15,2),"월요일","화요일", "수요일","목요일","금요일","토요일","일요일") 식은 해당 요일이 1일 경우 "월요일", 2일 경우 "화요일",…, 7일 경우 "일요일"로 표시한다.

- WEEKDAY(날짜, 옵션) : 날짜의 해당 요일을 숫자로 반환하는 함수로 옵션이 1일 경우 일요일이 1, 옵션이 2일 경우 월요일이 1로 표시된다.

논리 함수

출제유형 분석

✓ IF, NOT, AND, OR, FALSE, TRUE, IFERROR

✓ 논리 함수는 조건과 논리를 판단하여 참이면 논리값 TRUE를 구하고, 거짓이면 논리값 FALSE를 구하는 함수이다.

✓ 반복 출제 함수 : IF, AND, OR, FALSE, TRUE

HINT

IF문에 여러 다른 함수를 추가하여 사용된다.

• IF문 형식 : =IF(조건식, 참, 거짓)

조건식은 B3>=80 형태로 왼쪽은 조건을 비교하기 위한 값이 있는 셀 주소, 가운데에 비교 연산자, 오른쪽은 비교 기준을 적어준다.

예

=IF(AND(A3>=B3,C3=D3),"합격", "불합격")

=IF(MID(A3,3,1)="A","연구","")
=IF(RANK(A3,$A$3:$A$12,1)
<=5,"본선진출","탈락")

=IF(A3=MAX($A$3:$A$12),"최고가",IF(A3=MIN($A$3:$A$12),"최저가",""))

함수	설명	형식
IF	조건을 만족하면 참 값을, 만족하지 않으면 거짓 값을 표시	=IF(조건식, 참, 거짓) 예 =IF(A3>=80,"합격","불합격")
중첩 IF	IF문은 거짓 값이 1개가 될 때까지 IF문을 이용해서 중첩하여 사용	=IF(조건식, 참, IF(조건식, 참, 거짓……)) 예 =IF(A3>=90,"A학점", IF(A3>=80,"B학점","C학점"))
AND	나열된 조건들이 모두 만족하면 TRUE 값을 표시하고, 조건들 중 하나라도 만족하지 않으면 FALSE 값을 표시	=AND(조건1, 조건2, …) 예 =AND(A3>=B3, C3=D3)
OR	나열된 조건들 중 하나라도 만족하면 TRUE 값을 표시하고, 조건들을 모두 만족하지 않으면 FALSE 값을 표시	=OR(조건1, 조건2, …) 예 =OR(A3=B3, C3=D3)
NOT	논리식의 결과가 TRUE이면 FALSE을 반환하고, FALSE이면 TRUE을 반환	=NOT(인수) 예 =NOT(5>4) → FALSE
IFERROR	데이터나 식의 결과 값이 오류인 경우 오류 값을 반환하고 그렇지 않으면 수식의 결과를 반환	=IFERROR(값, 오류 메시지) 예 =IFERROR(A3, "없음")

HINT

셀 값에 오류가 생기면 오류를 오류 메시지 값으로 처리한다.
=iferror(A3,"없음")
A3 셀에 있는 값이 오류가 있을때만 '없음'으로 표시되고 오류가 없을때는 [A3] 셀의 값이 그대로 표시된다.

예제_01 [Part 1_유형분석\Chapter02_계산작업\03_논리 함수.xlsm]의 '예제_01' 시트에서 작업하시오.

	A	B	C	D	E	F	G	H	I	J
1	[표1]	동아리 신청명단			[표2]	지점별 판매 현황				
2	이름	학번	전공		지점	입고량	출고량	재고량	판매현황	
3	명서연	20121234			대전점	510	500	10		
4	문재환	20113658			분당점	390	120	270		
5	박찬영	20109876			서현점	222	100	122		
6	서한빛	20143526			유성점	250	239	11		
7	황인정	20149872			서산점	470	450	20		
8	김채린	20136547			부산점	601	310	291		
9	이유림	20102365								
10	이슬기	20102365								
11										
12										
13	[표]	발표 성적								
14	학번	이름	발표점수	결과						
15	20163526	신용재	90							
16	20179872	임현식	99							
17	20136547	김태진	97							
18	20152365	서남준	87							
19	20132365	차선우	74							
20	20112365	최준홍	88							
21	20123465	강승윤	72							
22	20146588	김도운	100							
23										
24										

	A	B	C	D	E	F	G	H	I
1	[표1]	동아리 신청명단			[표2]	지점별 판매 현황			
2	이름	학번	전공		지점	입고량	출고량	재고량	판매현황
3	명서연	20121234	경영		대전점	510	500	10	우수
4	문재환	20113658	화학		분당점	390	120	270	열등
5	박찬영	20109876	화학		서현점	222	100	122	열등
6	서한빛	20143526	화학		유성점	250	239	11	보통
7	황인정	20149872	화학		서산점	470	450	20	우수
8	김채린	20136547	화학		부산점	601	310	291	열등
9	이유림	20102365	철학						
10	이슬기	20127640	화학						
11									
12									
13	[표]	발표 성적							
14	학번	이름	발표점수	결과					
15	20163526	신용재	90	통과					
16	20179872	임현식	99	통과					
17	20136547	김태진	97	통과					
18	20152365	서남준	87						
19	20132365	차선우	74						
20	20112365	최준홍	88						
21	20123465	강승윤	72						
22	20146588	김도운	100	통과					
23									

1. [표1]에서 학번[B3:B10]을 이용하여 전공[C3:C10]을 표시하시오.

   - 학번의 다섯 번째 자리는 전공을 나타낸다. 1인 경우 "경영", 2인 경우 "철학", 나머지는 "화학"으로 표시하시오.

   - IF와 MID 함수 사용

2. [표2]에서 출고량[G3:G8]과 재고량[H3:H8]을 이용하여 판매현황[I3:I8]을 표시하시오.

   - 판매현황 : 출고량이 300 이상이고 재고량이 100 미만이면 "우수", 출고량이 200이상이고 재고량이 150 미만이면 "보통", 나머지는 "열등"'을 표시

- IF와 AND 함수 사용

3. [표3]에서 발표점수[C15:C22]가 평균 점수 이상이면 "통과" 그렇지 않으면 공백으로 결과[D15:D22]에 표시하시오.

- IF와 AVERAGE 함수 사용

(예제_01 풀이)

1. 전공 표시하기

① 전공을 표시하기 위해 [C3] 셀에 "=IF(MID(B3,5,1)="1","경영",IF(MID (B3,5,1)="2","철학","화학"))" 수식을 입력하고 Enter 를 누른다. 채우기 핸들을 드래그하여 [C10] 셀까지 수식을 복사한다.

	DMIN		▾	× ✓ ƒₓ	=IF(MID(B3,5,1)="1","경영",IF(MID(B3,5,1)="2","철학","화학"))				
⯆	A	B	C	D	E	F	G	H	I	J
1	[표1]	동아리 신청명단			[표2]		지점별 판매 현황		
2	이름	학번	전공		지점	입고량	출고량	재고량	판매현황
3	=IF(MID(B3,5,1)="1","경영",IF(MID(B3,5,1)="2","철학","화학"))				510	500	10
4	문재환	20113658			분당점	390	120	270
5	박찬영	20109876			서현점	222	100	122
6	서한빛	20143526			유성점	250	239	11
7	황인정	20149872			서산점	470	450	20
8	김채린	20136547			부산점	601	310	291
9	이유림	20102365						
10	이슬기	20127640						
11								

	C3		▾		ƒₓ	=IF(MID(B3,5,1)="1","경영",IF(MID(B3,5,1)="2","철학","화학"))			
⯆	A	B	C	D	E	F	G	H	I
1	[표1]	동아리 신청명단			[표2]		지점별 판매 현황		
2	이름	학번	전공		지점	입고량	출고량	재고량	판매현황
3	명서연	20121234	경영		대전점	510	500	10
4	문재환	20113658			분당점	390	120	270
5	박찬영	20109876			서현점	222	100	122
6	서한빛	20143526			유성점	250	239	11
7	황인정	20149872			서산점	470	450	20
8	김채린	20136547			부산점	601	310	291
9	이유림	20102365						
10	이슬기	20127640						
11								

- MID(텍스트, 시작 위치, 추출할 문자 수): 시작 위치부터 추출할 문자 수만 큼 표시하는 함수로 (MID(B3,5,1)는 학번의 다섯 번째 수를 추출하여 표시한다.

- IF(조건식, 참, 거짓): 조건을 만족하면 참 값을, 만족하지 않으면 거짓 값 을 표시되는데 거짓이 두 개 이상일 경우에는 중첩 IF 함수를 사용한다.

IF(MID(B3,5,1)="1","경영",IF(MID(B3,5,1)="2","철학","화학"))는 학번의 다섯 번째 수가 1일 경우 "경영", 2일 경우 "철학", 그 외에는 "화학"으로 표시한다.

2. 판매현황 표시하기

① 판매현황을 표시하기 위해 [I3] 셀에 "=IF(AND(G3>=300,H3<100),"우수",IF(AND(G3>=200,H3<150),"보통","열등"))" 수식을 입력하고 Enter 를 누른다. 채우기 핸들을 드래그하여 [I8] 셀까지 수식을 복사한다.

DMIN		✕ ✓ fx	=IF(AND(G3>=300,H3<100),"우수",IF(AND(G3>=200,H3<150),"보통","열등"))							
	E	F	G	H	I	J	K	L	M	N	O
1	[표2]		지점별 판매 현황								
2	지점	입고량	출고량	재고량	판매현황						
3		=IF(AND(G3>=300,H3<100),"우수",IF(AND(G3>=200,H3<150),"보통","열등"))									
4	분당점	390	120	270							
5	서현점	222	100	122							
6	유성점	250	239	11							
7	서산점	470	450	20							
8	부산점	601	310	291							
9											

I3		fx	=IF(AND(G3>=300,H3<100),"우수",IF(AND(G3>=200,H3<150),"보통","열등"))							
	E	F	G	H	I	J	K	L	M	N	O
1	[표2]		지점별 판매 현황								
2	지점	입고량	출고량	재고량	판매현황						
3	대전점	510	500	10	우수						
4	분당점	390	120	270							
5	서현점	222	100	122							
6	유성점	250	239	11							
7	서산점	470	450	20							
8	부산점	601	310	291							

- AND(조건1, 조건2, …) : 나열된 조건들이 모두 만족하면 TRUE 값을 표시하고, 하나라도 만족하지 않으면 FALSE 값을 반환하는 함수로
  AND(G3>=300,H3<100)는 출고량과 재고량이 조건을 만족하면 TRUE, 하나라도 만족하지 않으면 FALSE 값을 표시한다.

- IF(조건식, 참, 거짓) : 조건을 만족하면 참 값을, 만족하지 않으면 거짓 값을 반환하는 함수로
  IF(AND(G3>=300,H3<100),"우수",IF(AND(G3>=200, H3<150),"보통","열등"))은 출고량이 300 이상이고, 재고량이 100 미만이면 "우수", 출고량이 200 이상이고 재고량이 150 미만이면 "보통", 그 외에는 "열등"으로 표시한다.

3. 결과 표시하기

① 결과를 표시하기 위해 [D15] 셀에 "=IF(C15>=AVERAGE($C$15:$C$22),"통과","")" 수식을 입력하고 Enter 를 누른다. 채우기 핸들을 드래그하여 [D22] 셀까지 수식을 복사한다.

	DMIN		▾		fx	=IF(C15>=AVERAGE($C$15:$C$22),"통과","")

	A	B	C	D	E	F	G	H
13	[표]			발표 성적				
14	학번	이름	발표점수	결과				
15	20163526		=IF(C15>=AVERAGE($C$15:$C$22),"통과","")					
16	20179872	임현식	99					
17	20136547	김태진	97					
18	20152365	서남준	87					
19	20132365	차선우	74					
20	20112365	최준홍	88					
21	20123465	강승윤	72					
22	20146588	김도운	100					
23								

	D15		▾		fx	=IF(C15>=AVERAGE($C$15:$C$22),"통과","")

	A	B	C	D	E	F	G
13	[표]			발표 성적			
14	학번	이름	발표점수	결과			
15	20163526	신용재	90	통과			
16	20179872	임현식	99				
17	20136547	김태진	97				
18	20152365	서남준	87				
19	20132365	차선우	74				
20	20112365	최준홍	88				
21	20123465	강승윤	72				
22	20146588	김도운	100				
23							

- AVERAGE(인수1, 인수2, …) : 인수들 또는 영역의 평균을 반환하는 함수로, AVERAGE($C$15:$C$22)는 발표점수의 전체 평균을 구하며 전체 평균은 바뀌지 않으므로 절대 참조로 표시한다.

- IF(조건식, 참, 거짓) : 조건을 만족하면 참 값을, 만족하지 않으면 거짓 값을 반환하는 함수로 IF(C15>=AVERAGE($C$15:$C$22),"통과","")는 발표점수가 발표점수의 평균 이상이면 "통과", 그렇지 않으면 공백("")으로 표시한다.

확인_01

[Part 1_유형분석\Chapter02_계산작업\03_ 논리 함수.xlsm]의 '확인_01' 시트에서 작업하시오.

	A	B	C	D	E	F	G	H	I	J	K
1	[표1]		오디션 신청자 명단				[표2]		사은품 증정 회원명단		
2	접수번호	성명	성별	장르			회원명	가입일	구매금액	가입기간	사은품
3	10001	백예린	여				고아라	2012-01-24	250,000	5	
4	10002	박진영	남				서인국	2013-10-27	594,000	4	
5	10003	명서연	여				강혜정	2012-03-02	1,092,200	5	
6	10012	문채환	남				서인영	2013-11-24	93,000	4	
7	10321	박찬영	남				김태진	2010-07-27	591,000	7	
8	10092	정인호	남				서남준	2011-06-19	3,400,000	6	
9	10563	최민아	여				김기범	2016-11-10	530,100	1	
10	10772	한효진	여				최종현	2010-05-05	100,000	7	
11											
12											
13	[표3]		시험 결과				[표4]		서류 전형 결과		
14	성명	1차	2차	3차	결과		성명	학교성적	외국어	결과	
15	김성호	100	100	90			김규연	4.3	100		
16	김민찬	88	94	91			이다현	3.7	95		
17	김민준	99	99	100			최유선	3.9	77		
18	김도운	97	96	96.5			조아라	2.5	80		
19	이제훈	87	94	90.5			임규리	4.4	69		
20	한효주	74	65	69.5			이온재	4.5	92		
21	박진영	88	90	89			신온경	3.7	65		
22	백미애	72	92	82							
23											
24											
25	[표5]		사회과목 반편성								
26	성명	한국지리	윤리	근현대사	반						
27	백아연	70	100	90							
28	이온진	88	95	100							
29	전영구	90	77	60							
30	정지영	100	80	55							
31	유용민	45	69	70							
32	서한빛	38	92	76							
33	안재현	55	89	88							
34											
35											

예제_01 | 확인_01

	A	B	C	D	E	F	G	H	I	J	K
1	[표1]		오디션 신청자 명단				[표2]		사은품 증정 회원명단		
2	접수번호	성명	성별	장르			회원명	가입일	구매금액	가입기간	사은품
3	10001	백예린	여	발라드			고아라	2012-01-24	250,000	5	지급
4	10002	박진영	남	R&B			서인국	2013-10-27	594,000	4	
5	10003	명서연	여	힙합			강혜정	2012 03 02	1,092,200	5	지급
6	10012	문재환	남	R&B			서인영	2013-11-24	93,000	4	
7	10321	박잔영	남	발라드			김태진	2010-07-27	591,000	7	지급
8	10092	정인호	남	R&B			서남준	2011-06-19	3,400,000	6	지급
9	10563	최민아	여	힙합			김기범	2016-11-10	530,100	1	
10	10772	한효진	여	R&B			최종현	2010-05-05	100,000	7	지급
11											
12											
13	[표3]		시험 결과				[표4]		서류 전형 결과		
14	성명	1차	2차	3차	결과		성명	학교성적	외국어	결과	
15	김성호	100	100	90	합격		김규연	4.3	100	면접대상	
16	김민찬	88	94	91	합격		이다현	3.7	95	재검토	
17	김민준	99	99	100	합격		최유선	3.9	77	재검토	
18	김도운	97	96	96.5	합격		조아라	2.5	80	불합격	
19	이제훈	87	94	90.5	합격		임규리	4.4	69	불합격	
20	한효주	74	65	69.5	재시험		이은재	4.5	92	면접대상	
21	박진영	88	90	89	합격		신은경	3.7	65	불합격	
22	백미애	72	92	82	합격						
23											
24											
25	[표5]		사회과목 반편성								
26	성명	한국지리	윤리	근현대사	반						
27	백아연	70	100	90	A반						
28	이은진	88	95	100	A반						
29	전영구	90	77	60	A반						
30	정지영	100	80	55	A반						
31	유용민	45	69	70	B반						
32	서한빛	38	92	76	B반						
33	안재현	55	89	88	A반						

1. [표1]에서 접수번호의 마지막 자리가 1이면 "발라드", 2이면 "R&B", 3이면 "힙합"을 장르[D3:D10]에 표시하시오.

   ▪ IF와 RIGHT 함수 사용

2. [표2]에서 구매금액[I3:I10]이 구매금액의 평균보다 크거나 가입기간[J3:J10]이 5 이상 이면 "지급", 그렇지 않으면 공백으로 사은품[K3:K10]에 표시하시오.

   ▪ AVERAGE, IF, OR 함수 사용

3. [표3]에서 1차, 2차, 3차 시험 모두 60점 이상이고, 세 과목의 평균이 80점 이상이면 "합격", 그렇지 않으면 "재시험"을 결과[E15:E22]에 표시하시오.

   ▪ IF, AND, AVERAGE 함수 사용

4. [표4]에서 학교성적[H16:H22]과 외국어[I16:I22]를 이용하여 결과[J16:J22]를 구하시오.

   ▪ 결과 : 학교성적이 3.5점 미만이거나 외국어가 70점 미만이면 "불합격", 학교성적이 4.0점 미만이거나 외국어가 80점 미만이면 "재검토", 그 외 는 "면접대상"으로 표시
   ▪ IF, AND, OR, DMAX 중 알맞은 함수를 선택하여 사용

5. [표5]에서 한국지리, 윤리, 근현대사 과목 모두 50점 이상이고, 세 과목이 평균이 70점 이상이면 "A반", 그렇지 않으면 "B반"을 반[E27:E33]에 표시하시오.

   ▪ IF, AVERAGE, AND함수 사용

(확인_01 풀이)

1. 장르 표시하기

① 장르를 표시하기 위해 [D3] 셀에 "=IF(RIGHT(A3,1)="1","발라드", IF(RIGHT(A3,1)="2","R&B","힙합"))" 수식을 입력하고 Enter 를 누른다. 채우기 핸들을 드래그하여 [D10] 셀까지 수식을 복사한다.

DMIN	▼	× ✓ fx	=IF(RIGHT(A3,1)="1","발라드",IF(RIGHT(A3,1)="2","R&B","힙합"))							
▲	A	B	C	D	E	F	G	H	I	J	K
1	[표1]		오디션 신청자 명단				[표2]		사은품 증정 회원명단		
2	접수번호	성명	성별	장르			회원명	가입일	구매금액	가입기간	사은품
3	=IF(RIGHT(A3,1)="1","발라드",IF(RIGHT(A3,1)="2","R&B","힙합"))							2012-01-24	250,000	5	
4	10002	박진영	남				서인국	2013-10-27	594,000	4	
5	10003	명서연	여				강혜정	2012-03-02	1,092,200	5	
6	10012	문재환	남				서인영	2013-11-24	93,000	4	
7	10321	박찬영	남				김태진	2010-07-27	591,000	7	
8	10092	정인호	남				서남준	2011-06-19	3,400,000	6	
9	10563	최민아	여				김기범	2016-11-10	530,100	1	
10	10772	한효진	여				최종현	2010-05-05	100,000	7	

D3	▼	fx	=IF(RIGHT(A3,1)="1","발라드",IF(RIGHT(A3,1)="2","R&B","힙합"))							
▲	A	B	C	D	E	F	G	H	I	J	K
1	[표1]		오디션 신청자 명단				[표2]		사은품 증정 회원명단		
2	접수번호	성명	성별	장르			회원명	가입일	구매금액	가입기간	사은품
3	10001	백예린	여	발라드			고아라	2012-01-24	250,000	5	
4	10002	박진영	남				서인국	2013-10-27	594,000	4	
5	10003	명서연	여				강혜정	2012-03-02	1,092,200	5	
6	10012	문재환	남				서인영	2013-11-24	93,000	4	
7	10321	박찬영	남				김태진	2010-07-27	591,000	7	
8	10092	정인호	남				서남준	2011-06-19	3,400,000	6	
9	10563	최민아	여				김기범	2016-11-10	530,100	1	
10	10772	한효진	여				최종현	2010-05-05	100,000	7	

▪ IF(조건식, 참, 거짓) : 조건을 만족하면 참 값을, 만족하지 않으면 거짓 값을 반환하는 함수로 IF(RIGHT(A3,1)="1","발라드",IF(RIGHT (A3,1)="2","R&B","힙합")) 식은 접수번호의 끝자리가 1이면 "발라드", 2이면 "R&B, 그 외에는 "힙합"을 표시한다.

▪ RIGHT(텍스트, 추출할 문자 수) : 텍스트의 오른쪽에서 추출할 문자 수만큼 반환하는 함수로 RIGHT(A3,1) 식은 접수번호의 오른쪽 1자리를 표시한다.

2. 사은품 표시하기

① 사은품을 표시하기 위해 [K3] 셀에 "=IF(OR(I3)AVERAGE($I$3:$I$10), J3)=5),"지급","")" 수식을 입력하고 Enter 를 누른다. 채우기 핸들을 드래그하여 [K10] 셀까지 수식을 복사한다.

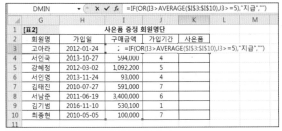

- AVERAGE(인수1, 인수2, ⋯) : 인수들 또는 영역의 평균을 반환하는 함수로 AVERAGE($I$3:$I$10) 식은 구매금액의 평균은 변하지 않으므로 절대 참조로 표시한다.

- OR(조건1, 조건2, ⋯) : 나열된 조건들 중 하나라도 만족하면 TRUE 값을 표시하고, 조건들을 모두 만족하지 않으면 FALSE 값을 반환하는 함수로 OR(I3〉AVERAGE($I$3:$I$10),J3>=5) 식은 구매금액이 구매금액의 평균보다 크거나, 가입기간이 5이상이면 TRUE, 둘 다 만족하지 않으면 FALSE로 표시한다.

- IF(조건식, 참, 거짓) : 조건을 만족하면 참 값을, 만족하지 않으면 거짓 값을 반환하는 함수로 =IF(OR(I3〉AVERAGE($I$3:$I$10), J3>=5),"지급","") 식은 구매금액이 구매금액의 평균보다 크거나, 가입기간이 5이상이면 "지급", 둘 다 만족하지 않으면 공백으로 표시한다.

3. [표3]의 결과 표시하기

① 시험 결과를 표시하기 위해 [E15] 셀에 "=IF(AND(B15>=60,C15>=60, D15>=60, AVERAGE(B15:D15)>=80),"합격","재시험")" 수식을 입력하고 **Enter** 를 누른다. 채우기 핸들을 드래그하여 [E22] 셀까지 수식을 복사한다.

DMIN × ✓ fx =IF(AND(B15>=60,C15>=60,D15>=60,AVERAGE(B15:D15)>=80),"합격","재시험")

	A	B	C	D	E	F	G	H	I	J
13	[표3]			시험 결과						
14	성명	1차	2차	3차	결과		[표4]		서류 전형 결과	
15	김성호	=IF(AND(B15>=60,C15>=60,D15>=60,AVERAGE(B15:D15)>=80),"합격","재시험")					김규언	4.3	100	결과
16	김민찬	88	94	91			이다현	3.7	95	
17	김민준	99	99	100			최유선	3.9	77	
18	김도운	97	96	96.5			조아라	2.5	80	
19	이제훈	87	94	90.5			임규리	4.4	69	
20	한효주	74	65	69.5			이은재	4.5	92	
21	박진영	88	90	89			신은경	3.7	65	
22	백미애	72	92	82						
23										

E15 fx =IF(AND(B15>=60,C15>=60,D15>=60,AVERAGE(B15:D15)>=80),"합격","재시험")

	A	B	C	D	E	F	G	H	I	J
13	[표3]			시험 결과						
14	성명	1차	2차	3차	결과		[표4]		서류 전형 결과	
15	김성호	100	100	90	합격		성명	학교성적	외국어	결과
16	김민찬	88	94	91			김규언	4.3	100	
17	김민준	99	99	100			이다현	3.7	95	
18	김도운	97	96	96.5			최유선	3.9	77	
19	이제훈	87	94	90.5			조아라	2.5	80	
20	한효주	74	65	69.5			임규리	4.4	69	
21	박진영	88	90	89			이은재	4.5	92	
22	백미애	72	92	82			신은경	3.7	65	

- AVERAGE(인수1, 인수2, …) : 인수들 또는 영역의 평균을 반환하는 함수로 AVERAGE(B15:D15) 식은 1차, 2차, 3차의 평균을 표시한다.

- AND(조건1, 조건2, …) : 나열된 조건들이 모두 만족하면 TRUE 값을 반환하고, 하나라도 만족하지 않으면 FALSE 값을 반환하는 함수로 'AND(B15>=60,C15>=60,D15>=60, AVERAGE(B15:D15)>=80)' 식은 1차, 2차, 3차가 모두 60 이상이고, 1차, 2차, 3차의 평균이 80 이상이면 TRUE, 그 외에는 FALSE를 표시한다.

- IF(조건식, 참, 거짓) : 조건을 만족하면 참 값을, 만족하지 않으면 거짓 값을 반환하는 함수로 IF(AND(B15>=60,C15>=60,D15>=60,AVERAGE(B15:D15)>=80),"합격","재시험") 식은 1차, 2차, 3차가 모두 60 이상이고, 1차, 2차, 3차의 평균이 80 이상이면 "합격", 하나라도 만족하지 않으면 "재시험"으로 표시한다.

4. 결과 표시하기

① 서류 전형 결과를 표시하기 위해 [J16] 셀에 "=IF(OR(H16<3.5,I16<70),"불합격",IF(OR(H16<4, I16<80),"재검토","면접대상"))" 수식을 입력하고 **Enter**를 누른다. 채우기 핸들을 드래그하여 [J22] 셀까지 수식을 복사한다.

DMIN			fx	=IF(OR(H16<3.5,I16<70),"불합격",IF(OR(H16<4,I16<80),"재검토","면접대상"))				
	G	H	I	J	K	L	M	N	O
14	**[표4]**		서류 전형 결과					
15	성명	학교성적	외국어	결과				
16	김규언	=IF(OR(H16<3.5,I16<70),"불합격",IF(OR(H16<4,I16<80),"재검토","면접대상"))						
17	이다현	3.7	95					
18	최유선	3.9	77					
19	조아라	2.5	80					
20	임규리	4.4	69					
21	이은재	4.5	92					
22	신은경	3.7	65					

J16			fx	=IF(OR(H16<3.5,I16<70),"불합격",IF(OR(H16<4,I16<80),"재검토","면접대상"))				
	G	H	I	J	K	L	M	N	O
14	**[표4]**		서류 전형 결과					
15	성명	학교성적	외국어	결과				
16	김규언	4.3	100	면접대상				
17	이다현	3.7	95					
18	최유선	3.9	77					
19	조아라	2.5	80					
20	임규리	4.4	69					
21	이은재	4.5	92					
22	신은경	3.7	65					

- OR(조건1, 조건2, …) : 나열된 조건들 중 하나라도 만족하면 TRUE 값을 반환하고, 조건들을 모두 만족하지 않으면 FALSE 값을 반환하는 함수로 OR(H16<3.5,I16<70) 식은 학교성적이 3.5 미만이거나 외국어가 70 미만이면 TRUE, 하나라도 만족하지 않으면 FALSE를 표시한다.

- IF(조건식, 참, 거짓) : 조건을 만족하면 참 값을, 만족하지 않으면 거짓 값을 반환하는 함수로 IF(OR(H16⟨3.5,I16⟨70),"불합격",IF(OR(H16⟨4, I16⟨80),"재검토","면접대상")) 식은 학교성적이 3.5 미만이거나 외국어가 70 미만이면 "불합격", 학교성적이 4 미만이거나 외국어가 80 미만이면 "재검토", 그 외에는 "면접대상"을 표시한다.

5. 반 표시하기

① 반을 표시하기 위해 [E27] 셀에 "=IF(AND(B27⟩=50,C27⟩=50,D27⟩=50, AVERAGE(B27:D27)⟩=70),"A반","B반")" 수식을 입력하고 Enter 를 누른다. 채우기 핸들을 드래그하여 [E33] 셀까지 수식을 복사한다.

DMIN	▼	X ✓ fx	=IF(AND(B27>=50,C27>=50,D27>=50,AVERAGE(B27:D27)>=70),"A반","B반")						
▲	A	B	C	D	E	F	G	H	I	J
25	**[표5]**		사회과목 반편성						
26	성명	한국지리	윤리	근현대사	반				
27	백아연	=IF(AND(B27>=50,C27>=50,D27>=50,AVERAGE(B27:D27)>=70),"A반","B반")							
28	이은진	88	95	100					
29	전영구	90	77	60					
30	정지영	100	80	55					
31	유용민	45	69	70					
32	서한빛	38	92	76					
33	안재현	55	89	88					

E27	▼	fx	=IF(AND(B27>=50,C27>=50,D27>=50,AVERAGE(B27:D27)>=70),"A반","B반")						
▲	A	B	C	D	E	F	G	H	I	J
25	**[표5]**		사회과목 반편성						
26	성명	한국지리	윤리	근현대사	반				
27	백아연	70	100	90	A반				
28	이은진	88	95	100					
29	전영구	90	77	60					
30	정지영	100	80	55					
31	유용민	45	69	70					
32	서한빛	38	92	76					
33	안재현	55	89	88					

- AVERAGE(인수1, 인수2, …) : 인수들 또는 영역의 평균을 반환하는 함수로 AVERAGE(B27:D27)⟩=70 식은 한국지리, 윤리, 근현대사의 평균을 표시한다.

- AND(조건1, 조건2, …) : 나열된 조건들이 모두 만족하면 TRUE 값을, 하나라도 만족하지 않으면 FALSE 값을 반환하는 함수로 AND (B27⟩=50,C27⟩=50,D27⟩=50, AVERAGE(B27:D27)⟩=70) 식은 한국지리, 윤리, 근현대사가 50 이상이고, 평균이 70 이상이면 TRUE, 그 외에는 FALSE를 표시한다.

- IF(조건식, 참, 거짓) : 조건을 만족하면 참 값을, 만족하지 않으면 거짓 값을 반환하는 함수로 IF(AND(B27⟩=50,C27⟩=50,D27⟩=50,AVERAGE(B27:D27)⟩=70),"A반","B반") 식은 한국지리, 윤리, 근현대사가 50 이상이고, 평균이 70 이상이면 "A반", 그 외에는 "B반"으로 표시한다.

수학/삼각 함수

💻 **출제유형 분석**

✓ SUM, SUMIF, SUMIFS, ROUND, ROUNDUP, ROUNDDOWN, ABS, INT, RAND, MOD, FACT, SQRT, PI, POWER, TRUNC

✓ 수학/삼각 함수는 합계, 절대값, 나머지 등 주로 계산을 할 때 사용하는 함수이다. 인수로 숫자를 포함한 셀 범위가 사용된다.

✓ 반복 출제 함수:SUM, SUMIF, SUMIFS, ROUND, ROUNDUP, ROUNDDOWN, ABS, INT, MOD

함수	설명	형식
ABS	숫자의 절대값을 구하는 함수	=ABS(숫자) 예 =ABS(-10)→10
INT	숫자보다 크지 않은 정수를 구하는 함수	=INT(숫자) 예 =INT(-10.3)→-11 =INT(10.3)→10
MOD	두 값을 나눈 나머지를 구하는 함수	=MOD(숫자, 나누는 수) 예 =MOD(360,30) → 0
ROUND	숫자에서 자릿수로 반올림 하는 함수	=ROUND(숫자, 자릿수) 예 =ROUND(359.89,1) → 359.9
ROUNDUP	숫자에서 자릿수로 올림 하는 함수	=ROUNDUP(숫자, 자릿수) 예 =ROUNDUP(359.89,-1) → 360
ROUNDDOWN	숫자에서 자릿수로 내림 하는 함수	=ROUNDDOWN(숫자, 자릿수) 예 =ROUNDDOWN(359.89,-1) → 350
SUM	셀이나, 범위를 지정하여 합계를 구하는 함수	=SUM(셀 주소, 범위) 예 =SUM(A3,A5) 예 =SUM(A3:A5)
SUMIF	조건을 만족하는 값을 찾아 합계를 구하는 함수	=SUMIF(조건 범위, 조건, 더할 범위) 예 =SUM(A3:A10,"합격",C3:C10)
SUMIFS	두 개 이상의 조건을 입력하여 조건들을 만족하는 값만 찾아 합계를 구하는 함수	=SUMIFS(계산할 범위, 조건 범위1, 조건1, 조건 범위2, 조건2…) 예 =SUMIFS (C3:C10,A3:A10,"합격", B3:B10,")=90")

💬 **H I N T**

자릿수 계산방법
소수점을 기준으로 삼는다. 소수점을 기준으로 오른쪽으로는 1,2,3,4,5 자리 왼쪽으로 -1, -2, -3, -4, -5의 자리를 갖는다.

💬 **H I N T**

SUMIF에서 조건을 입력하는 방법
1. 직접 입력하는 경우= SUMIF(조건 범위, 조건, 더할 범위)= SUMIF (A3:A10,"합격",C3:10)
2. 셀 주소를 이용하는 경우 =SUMIF(A3:A10,A4, C3:C10)에 합격이라는 문자 입력되어 있다고 가정
※ 조건:조건 영역의 데이터에 따라 문자는 같은 것을 찾고, 숫자는 비교연산자를 이용하여 조건을 입력하는 경우가 많다.

예제_01 [Part 1_유형분석\Chapter02_계산작업\04_수학삼각 함수.xlsm]의 '예제_01' 시트에서 작업하시오.

	A	B	C	D	E	F	G	H	I	J
1	[표1]		오디션 점수 현황			[표2]		판매현황		
2	성명	심사위원	문자투표	결과		처리일자	제품	구분	판매량	
3	백예린	99	100	합격		2017-02-06	원피스	여성	220	
4	박진영	97	94	합격		2017-02-09	스키복	성인	132	
5	명서연	87	50	불합격		2017-02-27	스키복	유아	784	
6	문재환	74	35	불합격		2017-02-07	블라우스	여성	555	
7	박찬영	50	82	불합격		2017-02-06	스키복	성인	659	
8	정인호	80	95	합격		2017-02-08	셔츠	남성	971	
9	최민아	100	92	합격		2017-02-06	수영복	성인	322	
10	한효진	77	65	불합격		2017-02-09	수영복	유아	21	
11	합격자 심사위원 점수 합계					성인 스키복 총 판매량				
12										
13										
14	[표3]		원두커피 재고 관리			[표4]		인증사업 보유 현황		
15	원두 종류	입고량	포장 개수	재고량		회사명	지점	대표	자본금	
16	하우스 블랜드	270	32			해강통상	서울	오해강	5,500,000,000	
17	에스프레소 블랜드	300	26			성호울산	대전	김성호	700,000,000	
18	블랙퍼스트 블랜드	156	12			대진통상	울산	김대진	4,500,000,000	
19	파이크 플레이스	220	24			성호울산	부산	김성호	650,000,000	
20	세레나 블랜드	530	25			연세울산	서울	홍진영	100,000,000	
21						금산통상	서울	문혜란	79,000,000	
22						대진통상	천안	정영주	200,000,000	
23						대진통상	청주	한지수	7,700,000	
24						대진통상 자본금 평균				
25										
26										

	A	B	C	D	E	F	G	H	I
1	[표1]		오디션 점수 현황			[표2]		판매현황	
2	성명	심사위원	문자투표	결과		처리일자	제품	구분	판매량
3	백예린	99	100	합격		2017-02-06	원피스	여성	220
4	박진영	97	94	합격		2017-02-09	스키복	성인	132
5	명서연	87	50	불합격		2017-02-27	스키복	유아	784
6	문재환	74	35	불합격		2017-02-07	블라우스	여성	555
7	박찬영	50	82	불합격		2017-02-06	스키복	성인	659
8	정인호	80	95	합격		2017-02-08	셔츠	남성	971
9	최민아	100	92	합격		2017-02-06	수영복	성인	322
10	한효진	77	65	불합격		2017-02-09	수영복	유아	21
11	합격자 심사위원 점수 합계			376		성인 스키복 총 판매량			791
12									
13									
14	[표3]		원두커피 재고 관리			[표4]		인증사업 보유 현황	
15	원두 종류	입고량	포장 개수	재고량		회사명	지점	대표	자본금
16	하우스 블랜드	270	32	14		해강통상	서울	오해강	5,500,000,000
17	에스프레소 블랜드	300	26	14		성호울산	대전	김성호	700,000,000
18	블랙퍼스트 블랜드	156	12	-		대진통상	울산	김대진	4,500,000,000
19	파이크 플레이스	220	24	4		성호울산	부산	김성호	650,000,000
20	세레나 블랜드	530	25	5		연세울산	서울	홍진영	100,000,000
21						금산통상	서울	문혜란	79,000,000
22						대진통상	천안	정영주	200,000,000
23						대진통상	청주	한지수	7,700,000
24						대진통상 자본금 평균			1569233333

1. [표1]에서 결과[D3:D10]가 '합격'인 참가자의 심사위원 점수[B3:B10]의 합계를 [D11] 셀에 표시하시오.

   - SUMIF 함수 사용

2. [표2]의 [I11] 셀에 제품[G3:G10]이 '스키복'이면서 구분[H3:H10]이 '성인'인 판매량의 합계를 구하시오.

   - SUMIF, COUNTIF, SUMIFS, COUNTIFS 중 알맞은 함수를 선택하여 사용

3. [표3]에서 원두 종류의 입고량[B16:B20]을 한 박스당 포장할 개수[C16:C20]에 맞추고 남은 나머지를 재고량[D16:D20]에 구하시오.

   - MOD와 INT 중 알맞은 함수 사용

4. [표4]에서 대진통상의 자본금[I16:I23]의 평균을 구하여 [I24] 셀에 구하시오.(단 정수 부분만 구하시오.)

- SUMIF, COUNTIF, INT 함수 사용

예제_01 풀이

1. 합격자 심사위원 점수 합계 표시하기

① 합격자 심사위원 점수 합계를 표시하기 위해 [D11] 셀에 "=SUMIF (D3: D10,"합격",B3:B10)" 수식을 입력하고 Enter 를 누른다.

DMIN			=SUMIF(D3:D10,"합격",B3:B10)	
	A	B	C	D	E
1	[표1]			오디션 점수 현황	
2	성명	심사위원	문자투표	결과
3	백예린	99	100	합격
4	박진영	97	94	합격
5	명서연	87	50	불합격
6	문재환	74	35	불합격
7	박찬영	50	82	불합격
8	정인호	80	95	합격
9	최민아	100	92	합격
10	한효진	77	65	불합격
11	합격자 심사위원 점수 합	=SUMIF(D3:D10,"합격",B3:B10)

D11				fx	=SUMIF(D3:D10,"합격",B3:B10)
	A	B	C	D
1	[표1]		오디션 점수 현황	
2	성명	심사위원	문자투표	결과
3	백예린	99	100	합격
4	박진영	97	94	합격
5	명서연	87	50	불합격
6	문재환	74	35	불합격
7	박찬영	50	82	불합격
8	정인호	80	95	합격
9	최민아	100	92	합격
10	한효진	77	65	불합격
11	합격자 심사위원 점수 합계			376

- [D11] 셀에 합계 표시
- SUMIF(조건 범위, 조건, 더할 범위) : 조건 범위에서 조건을 만족하는 값의 합계를 반환하는 함수로 SUMIF(D3:D10,"합격",B3:B10) 식은 결과가 합격인 심사위원의 합계를 표시한다.

[표1]		오디션 점수 현황	
성명	심사위원	문자투표	결과
백예린	99	100	합격
박진영	97	94	합격
명서연	87	50	불합격
문재환	74	35	불합격
박찬영	50	82	불합격
정인호	80	95	합격
최민아	100	92	합격
한효진	77	65	불합격
합격자 심사위원 점수 합계			376

2. 성인 스키복 총 판매량 표시하기

① 성인 스키복의 총 판매량을 표시하기 위해 [I11] 셀에 "=SUMIFS (I3:I10,G3:G10,"스키복",H3:H10,"성인")" 수식을 입력하고 Enter 를 누른다.

DMIN			=SUMIFS(I3:I10,G3:G10,"스키복",H3:H10,"성인")			
F	G	H	I	J	K	L

	F	G	H	I
1	[표2]		판매현황	
2	처리일자	제품	구분	판매량
3	2017-02-06	원피스	여성	220
4	2017-02-09	스키복	성인	132
5	2017-02-27	스키복	유아	784
6	2017-02-07	블라우스	여성	555
7	2017-02-06	스키복	성인	659
8	2017-02-08	셔츠	남성	971
9	2017-02-06	수영복	성인	322
10	2017-02-09	수영복	유아	21
11	성인 스	=SUMIFS(I3:I10,G3:G10,"스키복",H3:H10,"성인")		

I11			=SUMIFS(I3:I10,G3:G10,"스키복",H3:H10,"성인")			
F	G	H	I	J	K	L

	F	G	H	I
1	[표2]		판매현황	
2	처리일자	제품	구분	판매량
3	2017-02-06	원피스	여성	220
4	2017 02 09	스키복	성인	132
5	2017-02-27	스키복	유아	784
6	2017-02-07	블라우스	여성	555
7	2017-02-06	스키복	성인	659
8	2017-02-08	셔츠	남성	971
9	2017-02-06	수영복	성인	322
10	2017-02-09	수영복	유아	21
11	성인 스키복 총 판매량			791

- SUMIFS(더할 범위, 조건 범위1, 조건1, 조건 범위2, 조건2, …) : 두 개 이상의 조건을 입력하여 조건들을 만족하는 값의 합계를 반환하는 함수로 SUMIFS(I3:I10,G3:G10,"스키복",H3:H10,"성인") 식은 구분이 "성인"이고, 제품이 "스키복"인 것의 판매량의 합계를 표시한다.

3. 재고량 표시하기

① 재고량을 표시하기 위해 [D16] 셀에 "=MOD(B16,C16)" 수식을 입력하고 Enter 를 누른다. 채우기 핸들을 드래그하여 [D20] 셀까지 수식을 복사한다.

DMIN			=MOD(B16,C16)
A	B	C	D

	A	B	C	D
14	[표3]	원두커피 재고 관리		
15	원두 종류	입고량	포장 개수	재고량
16	하우스 블랜드	270		=MOD(B16,C16)
17	에스프레소 블랜드	300	26	
18	블랙퍼스트 블랜드	156	12	
19	파이크 플레이스	220	24	
20	세레나 블랜드	530	25	

D16			=MOD(B16,C16)
A	B	C	D

	A	B	C	D
14	[표3]	원두커피 재고 관리		
15	원두 종류	입고량	포장 개수	재고량
16	하우스 블랜드	270	32	14
17	에스프레소 블랜드	300	26	
18	블랙퍼스트 블랜드	156	12	
19	파이크 플레이스	220	24	
20	세레나 블랜드	530	25	

- MOD(숫자, 나누는 수) : 두 값을 나눈 나머지를 반환하는 함수로 MOD(B16,C16) 식은 입고량을 박스당 포장할 개수로 나눈 나머지를 표시한다.

4. 대진통상 자본금의 평균 표시하기

① 대진통상의 자본금의 평균을 표시하기 위해 [I24] 셀에 "=INT(SUMIF(F16:F23,"대진통상",I16:I23)/COUNTIF(F16:F23,"대진통상"))" 수식을 입력하고 Enter 를 누른다.

DMIN			=INT(SUMIF(F16:F23,"대진통상",I16:I23)/COUNTIF(F16:F23,"대진통상"))				
F	G	H	I	J	K	L	M	N

	F	G	H	I
14	[표4]	인증사업 보유 현황		
15	회사명	지점	대표	자본금
16	해강통상	서울	오해강	5,500,000,000
17	성호물산	대전	김성호	700,000,000
18	대진통상	울산	김대진	4,500,000,000
19	성호물산	부산	김성호	650,000,000
20	연세물산	서울	홍진영	100,000,000
21	금산통상	서울	문혜란	79,000,000
22	대진통상	천안	정영주	200,000,000
23	대진통상	청주	한지수	7,700,000
24	=INT(SUMIF(F16:F23,"대진통상",I16:I23)/COUNTIF(F16:F23,"대진통상"))			

	I24			f_x	=INT(SUMIF(F16:F23,"대진통상",I16:I23)/COUNTIF(F16:F23,"대진통상"))				

	F	G	H	I	J	K	L	M	N
14	[표4]		인증사업 보유 현황						
15	회사명	지점	대표	자본금					
16	해강통상	서울	오해강	5,500,000,000					
17	성호물산	대전	김성호	700,000,000					
18	대진통상	울산	김대진	4,500,000,000					
19	성호물산	부산	김성호	650,000,000					
20	연세물산	서울	홍진영	100,000,000					
21	금산통상	서울	문혜란	79,000,000					
22	대진통상	천안	정영주	200,000,000					
23	대진통상	청주	한지수	7,700,000					
24	대진통상 자본금 평균			1569233333					

- SUMIF(조건 범위, 조건, 계산할 범위) : 조건을 만족하는 값의 합계를 반환하는 함수로 SUMIF(F16:F23,"대진통상",I16:I23) 식은 대진통상의 자본금의 합계를 표시한다.

- COUNTIF(조건 범위, 조건) : 조건을 만족하는 것들의 개수를 반환하는 함수로 COUNTIF(F16:F23,"대진통상") 식은 대진통상의 수를 표시한다.

- SUMIF(조건 범위, 조건, 계산할 범위)/COUNTIF(조건 범위, 조건) : 조건을 만족하는 값의 평균을 반환하는 함수로 SUMIF(F16:F23,"대진통상", I16:I23)/COUNTIF(F16:F23,"대진통상") 식은 대진통상의 자본금의 합계를 대진통상의 개수로 나눠 평균을 표시한다.

- INT(숫자) : 숫자에서 소수 자리를 버리고 정수를 반환하는 함수로 대진통상 자본금의 평균을 정수로 표시한다.

확인_01 [Part 1_유형분석\Chapter02_계산작업\04_수학삼각 함수.xlsm]의 '확인_01' 시트에서 작업하시오.

	A	B	C	D	E	F	G	H	I	J	K	L
1	[표1]		지역별 재고 현황				[표2]		보수 지급 내역서			
2	제품명	제품 번호	지역	매출액	재고량		사원명	근무년수	기본급	상여비율	통별수당	급여액
3	프린터	J-1030	중구	552,300	50		박진영	3	3,100,000	8%	248,000	3,348,000
4	프린터	J-1026	유성구	655,890	35		명서연	6	1,900,000	6%	114,000	2,014,000
5	마이크	J-1025	유성구	695,890	10		문재환	7	2,500,000	9%	225,000	2,725,000
6	마이크	J-1027	서구	356,460	55		박찬영	16	3,000,000	6%	180,000	3,180,000
7	마이크	J-1029	중구	789,210	20		정인호	2	1,130,000	8%	90,400	1,220,400
8	마이크	J-1028	유성구	235,260	32		최민아	7	3,400,000	6%	204,000	3,604,000
9	스피커	J-1031	중구	1,556,400	19		한표진	12	3,000,000	9%	270,000	3,270,000
10	스피커	J-1024	유성구	525,500	23		황정아	8	1,530,000	6%	91,800	1,621,800
11	마우스	B-1030	유성구	215,460	65				급여액 차이			
12	키보드	B-1032	중구	278,950	30							
13	유성구 마이크의 총 재고량											
14												
15												
16	[표3]		영업 현황				[표4]		고객별 매출현황			
17	사원명	지점	상반기	하반기			고객명	제품명	원가	판매가		
18	강영재	서울	552	502			이유희	썬크림	45,000	55,000		
19	김현욱	부산	655	626			이호준	에센스	95,600	115,000		
20	김줄우	대구	700	764			장우울	88크림	35,000	50,000		
21	정현진	인천	646	566			주재취	88크림	35,000	50,000		
22	최동항	광주	800	646			최민석	영양크림	215,000	298,000		
23	황영자	대전	500	496			최지선	마스크팩	30,000	26,500		
24	이연화	울산	355	498			황윤상	기초세트	156,000	220,000		
25	이제훈	경기	525	464			서예림	기초세트	156,000	220,000		
26	표준편차						성수연	썬크림	45,000	55,000		
27	분산						표준편차					
28												
29												
30	[표5]		비타민 복용량									
31	월	수량	하루 복용량	일수(남은 개수)								
32	1월	100	3									
33	2월	110	3									
34	3월	98	4									
35	4월	76	2									
36	5월	75	2									

[표1]		지역별 재고 현황		
제품명	제품 번호	지역	매출액	재고량
프리젠터	J-1030	중구	552,300	50
프리젠터	J-1026	유성구	655,890	35
마이크	J-1025	유성구	695,890	10
마이크	J-1027	서구	356,460	55
마이크	J-1029	중구	789,210	20
마이크	J-1028	유성구	235,260	32
스피커	J-1031	중구	1,556,400	19
스피커	J-1024	유성구	525,500	23
마우스	B-1030	유성구	215,460	65
키보드	B-1032	중구	278,950	30
유성구 마이크의 총 재고량			42	

[표2]		보수 지급 내역서				
사원명	근무년수	기본급	상여비율	특별수당	급여액	
박진명	3	3,100,000	8%	248,000	3,348,000	
명서연	6	1,900,000	6%	114,000	2,014,000	
문재찬	7	2,500,000	9%	225,000	2,725,000	
박찬영	16	3,000,000	6%	180,000	3,180,000	
성빈후	2	1,130,000	8%	90,400	1,220,400	
최민아	7	3,400,000	6%	204,000	3,604,000	
한토진	12	3,000,000	9%	270,000	3,270,000	
황정아	8	1,530,000	6%	91,800	1,621,800	
급여액 차이					4,839,600	

[표3]		영업 현황	
사원명	지점	상반기	하반기
강영재	서울	552	502
김현욱	부산	655	626
김종우	대구	700	764
정현진	인천	646	566
최동창	광주	800	646
황영자	대전	500	496
이연화	울산	355	498
이제홀	경기	525	464
표준편차		137	102
분산		18933	10440

[표4]		고객별 매출현황	
고객명	제품명	원가	판매가
이유회	선크림	45,000	55,000
이효준	에센스	95,600	115,000
장우용	BB크림	35,000	50,000
주재림	BB크림	35,000	50,000
최민석	영양크림	215,000	298,000
최지선	마스크팩	30,000	26,500
황윤상	기초세트	156,000	220,000
서예림	기초세트	156,000	220,000
성수연	선크림	45,000	55,000
표준편차		69000	99200

[표5]		비타민 복용량	
월	수량	하루 복용량	일수(남은 개수)
1월	100	3	33(1)
2월	110	3	36(2)
3월	98	4	24(2)
4월	76	2	38(0)
5월	75	2	37(1)

1. [표1]에서 지역[C3:C12]이 '유성구'이면서 제품명이 '마이크'인 총 재고량을 [D13] 셀에 구하시오.
   - IF, SUM, SUMIFS 중 알맞은 함수 사용

2. [표2]에서 근무년수[H3:H10] 가 8년 이상인 사원의 급여액[L3:L10] 합계와 근무년수가 8년 미만인 사원의 급여액 합계의 차이를 [K11]셀에 절대값으로 표시하시오.
   - ABS, SUMIF 함수 사용

3. [표3]에서 상반기[C18:C25]와 하반기[D18:D25]의 표준편차[C26:D26]와 분산[C27:D27]을 정수까지 표시하시오.
   - AVERAGE, STDEV, VAR, INT, RAND, SQRT 중 알맞은 함수 선택

4. [표4]에서 원가[I18:I26]와 판매가[J18:J26]의 표준편차[I27:J27] 를 구하시오.
   - 표시 : 반올림 하여 백의자리까지(표시 예) 48,889 → 48,900)
   - MODE, MEDIAN, VAR, STDEV, ROUND, ROUNDUP 중 알맞은 함수 선택

5. [표5]에서 수량[B32:B36]을 하루 복용량[C32:C36]대로 복용 시 비타민 복용 일수와 남은 개수는 얼마인지 일수(남은 개수)[D32:D36]에 계산하시오.
   - 일수(남은 개수)의 표시 : 일수가 30이고, 남은 개수가 6 → 30(6)
   - INT, MOD 함수와 & 연산자 사용

확인_01 풀이

1. 유성구 마이크의 총 재고량 표시하기

① 유성구 마이크의 총 재고량을 표시하기 위해 [D13] 셀에 "=SUMIFS
(E3:E12,A3:A12,"마이크",C3:C12,"유성구")" 수식을 입력하고
Enter 를 누른다.

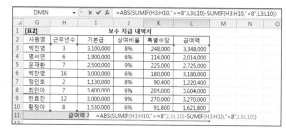

▪ SUMIFS(더할 범위, 조건 범위1, 조건1, 조건 범위2, 조건 2, …) : 두 개 이상의
조건을 입력하여 조건들을 충족하는 값만 찾아 합계를 반환하는 함수
로 SUMIFS(E3:E12,A3:A12,"마이크",C3:C12,"유성구") 식은 제품
명이 "마이크"이고, 지역이 "유성구"인 재고량의 합계를 표시한다.

2. 급여액의 차이 표시하기

① 근무년수가 8년 이상인 급여액의 합계에서 근무년수가 8년 미만의 급여
액의 합계의 차이를 양수로 표시하기 위해 [K11] 셀에 "=ABS(SUMIF
(H3:H10,">=8",L3:L10)-SUMIF(H3:H10,"〈8", L3:L10))" 수식을 입
력하고 Enter 를 누른다.

▪ ABS(숫자) : 숫자를 절대값으로 반환하는 함수로 양수로 표시한다.

▪ SUMIF(조건 범위, 조건, 더할 범위) : 조건을 만족하는 값의 합계를 반환하
는 함수로 SUMIF(H3:H10,">=8",L3:L10)-SUMIF(H3:H10,"〈8",
L3:L10) 식은 근무년수가 8 이상인 급여액의 합계에서 근무년수가 8
미만인 급여액의 합계의 차이를 표시한다.

3. 표준편차와 분산 표시하기

① 상반기의 표준편차를 표시하기 위해 [C26] 셀에 "=INT(STDEV(C18: C25))" 수식을 입력하고 Enter 를 누른다. 하반기의 표준편차를 구하기 위해 채우기 핸들을 드래그하여 [D26] 셀까지 수식을 복사한다.

DMIN			=INT(STDEV(C18:C25))
	A	B	C	D
16	[표3]		영업 현황	
17	사원명	지점	상반기	하반기
18	강영재	서울	552	502
19	김현옥	부산	655	626
20	김종우	대구	700	764
21	정현진	인천	646	566
22	최동창	광주	800	646
23	황영자	대전	500	496
24	이연화	울산	355	498
25	이제훈	경기	525	464
26	표준편차		=INT(STDEV(C18:C25))	
27	분산			

C26			=INT(STDEV(C18:C25))
	A	B	C	D
16	[표3]		영업 현황	
17	사원명	지점	상반기	하반기
18	강영재	서울	552	502
19	김현옥	부산	655	626
20	김종우	대구	700	764
21	정현진	인천	646	566
22	최동창	광주	800	646
23	황영자	대전	500	496
24	이연화	울산	355	498
25	이제훈	경기	525	464
26	표준편차		137	
27	분산			

- STDEV(인수1, 인수2, …) : 표본 집단의 표준편차를 반환하는 함수로 상반기와 하반기의 표준편차를 표시한다.(=STDEV.S)

- INT(숫자) : 숫자에서 소수점을 제외한 정수만 반환하는 함수로 숫자보다 작은 정수를 표시한다.

② 상반기의 분산을 표시하기 위해 [C27] 셀에 "=INT(VAR(C18:C25))" 수식을 입력하고 Enter 를 누른다. 하반기의 분산을 구하기 위해 채우기 핸들을 드래그하여 [D27] 셀까지 수식을 복사한다.

DMIN			=INT(VAR(C18:C25))
	A	B	C	D
16	[표3]		영업 현황	
17	사원명	지점	상반기	하반기
18	강영재	서울	552	502
19	김현옥	부산	655	626
20	김종우	대구	700	764
21	정현진	인천	646	566
22	최동창	광주	800	646
23	황영자	대전	500	496
24	이연화	울산	355	498
25	이제훈	경기	525	464
26	표준편차		137	102
27	분산		=INT(VAR(C18:C25))	

C27			=INT(VAR(C18:C25))
	A	B	C	D
16	[표3]		영업 현황	
17	사원명	지점	상반기	하반기
18	강영재	서울	552	502
19	김현옥	부산	655	626
20	김종우	대구	700	764
21	정현진	인천	646	566
22	최동창	광주	800	646
23	황영자	대전	500	496
24	이연화	울산	355	498
25	이제훈	경기	525	464
26	표준편차		137	102
27	분산		18933	

- INT(숫자) : 숫자에서 소수점을 제외한 정수만 반환하는 함수로 숫자보다 작은 정수를 표시한다.

- VAR(인수1, 인수2, …) : 표본 집단의 분산을 반환하는 함수로 VAR(C18: C25) 식은 상반기와 하반기의 분산을 표시한다.(=VAR.S)

4. 원가와 판매가의 표준편차 표시하기

① 원가의 표준편차를 표시하기 위해 [I27] 셀에 "=ROUND(STDEV (I18: I26),-2)" 수식을 입력하고 Enter 를 누른다. 판매가의 표준편차를 구하

기 위해 채우기 핸들을 드래그하여 [J27] 셀까지 수식을 복사한다.

	DMIN	▾	× ✔ ƒx	=ROUND(STDEV(I18:I26),-2)

◢	G	H	I	J	K
16	[표4]		고객별 매출현황		
17	고객명	제품명	원가	판매가	
18	이유회	썬크림	45,000	55,000	
19	이호준	에센스	95,600	115,000	
20	장우용	BB크림	35,000	50,000	
21	주재원	BB크림	35,000	50,000	
22	최민석	영양크림	215,000	298,000	
23	최지선	마스크팩	30,000	26,500	
24	황윤상	기초세트	156,000	220,000	
25	서예림	기초세트	156,000	220,000	
26	성수연	썬크림	45,000	55,000	
27	표준	=ROUND(STDEV(I18:I26),-2)			

	I27	▾	ƒx	=ROUND(STDEV(I18:I26),-2)

◢	G	H	I	J	K
16	[표4]		고객별 매출현황		
17	고객명	제품명	원가	판매가	
18	이유회	썬크림	45,000	55,000	
19	이호준	에센스	95,600	115,000	
20	장우용	BB크림	35,000	50,000	
21	주재원	BB크림	35,000	50,000	
22	최민석	영양크림	215,000	298,000	
23	최지선	마스크팩	30,000	26,500	
24	황윤상	기초세트	156,000	220,000	
25	서예림	기초세트	156,000	220,000	
26	성수연	썬크림	45,000	55,000	
27	표준편차		69000		

- STDEV(인수1, 인수2, …) : 표본 집단의 표준편차를 반환하는 함수로 STDEV(I18:I26) 식은 원가의 표준편차를 표시한다.(=STDEV.S)
- ROUND(숫자, 자릿수) : 숫자에서 자릿수만큼 반올림하는 함수로 ROUND (STDEV(I18:I26),-2) 식은 표준편차의 십의 자리에서 반올림하여 표시한다.

  사리수가 양수이면 소수 자리수를 의미하고 음수는 0의 개수를 뜻한다. 0은 정수를 의미한다.

8	8	1	4	.	5	1	3	4
-4	-3	-2	-1	0	1	2	3	4

5. 비타민 복용 일수와 남은 개수 표시하기

① 일수(남은 개수)를 표시하기 위해 [D32] 셀에 =INT(B32/C32)&"(" &MOD(B32,C32)&")"수식을 입력하고 Enter 를 누른다. 채우기 핸들을 드래그하여 [D36] 셀까지 수식을 복사한다.

HINT

&

함수와 텍스트, 텍스트와 함수, 함수와 함수, 텍스트와 텍스트를 연결하기 위해 연결자 &를 입력한다.

	DMIN	▾	× ✔ ƒx	=INT(B32/C32)&"("&MOD(B32,C32)&")"

◢	A	B	C	D	E	F
29						
30	[표5]		비타민 복용량			
31	월	수량	하루 복용량	일수(남은 개수)		
32	1월	100	=INT(B32/C32)&"("&MOD(B32,C32)&")"			
33	2월	110	3			
34	3월	98	4			
35	4월	76	2			
36	5월	75	2			
37						

	D32	▾	ƒx	=INT(B32/C32)&"("&MOD(B32,C32)&")"

◢	A	B	C	D	E	F
29						
30	[표5]		비타민 복용량			
31	월	수량	하루 복용량	일수(남은 개수)		
32	1월	100	3	33(1)		
33	2월	110	3			
34	3월	98	4			
35	4월	76	2			
36	5월	75	2			
37						

- INT(숫자) : 숫자에서 소수점을 제외한 정수만 반환하는 함수로 숫자보다 작은 정수를 표시한다.
- MOD(숫자, 나누는 수) : 두 값을 나눈 나머지를 반환하는 함수로 MOD (B32,C32) 식은 수량에서 하루 복용량을 나눈 나머지를 표시한다.

통계 함수

💻 출제유형 분석

✓ AVERAGE, AVERAGEA, AVERAGEIF, AVERAGEIFS, MAX, MIN, RANK, VAR, STDEV, COUNT, COUNTA, COUNTBLANK, COUNTIF, COUNTIFS, MEDIAN, MODE, LARGE, SMALL, MAXA

✓ 통계 함수는 평균, 최고값, 최저값, 개수, 순위 등 데이터 범위에서 통계와 관련된 함수이다.

✓ 반복 출제 함수 : AVERAGE, MAX, MIN, RANK, COUNT, COUNTA, COUNTBLANK, COUNTIF, COUNTIFS, LARGE, SMALL

함수	설명	형식
AVERAGE	범위 셀들의 평균을 표시	=AVERAGE(인수1, 인수2, …)
AVERAGEIF	조건에 만족하는 것들의 평균을 표시	=AVERAGEIF(조건 범위, 조건, 평균을 구할 범위)
MAX	범위 중에서 최대값을 표시	=MAX(범위)
MIN	범위 중에서 최소값을 표시	=MIN(범위)
RANK (=RANK.EQ)	범위 안에서의 순위를 표시	=RANK(인수, 범위, 옵션) 0 옵션(생략 가능): 내림차순, 1 옵션 : 오름차순
VAR (=VAR.S)	표본 집단의 분산을 구하는 표시	=VAR(인수1, 인수2, …)
STDEV (=STDEV.S)	표본 집단의 표준편차를 표시	=STDEV(인수1, 인수2, …)
COUNT	숫자 데이터의 개수 표시	=COUNT(인수1, 인수2, …)
COUNTA	범위에서 값이 입력된 셀의 개수 표시	=COUNTA(인수1, 인수2, …)
COUNTBLANK	범위에서 빈 셀의 개수 표시	=COUNTBLANK(범위)
COUNTIF	조건에 만족하는 것들의 개수를 표시	=COUNTIF(범위, 조건)
LARGE	K 번째 큰 수를 표시	=LARGE(범위, K번째)
SMALL	K 번째 작은 수를 표시	=SMALL(범위, K번째)
MAXA	범위 중에서 최대값을 표시, 빈 셀, 논리값 등도 인수로 사용 가능	=MAXA(인수1, 인수2, …)

예제_01 [Part 1_유형분석\Chapter02_계산작업\05_통계 함수.xlsm]의 '예제_ 01' 시트에서 작업하시오.

[표1] 국제 IT 교육센터 학생 현황 (작업 전)

학번	성명	엑셀	액세스	평균	순위	교재 신청
20161234	주재원	97	90	93.5		신청
20143658	김수연	87	95	91		신청
20159876	노수연	74	51	62.5		
20133526	오소연	88	90	89		신청
20149872	이가람	72	70	71		
20136547	이호준	99	98	98.5		
20112365	권소현	70	77	73.5		신청
20122365	신용재	81	89	85		신청
최고 점수						
최고 점수와 두 번째로 높은 점수 차이						
교재 신청자수						
교재 미신청자수						
엑셀 90점 이상인 학생수						
평균이 70점 이상 80점 미만인 학생수						

[표1] 국제 IT 교육센터 학생 현황 (작업 후)

학번	성명	엑셀	액세스	평균	순위	교재 신청
20161234	주재원	97	90	93.5	2	신청
20143658	김수연	87	95	91	3	신청
20159876	노수연	74	51	62.5	8	
20133526	오소연	88	90	89	4	신청
20149872	이가람	72	70	71	7	
20136547	이호준	99	98	98.5	1	
20112365	권소현	70	77	73.5	6	신청
20122365	신용재	81	89	85	5	신청
최고 점수		99	98	98.5		
최고 점수와 두 번째로 높은 점수 차이		2	3	5		
교재 신청자수	5					
교재 미신청자수	3					
엑셀 90점 이상인 학생수	2					
평균이 70점 이상 80점 미만인 학생수	2					

1. 엑셀[C4:C11], 액세스[D4:D11], 평균[E4:E11]의 각 최고 점수를 [C12:E12] 영역에 표시하시오.

   ▪ MAX 함수 사용

2. 엑셀[C4:C11], 액세스[D4:D11], 평균[E4:E11]에서 최고 점수와 두 번째로 높은 점수의 차이를 [C13:E13] 영역에 표시하시오.

   ▪ MAX, LARGE 함수 사용

3. 평균[E4:E11] 점수로 순위[F4:F11]를 표시하시오.

   ▪ 평균이 가장 높은 점수 1등

   ▪ 표시 예 : 1

   ▪ RANK 함수 사용

4. 교재 신청[G4:G11] 영역에서 신청자 수를 [C15] 셀에 표시하시오.

   ▪ COUNT, COUNTA, COUNTBLANK 중 알맞은 함수 사용

5. 교재 신청[G4:G11] 영역에서 미신청자수를 [C16] 셀에 표시하시오.

   ▪ COUNT, COUNTA, COUNTBLANK 중 알맞은 함수 사용

6. 엑셀[C4:C11] 점수가 90점 이상인 학생수를 [C17] 셀에 표시하시오.

   ▪ COUNTIF, COUNTA, SUMIF 함수 중 알맞은 함수 사용

7. 평균[E4:E11] 점수가 70점 이상, 80점 미만인 학생수를 [C18] 셀에 표시하시오.

   ▪ COUNTIF, COUNTA 중 알맞은 함수 사용

예제_01 풀이

1. 엑셀, 액세스, 평균의 최고 점수 표시하기

① 엑셀의 최고 점수를 표시하기 위해 [C12] 셀에 "=MAX(C4:C11)" 수식을 입력하고 Enter 를 누른다. 채우기 핸들을 드래그하여 [E12] 셀까지 수식을 복사한다.

- MAX(범위) : 범위 중에서 최대값을 표시하는 함수로 MAX(C4:C11) 식은 엑셀의 최대 값을 표시한다.

2. 엑셀, 액세스, 평균의 최고 점수와 두 번째로 높은 점수의 차이 표시하기

① 엑셀의 최고 점수와 두 번째 높은 점수의 차이를 표시하기 위해 [C13] 셀에 "=MAX(C4:C11)-LARGE(C4:C11,2)" 수식을 입력하고 Enter 를 누른다. 채우기 핸들을 드래그하여 [E13] 셀까지 수식을 복사한다.

- MAX(범위) : 범위 중에서 최대값을 반환하는 함수로 MAX(C4:C11) 식은 엑셀의 최대값을 표현한다.
- LARGE(범위, K번째) : 범위 중 K번째로 큰 값을 반환하는 함수로 LARGE(C4:C11,2) 식은 엑셀에서 두 번째로 큰 값을 표시한다.

3. 순위 표시하기

① 순위를 표시하기 위해 [F4] 셀에 "=RANK(E4,$E$4:$E$11)" 수식을 입력하고 Enter 를 누른다. 채우기 핸들을 드래그하여 [F11] 셀까지 수식을 복사한다.

	A	B	C	D	E	F	G
	DMIN				fx =RANK(E4,$E$4:$E$11)		
1	[표1]		국제 IT 교육센터 학생 현황				
2							
3	학번	성명	엑셀	액세스	평균	순위	교재 신청
4	20161234	주재원	97	90	=RANK(E4,$E$4:$E$11)		
5	20143658	김수연	87	95	91		신청
6	20159876	노수연	74	51	62.5		
7	20133526	오소연	88	90	89		신청
8	20149872	이가람	72	70	71		
9	20136547	이호준	99	98	98.5		
10	20112365	권소현	70	77	73.5		신청
11	20122365	신용재	81	89	85		신청
12	최고 점수		99	98	98.5		
13	최고 점수와 두 번째로 높은 점수 차이		2	3	5		
14							
15	교재 신청자수						
16	교재 미신청자수						
17	엑셀 90점 이상인 학생수						
18	평균이 70점 이상 80점 미만인 학생수						

	A	B	C	D	E	F	G
	F4				fx =RANK(E4,$E$4:$E$11)		
1	[표1]		국제 IT 교육센터 학생 현황				
2							
3	학번	성명	엑셀	액세스	평균	순위	교재 신청
4	20161234	주재원	97	90	93.5	2	신청
5	20143658	김수연	87	95	91		신청
6	20159876	노수연	74	51	62.5		
7	20133526	오소연	88	90	89		신청
8	20149872	이가람	72	70	71		
9	20136547	이호준	99	98	98.5		
10	20112365	권소현	70	77	73.5		신청
11	20122365	신용재	81	89	85		신청
12	최고 점수		99	98	98.5		
13	최고 점수와 두 번째로 높은 점수 차이		2	3	5		
14							
15	교재 신청자수						
16	교재 미신청자수						
17	엑셀 90점 이상인 학생수						
18	평균이 70점 이상 80점 미만인 학생수						

- RANK(인수, 범위, 옵션) : 범위 안에서의 인수의 순위를 반환하는 함수로 옵션이 0일 경우 큰 수가 1위로 표시되며 생략 가능하다. 옵션이 1일 경우에는 작은 수가 1위로 표시되며, 생략 불가능하다. RANK(E4,$E$4:$E$11) 식은 주재원의 순위를 표시한다.

4. 교재 신청자 수 표시하기

① 교재 신청자 수를 표시하기 위해 [C15] 셀에 "=COUNTA(G4:G11)" 수식을 입력하고 Enter 를 누른다.

	A	B	C	D	E	F	G
	DMIN				=COUNTA(G4:G11)		
1	[표1]		국제 IT 교육센터 학생 현황				
2							
3	학번	성명	엑셀	액세스	평균	순위	교재 신청
4	20161234	주재원	97	90	93.5	2	신청
5	20143658	김수연	87	95	91	3	신청
6	20159876	노수연	74	51	62.5	8	
7	20133526	오소연	88	90	89	4	신청
8	20149872	이가람	72	70	71	7	
9	20136547	이호준	99	98	98.5	1	
10	20112365	권소현	70	77	73.5	6	신청
11	20122365	신용재	81	89	85	5	신청
12	최고 점수		99	98	98.5		
13	최고 점수와 두 번째로 높은 점수 사이		2	3	5		
14							
15	교재 신청자수		=COUNTA(G4:G11)				
16	교재 미신청자수						
17	엑셀 90점 이상인 학생수						
18	평균이 70점 이상 80점 미만인 학생수						

> **COUNT 함수**
> 1. COUNT : 숫자의 개수를 구할 때 사용
> 2. COUNTA : 숫자, 문자, 특수 기호 등 데이터가 입력된 셀의 개수를 구할 때 사용
> 3. COUNTBLANK : 빈 셀의 개수를 구할 때 사용
> 4. COUNTIF : 조건을 만족하는 셀의 개수를 구할 때 사용

- COUNTA(인수1, 인수2, …) : 범위에서 값이 입력된 셀의 개수를 반환하는 함수로 COUNTA(G4:G11) 식은 교재 신청 필드에 값이 있는 셀의 개수를 표시한다.

5. 교재 미신청자 수 표시하기

① 교재 미신청자수를 표시하기 위해 [C16] 셀에 "=COUNTBLANK (G4: G11)" 수식을 입력하고 Enter 를 누른다.

	DMIN			fx	=COUNTBLANK(G4:G11)	
	A	B	C	D	E	F	G

	A	B	C	D	E	F	G
1	[표1]				국제 IT 교육센터 학생 현황		
2							
3	학번	성명	엑셀	액세스	평균	순위	교재 신청
4	20161234	주재원	97	90	93.5	2	신청
5	20143658	김수연	87	95	91	3	신청
6	20159876	노수연	74	51	62.5	8	
7	20133526	오소연	88	90	89	4	신청
8	20149872	이가람	72	70	71	7	
9	20136547	이호준	99	98	98.5	1	
10	20112365	권소현	70	77	73.5	6	신청
11	20122365	신용재	81	89	85	5	신청
12	최고 점수		99	98	98.5		
13	최고 점수와 두 번째로 높은 점수 차이		2	3	5		
14							
15	교재 신청자수		5				
16	교재 미신청자수		=COUNTBLANK(G4:G11)				
17	엑셀 90점 이상인 학생수						
18	평균이 70점 이상 80점 미만인 학생수						

- COUNTBLANK(범위) : 범위에서 빈 셀의 개수를 반환하는 함수로 COUNTBLANK(G4:G11) 식은 교재 신청 필드에 값이 없는 셀의 개수를 표시한다.

6. 엑셀 점수가 90점 이상인 학생수 표시하기

① 엑셀 점수가 90점 이상인 학생수를 표시하기 위해 [C17] 셀에 "=COUNTIF (C4:C11, ">=90")" 수식을 입력하고 Enter 를 누른다.

	DMIN			fx	=COUNTIF(C4:C11,">90")	
	A	B	C	D	E	F	G

	A	B	C	D	E	F	G
1	[표1]				국제 IT 교육센터 학생 현황		
2							
3	학번	성명	엑셀	액세스	평균	순위	교재 신청
4	20161234	주재원	97	90	93.5	2	신청
5	20143658	김수연	87	95	91	3	신청
6	20159876	노수연	74	51	62.5	8	
7	20133526	오소연	88	90	89	4	신청
8	20149872	이가람	72	70	71	7	
9	20136547	이호준	99	98	98.5	1	
10	20112365	권소현	70	77	73.5	6	신청
11	20122365	신용재	81	89	85	5	신청
12	최고 점수		99	98	98.5		
13	최고 점수와 두 번째로 높은 점수 차이		2	3	5		
14							
15	교재 신청자수		5				
16	교재 미신청자수		3				
17	엑셀 90점 이상인 학		=COUNTIF(C4:C11,">90")				
18	평균이 70점 이상 80점 미만인 학생수						

- COUNTIF(조건 범위, 조건) : 조건을 만족하는 셀의 개수를 반환하는 함수로 =COUNTIF(C4:C11,">=90") 식은 엑셀 범위에서 90보다 크거나 같은 것들의 개수를 표시한다.

7. 평균이 70점 이상 80점 미만 학생수 표시하기

② 평균이 70점 이상 80점 미만 학생수를 표시하기 위해 [C18] 셀에
"=COUNTIF(E4:E11, ">=70")-COUNTIF(E4:E11,">=80")" 수식을
입력하고 **Enter** 를 누른다.

	DMIN	▼ ＋ × ✓ fx	=COUNTIF(E4:E11,">=70")-COUNTIF(E4:E11,">=80")				
▲	A	B	C	D	E	F	G
1	[표1]			국제 IT 교육센터 학생 현황			
2							
3	학번	성명	엑셀	액세스	평균	순위	교재 신청
4	20161234	주재원	97	90	93.5	2	신청
5	20143658	김수연	87	95	91	3	신청
6	20159876	노수연	74	51	62.5	8	
7	20133526	오소준	88	90	89	4	신청
8	20149872	이가람	72	70	71	7	
9	20136547	이호준	99	98	98.5	1	
10	20112365	권소현	70	77	73.5	6	신청
11	20122365	신용재	81	89	85	5	신청
12	최고 점수		99	98	98.5		
13	최고 점수와 두 번째로 높은 점수 차이		2	3	5		
14							
15	교재 신청자수		5				
16	교재 미신청자수		3				
17	엑셀 90점 이상인 학생수		2				
18	평균이 70점 이상 8		=COUNTIF(E4:E11,">=70")-COUNTIF(E4:E11,">=80")				

- COUNTIF(조건 범위, 조건) : COUNTIF(E4:E11, ">=70")-COUNTIF
(E4:E11,">=80") 식은 평균이 70점 이상 학생수를 구한 다음에 평균
이 80점 이상의 학생수를 빼서 70이상 80미만의 학생수를 표현한다.

확인_01 [Part 1_유형분석\Chapter02_계산작업\05_통계 함수.xlsm]의 '확인_
01' 시트에서 작업하시오.

▲	A	B	C	D	E	F	G	H
1			오디션 참가자 점수 현황					
2	접수 번호	성명	심사위원	방청객	점수합계	코러스	순위	
3	SR-001	김성호	89	100	189	○		
4	SR-002	박소영	88	95	183			
5	SR-003	차재영	50	50	100	○		
6	SR-004	김상준	97	96	193			
7	SR-005	김효민	87	94	181			
8	SR-006	장청미	74	65	139	○		
9	SR-007	이경아	88	90	178	○		
10	SR-008	백미애	72	92	164			
11	SR-009	이정훈	99	100	199	○		
12	SR-010	이주창	87	62	149			
13	SR-011	원영진	81	90	171			
14								
15								
16				코러스 여부				
17			심사위원, 방청객 점수 95점 이상					
18			최고 점수와 두 번째 점수의 차이					
19								
20								

▲	A	B	C	D	E	F	G
1			오디션 참가자 점수 현황				
2	접수 번호	성명	심사위원	방청객	점수합계	코러스	순위
3	SR-001	김성호	89	100	189		9위
4	SR-002	박소영	88	95	183		8위
5	SR-003	차재영	50	50	100	○	1위
6	SR-004	김상준	97	96	193		10위
7	SR-005	김효민	87	94	181		7위
8	SR-006	장청미	74	65	139	○	2위
9	SR-007	이경아	88	90	178		6위
10	SR-008	백미애	72	92	164		4위
11	SR-009	이정훈	99	100	199	○	11위
12	SR-010	이주창	87	62	149		3위
13	SR-011	원영진	81	90	171		5위
14							
15							
16				코러스 여부			5명
17			심사위원, 방청객 점수 85점 이상				15명
18			최고 점수와 두 번째 점수의 차이				6
19			성명이 '이'씨가 아닌 참가자 수				8명

1. 점수합계[E3:E13]를 기준으로 하여 순위[G3:G13]를 구하시오.

- 점수합계가 낮은 참가자가 1위

- 표시 예 : 1위

- RANK 함수와 & 연산자 사용

2. 코러스[F3:F13]가 'ㅇ'인 참가자수를 [G16] 셀에 표시하시오.

- 표시 예 : 3명
- COUNT, COUNTBLANK, COUNTIF 중 알맞은 함수와 & 연산자 사용

3. 심사위원[C3:C13] 점수가 85점 이상인 참가자 수와 방청객[D3:D13] 점수가 85점 이상인 참가자 수의 합계를 [G17] 셀에 표시하시오.

- 표시 예 : 3명
- COUNTIF 함수와 & 연산자 사용

4. 점수합계[E3:E13]에서 최고 점수와 두 번째 점수의 차이를 [G18] 셀에 표시하시오.

- MAX, LARGE 함수 사용

5. 성명[B3:B13]에서 성이 '이'씨가 아닌 오디션 참가자 수를 [G19] 셀에 표시하시오.

- COUNTIF 함수와 & 연산자 사용

(확인_01 풀이)

1. 순위 표시하기

① 순위를 표시하기 위해 [G3] 셀에 "=RANK(E3,$E$3:$E13,1)&"위"" 수식을 입력하고 Enter 를 누른다. 채우기 핸들을 드래그하여 [G13] 셀까지 수식을 복사한다.

HINT

RANK의 옵션

- 0일 경우 큰 값이 1위(내림차순)
- 1일 경우 작은 값이 1위(오름차순)
- 옵션이 0일 경우 생략 가능

- RANK(인수, 범위, 옵션) : 범위 안에서의 순위를 반환하는 함수로 =RANK(E3,$E$3:$E$13,1)&"위" 식은 점수합계를 기준으로 순위를 오름차순(작은 수가 1위)으로 표시한다.

2. 참가자 수 표시하기

② 코러스가 'ㅇ'인 참가자 수를 표시하기 위해 [G16] 셀에 "=COUNTIF(F3:F13,"ㅇ")&"명"" 수식을 입력하고 Enter 를 누른다.

	DMIN	▾	× ✓ fx	=COUNTIF(F3:F13,"○")&"명"				
	A	B	C	D	E	F	G	H
1			오디션 참가자 점수 현황					
2	접수 번호	성명	심사위원	방청객	점수합계	코러스	순위	
3	SR-001	김성호	89	100	189	○	9위	
4	SR-002	박소영	88	95	183		8위	
5	SR-003	차재영	50	50	100	○	1위	
6	SR-004	김상준	97	96	193		10위	
7	SR-005	김효민	87	94	181		7위	
8	SR-006	장정미	74	65	139	○	2위	
9	SR-007	이경아	88	90	178	○	6위	
10	SR-008	백미애	72	92	164		4위	
11	SR-009	이정훈	99	100	199	○	11위	
12	SR-010	이주창	87	62	149		3위	
13	SR-011	원영진	81	90	171		5위	
14								
15								
16					코러스 여부		=COUNTIF(F3:F13,"○")&"명"	
17					심사위원, 방청객 점수 85점 이상			
18					최고 점수와 두 번째 점수의 차이			
19					성명이 '이'씨가 아닌 참가자 수			
20								

- COUNTIF(조건 범위, 조건) : 조건을 만족하는 것들의 개수를 반환하는 함수로 COUNTIF(F3:F13,"○") 식은 코러스에서 "○" 표시가 있는 것들의 개수를 표시한다.

3. 심사위원, 방청객 점수가 85점 이상인 참가자 수 표시하기

① 심사위원, 방청객 점수가 85점 이상인 참가자의 수를 표시하기 위해 [G17] 셀에 "=COUNTIF(C3:C13,"〉=85")+COUNTIF(D3:D13,"〉=85")&"명"" 수식을 입력하고 Enter 를 누른다.

	DMIN	▾	× ✓ fx	=COUNTIF(C3:C13,"〉=85")+COUNTIF(D3:D13,"〉=85")&"명"					
	A	B	C	D	E	F	G	H	I
1			오디션 참가자 점수 현황						
2	접수 번호	성명	심사위원	방청객	점수합계	코러스	순위		
3	SR-001	김성호	89	100	189	○	9위		
4	SR-002	박소영	88	95	183		8위		
5	SR-003	차재영	50	50	100	○	1위		
6	SR-004	김상준	97	96	193		10위		
7	SR-005	김효민	87	94	181		7위		
8	SR-006	장정미	74	65	139	○	2위		
9	SR-007	이경아	88	90	178	○	6위		
10	SR-008	백미애	72	92	164		4위		
11	SR-009	이정훈	99	100	199	○	11위		
12	SR-010	이주창	87	62	149		3위		
13	SR-011	원영진	81	90	171		5위		
14									
15									
16					코러스 여부		5명		
17					심사위원, ┃	=COUNTIF(C3:C13,"〉=85")+COUNTIF(D3:D13,"〉=85")&"명"			
18					최고 점수와 두 번째 점수의 차이				
19					성명이 '이'씨가 아닌 참가자 수				

- COUNTIF(조건 범위, 조건) : 조건을 만족하는 셀의 개수를 반환하는 함수로 =COUNTIF(C3:C13,"〉=85")+COUNTIF(D3:D13,"〉=85")&"명" 식은 심사위원 점수가 85점 이상인 참가자 수와 방청객 점수가 85점 이상인 참가자 수의 합계를 표시한다.

4. 최고 점수와 두 번째 점수의 차이 표시하기

① 점수 차이를 표시하기 위해 [G18] 셀에 "=MAX(E3:E13)-LARGE(E3: E13,2)" 수식을 입력하고 Enter 를 누른다.

DMIN				=MAX(E3:E13)-LARGE(E3:E13,2)			
	A	B	C	D	E	F	G	H
1	오디션 참가자 점수 현황						
2	접수 번호	성명	심사위원	방청객	점수합계	코러스	순위
3	SR-001	김성호	89	100	189	○	9위
4	SR-002	박소영	88	95	183		8위
5	SR-003	차재영	50	50	100	○	1위
6	SR-004	김상준	97	96	193		10위
7	SR-005	김효민	87	94	181		7위
8	SR-006	장정미	74	65	139	○	2위
9	SR-007	이경아	88	90	178	○	6위
10	SR-008	백미애	72	92	164		4위
11	SR-009	이정훈	99	100	199	○	11위
12	SR-010	이주창	87	62	149		3위
13	SR-011	원영진	81	90	171		5위
14							
15							
16					코러스 여부		5명
17				심사위원, 방청객 점수 85점 이상			15명
18				최고 점수와 두 번째 점수ㅎ	=MAX(E3:E13)-LARGE(E3:E13,2)		
19				성명이 '이'씨가 아닌 참가자 수			
20							

- MAX(범위): 범위 중에서 최대값을 반환하는 함수로 MAX(E3:E13) 식은 점수합계의 최대값을 표시한다.
- LARGE(범위, K번째): 범위 중 K번째로 큰 값을 반환하는 함수로 LARGE(E3:E13,2) 식은 점수합계에서 두 번째로 큰 수를 표시한다.

5. 성명이 '이'씨가 아닌 참가자

② 성이 '이'씨가 아닌 오디션 참가자 수를 표시하기 위해 [G19] 셀에 "=COUNTIF (B3:B13,"◇이*")&"명"" 수식을 입력하고 Enter 를 누른다.

DMIN				=COUNTIF(B3:B13,"< >이*")&"명"			
	A	B	C	D	E	F	G	H
1	오디션 참가자 점수 현황						
2	접수 번호	성명	심사위원	방청객	점수합계	코러스	순위
3	SR-001	김성호	89	100	189	○	9위
4	SR-002	박소영	88	95	183		8위
5	SR-003	차재영	50	50	100	○	1위
6	SR-004	김상준	97	96	193		10위
7	SR-005	김효민	87	94	181		7위
8	SR-006	장정미	74	65	139	○	2위
9	SR-007	이경아	88	90	178	○	6위
10	SR-008	백미애	72	92	164		4위
11	SR-009	이정훈	99	100	199	○	11위
12	SR-010	이주창	87	62	149		3위
13	SR-011	원영진	81	90	171		5위
14							
15							
16					코러스 여부		5명
17				심사위원, 방청객 점수 85점 이상			15명
18				최고 점수와 두 번째 점수의 차이			6
19				성명이 '이'씨가 아닌 참	=COUNTIF(B3:B13,"< >이*")&"명"		
20							

- COUNTIF(조건 범위, 조건): 조건을 만족하는 것들의 개수를 반환하는 함수로 COUNTIF(B3:B13,"◇이*")&"명" 식은 이씨가 아닌 오디션 참가자수를 구한 다음 숫자 뒤에 명을 표시한다.

06 # 찾기/참조 함수

💻 출제유형 분석

✓ VLOOKUP, HLOOKUP, CHOOSE, INDEX, MATCH, COLUMN, COLUMNS, ROW, ROWS

✓ 찾기/참조 함수는 배열이나 셀 범위를 참조하여 특정한 값을 찾거나 다른 셀에 입력된 값을 찾아오는 함수이다.

✓ 반복 출제 함수:VLOOKUP, HLOOKUP, CHOOSE, INDEX, MATCH

함수	설명	형식
VLOOKUP	값을 범위의 첫 열에서 찾아, 그 위치에 해당하는 열 번호의 값을 표시 [옵션] 0 또는 FALSE:정확한 값 1 또는 TRUE:근사값	=VLOOKUP(찾는 값, 범위, 열번호, 옵션) 예 =VLOOKUP(A3,B14:G14,3,FASE)
HLOOKUP	VLOOKUP과 형식은 같고, VLOOKUP은 열을 참조하나 HLOOKUP은 행을 참조	=HLOOKUP(찾는 값, 범위, 행번호, 옵션) 예 =HLOOKUP(A3,B14:G14,2,FASE)
CHOOSE	인덱스 넘버에 해당하는 값을 표시하는 것으로 값1은 인덱스가 '1'일 때, 값2는 인덱스가 2일 때 표시되는 데이터를 의미	=CHOOSE(인덱스, 값1, 값2....) 예 =CHOOSE(1, "토끼","다람쥐","햄스터","쥐") → 토끼
INDEX	범위에서 행과 열이 교차하는 값을 표시	=INDEX(범위, 행 번호, 열 번호) 예 =INDEX(B4:G12, 4,5)
MATCH	찾는 값이 범위에서 몇 번째 위치인지 위치 값을 표시 [옵션] 0:정확히 일치하는 값 −1:작거나 같은 값 중 최대값 1:크거나 같은 값 중 최소값	=MATCH(찾는 값, 범위, 옵션) 예 =MATCH(90,H3:H12,−1)

예제_01   [Part 1_유형분석\Chapter02_계산작업\06_찾기참조함수.xlsm]의 '예제_01' 시트에서 작업하시오.

[표1] 자기 관리 프로그램

코드	수강생	프로그램명	수강료
PS-S01	김민찬	아키텍처	
PS-U02	윤혜민	미래직업	
PS-P03	이재진	세무회계	
PS-U01	이주열	시간관리법	
PS-P03	윤용흐	실용투서법	
PS-P02	이상현	경영지도	

[표2] 점수현황

사원명	부서	점수	승진여부
안재형	재무부	100	
이주혜	영업부	94	
정정용	재무부	85	
김민흥	기획부	77	
탁상일	기획부	95	
유용연	영업부	96	
유재옥	생산부	65	

[참고]

코드	대상	수강료
S	중고생	130,000
U	대학생	145,000
P	일반인	200,000

[표3] 1학기 성적

학번	필기	실기	학생명
20143526	89	100	김성호
20149872	88	94	박소영
20136647	35	이용시	차재영
20102366	97	96	김상훈
20102366	이용시	94	김효민
20112366	74	65	장정미
20123466	88	90	이정아
20163466	72	92	박미애
20173466	99	98	이정훈
20163466	87	62	이주창

| 필기 3등 | |
| 실기 8등 | |

[표4] 2월 판매 현황

상품코드	판매수량	판매금액
17-J-03	50	
16-C-05	100	
08-P-13	230	
10-S-11	500	
11-T-06	1000	

판매단가표

코드	J	C	P	S	T
판매가	80,000	150,000	70000	35,000	15,000

[표1] 자기 관리 프로그램

코드	수강생	프로그램명	수강료
PS-S01	김민찬	아키텍처	130,000
PS-U02	윤혜민	미래직업	145,000
PS-P03	이재진	세무회계	200,000
PS-U01	이주열	시간관리법	145,000
PS-P03	윤용흐	실용투서법	200,000
PS-P02	이상현	경영지도	200,000

[표2] 점수현황

사원명	부서	점수	승진여부
안재형	재무부	100	승진
이주혜	영업부	94	
정정용	재무부	85	
김민흥	기획부	77	
탁상일	기획부	95	재시험
유용연	영업부	96	후보
유재옥	생산부	65	

[참고]

코드	대상	수강료
S	중고생	130,000
U	대학생	145,000
P	일반인	200,000

[표3] 1학기 성적

학번	필기	실기	학생명
20143526	89	100	김성호
20149872	88	94	박소영
20136647	35	이용시	차재영
20102366	97	96	김상훈
20102366	이용시	94	김효민
20112366	74	65	장정미
20123466	88	90	이정아
20163466	72	92	박미애
20173466	99	98	이정훈
20163466	87	62	이주창

| 필기 3등 | 김성호 |
| 실기 8등 | 장정미 |

[표4] 2월 판매 현황

상품코드	판매수량	판매금액
17-J-03	50	4,000,000
16-C-05	100	15,000,000
08-P-13	230	16,100,000
10-S-11	500	17,500,000
11-T-06	1000	15,000,000

판매단가표

코드	J	C	P	S	T
판매가	80,000	150,000	70000	35,000	15,000

1. [표1]에서 코드[A3:A8]의 앞에서부터 네 번째 자리의 문자를 이용하여 참고 [A11:C14] 영역의 표에서 각 수강생의 수강료[D3:D8]를 표시하시오.
   - 코드의 앞에서 네 번째 자리의 문자를 이용, [A11:C14] 영역에 표시된 수강료 참조
   - VLOOKUP, MID 함수 사용

2. [표2]에서 점수[H3:H9]를 이용하여 순위를 구한 후 1위한 사원은 "승진", 2위는 "후보", 3위는 "재시험", 나머지는 공란으로 승진여부[I3:I9]에 표시하시오.
   - 점수가 가장 높은 학생이 1위
   - CHOOSE, RANK 함수 사용

3. [표3]에서 필기[B19:B28] 점수에서 세 번째로 높은 점수의 학생명[D19:D28]을 찾아 [H18] 셀에 표시하시오.
   - VLOOKUP, LARGE 함수 사용

4. [표3]에서 실기[C19:C28] 점수에서 두 번째로 낮은 점수의 학생명[D19:D28]을 찾아 [H19] 셀에 표시하시오.
   - VLOOKUP, SMALL 함수 사용

5. [표4]에서 판매수량[B34:B38]과 판매단가표[A41:F42]을 이용하여 판매금액
   [C34:C38]을 표시하시오.

   ▪ 판매금액 : 판매수량×판매가

   ▪ 코드가 'J'이면 판매가는 80,000원, 'C'이면 150,000원, 'P'이면
   70,000원, 'S'이면 35,000원, 'T'이면 15,000원이다.

   ▪ VLOOKUP, HLOOKUP, MATCH, RIGHT, MID 중 알맞은 함수
   사용

(예제_01 풀이)

1. 수강료 표시하기

① 수강료를 표시하기 위해 [D3] 셀에 "=VLOOKUP(MID(A3,4,1),$A$12:
   $C$14,3,FALSE)" 수식을 입력하고 Enter 를 누른다. 채우기 핸들을 드
   래그하여 [D8] 셀까지 수식을 복사한다.

	A	B	C	D	E
1	[표1]		자기 관리 프로그램		
2	코드	수강생	프로그램명	수강료	
3	PS-S01		=VLOOKUP(MID(A3,4,1),$A$12:$C$14,3,FALSE)		
4	PS-U02	문혜인	미래직업		
5	PS-P03	이재진	세무회계		
6	PS-U01	이주열	시간관리법		
7	PS-P03	문용호	실용독서법		
8	PS-P02	이상현	경영지도		
9					
10	[참고]				
11	코드	대상	수강료		
12	S	중고생	130,000		
13	U	대학생	145,000		
14	P	일반인	200,000		

	A	B	C	D	E
1	[표1]		자기 관리 프로그램		
2	코드	수강생	프로그램명	수강료	
3	PS-S01	김민찬	아키텍처	130,000	
4	PS-U02	문혜인	미래직업		
5	PS-P03	이재진	세무회계		
6	PS-U01	이주열	시간관리법		
7	PS-P03	문용호	실용독서법		
8	PS-P02	이상현	경영지도		
9					
10	[참고]				
11	코드	대상	수강료		
12	S	중고생	130,000		
13	U	대학생	145,000		
14	P	일반인	200,000		

   ▪ MID(텍스트, 시작 위치, 추출할 문자 수) : 텍스트의 시작 위치부터 추출할 문
   자 수만큼 반환하는 함수로 MID(A3,4,1) 식은 코드의 4 번째 문자를
   표시한다.

   ▪ VLOOKUP(찾는 값, 범위, 열 번호, 옵션) : 값을 범위의 첫 열에서 찾아, 그
   위치에 해당하는 열 번호의 값을 반환하는 함수로 VLOOKUP(MID
   (A3,4,1),$A$12:$C$14,3,FALSE) 식은 코드의 네 번째 문자가 'S'이
   면 그 행에 해당하는 수강료(열 번호 3)의 값인 130,000을 표시한다.

   ▪ 옵션 : 찾는 값이 참조 테이블의 첫 열에 정확히 일치하는 값이 있으면
   FALSE나 0을 입력하고, 찾는 값이 참조 테이블의 첫 열에 정확히 없
   고 근사값으로 있을 경우 TRUE나 1을 입력한다. 근사값은 생략 가능
   하다.

HINT
범위를 절대 참조하는 이유
는 채우기 핸들을 드래그하
여 수식을 복사할 때, 범위의
위치가 변경되어서는 안 되
기 때문이다.

2. 승진여부 표시하기

① 승진여부를 표시하기 위해 [I3] 셀에 "=CHOOSE(RANK(H3,$H$3:$H$9),"승진","후보","재시험","","","","")" 수식을 입력하고 Enter 를 누른다. 채우기 핸들을 드래그하여 [I9] 셀까지 수식을 복사한다.

DMIN	▼	× ✓ fx	=CHOOSE(RANK(H3,$H$3:$H$9),"승진","후보","재시험","","","","")

	F	G	H	I	J	K	L	M	N
1	[표2]		점수현황						
2	사원명	부서	점수	승진여부					
3	=CHOOSE(RANK(H3,$H$3:$H$9),"승진","후보","재시험","","","","")								
4	이주혜	영업부	94						
5	정정윤	재무부	85						
6	김민준	기획부	77						
7	박상양	기획부	95						
8	유용연	영업부	96						
9	유재욱	생산부	65						
10									

I3	▼	fx	=CHOOSE(RANK(H3,$H$3:$H$9),"승진","후보","재시험","","","","")

	F	G	H	I	J	K	L	M	N
1	[표2]		점수현황						
2	사원명	부서	점수	승진여부					
3	안재현	재무부	100	승진					
4	이주혜	영업부	94						
5	정정윤	재무부	85						
6	김민준	기획부	77						
7	박상양	기획부	95						
8	유용연	영업부	96						
9	유재욱	생산부	65						
10									

- RANK(인수, 범위, 옵션) : 범위 안에서의 순위를 반환하는 함수로 RANK(H3,$H$3:$H$9) 식은 점수를 기준으로 순위를 표시한다.

- CHOOSE(인덱스 번호, 값1, 값2, …) : 인덱스 번호를 이용하여 특정 번째에 있는 값을 반환하는 함수로 CHOOSE(RANK(H3,$H$3:$H$9),"승진","후보","재시험","","","","") 식은 점수의 순위가 1이면 "승진", 2이면 "후보", 3이면 "재시험", 4~7위까지는 공백을 표시한다.

3. 필기 점수에서 세 번째로 높은 점수의 학생명 표시하기

① 학생명을 표시하기 위해 [H18] 셀에 "=VLOOKUP(LARGE(B19:B28,3),B19:D28,3,FALSE)" 수식을 입력하고 Enter 를 누른다.

	A	B	C	D	E	F	G	H	I	J
17	[표3]		1학기 성적							
18	학번	필기	실기	학생명			=VLOOKUP(LARGE(B19:B28,3),B19:D28,3,FALSE)			
19	20143526	89	100	김성호			실기 8동			
20	20149872	88	94	박소영						
21	20136547	35	미용시	차재영						
22	20102365	97	96	김상준						
23	20102365	미용시	94	김효민						
24	20112365	74	65	장정미						
25	20123465	88	90	이경아						
26	20163465	72	92	백미애						
27	20173465	99	98	이정훈						
28	20153465	87	62	이주창						

- VLOOKUP(찾는 값, 범위, 열 번호, 옵션) : 값을 범위의 첫 열에서 찾아, 그 위치에 해당하는 열 번호의 값을 반환하는 함수로 VLOOKUP(LARGE(B19:B28,3),B19:D28,3,FALSE) 식은 필기에서 세 번째로 큰 수의 행 번호에 해당하는 학생명을 표시한다.

> **CAUTION**
>
> VLOOKUP이나 HLOOKUP에서 범위의 첫 번째 열에서 값을 찾는다. 첫 번째 열에 찾는 값이 없을 경우 에러가 표시된다.

> **HINT**
>
> 범위를 절대 참조하지 않은 이유는 하나의 셀에만 수식이 적용되기 때문이다. 수식을 채우기 핸들로 드래그하여 복사할 경우에는 반드시 범위 부분을 절대 참조한다.

4. 실기 점수에서 두 번째로 낮은 점수의 학생명 표시하기

① 학생명을 표시하기 위해 [H19] 셀에 "=VLOOKUP(SMALL(C19:C28,2), C19:D28,2,FALSE)" 수식을 입력하고 Enter 를 누른다.

	A	B	C	D	E	F	G	H	I	J
17	[표3]		1학기 성적							
18	학번	필기	실기	학생명			필기 3등		김성호	
19	20143526	89	100	김성호			=VLOOKUP(SMALL(C19:C28,2),C19:D28,2,FALSE)			
20	20149872	88	94	박소영						
21	20136547	35	미응시	차재영						
22	20102365	97	96	김상준						
23	20102365	미응시	94	김효민						
24	20112365	74	65	장정미						
25	20123465	88	90	이경아						
26	20163465	72	92	백미애						
27	20173465	99	98	이정훈						
28	20153465	87	62	이주창						

- VLOOKUP(찾는 값, 범위, 열 번호, 옵션): 값을 범위의 첫 열에서 찾아, 그 위치에 해당하는 열 번호의 값을 반환하는 함수로 VLOOKUP(SMALL(C19:C28,2),C19:D28,2,FALSE) 식은 실기에서 두 번째로 작은 수의 행 번호에 해당하는 학생명을 표시한다.

- SMALL(범위, K번째): 범위 중 K번째로 작은 값을 반환하는 함수로 SMALL(C19:C28,2) 식은 실기에서 두 번째로 작은 값을 표시한다.

5. 판매금액 표시하기

① 판매금액을 표시하기 위해 [C34] 셀에 "=B34*HLOOKUP(MID(A34,4, 1),$B$41:$F$42,2,FALSE)" 수식을 입력하고 Enter 를 누른다. 채우기 핸들을 드래그하여 [C38] 셀까지 수식을 복사한다.

	A	B	C	D	E	F	G
32	[표4]		2월 판매 현황				
33	상품코드	판매수량	판매금액				
34	=B34*HLOOKUP(MID(A34,4,1),$B$41:$F$42,2,FALSE)						
35	16-C-05	100					
36	08-P-13	230					
37	10-S-11	500					
38	11-T-06	1000					
39							
40	판매단가표						
41	코드	J	C	P	S	T	
42	판매가	80,000	150,000	70000	35,000	15,000	

	A	B	C	D	E	F
32	[표4]		2월 판매 현황			
33	상품코드	판매수량	판매금액			
34	17-J-03	50	4,000,000			
35	16-C-05	100				
36	08-P-13	230				
37	10-S-11	500				
38	11-T-06	1000				
39						
40	판매단가표					
41	코드	J	C	P	S	T
42	판매가	80,000	150,000	70000	35,000	15,000

- HLOOKUP(찾는 값, 범위, 행 번호, 옵션): 값을 범위의 첫 번째 행에서 찾아, 그 위치에 해당하는 행 번호의 값을 반환하는 함수로 B34*HLOOKUP(MID(A34,4,1), $B$41:$F$42,2,FALSE) 식은 판매수량에 상품코드의 4번째 문자가 'J'이면 80,000을 곱하여 판매금액을 표시한다.

- MID(텍스트, 시작 위치, 추출할 문자 수): 시작 위치부터 추출할 문자 수만큼 반환하는 함수로 MID(A34,4,1) 식은 상품코드의 4번째를 표시한다.

확인_01 [Part 1_유형분석\Chapter02_계산작업\06_찾기참조함수. xlsm]의 '확인_01' 시트에서 작업하시오.

	A	B	C	D	E	F	G	H	I	J	K	L	M	N	O	P
1	[표1]	시험장 좌석 배치				[표2]	프레젠테이션 점수현황					도민준 실기 점수				
2	수험번호	이름	과목	좌석 배치		성명	이론	실기	합계	학점						
3	11632	이지원	엑셀			신지민	78	76	154							
4	23674	나오미	엑셀			이진기	85	90	175			백아연 이론 점수				
5	13056	권경애	파워포인트			백아연	31	41	72							
6	33346	강수영	액세스			이은진	88	89	177							
7	45632	나우선	액세스			전영구	72	82	154							
8	55567	임철수	파워포인트			도민준	99	99	197.5					학점		
9	36501	이미지	엑셀			유용민	88	89	177			평균	60	70	80	90
10						이한별	99	99	197.5			학점	D학점	C학점	B학점	A학점
11																
12																
13	[표3]	상반기 가전제품 판매표				할인율 적용										
14	제품명	가격	수량	할인율		판매수량	할인율									
15	스마트폰	740,000	200			1	2%									
16	TV	4,500,000	150			50	5%									
17	오디오	10,000	97			100	7%									
18	세탁기	3,000,000	130			150	10%									
19	다리미	73,000	26													
20	냉장고	2,770,000	27													
21	MP3	300,000	5													
22	드라이어	48,000	70													
23	전자레인지	200,000	96													
24	김치냉장고	3,720,000	170													

	A	B	C	D	E	F	G	H	I	J	K	L	M	N	O	P
1	[표1]	시험장 좌석 배치				[표2]	프레젠테이션 점수현황					도민준 실기 점수				
2	수험번호	이름	과목	좌석 배치		성명	이론	실기	합계	학점						
3	11632	이지원	엑셀	A열		신지민	78	76	154	C학점		99				
4	23674	나오미	엑셀	B열		이진기	85	90	175	B학점		백아연 이론 점수				
5	13056	권경애	파워포인트	A열		백아연	31	41	72	재시험		31				
6	33346	강수영	액세스	C열		이은진	88	89	177	B학점						
7	45632	나우선	액세스	D열		전영구	72	82	154	C학점						
8	55567	임철수	파워포인트	E열		도민준	99	99	197.5	A학점				학점		
9	36501	이미지	엑셀	C열		유용민	88	89	177	B학점		평균	60	70	80	90
10						이한별	99	99	197.5	A학점		학점	D학점	C학점	B학점	A학점
11																
12																
13	[표3]	상반기 가전제품 판매표				할인율 적용										
14	제품명	가격	수량	할인율		판매수량	할인율									
15	스마트폰	740,000	200	10%		1	2%									
16	TV	4,500,000	150	10%		50	5%									
17	오디오	10,000	97	5%		100	7%									
18	세탁기	3,000,000	130	7%		150	10%									
19	다리미	73,000	26	2%												
20	냉장고	2,770,000	27	2%												
21	MP3	300,000	5	2%												
22	드라이어	48,000	70	5%												
23	전자레인지	200,000	96	5%												
24	김치냉장고	3,720,000	170	10%												

1. [표1]에서 수험번호[A3:A9]의 첫 번째 문자가 1이면 "A열", 2이면 "B열", 3이면 "C열", 4이면 "D열", 5이면 "E열"로 좌석배치[D3:D9]를 나타내시오.
   - CHOOSE, LEFT 함수 사용

2. [표2]에서 성명[F3:F10] 범위에서 도민준의 실기 점수, 백아연의 이론 점수를 [L3], [L5]셀에 표시하시오.
   - [L3]영역에 도민준의 실기 점수를 표시하시오.(INDEX 함수 사용)
   - [L5]영역에 백아연의 이론 점수를 표시하시오.(INDEX, MATCH 함수 사용)

3. [표3]에서 수량[C15:C24]과 할인율 적용[F15:G18]을 이용하여 할인율[D15:D24]을 표시하시오.
   - VLOOKUP, HLOOKUP, MATCH 중 알맞은 함수 사용

4. [표2]에서 이론[G3:G10]과 실기[H3:H10]를 이용하여 학점[J3:J10]을 표시하시오.

- 평균은 이론과 실기점수를 이용한다.

- 평균이 60~69점은 D학점, 70~79점은 C학점, 80~89점은 B학점, 90점 이상은 A학점으로 표시한다.

- 평균이 60점 미만인 경우는 "재시험"으로 표시한다.

- SUM, AVERAGE, VLOOKUP, HLOOKUP, MATCH, IF, IFERROR 중 알맞은 함수 사용

(확인_01 풀이)

1. 좌석 배치 나타내기

① 좌석 배치를 표시하기 위해 [D3] 셀에 "=CHOOSE(LEFT(A3,1),"A열","B열","C열","D열","E열")" 수식을 입력하고 **Enter** 를 누른다. 채우기 핸들을 드래그하여 [D9] 셀까지 수식을 복사한다.

DMIN	▾	× ✓ fx	=CHOOSE(LEFT(A3,1),"A열","B열","C열","D열","E열")							
	A	B	C	D	E	F	G	H	I	J	K
1	[표1]	시험장 좌석 배치				[표2]	프레젠테이션 점수현황			
2	수험번호	이름	과목	좌석 배치		성명	이론	실기	합계	학점
3	11632	=CHOOSE(LEFT(A3,1),"A열","B열","C열","D열","E열")						76	154	
4	23674	나오미	엑셀			이진기	85	90	175	
5	13056	권경애	파워포인트			백아연	31	41	72	
6	33346	강수영	액세스			이온진	88	89	177	
7	45632	나우선	액세스			전영구	72	82	154	
8	55567	임철수	파워포인트			도민준	99	99	197.5	
9	36501	이미지	엑셀			유용민	88	89	177	
10						이한별	99	99	197.5	
11										

D3	▾		fx	=CHOOSE(LEFT(A3,1),"A열","B열","C열","D열","E열")						
	A	B	C	D	E	F	G	H	I	J
1	[표1]	시험장 좌석 배치				[표2]	프레젠테이션 점수현황			
2	수험번호	이름	과목	좌석 배치		성명	이론	실기	합계	학점
3	11632	이지원	엑셀	A열		신지민	78	76	154	
4	23674	나오미	엑셀			이진기	85	90	175	
5	13056	권경애	파워포인트			백아연	31	41	72	
6	33346	강수영	액세스			이온진	88	89	177	
7	45632	나우선	액세스			전영구	72	82	154	
8	55567	임철수	파워포인트			도민준	99	99	197.5	
9	36501	이미지	엑셀			유용민	88	89	177	
10						이한별	99	99	197.5	
11										

- LEFT(텍스트, 추출할 문자 수): 왼쪽에서 추출할 문자 수만큼 반환하는 함수로 LEFT(A3,1) 식은 수험번호의 첫 번째 단어를 표시한다.

- CHOOSE(인덱스 번호, 값1, 값2, …): 인덱스 번호를 이용하여 특정 번째에 있는 값을 반환하는 함수로 CHOOSE(LEFT(A3,1),"A열","B열","C열","D열","E열") 식은 수험번호의 첫 번째 수가 1이면 "A열", 2이면 "B열", 3이면 "C열", 4이면 "D열" 5이면 "E열"을 표시한다.

2. 도민준의 실기 점수, 백아연의 이론 점수 표시하기

① 도민준의 실기 점수를 표시하기 위해 [L3] 셀에 "=INDEX(F3:I10,6,3)" 수식을 입력하고 Enter 를 누른다.

	F	G	H	I	J	K	L	M	N	O	P
1	[표2]	프레젠테이션 점수현황					도민준 실기 점수				
2	성명	이론	실기	합계		학점					
3	신지민	78	76	154			=INDEX(F3:I10,6,3)				
4	이진기	85	90	175			백아연 이론 점수				
5	백아연	31	41	72							
6	이은진	88	89	177							
7	전영구	72	82	154							
8	도민준	99	99	197.5					학점		
9	유용민	88	89	177			평균	60	70	80	90
10	이한별	99	99	197.5			학점	D학점	C학점	B학점	A학점

- INDEX(범위, 행 번호, 열 번호): 범위에서 행과 열이 교차하는 값을 반환하는 함수로 범위에서 6번째 행(도민준)과 3번째 열(실기)이 교차하는 값인 99를 표시한다.

② 백아연의 이론 점수를 표시하기 위해 [L5] 셀에 "=INDEX(G3:I10, MATCH(F5,F3:F10,0),1)" 수식을 입력하고 Enter 를 누른다.

	F	G	H	I	J	K	L	M	N	O	P
1	[표2]	프레젠테이션 점수현황					도민준 실기 점수				
2	성명	이론	실기	합계		학점					
3	신지민	78	76	154			99				
4	이진기	85	90	175			백아연 이론 점수				
5	백아연	31	41	72			=INDEX(G3:I10,MATCH(F5,F3:F10,0),1)				
6	이은진	88	89	177							
7	전영구	72	82	154							
8	도민준	99	99	197.5					학점		
9	유용민	88	89	177			평균	60	70	80	90
10	이한별	99	99	197.5			학점	D학점	C학점	B학점	A학점

- MATCH(찾는 값, 범위, 옵션): 찾는 값이 범위에서 몇 번째 위치인지 위치 값을 반환하는 함수로 MATCH(F5,F3:F10,0) 식은 백아연이 성명 열에서 몇 번째 행에 있는지 표시한다.
- INDEX(범위, 행 번호, 열 번호): 범위에서 행과 열이 교차하는 값을 반환하는 함수로 =INDEX(G3:I10, MATCH(F5,F3:F10,0),1) 식은 범위에서 3번째 행과 1번째 열(이론)이 교차하는 값인 31을 표시한다.

3. 할인율 표시하기

① 할인율을 표시하기 위해 [D15] 셀에 "=VLOOKUP(C15,$F$15:$G$18,2)" 수식을 입력하고 **Enter** 를 누른다. 채우기 핸들을 드래그하여 [D24] 셀까지 수식을 복사한다.

DMIN			✕ ✓ ƒx	=VLOOKUP(C15,$F$15:$G$18,2)

	A	B	C	D	E	F	G
13	[표3]	상반기 가전제품 판매표				할인율 적용	
14	제품명	가격	수량	할인율		판매수량	할인율
15	스마트폰	740,000	=VLOOKUP(C15,$F$15:$G$18,2)				2%
16	TV	4,500,000	150			50	5%
17	오디오	10,000	97			100	7%
18	세탁기	3,000,000	130			150	10%
19	다리미	73,000	26				
20	냉장고	2,770,000	27				
21	MP3	300,000	5				
22	드라이어	48,000	70				
23	전자레인지	200,000	96				
24	김치냉장고	3,720,000	170				

D15			ƒx	=VLOOKUP(C15,$F$15:$G$18,2)

	A	B	C	D	E	F	G
13	[표3]	상반기 가전제품 판매표				할인율 적용	
14	제품명	가격	수량	할인율		판매수량	할인율
15	스마트폰	740,000	200	10%		1	2%
16	TV	4,500,000	150			50	5%
17	오디오	10,000	97			100	7%
18	세탁기	3,000,000	130			150	10%
19	다리미	73,000	26				
20	냉장고	2,770,000	27				
21	MP3	300,000	5				
22	드라이어	48,000	70				
23	전자레인지	200,000	96				
24	김치냉장고	3,720,000	170				

- VLOOKUP(찾는 값, 범위, 열 번호, 옵션) : 값을 범위의 첫 열에서 찾아, 그 위치에 해당하는 열 번호의 값을 반환하는 함수로 VLOOKUP (C15,$F$15:$G$18,2) 식은 수량을 기준으로 할인율을 표시한다.

H I N T

VLOOKUP(찾는 값, 범위, 열 번호, 옵션)에서 옵션 값 이 근사값일 경우 1이나 TRUE 생략 가능

4. 학점 표시하기

① 학점을 표시하기 위해 [J3] 셀에 "=IFERROR(HLOOKUP(AVERAGE(G3:H3),$M$9:$P$10,2, TRUE),"재시험")" 수식을 입력하고 **Enter** 를 누른다. 채우기 핸들을 드래그하여 [J10] 셀까지 수식을 복사한다.

DMIN			✕ ✓ ƒx	=IFERROR(HLOOKUP(AVERAGE(G3:H3),$M$9:$P$10,2,TRUE),"재시험")

	F	G	H	I	J	K	L	M	N	O	P
1	[표2]	프레젠테이션 점수현황									
2	성명	이론	실기	합계	학점		도민준 실기 점수				
3	신지민	=IFERROR(HLOOKUP(AVERAGE(G3:H3),$M$9:$P$10,2,TRUE),"재시험")									
4	이진기	85	90	175			백아연 이론 점수				
5	백아연	31	41	72			31				
6	이은진	88	89	177							
7	전영구	72	82	154							
8	도민준	99	99	197.5					학점		
9	유용민	88	89	177			평균	60	70	80	90
10	이한별	99	99	197.5			학점	D학점	C학점	B학점	A학점
11											

	F	G	H	I	J	K	L	M	N	O	P
1	[표2]	프레젠테이션 점수현황									
2	성명	이론	실기	합계	학점		도민준 실기 점수				
3	신지민	78	76	154	C학점		99				
4	이진기	85	90	175			백아연 이론 점수				
5	백아연	31	41	72			31				
6	이은진	88	89	177							
7	전영구	72	82	154							
8	도민준	99	99	197.5					학점		
9	유용민	88	89	177			평균	60	70	80	90
10	이한별	99	99	197.5			학점	D학점	C학점	B학점	A학점
11											

- AVERAGE(인수1, 인수2, …) : 인수들 또는 영역의 평균을 반환하는 함수로 AVERAGE(G3:H3) 식은 이론과 실기의 평균을 표시한다.
- HLOOKUP(찾는 값, 범위, 행 번호, 옵션) : 값을 범위의 첫 번째 행에서 찾아, 그 위치에 해당하는 행 번호의 값을 반환하는 함수로 HLOOKUP(AVERAGE(G3:H3),$M$9:$P$10,2, TRUE) 식은 이론과 실기의 평균을 학점 표에서 2번째 행인 학점으로 표시한다.
- IFERROR(값, 오류 메시지) : 데이터나 식의 결과 값이 오류인 경우 오류메시지를 반환하고, 그렇지 않으면 수식의 결과를 반환하는 함수로 IFERROR(HLOOKUP(AVERAGE(G3:H3), $M$9:$P$10,2, TRUE),"재시험") 식은 이론과 실기의 평균을 기준으로 학점을 표시하고, 에러일 경우 "재시험"으로 표시한다.

출제유형 분석

✓ DSUM, DAVERAGE, DCOUNT, DCOUNTA, DMAX, DMIN

✓ 데이터베이스란 레코드(행)와 필드(열)로 이루어진 데이터의 전체 범위를 말한다. 데이터베이스 함수는 이러한 데이터베이스에서 조건에 맞는 계산을 수행한다.

✓ 반복 출제 함수:DSUM, DAVERAGE, DCOUNT, DCOUNTA, DMAX, DMIN, DGET

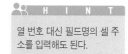

HINT
열 번호 대신 필드명의 셀 주소를 입력해도 된다.

함수 명	설명	형식
DSUM	database에서 criteria(조건)에 맞는 field의 합계를 구함	=DSUM(데이터베이스 범위, 필드(열) 번호, 조건 범위)
DAVERAGE	database에서 criteria(조건)에 맞는 field의 평균을 구함	=DAVERAGE(데이터베이스 범위, 필드(열) 번호, 조건 범위)
DCOUNT	database에서 criteria(조건)에 맞는 field값 중 숫자가 있는 셀의 개수를 구함	=DCOUNT(데이터베이스 범위, 필드(열) 번호, 조건 범위)
DCOUNTA	database에서 criteria(조건)에 맞는 field값 중 공백을 제외한 셀의 개수를 구함	=DCOUNTA(데이터베이스 범위, 필드(열) 번호, 조건 범위)
DMAX	database에서 criteria(조건)에 맞는 field 값 중 가장 큰 수를 구함	=DMAX(데이터베이스 범위, 필드(열) 번호, 조건 범위)
DMIN	database에서 criteria(조건)에 맞는 field 값 중 가장 작은 수를 구함	=DMIN(데이터베이스 범위, 필드(열) 번호, 조건 범위)

예제_01 [Part 1_유형분석\Chapter02_계산작업\07_데이터베이스함수.xlsm]의 '예제_01' 시트에서 작업하시오.

	A	B	C	D	E	F	G	H	I	J
1	[표1]			오디션 참가자 점수현황						
2	참가자	성별	신청분야	심사위원	방청객	전화투표		R&B 분야에서 심사위원 최고 점수		
3	서예림	여	R&B	90	100	97		트로트 분야에서 방청객 최저 점수		
4	성수연	여	인디	90	95	75		인디 분야의 전화투표 평균점수		
5	신연주	여	인디	85	70	90		여자 참가자율의 전화투표 점수합계		
6	오소연	여	트로트	95	100	99				
7	오슬기	여	R&B	85	85	75				
8	우호범	남	트로트	75	80	90				
9	원영진	남	R&B	85	100	85				
10	유법용	남	민요	90	90	90				
11										
12										
13	[표2]			사원별 급여지급 현황						
14	사원코드	담당자	거주지	직급	급여	지급여부		직급이 처장인 사원수		
15	SR-008	김성호	서울	처장	6,000,000	지급		급여가 4,000,000원 이상인 사원수		
16	SR-026	박소영	대전	부장	4,000,000					
17	SR-028	차재영	대구	팀장	3,350,000	지급				
18	SR-031	김상준	인천	대리	1,680,000					
19	SR-009	김효민	광주	실장	2,000,000					
20	SR-027	장정미	대전	처장	5,950,000	지급				
21	SR-010	남주혁	대전	부장	4,000,000	지급				
22	SR-032	백미애	경기	팀장	3,350,000	지급				
23										
24										

	A	B	C	D	E	F	G	H	I	J
1	[표1]			오디션 참가자 점수현황						
2	참가자	성별	신청분야	심사위원	방청객	전화투표		R&B 분야에서 심사위원 최고 점수	90	
3	서예림	여	R&B	90	100	97		트로트 분야에서 방청객 최저 점수	80	
4	성수연	여	인디	90	95	75		인디 분야의 전화투표 평균점수	82.5	
5	신연주	여	인디	85	70	90		여자 참가자들의 전화투표 점수합계	436	
6	오소연	여	트로트	95	100	99				
7	오슬기	여	R&B	85	85	75			신청분야	신청분야
8	우호범	남	트로트	75	80	90			트로트	인디
9	원영진	남	R&B	85	100	85				
10	유법용	남	민요	90	90	90				
11										
12										
13	[표2]			사원별 급여지급 현황						
14	사원코드	담당자	거주지	직급	급여	지급여부		직급이 처장인 사원수	2명	
15	SR-008	김성호	서울	처장	6,000,000	지급		급여가 4,000,000원 이상인 사원수	4명	
16	SR-026	박소영	대전	부장	4,000,000					
17	SR-028	차재영	대구	팀장	3,350,000	지급		급여		
18	SR-031	김상준	인천	대리	1,680,000			>=4000000		
19	SR-009	김효민	광주	실장	2,000,000					
20	SR-027	장정미	대전	처장	5,950,000	지급				
21	SR-010	남주혁	대전	부장	4,000,000	지급				
22	SR-032	백미애	경기	팀장	3,350,000	지급				
23										

1. [표1]에서 신청분야[C3:C10]가 'R&B'인 참가자 중 심사위원[D3:D10] 최고 점수를 [I2] 셀에 표시하시오.
   - DMAX, DMIN 중 알맞은 함수 사용

2. [표1]에서 신청분야[C3:C10]가 '트로트'인 참가자 중 방청객[E3:E10] 최저 점수를 [I3] 셀에 표시하시오.
   - 조건 입력 : [I7:I8]영역에 입력
   - DMAX, DMIN 중 알맞은 함수 사용

3. [표1]에서 신청분야[C3:C10]가 '인디'인 참가자 중 전화투표[F3:F10] 최고 점수를 [I4] 셀에 표시하시오.
   - 조건 입력 : [J7:J8]영역에 입력
   - DAVERAGE, DSUM, DMAX 중 알맞은 함수 사용

4. [표1]에서 여자 참가자들의 전화투표[F3:F10] 점수 합계를 [I5] 셀에 표시하시오.
   - DAVERAGE, DSUM, DMAX 중 알맞은 함수 사용

5. [표2]에서 직급[D15:D22]을 이용하여 직급이 '처장'인 사원수를 [I14] 셀에 구하시오.
   - 표시 예 : 3명
   - SUMIF, AVERAGEIF, DCOUNTA 중 알맞은 함수와 & 연산자 사용

6. [표2]에서 급여[E15:E22]를 이용하여 급여가 4,000,000원 이상인 사원수를 [I15] 셀에 구하시오.
   - 표시 예 : 3명
   - 조건 입력 : [I17:I18]영역에 입력
   - DCOUNT 함수와 & 연산자 사용

예제_01 풀이

1. 신청분야가 'R&B'인 참가자의 심사위원 최고 점수 표시하기

① 심사위원 최고 점수를 표시하기 위해 [I2] 셀에 "=DMAX(A2:F10, 4,C2:C3)" 수식을 입력하고 Enter 를 누른다.

	A	B	C	D	E	F	G	H	I	J
	DMIN		▾ ⊙ × ✓ fx	=DMAX(A2:F10,4,C2:C3)						
1	[표1]		오디션 참가자 점수현황							
2	참가자	성별	신청분야	심사위원	방청객	전화투표		R&B 분야에서 심사위원 최고 점수	=DMAX(A2:F10,4,C2:C3)	
3	서예림	여	R&B	90	100	97		트로트 분야에서 방청객 최저 점수		
4	성수연	여	인디	90	95	75		인디 분야의 전화투표 평균점수		
5	신연주	여	인디	85	70	90		여자 참가자들의 전화투표 점수합계		
6	오소연	여	트로트	95	100	99				
7	오슬기	여	R&B	85	85	75				
8	우호범	남	트로트	75	80	90				
9	원영진	남	R&B	85	100	85				
10	유법용	남	민요	90	90	90				

- DMAX(데이터베이스 범위, 필드 번호, 조건 범위) : 데이터베이스에서 조건 범위에 맞는 필드 값 중 가장 큰 수를 반환하는 함수로 DMAX(A2:F10,4,C2:C3) 식은 조건인 신청분야가 R&B인 심사위원 열의 최대값을 표시한다.

- 데이터베이스 범위 : 필드명을 포함한 표의 전 영역을 지정한다.

- 필드(열) 번호 : 구할 필드(열) 번호를 입력해도 되고, 필드명의 셀 주소를 입력해도 된다.

- 조건 범위 : 조건 범위는 필드명과 함께 지정해야 되고, 필드명과 조건은 연속된 셀에 입력해야 한다.

⧖ TIP

데이터베이스 함수에서 지켜야 할 규칙

• 데이터베이스 함수에서 데이터베이스 영역 지정 시 반드시 필드명을 포함한다.

• 조건 범위를 지정할 때는 반드시 제목(필드명)까지 함께 선택해야 한다.

• 조건 범위의 첫 행은 제목(필드명)이어야 하며, 원래 제목과 같아야 한다.(원본 복사해서 사용) – 조건이 함수 식으로 참이나 거짓이 나올 경우에는 필드명은 원본과 달라야 한다.(필드명을 '조건'으로 통일)

---

2. 신청분야가 '트로트'인 참가자의 방청객 최저 점수 표시하기

① 방청객의 최저 점수를 표시하기 위해 [I3] 셀에 "=DMIN(A2:F10,5,I7: I8)" 수식을 입력하고 Enter 를 누른다.

DMIN ▾ =DMIN(A2:F10,5,I7:I8)

	A	B	C	D	E	F	G	H	I	J
1	[표1]			오디션 참가자 점수현황						
2	참가자	성별	신청분야	심사위원	방청객	전화투표		R&B 분야에서 심사위원 최고 점수	90	
3	서예림	여	R&B	90	100	97		트로트 분야에서 방청객 최저 점수	=DMIN(A2:F10,5,I7:I8)	
4	성수연	여	인디	90	95	75		인디 분야의 전화투표 평균점수		
5	신연주	여	인디	85	70	90		여자 참가자들의 전화투표 점수합계		
6	오소연	여	트로트	95	100	99				
7	오슬기	여	R&B	85	85	75			신청분야	
8	우호범	남	트로트	75	80	90			트로트	
9	원영진	남	R&B	85	100	85				
10	유법용	남	민요	90	90	90				
11										

! CAUTION

◐ 중요
조건 범위

조건 범위에서 조건과 필드명은 항상 붙어있어야 한다. 원본 표에서 신청분야와 트로트가 떨어져 있으므로 다른 셀에 조건과 필드명을 붙여 입력하여 사용한다.

- DMIN(데이터베이스 범위, 필드 번호, 조건 범위) : 데이터베이스에서 조건 범위에 맞는 필드 값 중 가장 작은 수를 반환하는 함수로 DMIN (A2:F10, 5, I7:I8) 식은 조건인 신청분야가 트로트인 방청객 열의 최소값을 표시한다.

3. 신청분야가 '인디'인 참가자의 전화투표의 평균 점수 표시하기

① 전화투표의 평균 점수를 표시하기 위해 [I4] 셀에 "=DAVERAGE(A2:F10, 6,J7:J8)" 수식을 입력하고 Enter 를 누른다.

DMIN ▾ =DAVERAGE(A2:F10,6,J7:J8)

	A	B	C	D	E	F	G	H	I	J
1	[표1]			오디션 참가자 점수현황						
2	참가자	성별	신청분야	심사위원	방청객	전화투표		R&B 분야에서 심사위원 최고 점수	90	
3	서예림	여	R&B	90	100	97		트로트 분야에서 방청객 최저 점수	80	
4	성수연	여	인디	90	95	75		인디 분야의 전화투표 평균점수	=DAVERAGE(A2:F10,6,J7:J8)	
5	신연주	여	인디	85	70	90		여자 참가자들의 전화투표 점수합계		
6	오소연	여	트로트	95	100	99				
7	오슬기	여	R&B	85	85	75			신청분야	신청분야
8	우호범	남	트로트	75	80	90			트로트	인디
9	원영진	남	R&B	85	100	85				
10	유법용	남	민요	90	90	90				
11										

- DAVERAGE(데이터베이스 범위, 필드 번호, 조건 범위) : 데이터베이스에서 조건 범위에 맞는 필드 값의 평균을 반환하는 함수로 DAVERAGE (A2:F10,6,J7:J8) 식은 조건인 신청분야가 '인디'인 전화투표 열의 평균을 표시한다.

4. 여자 참가자 전화투표 점수 합계 표시하기

① 전화투표의 점수 합계를 표시하기 위해 [I5] 셀에 "=DSUM(A2:F10, 6,B2:B3)" 수식을 입력하고 Enter 를 누른다.

DMIN ▾ =DSUM(A2:F10,6,B2:B3)

	A	B	C	D	E	F	G	H	I	J
1	[표1]			오디션 참가자 점수현황						
2	참가자	성별	신청분야	심사위원	방청객	전화투표		R&B 분야에서 심사위원 최고 점수	90	
3	서예림	여	R&B	90	100	97		트로트 분야에서 방청객 최저 점수	80	
4	성수연	여	인디	90	95	75		인디 분야의 전화투표 평균점수	82.5	
5	신연주	여	인디	85	70	90		여자 참가자들의 전화투표 점수합계	=DSUM(A2:F10,6,B2:B3)	
6	오소연	여	트로트	95	100	99				
7	오슬기	여	R&B	85	85	75			신청분야	신청분야
8	우호범	남	트로트	75	80	90			트로트	인디
9	원영진	남	R&B	85	100	85				
10	유법용	남	민요	90	90	90				

▪ DSUM(데이터베이스 범위, 필드 번호, 조건 범위) : 데이터베이스에서 조건 범위에 맞는 필드 값의 합계를 반환하는 함수로 DSUM(A2:F10, 6,B2:B3) 식은 조건인 성별이 '여'인 전화투표 열의 합계를 표시한다.

5. 처장 수 표시하기

① 처장 수를 표시하기 위해 [I14] 셀에 "=DCOUNTA(A14:F22,4,D14:D15) &"명"" 수식을 입력하고 Enter 를 누른다.

		DMIN	▾	× ✓ fx	=DCOUNTA(A14:F22,4,D14:D15)&"명"					
◢	A	B	C	D	E	F	G	H	I	J
13	**[표2]**		사원별 급여지급 현황							
14	사원코드	담당자	거주지	직급	급여	지급여부		직급이 처장	=DCOUNTA(A14:F22,4,D14:D15)&"명"	
15	SR-008	김성호	서울	처장	6,000,000	지급		급여가 4,000,000원 이상인 사원수		
16	SR-026	박소영	대전	부장	4,000,000					
17	SR-028	차재영	대구	팀장	3,350,000	지급				
18	SR-031	김상준	인천	대리	1,680,000					
19	SR-009	김효민	광주	실장	2,000,000					
20	SR-027	장정미	대전	처장	5,950,000	지급				
21	SR-010	남주혁	대전	부장	4,000,000	지급				
22	SR-032	백미애	경기	팀장	3,350,000	지급				
23										

▪ DCOUNTA(데이터베이스 범위, 필드 번호, 조건 범위) : 데이터베이스에서 조건 범위에 맞는 필드 값 중 공백을 제외한 셀의 개수 반환하는 함수로 DCOUNTA(A14:F22,4,D14:D15)&"명" 식은 직급이 처장인 조건에 해당하는 직급 열의 개수를 표시한다.

6. 급여 4,000,000원 이상 사원 수 표시하기

① 사원 수를 표시하기 위해 [I15] 셀에 "=DCOUNT(A14:F22,5,I17: I18)&"명"" 수식을 입력하고 Enter 를 누른다.

		DMIN	▾	× ✓ fx	=DCOUNT(A14:F22,I17:I18)&"명"					
◢	A	B	C	D	E	F	G	H	I	J
13	**[표2]**		**사원별 급여지급 현황**							
14	사원코드	담당자	거주지	직급	급여	지급여부		직급이 처장인 사원수	2명	
15	SR-008	김성호	서울	처장	6,000,000	지급		급여가 4,000,000원	=DCOUNT(A14:F22,I17:I18)&"명"	
16	SR-026	박소영	대전	부장	4,000,000					
17	SR-028	차재영	대구	팀장	3,350,000	지급			급여	
18	SR-031	김상준	인천	대리	1,680,000				> =4000000	
19	SR-009	김효민	광주	실장	2,000,000					
20	SR-027	장정미	대전	처장	5,950,000	지급				
21	SR-010	남주혁	대전	부장	4,000,000	지급				
22	SR-032	백미애	경기	팀장	3,350,000	지급				

▪ DCOUNT(데이터베이스 범위, 필드 번호, 조건 범위) : 데이터베이스에서 조건 범위에 맞는 필드 값 중 숫자가 있는 셀의 개수를 반환하는 함수로 DCOUNT(A14:F22,5,I17:I18)&"명" 식은 조건인 급여가 4,000,000 이상인 급여 열의 개수를 표시한다.

확인_01 [Part 1_유형분석\Chapter02_계산작업\07_데이터베이스함수.xlsm]의 '확인_01' 시트에서 작업하시오.

[표1] 엑셀 1학기 성적

성명	학과	학년	중간고사	기말고사	총점	평균		
김성호	경영학과	3학년	89	100	189	94.5	경영학과 최고 총점	
박소영	경영학과	1학년	88	94	182	91	3학년 기말고사 최저점	
차재영	경영학과	1학년	미응시	미응시	0	0		
김상준	회계학과	2학년	97	96	193	96.5		
김효민	회계학과	3학년	87	94	181	90.5		
장정미	중국통상	4학년	74	65	139	69.5		
이경아	중국통상	3학년	88	90	178	89		
백미애	중국통상	1학년	72	92	164	82		
이정훈	수학과	2학년	99	98	197	98.5		
이주창	수학과	2학년	87	62	149	74.5		
원영진	수학과	3학년	81	90	171	85.5		

[표2] IT센터 시험 결과

수험번호	성명	구분	엑셀	액세스	평균	교재비
1234	주재원	재학생	70	90	80	23000
3658	김수연	재학생	87	95	91	15700
9876	노수연	일반	74	51	62.5	25000
3526	오소연	재학생	88	90	89	23000
9872	이가람	재학생	72	70	71	15700
6547	이호준	졸업생	99	98	98.5	20000
2365	권소현	졸업생	70	77	73.5	23000
2365	신용재	일반	81	89	85	15700
재학생의 교재비 합계						
재학생과 졸업생의 평균차이						
엑셀이 80점 이상이면서 평균이 90이상인 사람의 수						

[표1] 엑셀 1학기 성적

성명	학과	학년	중간고사	기말고사	총점	평균		
김성호	경영학과	3학년	89	100	189	94.5	경영학과 최고 총점	189
박소영	경영학과	1학년	88	94	182	91	3학년 기말고사 최저점	90
차재영	경영학과	1학년	미응시	미응시	0	0		
김상준	회계학과	2학년	97	96	193	96.5		
김효민	회계학과	3학년	87	94	181	90.5		
장정미	중국통상	4학년	74	65	139	69.5		
이경아	중국통상	3학년	88	90	178	89		
백미애	중국통상	1학년	72	92	164	82		
이정훈	수학과	2학년	99	98	197	98.5		
이주창	수학과	2학년	87	62	149	74.5		
원영진	수학과	3학년	81	90	171	85.5		

[표2] IT센터 시험 결과

수험번호	성명	구분	엑셀	액세스	평균	교재비		
1234	주재원	재학생	70	90	80	23000		
3658	김수연	재학생	87	95	91	15700		
9876	노수연	일반	74	51	62.5	25000		
3526	오소연	재학생	88	90	89	23000		
9872	이가람	재학생	72	70	71	15700		
6547	이호준	졸업생	99	98	98.5	20000		
2365	권소현	졸업생	70	77	73.5	23000		
2365	신용재	일반	81	89	85	15700		
재학생의 교재비 합계					77000		구분	
재학생과 졸업생의 평균차이					5.25		졸업생	
엑셀이 80점 이상이면서 평균이 90이상인 사람의 수					2명			
							엑셀	평균
							>=80	>=90

1. [표1]에서 학과[B3:B13]가 '경영학과'인 학생 중에서 가장 높은 총점을 [J3] 셀에 표시하시오.
   - DMAX, DMIN 중 알맞은 함수 사용

2. [표1]에서 학년[C3:C13]이 '3학년'인 학생 중에서 가장 낮은 기말고사 점수를 [J4] 셀에 표시하시오.
   - DMAX, DMIN 중 알맞은 함수 사용

3. [표2]에서 구분[C18:C25]이 '재학생'인 수험생의 교재비[G18:G25] 합계를 [F26] 셀에 구하고, 결과 값을 백 단위에서 반올림하여 천 원 단위까지 표시하시오.

   ▪ 표시 예 : 155,700 → 156,000

   ▪ DSUM, ROUND 함수 사용

4. [표2]에서 '재학생'의 평균과 '졸업생'의 평균 차이를 [F27] 셀에 표시하시오.

   ▪ 평균 차이가 음수일 경우 양수로 표시

   ▪ DAVERAGE, ABS 함수 사용

   ▪ 조건은 임의의 셀에 작성

5. [표2]에서 엑셀이 80점 이상이고 평균이 90점 이상인 사람 수를 구하여 [F28] 셀에 표시하시오.

   ▪ 조건 입력 : [I29:J30] 영역에 작성

   ▪ 표시 예 : 5명

   ▪ DSUM, DAVERAGE, DCOUNT 중 알맞은 함수와 & 연산자 사용

(확인_01 풀이)

1. 경영학과 최고 총점 표시하기

① 경영학과 최고 총점을 표시하기 위해 [J3] 셀에 "=DMAX(A2:G13,6, B2:B3)" 수식을 입력하고 Enter 를 누른다.

	A	B	C	D	E	F	G	H	I		J	K
	DMIN	▼	⚬	X	✓	fx	=DMAX(A2:G13,6,B2:B3)					
1	[표1]			엑셀 1학기 성적								
2	성명	학과	학년	중간고사	기말고사	총점	평균					
3	김성호	경영학과	3학년	89	100	189	94.5		경영학과 최고	=DMAX(A2:G13,6,B2:B3)		
4	박소영	경영학과	1학년	88	94	182	91		3학년 기말고사 최저점			
5	차재영	경영학과	1학년	미용시	미용시	0	0					
6	김상준	회계학과	2학년	97	96	193	96.5					
7	김효민	회계학과	3학년	87	94	181	90.5					
8	장정미	중국통상	4학년	74	65	139	69.5					
9	이경아	중국통상	3학년	88	90	178	89					
10	백미애	중국통상	1학년	72	92	164	82					
11	이정훈	수학과	2학년	99	98	197	98.5					
12	이주창	수학과	2학년	87	62	149	74.5					
13	원영진	수학과	3학년	81	90	171	85.5					

   ▪ DMAX(데이터베이스 범위, 필드 번호, 조건 범위) : 데이터베이스에서 조건 범위에 맞는 필드 값 중 가장 큰 수를 반환하는 함수로 조건인 학과가 경영학과인 총점 열의 최대값을 표시한다.

2. 3학년 기말고사 최저점 표시

① 3학년 기말고사 최저점을 표시하기 위해 [J4] 셀에 "=DMIN(A2:G13,5, C2:C3)" 수식을 입력하고 **Enter** 를 누른다.

	DMIN ▼	X ✓ fx	=DMIN(A2:G13,5,C2:C3)							
	A	B	C	D	E	F	G	H	I	J	K
1	[표1]			엑셀 1학기 성적							
2	성명	학과	학년	중간고사	기말고사	총점	평균				
3	김성호	경영학과	3학년	89	100	189	94.5		경영학과 최고 총점	189	
4	박소영	경영학과	1학년	88	94	182	91		3학년 기말고사	=DMIN(A2:G13,5,C2:C3)	
5	차재영	경영학과	1학년	미응시	미응시	0	0				
6	김상준	회계학과	2학년	97	96	193	96.5				
7	김효민	회계학과	3학년	87	94	181	90.5				
8	장정미	중국통상	4학년	74	65	139	69.5				
9	이경아	중국통상	3학년	88	90	178	89				
10	백미애	중국통상	1학년	72	92	164	82				
11	이정훈	수학과	2학년	99	98	197	98.5				
12	이주창	수학과	2학년	87	62	149	74.5				
13	원영진	수학과	3학년	81	90	171	85.5				

- DMIN(데이터베이스 범위, 필드 번호, 조건 범위) : 데이터베이스에서 조건 범위에 맞는 필드 값 중 가장 작은 수를 반환하는 함수로 DMIN (A2:G13, 5,C2:C3) 식은 조건인 학년이 3학년인 기말고사 열의 최저점을 표시한다.

3. 재학생 교재비 합계 표시

① 재학생 교재비의 합계를 표시하기 위해 [F26] 셀에 "=ROUND(DSUM(A 17:G25,7,C17:C18),-3)" 수식을 입력하고 **Enter** 를 누른다.

	DMIN ▼	X ✓ fx	=ROUND(DSUM(A17:G25,7,C17:C18),-3)					
	A	B	C	D	E	F	G	H
16	[표2]		IT센터 시험 결과					
17	수험번호	성명	구분	엑셀	액세스	평균	교재비	
18	1234	주재원	재학생	70	90	80	23000	
19	3658	김수연	재학생	87	95	91	15700	
20	9876	노수연	일반	74	51	62.5	25000	
21	3526	오소연	재학생	88	90	89	23000	
22	9872	이가람	재학생	72	70	71	15700	
23	6547	이호준	졸업생	99	98	98.5	20000	
24	2365	권소현	졸업생	70	77	73.5	23000	
25	2365	신용재	일반	81	89	85	15700	
26	재학생의 교재비 합계					=ROUND(DSUM(A17:G25,7,C17:C18),-3)		
27	재학생과 졸업생의 평균차이							
28	엑셀이 80점 이상이면서 평균이 90이상인 사람의 수							

- DSUM(데이터베이스 범위, 필드 번호, 조건 범위) : 데이터베이스에서 조건 범위에 맞는 필드 값의 합계를 반환하는 함수로 DSUM(A17:G25,7, C17:C18) 식은 조건인 구분이 재학생인 교재비의 합계를 표시한다.

- ROUND(숫자, 자릿수) : 숫자에서 자릿수만큼 반올림하는 함수로 ROUN D(DSUM(A17:G25,7,C17:C18),-3) 식은 백의 자리에서 반올림한다.

4. 평균 차이 표시하기

① 평균 차이를 표시하기 위해 [F27] 셀에 "=ABS(DAVERAGE(A17: G25,4,C17:C18)−DAVERAGE(A17:G25,4,I26:I27))" 수식을 입력하고 **Enter** 를 누른다.

	A	B	C	D	E	F	G	H	I	J
	DMIN				fx	=ABS(DAVERAGE(A17:G25,4,C17:C18)-DAVERAGE(A17:G25,4,I26:I27))				
16	[표2]		IT센터 시험 결과							
17	수험번호	성명	구분	엑셀	액세스	평균	교재비			
18	1234	주재원	재학생	70	90	80	23000			
19	3658	김수연	재학생	87	95	91	15700			
20	9876	노수연	일반	74	51	62.5	25000			
21	3526	오소연	재학생	88	90	89	23000			
22	9872	이가람	재학생	72	70	71	15700			
23	6547	이호준	졸업생	99	98	98.5	20000			
24	2365	권소현	졸업생	70	77	73.5	23000			
25	2365	신용재	일반	81	89	85	15700			
26	재학생의 교재비 합계					77000			구분	
27	재학생과	=ABS(DAVERAGE(A17:G25,4,C17:C18)-DAVERAGE(A17:G25,4,I26:I27))								
28	엑셀이 80점 이상이면서 평균이 90이상인 사람의 수									
29										

	A	B	C	D	E	F	G	H	I
	F27				fx	=ABS(DAVERAGE(A17:G25,4,C17:C18)-DAVERAGE(A17:G25,4,I26:I27))			
16	[표2]		IT센터 시험 결과						
17	수험번호	성명	구분	엑셀	액세스	평균	교재비		
18	1234	주재원	재학생	70	90	80	23000		
19	3658	김수연	재학생	87	95	91	15700		
20	9876	노수연	일반	74	51	62.5	25000		
21	3526	오소연	재학생	88	90	89	23000		
22	9872	이가람	재학생	72	70	71	15700		
23	6547	이호준	졸업생	99	98	98.5	20000		
24	2365	권소현	졸업생	70	77	73.5	23000		
25	2365	신용재	일반	81	89	85	15700		
26	재학생의 교재비 합계					77000			구분
27	재학생과 졸업생의 평균차이					5.25			졸업생
28	엑셀이 80점 이상이면서 평균이 90이상인 사람의 수								

- DAVERAGE(데이터베이스 범위, 필드 번호, 조건 범위) : 데이터베이스에서 조건 범위에 맞는 필드 값의 평균을 반환하는 함수로 DAVERAGE (A17:G25,4,C17:C18)−DAVERAGE(A17:G25,4,I26:I27) 식은 재학생의 엑셀 점수와 졸업생의 엑셀 점수의 차이를 표시한다.

- ABS(숫자) : 숫자를 절대값(양수)으로 반환하는 함수로 ABS(DAVERAGE (A17:G25,4,C17:C18)−DAVERAGE(A17:G25,4,I26:I27)) 식은 엑셀 점수의 차를 양수로 표시한다.

H I N T

조건 지정

조건이 2개 이상일 경우에는 고급 필터를 구하듯이 조건을 다른 영역에 표시한다. AND 조건일 경우 같은 행에, OR 조건일 경우 다른 행에 조건을 표시한 다음 데이터베이스 함수에서 조건 범위를 두 조건이 모두 포함되게 영역을 지정한다.

5. 엑셀 80점 이상, 평균 90 이상인 사람 수 표시하기

② 엑셀 80점 이상, 평균 90 이상인 사람 수 표시하기 위해 [F28] 셀에 "=DCOUNT (A17:G25,D17,I29:J30)&"명"" 수식을 입력하고 **Enter** 를 누른다.

	DMIN		fx	=DCOUNT(A17:G25,D17,I29:J30)&"명"					
	A	B	C	D	E	F	G	H	I	J
16	[표2]		IT센터 시험 결과							
17	수험번호	성명	구분	엑셀	액세스	평균	교재비			
18	1234	주재원	재학생	70	90	80	23000			
19	3658	김수연	재학생	87	95	91	15700			
20	9876	노수연	일반	74	51	62.5	25000			
21	3526	오소연	재학생	88	90	89	23000			
22	9872	이가람	재학생	72	70	71	15700			
23	6547	이호준	졸업생	99	98	98.5	20000			
24	2365	권소현	졸업생	70	77	73.5	23000			
25	2365	신용재	일반	81	89	85	15700			
26	재학생의 교재비 합계					77000			구분	
27	재학생과 졸업생의 평균차이					5.25			졸업생	
28	엑셀이 80점 이상이면서 평균이 90이상인					=DCOUNT(A17:G25,D17,I29:J30)&"명"				
29									엑셀	평균
30									>=80	>=90
31										

H I N T

필드 번호에 필드명의 셀 주소를 입력해도 된다. '개수'를 구할 경우에는 엑셀 필드나 엑세스, 평균 필드를 선택해도 정답으로 인정된다.

- DCOUNT(데이터베이스 범위, 필드 번호, 조건 범위) : 데이터베이스에서 조건 범위에 맞는 필드 값 중 숫자가 있는 셀의 개수를 반환하는 함수로 DCOUNT(A17:G25,D17,I29:J30)&"명" 식은 엑셀이 80점 이상이고 평균이 90점 이상인 숫자의 개수를 표시한다.

- [I29:J30] 영역에 조건을 입력한다.

CHAPTER 3

분석작업

 출제경향

분석작업은 총 20점으로 부분합/정렬, 시나리오, 피벗 테이블, 목표값 찾기, 통합, 데이터 표 등이 출제되고 있다.

부분합/정렬

출제유형 분석

✓ 부분합은 거의 빼놓지 않고 나오는 유형 중 하나로 문제에 주어진 데이터에 대하여 특정 필드를 기준에 맞게 정렬한 후 그룹화하여 부분합을 실행하는 것을 말한다.

✓ 실제 시험에서 정렬의 기준은 한 개 또는 그 이상이 될 수 있으며, 주로 정렬의 기준이 부분합의 그룹화 항목으로 주어진다.

✓ 분석작업 중 가장 출제 빈도가 높은 유형이다.

4 정렬

■ 정렬이란 특정 필드를 일부 기준(오름차순 혹은 내림차순)에 따라 순서를 재배열 하는 것을 말한다.

■ 정렬 항목이 1개인 경우 정렬할 필드명을 선택하고, [데이터] 탭 → [정렬 및 필터] 그룹의 [텍스트 오름차순 정렬] 명령 또는 [텍스트 내림차순 정렬] 명령을 클릭한다.

■ 정렬 기준이 두가지 이상일 경우에는 정렬할 데이터 내의 임의의 셀을 클릭한 후 [정렬]을 선택하여, 정렬 기준을 선택하며 하나씩 기준을 추가한다.

■ **정렬 기능**:[데이터] 탭 → [정렬 및 필터] 그룹 → [정렬] 명령

⧖ TIP

정렬

• 오름차순:숫자 〉 특수문자 〉 영문 〉 한글 〉 논리값 〉 오류 값 〉 공백(빈 셀)
• 내림차순:오류 값 〉 논리값 〉 한글 〉 영문 〉 특수문자 〉 숫자 〉 공백(빈 셀)

5 부분합

■ 부분합이란 데이터 중 특정 필드로 그룹화하고, 필요한 계산 항목과 함수를 선택하여 그룹별로 계산하는 기능을 말한다.

- 부분합을 실행하기 전 반드시 부분합을 수행할 데이터를 특정 필드의 정렬 방법에 따라 정렬되어 있어야 한다.

- 그룹화할 항목: 어떤 대상으로 그룹화할 것인지를 정하는 것으로 정렬한 항목만 올 수 있다.

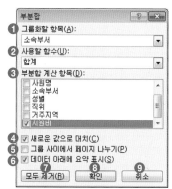

H I N T

반드시 지킬 규칙

1. 부분합을 수행하기 전에 반드시 오름차순이든 내림차순이든 정렬되어 있어야 한다.

2. 그룹화할 항목에는 반드시 정렬된 항목만 올 수 있다.

3. 두 번째 부분합 수행 시 '새로운 값으로 대치'를 반드시 해제한다.

① 사용할 함수: 계산 항목을 어떤 함수를 이용해서 구할 것인가를 결정한다.

② 부분합 계산 항목: 여러 필드 중 부분합을 구할 항목을 결정한다.

③ 새로운 값으로 대치: 두 번째 부분합 수행 시 반드시 이 부분을 체크 해제 해야 한다. 새로운 값으로 대치가 체크되어 있으면 두 번째 부분합을 구할 때, 첫 번째 부분합이 사라지고 두 번째 부분합만 나오게 된다.

④ 그룹 사이에서 페이지 나누기: 부분합 계산의 그룹별로 페이지 구분선이 나누어져, 인쇄시 그룹별로 인쇄 설정이 가능하다.

⑤ 데이터 아래에 요약 표시: 부분합의 결과값이 그룹 하단에 표시됨, 체크 해제시 그룹의 상단에 표시된다.

⑥ 모두 제거: 부분합을 잘못 지정했을 경우나, 부분합을 모두 제거할 때 선택한다.

⑦ 윤곽 지우기: 부분합 기능으로 인해 생성된 그룹을 '윤곽 지우기' 기능을 이용하여 윤곽선을 지운다. [데이터] 탭 → [윤곽선] 그룹 → [그룹 해제] 명령의 [윤곽 지우기]

⑧ 부분합 실행: [데이터] 탭 → [윤곽선] 그룹 → [부분합] 명령 클릭

[Part 1_유형분석\Chapter03_분석작업\01_부분합_정렬.xlsm]의 에서 작업하시오.

예제_01 '예제_01' 시트에서 다음의 지시사항을 처리하시오.

'H사 직원별 육아휴직 지원비 지급 현황' 표에서 소속부서별 지원비의 합계와 평균을 표시하는 '부분합'을 작성하시오.

- 정렬의 첫째 기준은 소속부서별 오름차순, 둘째 기준은 거주지역별 오름차순으로 정렬하시오.

- 평균과 합계는 각각 하나의 행에 표시하시오.
- 부분합의 작성 순서는 합계를 구한 후 평균을 구하시오.

예제_02 '예제_02' 시트에서 다음의 지시사항을 처리하시오.

'지역별 상품 판매' 표에서 지역별 1분기, 2분기, 3분기, 4분기의 합계와 연간 총 매출의 평균을 표시하는 '부분합'을 작성하시오.

- 정렬의 기준은 지역별 오름차순으로 정렬하시오.
- 합계와 평균은 각각 하나의 행에 표시하시오.
- 부분합의 작성 순서는 합계를 구한 후 평균을 구하시오.

예제_01 풀이

① [A2:G20] 영역 중 임의의 셀을 선택한 후, [데이터] 탭 → [정렬 및 필터] 그룹의 [정렬] 명령을 클릭한다.

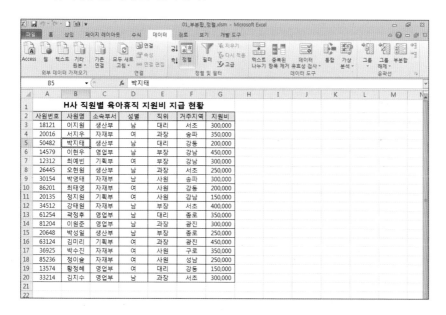

② [정렬] 대화상자에서 열의 정렬 기준에 '소속부서'를 선택하고, 정렬 기준을 '값'으로, 정렬을 '오름차순'으로 선택한다.

③ [기준 추가] 버튼을 누른 후 두 번째 정렬기준으로 '거주지역'을 선택하고, 정렬을 '오름차순'으로 선택한 후 [확인] 버튼을 누른다.

④ [A2:G20] 영역 중 임의의 셀을 선택한 후 [데이터] 탭 → [윤곽선] 그룹
   → [부분합] 명령을 클릭한다.

사원번호	사원명	소속부서	성별	직위	거주지역	지원비
				H사 직원별 육아휴직 지원비 지급 현황		
사원번호	사원명	소속부서	성별	직위	거주지역	지원비
12312	최예빈	기획부	여	부장	강남	300,000
20135	정지원	기획부	여	사원	강남	150,000
63124	김미리	기획부	여	과장	광진	450,000
50482	박지태	생산부	남	대리	강동	200,000
18121	이지원	생산부	남	대리	서초	300,000
26445	오현원	생산부	남	과장	서초	250,000
20648	박성일	생산부	남	부장	종로	250,000
14579	이현우	영업부	남	부장	강남	450,000
13574	황정혜	영업부	여	대리	강동	150,000
81204	이원준	영업부	남	과장	광진	300,000
33214	김지수	영업부	남	과장	서초	300,000
61254	곽정후	영업부	남	대리	종로	350,000
86201	최태영	자재부	여	사원	강동	200,000
36925	박수진	자재부	여	사원	구로	350,000
34512	강태원	자재부	남	부장	서초	400,000
85236	정이솔	자재부	여	사원	성남	250,000
20016	서지우	자재부	여	과장	송파	350,000
30154	박영태	자재부	남	사원	송파	300,000

⑤ [부분합] 대화상자에서 그룹화할 항목으로 '소속부서'를 선택하고, 사용
   할 함수로 '합계'를, 부분합 계산 항목에 '지원비'를 선택하고 [확인] 버튼
   을 누른다.

⑥ 그룹별 평균을 구하기 위해 [데이터] 탭 → [윤곽선] 그룹의 [부분합] 명령을 클릭한다.

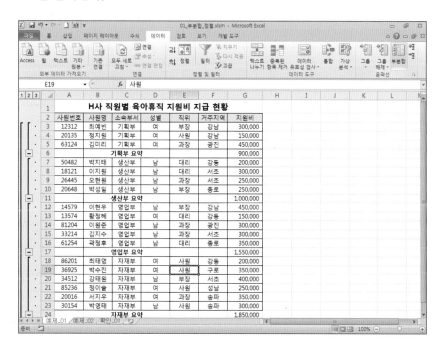

⑦ [부분합] 대화상자에서 그룹화할 항목에 '소속부서', 부분합 계산 항목에 '지원비'가 선택되어 있으므로 사용할 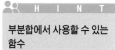에 '평균'으로 변경한 후 '새로운 값으로 대치'를 체크 해제하고 [확인] 버튼을 누른다.

H I N T

부분합에서 사용할 수 있는 함수

합계, 개수, 평균, 최대값, 최소값, 곱, 숫자 개수, 표본 표준 편차, 표준 편차, 표본 분산, 분산

• 사용할 수 없는 함수: 중앙값, 순위 등

예제_02 풀이

① 지역 열의 필드명인 [C3] 셀을 선택한 후, [데이터] 탭 → [정렬 및 필터] 그룹의 [텍스트 오름차순 정렬](↓) 명령을 클릭하여 정렬한다.

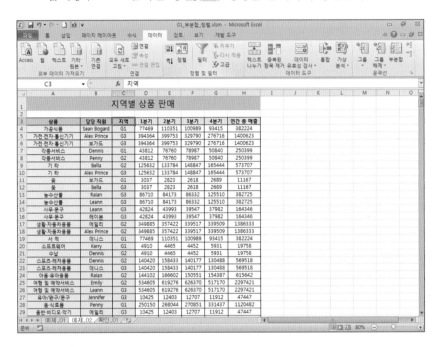

② [A3:H37] 영역 중 임의의 셀을 선택한 후 [데이터] 탭 → [윤곽선] 그룹 → [부분합] 명령을 클릭한다.

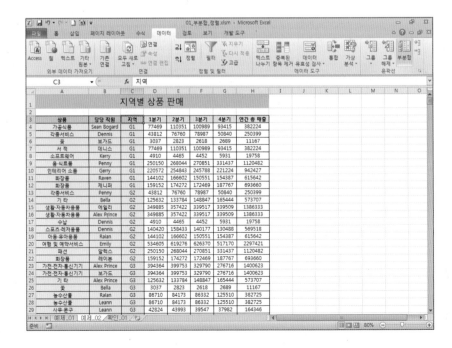

③ [부분합] 대화상자에서 그룹화할 항목으로 '지역'을 선택하고, 사용할 함수로 '합계'를, 부분합 계산 항목에 '1분기', '2분기', '3분기', '4분기'를 선택하고 [확인] 버튼을 누른다.

④ 그룹별 평균을 구하기 위해 [데이터] 탭 → [윤곽선] 그룹 → [부분합] 명령을 클릭한다.

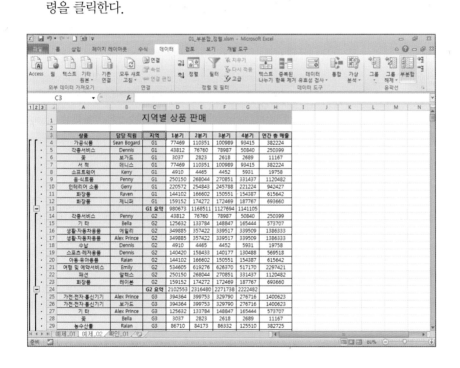

⑤ [부분합] 대화상자에서 그룹화할 항목에 '지역', 부분합 계산 항목에 '연간 총 매출'을 선택하고 사용할 함수를 '평균'으로 변경한 후 '새로운 값으로 대치'를 체크 해제하고 [확인] 버튼을 누른다.

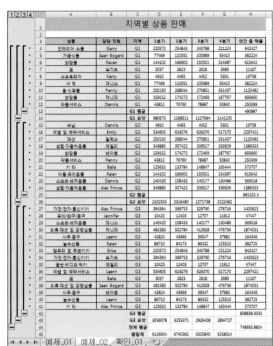

[Part 1_유형분석\Chapter03_분석작업\01_부분합_정렬.xlsm]의 '확인_01' 시트에서 작업하시오.

확인_01   '확인_01' 시트에서 다음의 지시사항을 처리하시오.

'Y-Bin 바이크샵 거래 현황 목록' 표에서 거래처별 '판매가', '판매량'의 평균과 담당자별 '판매량'의 최대값을 표시하는 부분합을 작성하시오.

- 정렬의 첫째 기준은 거래처별 오름차순, 둘째 기준은 담당자별 오름차순으로 정렬하시오.
- 판매량의 평균 소수 자릿수는 소수점 이하 1로 표시하시오.
- 평균과 최대값은 각각 하나의 행에 표시하고, 순서에 상관없이 처리하시오.

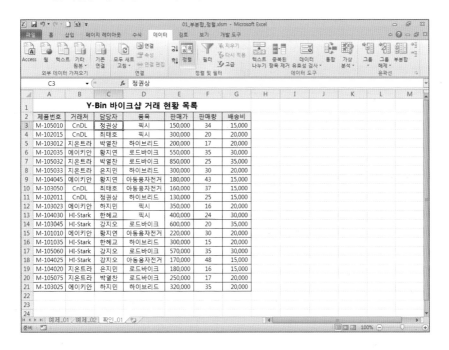

(확인_01 풀이)

① [A2:G21] 영역 중 임의의 셀을 선택한 후, [데이터] 탭 → [정렬 및 필터] 그룹의 [정렬] 명령을 클릭한다.

② [정렬] 대화상자에서 열의 정렬 기준에 '거래처'를 선택하고, 정렬 기준을 '값'으로, 정렬을 '오름차순'으로 선택한다.

③ [기준 추가] 버튼을 누른 후, 두 번째 정렬 기준으로 '담당자'를 선택하고, 정렬 기준을 '값'으로, 정렬을 '오름차순'으로 선택한 후 [확인] 버튼을 누른다.

④ [A2:G21] 영역 중 임의의 셀을 선택한 후 [데이터] 탭 → [윤곽선] 그룹 → [부분합] 명령을 클릭한다.

⑤ '부분합' 대화상자에서 그룹화할 항목으로 '거래처'를 선택하고, 사용할 함수 '평균', 부분합 계산 항목에서 '배송비'를 체크 해제하고, '판매가' 와 '판매량'을 체크한 후 [확인] 버튼을 누른다.

⑥   다시 [데이터] 탭 → [윤곽선] 그룹 → [부분합] 명령을 클릭한다.

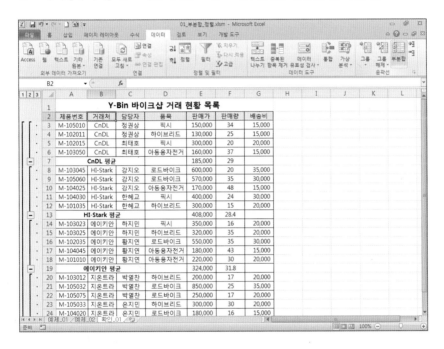

⑦   '부분합' 대화상자에서 그룹화할 항목을 '담당자'로 변경하고, 사용할 함
    수를 '최대값'으로 선택한다. 부분합 계산 항목에서 '판매가'를 체크 해
    제하고, '판매량'만 선택되어 있는 상태에서 '새로운 값으로 대치'를 체크
    해제한 후 [확인] 버튼을 누른다.

⑧ [F9] 셀을 선택하고, **Ctrl** 을 누른 상태에서 [F17], [F25], [F33], [F35] 셀을 선택한 후 [홈] 탭 → [표시 형식] 그룹 → [자릿수 줄임]을 4번 클릭한다.

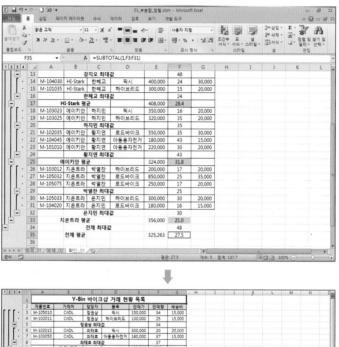

※ 표시 형식을 변경할 셀을 모두 선택한 상태에서 [셀 서식] 대화상자 → [표시 형식] 탭의 범주 '숫자'에서 소수 자릿수 "1"을 입력한 후 변경하는 방법도 있다.

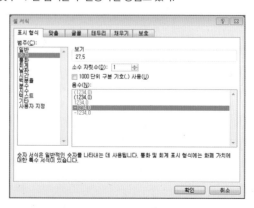

출제유형 분석

✓ 시나리오는 출제 빈도수가 높은 편이고, 많은 학생들이 약간 혼란스러워하는 분석작업 중 하나이다. 가상 분석을 위해 시나리오 요약을 하기 전, 셀의 이름을 정의해야 하는 경우도 있기 때문에 문제를 꼼꼼히 읽어봐야 한다.

- '시나리오'는 데이터 표, 목표값 찾기와 함께 가상 분석 기능에 속하며, 특정 데이터 값의 변화에 따라 다른 값이 어떻게 변하는지를 나타내는 기능이다.

- 실행된 결과는 워크시트에 표시하거나 별도의 요약 보고서로 만들어 나타낼 수 있다.

[Part 1_유형분석\Chapter03_분석작업\02_시나리오.xlsm] 파일에서 작업하시오.

예제_01 '예제_01' 시트에서 다음의 지시사항을 처리하시오.

'예제_01'시트의 'MIRI 화장품 월 매출액' 표에서 상품코드 'LST−001'의 판매량[G5]과 'MK−001'의 판매량[G11]이 아래와 같이 변경되는 경우, '총 매출액 [H15]' 셀의 변동 시나리오를 작성하시오.

- [G5] 셀의 이름은 '립스틱판매량', [G11] 셀의 이름은 '마스카라판매량'으로 설정하시오.

- 시나리오1: 시나리오 이름을 '판매량 증가', 립스틱판매량을 60으로 설정하시오.

- 시나리오2: 시나리오 이름을 '판매량 감소', 마스카라판매량을 35로 설정하시오.

- [H15] 셀의 이름은 '총매출액'으로 설정하시오.

- 시나리오 요약 보고서는 '예제_01'바로 앞에 위치시키시오.

H I N T

이름 정의

셀을 클릭하고, 문제에 제시된 이름을 [이름 상자]에 입력한 후 **Enter** 를 눌러야 한다. [이름 상자]에 이름이 가운데 정렬 되어야 이름 정의가 완료된다.

이름 정의 수정

이름을 잘못 정의한 경우에는 [수식] 탭 → [정의된 이름] 그룹 → [이름 관리자] 명령을 클릭하여 이름을 수정하거나 삭제한 이후, 다시 이름 정의를 수행하면 된다.

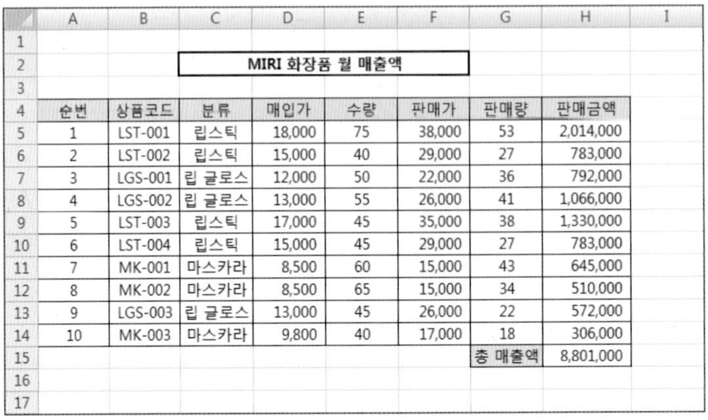

순번	상품코드	분류	매입가	수량	판매가	판매량	판매금액
1	LST-001	립스틱	18,000	75	38,000	53	2,014,000
2	LST-002	립스틱	15,000	40	29,000	27	783,000
3	LGS-001	립 글로스	12,000	50	22,000	36	792,000
4	LGS-002	립 글로스	13,000	55	26,000	41	1,066,000
5	LST-003	립스틱	17,000	45	35,000	38	1,330,000
6	LST-004	립스틱	15,000	45	29,000	27	783,000
7	MK-001	마스카라	8,500	60	15,000	43	645,000
8	MK-002	마스카라	8,500	65	15,000	34	510,000
9	LGS-003	립 글로스	13,000	45	26,000	22	572,000
10	MK-003	마스카라	9,800	40	17,000	18	306,000
						총 매출액	8,801,000

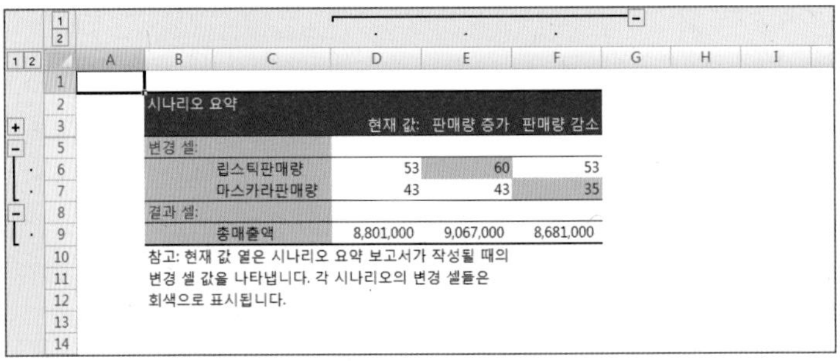

시나리오 요약	현재 값:	판매량 증가	판매량 감소
변경 셀:			
립스틱판매량	53	60	53
마스카라판매량	43	43	35
결과 셀:			
총매출액	8,801,000	9,067,000	8,681,000

참고: 현재 값 열은 시나리오 요약 보고서가 작성될 때의 변경 셀 값을 나타냅니다. 각 시나리오의 변경 셀들은 회색으로 표시됩니다.

예제_01 풀이

① [G5] 셀을 선택한 후 [이름 상자]에 "립스틱판매량"을 입력한 후 Enter 를 누른다.

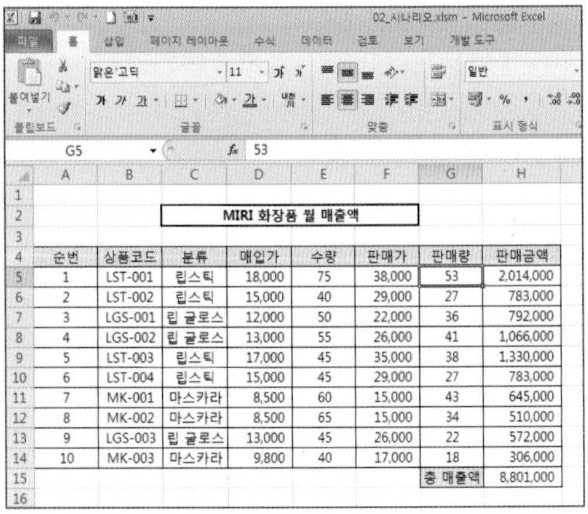

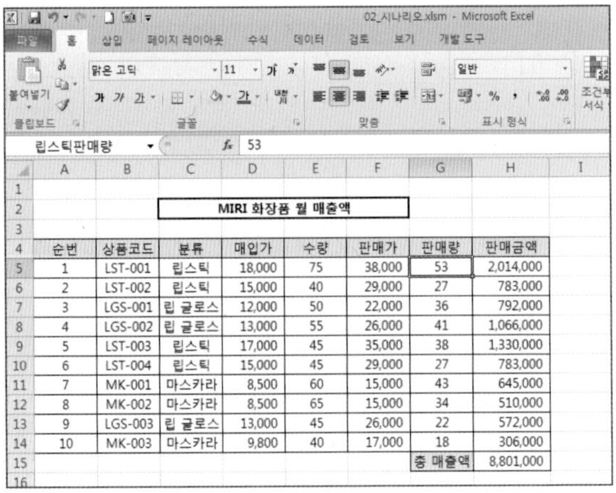

② [G11] 셀을 선택한 후 [이름 상자]에 "마스카라판매량"을 입력한 후 Enter 를 누른다.

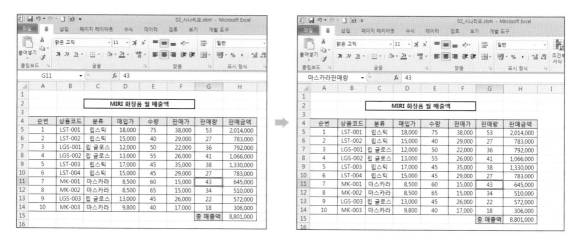

③ [H15] 셀을 선택한 후 [이름 상자]에 "총매출액"을 입력한 후 Enter 를 누른다.

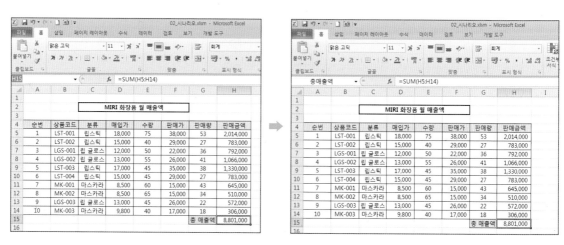

④ [데이터] 탭 → [데이터 도구] 그룹의 [가상 분석] 명령의 [시나리오 관리자]를 클릭한다.

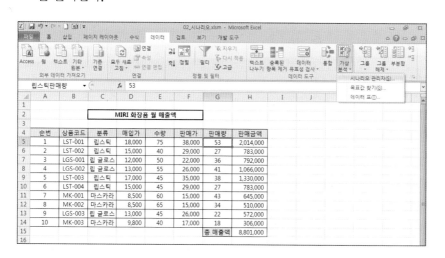

H I N T

시나리오
변경 셀을 미리 선택하고 [시나리오 관리자] 명령을 클릭하면, 다시 변경 셀을 지정하지 않아도 된다.

⑤ [시나리오 관리자] 대화상자에서 [추가] 버튼을 누른다.

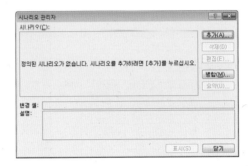

⑥ [시나리오 추가] 대화상자에서 '시나리오 이름'에 "판매량 증가"를 입력하고, '변경 셀'에 [G5] 셀을 선택한 후 [확인] 버튼을 누른다.

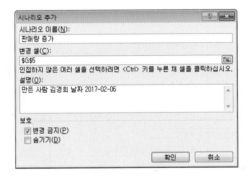

⑦ [시나리오 값] 대화상자에서 '립스틱판매량'의 값에 "60"을 입력하고 [추가] 버튼을 누른다.

⑧ [시나리오 추가] 대화상자의 '시나리오 이름'에 "판매량 감소"를 입력하고, '변경 셀'에 [G11] 셀을 선택한 후 [확인] 버튼을 누른다.

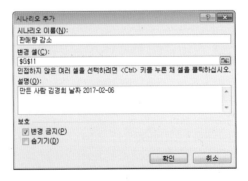

⑨ [시나리오 값] 대화상자에서 '마스카라판매량'의 값에 "35"를 입력하고
[확인] 버튼을 누른다.

⑩ [시나리오 관리자] 대화상자에서 [요약] 버튼을 누른다.

시나리오 요약
시나리오 요약 보고서를 삭제해도 시나리오가 삭제되지 않는다. 그리고 시나리오를 삭제해도 만들어진 시나리오 요약 보고서가 삭제되지 않는다.

⑪ [시나리오 요약] 대화상자에서 '보고서 종류' 항목을 '시나리오 요약'으로
선택하고, '결과 셀'에 [H15] 셀을 선택한 후 [확인] 버튼을 누른다.

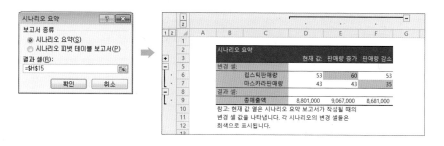

[Part 1_유형분석\Chapter03_분석작업\02_시나리오.xlsm] 의 '확인_01' 시트에서 작업하시오.

확인_01 '확인_01' 시트에서 다음의 지시사항을 처리하시오.

'확인_01'시트의 '빈-마트 매출보고서' 표에서 '열방석'의 주문량[F7]과 '아로마 향초(자스민)'의 주문량[F12]이 아래와 같이 변경되는 경우, '매출합계[G13]' 셀의 변동 시나리오를 작성하시오.

- [F7] 셀의 이름은 "열방석", [F12] 셀의 이름은 "자스민향초"로 설정하시오.
- 시나리오1: 시나리오 이름을 "주문량 증가", 열방석 주문량을 "185", 자스민향초 주문량을 "200"으로 설정하시오.
- 시나리오2: 시나리오 이름을 "주문량 감소", 열방석 주문량을 "70", 자스민향초 주문량을 "172"로 설정하시오.
- [G13] 셀의 이름을 '매출합계'로 설정하시오.
- 시나리오 요약 보고서는 '확인_01' 바로 뒤에 위치시키시오.

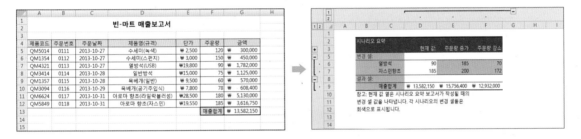

확인_01 풀이

① [F7] 셀을 선택한 후 [이름 상자]에 "열방석"을 입력한 후 **Enter** 를 누른다.

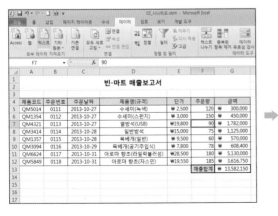

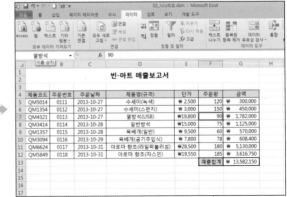

② [F12] 셀을 선택한 후 [이름 상자]에 "자스민향초"를 입력한 후 **Enter** 를
누른다.

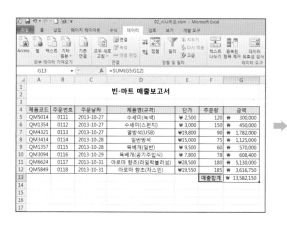 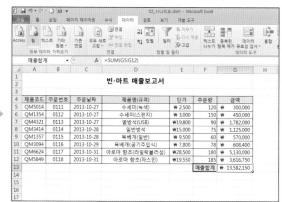

③ [G13] 셀을 선택한 후 [이름 상자]에 "매출합계"를 입력한 후 **Enter** 를 누
른다.

④ [F7], [F12] 셀을 선택한 다음 [데이터] 탭 → [데이터 도구] 그룹 → [가상
분석] 명령의 [시나리오 관리자]를 클릭한다.

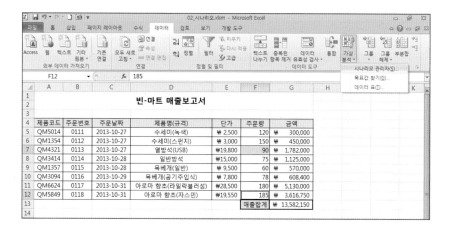

⑤ [시나리오 관리자] 대화상자에서 [추가] 버튼을 누른다.

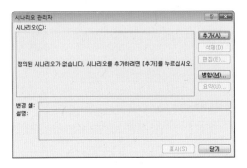

⑥ [시나리오 추가] 대화상자에서 '시나리오 이름'에 "주문량 증가"를 입력하고, '변경 셀'에 [F7], [F12] 셀이 선택된 것을 확인한 후 [확인] 버튼을 누른다.

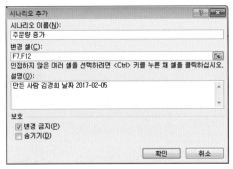

⑦ [시나리오 값] 대화상자에서 열방석 값에 "185", 자스민향초 값에 "200"을 입력하고 [추가] 버튼을 누른다.

⑧ [시나리오 추가] 대화상자에서 '시나리오 이름'에 "주문량 감소"를 입력하고 [확인] 버튼을 누른다.

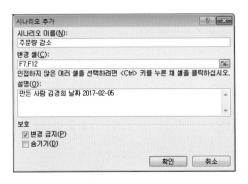

⑨ [시나리오 값] 대화상자에서 열방석 값에 "70", 자스민향초 값에 "172"를 입력하고 [확인] 버튼을 누른다.

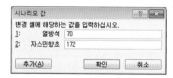

⑩ [시나리오 관리자] 대화상자에서 [요약] 버튼을 누른다.

⑪ [시나리오 요약] 대화상자에서 '보고서 종류' 항목을 '시나리오 요약'으로 선택하고, '결과 셀'에 [G13] 셀을 선택한 후 [확인] 버튼을 누른다.

⑫ 완성된 시나리오 요약 보고서의 시트를 클릭하여 '확인_01'시트의 뒤로 이동한다.

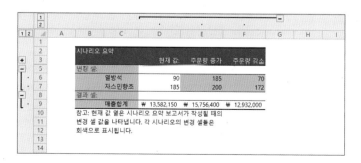

💡 **출제유형 분석**

✓ 피벗 테이블은 분석작업에서 자주 출제되는 부분으로 피벗 테이블의 삽입 위치와 '보고서 필터', '행', '열', '값'에 해당되는 필드를 알맞게 배치하는 것이 중요하다.

✓ 또한 '값'에서 '값 필드 설정'을 통해 값 요약에 사용할 계산 유형을 정확히 선택해야 한다.

- 특정 필드를 '보고서 필터', '행', '열', '값'에 분류하여 방대한 양의 데이터를 필요한 것만 골라 간단한 테이블로 변경하는 작업이다.

- 피벗 테이블 : [삽입] 탭 → [표] 그룹 → [피벗 테이블] 명령

[Part 1_유형분석\Chapter03_분석작업\03_피벗테이블.xlsm] 파일에서 작업하시오.

예제_01 '예제_01' 시트에서 다음의 지시사항을 처리하시오.

'수입 및 수출 현황' 표를 이용하여 '제품'은 행 레이블, '원산지'는 열 레이블로 작성하고, '재고'의 최대값을 표시하는 피벗 테이블을 작성하시오.

- 피벗 테이블 보고서는 동일 시트의 [B22] 셀에 위치시키시오.

- 빈 셀은 '☆'로 표시하시오

- 값에 셀 서식의 '숫자' 형식, '1000 단위 구분 기호(,)'를 사용하여 표시하시오.

'예제_02' 시트에서 다음의 지시사항을 처리하시오.

'회사별 매입매출 현황' 표를 이용하여 '회사명'은 보고서 필터, '형태'는 축 필드, 값에 '매출액'과 '매입액'의 합계를 표시하는 피벗 테이블과 피벗 차트를 작성하시오.

- 피벗 테이블 보고서는 동일 시트의 [A15] 셀에 위치시키시오.
- 보고서 레이아웃은 '개요' 형식으로 표시하시오.
- 피벗 차트는 새로운 시트에 만드시오.

(예제_01 풀이)

① '예제_01' 시트의 [B5:H19] 영역 중 임의의 셀을 선택한 후 [삽입] 탭 → [표] 그룹 → [피벗 테이블] 명령의 [피벗 테이블]을 클릭한다.

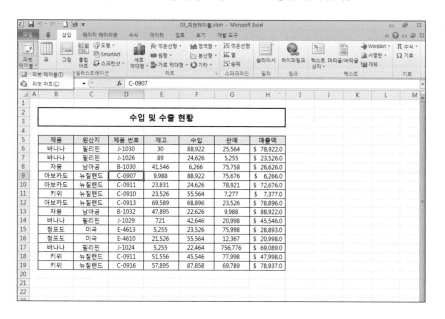

② [피벗 테이블 만들기] 대화상자에서 '표/범위'에 이미 사용할 데이터 영역이 선택 되어 있으므로 피벗 테이블 보고서를 넣을 위치에 '기존 워크시트'를 선택하고, 위치에 [B22] 셀을 선택한 후 [확인] 버튼을 누른다.

③ 새 워크시트에 피벗 테이블이 삽입되면, 시트 우측에 [피벗 테이블 필드 목록]이 생성된다. '보고서에 추가할 필드 선택:' 목록 중 '제품'을 행 레이블 영역에 끌어다 놓는다.

④ 같은 방법으로 '원산지'를 열 레이블 영역에, '재고'를 Σ 값 영역에 끌어다 놓는다.

⑤ Σ 값의 '합계:재고'를 클릭하여 '값 필드 설정'을 선택한다.

⑥ [값 필드 설정] 대화상자가 나타나면 값 요약 기준에 '최대값'을 선택하고
[확인] 버튼을 누른다.

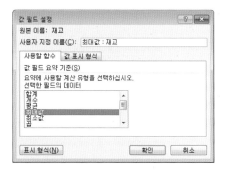

⑦ 피벗 테이블 내에 바로 가기 메뉴에서 [피벗 테이블 옵션]을 선택한다.

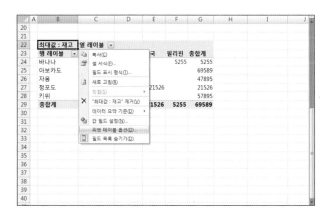

⑧ [피벗 테이블 옵션] 대화상자에서 [레이아웃 및 서식] 탭 → [서식] 항목에
'빈 셀 표시'에 "☆"을 입력한 후 [확인] 버튼을 누른다.

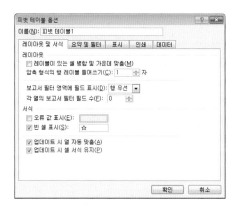

⑨ 피벗 테이블 값 영역[C4:G29]을 드래그하여 선택한 후 바로 가기 메뉴에서 [셀 서식]을 선택한다.

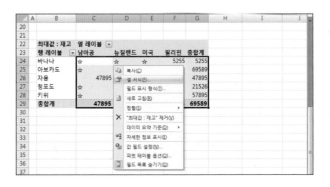

⑩ [셀 서식] 대화상자 → [표시 형식] 범주 '숫자'에서 '1000 단위 구분 기호 사용'을 체크한 후 [확인] 버튼을 누른다.

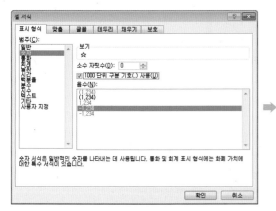

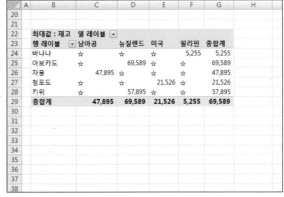

예제_02 풀이

① '예제_02' 시트의 [A3:F11] 영역 중 임의의 셀을 선택한 후 [삽입] 탭 → [표] 그룹 → [피벗 테이블] 명령의 [피벗 차트]를 클릭한다.

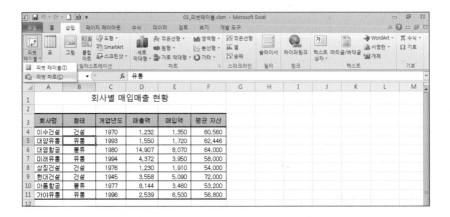

② [피벗 테이블 및 피벗 차트 만들기] 대화상자에서 '표/범위'에 이미 사용할 데이터 영역이 선택 되어 있으므로 피벗 테이블 보고서를 넣을 위치에 '기존 워크시트' 선택하고, 위치에 [A15] 셀을 선택한 후 [확인] 버튼을 누른다.

③ [A15] 셀에 피벗 테이블이 삽입되면, 시트 우측에 [피벗 테이블 필드 목록]이 생성된다. '보고서에 추가할 필드 선택:' 목록 중 '회사명'을 보고서 필터 영역에 끌어다 놓는다.

④ 같은 방법으로 '형태'를 축 필드(항목) 영역에, '매출액'과 '매입액'을 Σ 값 영역에 끌어다 놓는다.

⑤ 만들어진 피벗 차트를 선택한 후 [피벗 차트 도구] → [디자인] 탭 → [위치] 그룹 → [차트 이동] 명령을 클릭한다.

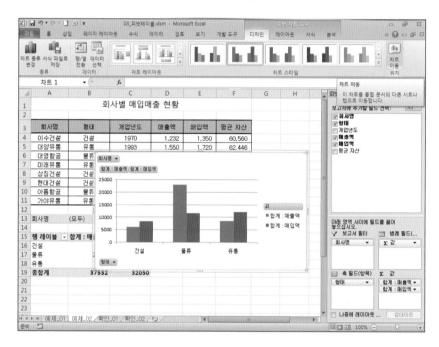

⑥ [차트 이동] 대화상자에서 차트를 넣을 위치에 '새 시트'를 선택하고 [확인] 버튼을 누른다.

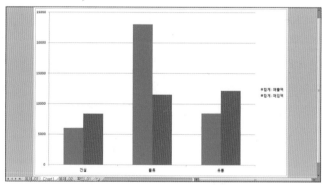

⑦ 시트로 와서 피벗 테이블을 선택한 다음 [피벗 테이블 도구] → [디자인] 탭 → [레이아웃] 그룹 → [보고서 레이아웃] 명령의 [개요 형식으로 표시]를 선택한다.

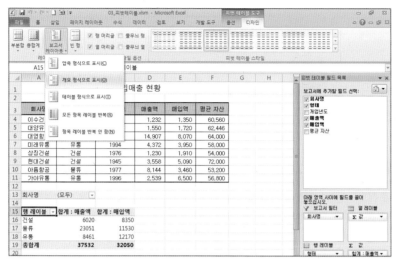

[Part 1_유형분석\Chapter03_분석작업\03_피벗테이블.xlsm]의 시트에서 작업하시오.

확인_01 '확인_01' 시트에서 다음의 지시사항을 처리하시오.

'㈜지니 케이스 주문 현황' 표를 이용하여 제품은 '행 레이블', 원산지는 '열 레이블'로 작성하고, '값'에 주문량의 평균을 표시하는 피벗 테이블을 작성하시오.

- 피벗 테이블 보고서는 기존 시트의 [A30] 셀에 작성하시오.
- '레이블이 있는 셀 병합 및 가운데 맞춤'을 지정, 열의 총 합계만 표시하시오.
- 값에 소수 자릿수 2자리까지 표시하시오.

주문 번호	제품	재고 번호	재고량	원산지	주문량	주문자명
		㈜지니 케이스 주문 현황				
KK10827	노트 케이스	NOTE-1123	7114	독일	909	이재진
KK96114	노트 케이스	NOTE-0501	8118	캐나다	331	페르난도 디아즈
KK40609	휴대폰 케이스	PHONE-0145	7974	멕시코	725	김경미
KK03222	휴대폰 케이스	PHONE-1893	8531	러시아	264	이주열
KK07741	탭 케이스	TAB-0285	7654	대한민국	536	라이오넬 메시
KK15554	탭 케이스	TAB-3538	7200	독일	460	강아리
KK51060	탭 케이스	TAB-2969	6299	캐나다	722	공주영
KK38771	패드 케이스	PAD-1111	9301	대한민국	133	박경우
KK49162	휴대폰 케이스	PHONE-9432	8574	베트남	813	이혜진
KK81977	패드 케이스	PAD-0219	8898	러시아	368	크리스티아누 호날두
KK32338	패드 케이스	PAD-9314	7988	베트남	211	네이마르 다 실바
KK54230	휴대폰 케이스	PHONE-8908	8248	러시아	347	이시안
KK39451	노트 케이스	NOTE-3284	9472	독일	918	가레스 베일
KK32486	노트 케이스	NOTE-4704	9408	캐나다	380	웨인 루니
KK86252	휴대폰 케이스	PHONE-9208	8728	멕시코	213	줄라탄
KK26507	노트 케이스	NOTE-7223	4977	멕시코	350	고지식
KK92840	패드 케이스	PAD-3636	6408	대한민국	370	김회경
KK26420	패드 케이스	PAD-1990	5777	캐나다	325	구재철
KK01567	탭 케이스	TAB-6208	8833	독일	550	피타 아데바요르
KK49751	탭 케이스	TAB-5130	9538	베트남	840	박시진
KK39692	패드 케이스	PAD-1994	9788	러시아	470	세르히오 아구에로
KK72577	휴대폰 케이스	PHONE-1201	4537	캐나다	450	로베르트 레반도
KK95212	탭 케이스	TAB-8324	4695	대한민국	910	데이비드
KK90112	휴대폰 케이스	PHONE-2009	8407	대한민국	653	공지철

	A	B	C	D	E	F	G	H
29								
30	평균 : 주문량	열 레이블 ▾						
31	행 레이블 ▾	대한민국	독일	러시아	멕시코	베트남	캐나다	
32	노트 케이스		913.50		350.00		355.50	
33	탭 케이스	723.00	505.00			840.00	722.00	
34	패드 케이스	251.50		419.00		211.00	325.00	
35	휴대폰 케이스	653.00		305.50	469.00	813.00	450.00	
36	총합계	520.40	709.25	362.25	429.33	621.33	441.60	
37								
38								

확인_02 '확인_02' 시트에서 다음의 지시사항을 처리하시오.

'업종별 현황' 표를 이용하여 업종은 '행 레이블', 설립일은 '열 레이블'로 작성하고, '값'에 사원 수의 합계와 영업수익의 평균을 표시하는 피벗 테이블을 작성하시오.

- 피벗 테이블 보고서는 기존 시트의 [A16] 셀에 작성하시오.

- 빈 셀에 "**"를 표시하고, 열의 총 합계만 표시하시오.

- 열 레이블은 월별로 그룹화를 수행하시오.

- 값에 쉼표 스타일을 적용하시오.

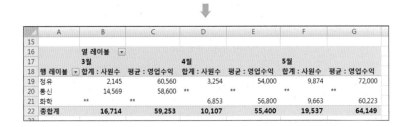

	A	B	C	D	E
1	업종별 현황				
2					
3	회사명	업종	설립일	사원수	영업수익
4	현대오일	정유	1976-03-25	2,145	60,560
5	KS화학	화학	1980-05-15	3,142	62,446
6	다음커뮤니케이션	통신	1988-03-02	7,584	64,000
7	GY화학	화학	1990-05-25	6,521	58,000
8	이수정유	정유	1993-04-01	3,254	54,000
9	S오일	정유	1987-05-23	9,874	72,000
10	삼정통신	통신	1995-03-07	6,985	53,200
11	U화학	화학	1991-04-05	6,853	56,800

↓

	A	B	C	D	E	F	G
15							
16		열 레이블 ▾					
17		3월		4월		5월	
18	행 레이블 ▾	합계 : 사원수	평균 : 영업수익	합계 : 사원수	평균 : 영업수익	합계 : 사원수	평균 : 영업수익
19	정유	2,145	60,560	3,254	54,000	9,874	72,000
20	통신	14,569	58,600	**	**	**	**
21	화학	**	**	6,853	56,800	9,663	60,223
22	총합계	16,714	59,253	10,107	55,400	19,537	64,149

(확인_01 풀이)

① '확인_01' 시트의 [A4:G28] 영역 중 임의의 셀을 선택한 후 [삽입] 탭 →
[표] 그룹 → [피벗 테이블] 명령의 [피벗 테이블]을 선택한다.

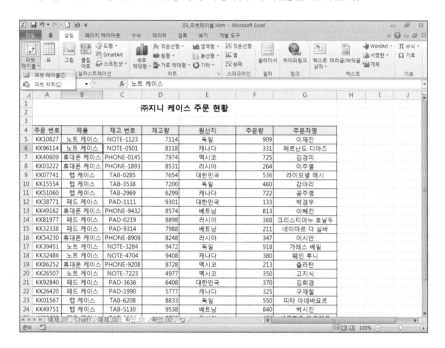

② [피벗 테이블 만들기] 대화상자에서 '표/범위'에 이미 사용할 데이터 영
역이 선택되어 있으므로 피벗 테이블 보고서를 넣을 위치에 '기존 워크시
트'를 선택하고, 위치에 [A30] 선택한 후 [확인] 버튼을 누른다.

③ [A30] 셀에 피벗 테이블이 삽입되면, 시트 우측에 [피벗 테이블 필드 목록]이 생성된다. '보고서에 추가할 필드 선택:' 목록 중 '제품'을 행 레이블 영역에 끌어다 놓는다.

④ 같은 방법으로 '원산지'를 열 레이블 영역에, '주문량'을 Σ 값 영역에 끌어다 놓는다.

⑤ Σ 값의 '합계:주문량'을 클릭하여 '값 필드 설정'을 선택한다.

⑥ [값 필드 설정] 대화상자가 나타나면 값 필드 요약 기준에 '평균'을 선택하고 [확인] 버튼을 누른다.

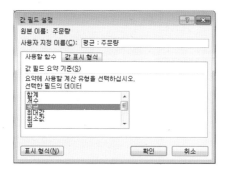

⑦ 피벗 테이블 내에 바로 가기 메뉴에서 [피벗 테이블 옵션]을 선택한다.

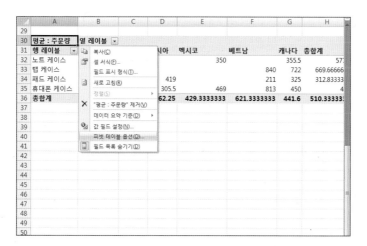

⑧ [피벗 테이블 옵션] 대화상자에서 [레이아웃 및 서식] 탭 → [레이아웃] 항목의 '레이블이 있는 셀 병합 및 가운데 맞춤'에 체크한다.

⑨ [요약 및 필터] 탭을 클릭하고 [총합계] 항목 중 '행 총합계 표시'를 체크 해제한 후 [확인] 버튼을 누른다.

⑩ 피벗 테이블 값 영역[B32:G36]을 드래그하여 선택한 후 바로 가기 메뉴 에서 [셀 서식]을 선택한다.

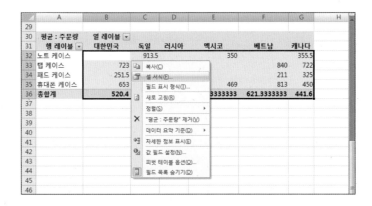

⑪ [셀 서식] 대화상자 → [표시 형식] 범주 '숫자'에서 '소수 자릿수'에 "2" 를 입력한 후 [확인] 버튼을 누른다.

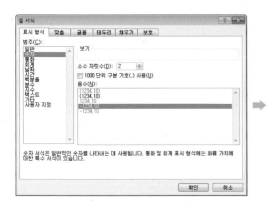

확인_02 풀이

① '확인_02' 시트의 [A3:E11] 영역 중 임의의 셀을 선택한 후 [삽입] 탭 →
[표] 그룹 → [피벗 테이블] 명령을 선택한다.

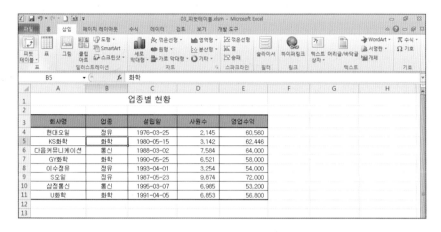

② [피벗 테이블 만들기] 대화상자에서 '표/범위'에 이미 사용할 데이터 영
역이 선택되어 있으므로 피벗 테이블 보고서를 넣을 위치에 '기존 워크시
트'를 선택하고, 위치에 [A16] 셀을 선택한 후 [확인] 버튼을 누른다.

③ [A16] 셀에 피벗 테이블이 삽입되면, 시트 우측
에 [피벗 테이블 필드 목록]이 생성된다. '보고서
에 추가할 필드 선택:' 목록 중 '업종'을 행 레이
블 영역에, '설립일'을 열 레이블 영역에 끌어다
놓는다.

④ '사원수'와 '영업수익'을 Σ 값 영역에 끌어
   다 놓는다.

⑤ Σ 값의 '합계:영업수익'을 클릭하여 '값 필
   드 설정'을 선택한다.

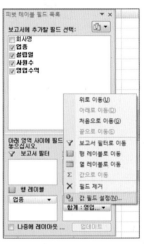

⑥ [값 필드 설정] 대화상자가 나타나면 값 요약 기준에 '평균'을 선택하고
   [확인] 버튼을 누른다.

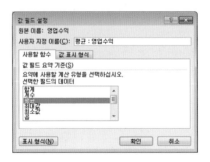

⑦ 피벗 테이블의 열 레이블 값의 바로 가기 메뉴에서 [그룹]을 선택한다.

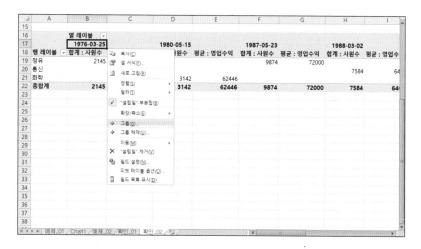

⑧ [그룹화] 대화상자에서 단위를 '월'로 지정한 다음 [확인] 버튼을 누른다.

⑨ 피벗 테이블 내에 바로 가기 메뉴에서 [피벗 테이블 옵션]을 선택한다.

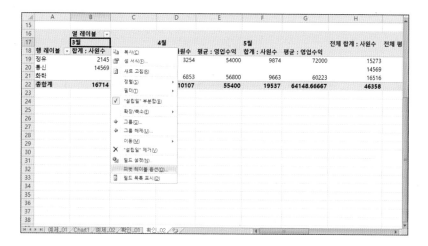

⑩ [피벗 테이블 옵션] 대화상자에서 [레이아웃 및 서식] 탭 → [서식] 항목의
'빈 셀 표시'에 "**"를 입력한다.

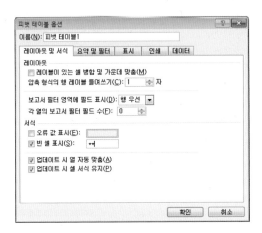

⑪ [요약 및 필터] 탭을 클릭하고 [총합계] 항목 중 '행 총합계 표시'를 체크
해제한 후 [확인] 버튼을 누른다.

⑫ 피벗 테이블 값 영역[B19:G22]을 드래그하여 선택한 후 [홈] 탭 → [표시
형식] 그룹 → [쉼표 스타일] 명령을 클릭한다.

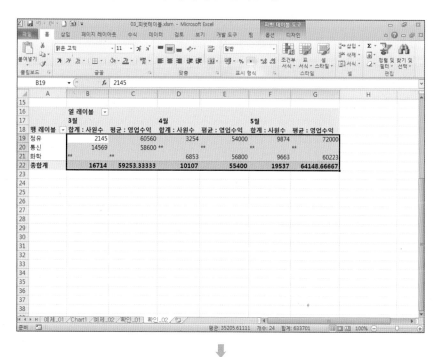

SECTION 04 목표값 찾기

 출제유형 분석

✓ 목표값 찾기는 분석작업에서 종종 출제되는 부분으로 난이도가 낮은 편이다.

✓ 목표값 찾기는 '수식 셀', '찾는 값', '값을 바꿀 셀'의 기능과 원리를 명확히 알아둔다면, 시험 문제를 푸는 것에 있어서 큰 어려움은 겪지 않을 것이다.

■ 목표값 찾기는 값의 식(수식 셀)과 결과(찾는 값)를 알고 있으나, 그 결과 (찾는 값)를 얻기 위해 변경되어야 하는 데이터(값을 바꿀 셀)의 값을 알아 내고자 할때 사용하는 기능이다.

■ **목표값 찾기**:[데이터] 탭 → [데이터 도구] 그룹 → [가상 분석] 명령의 [목표 값 찾기]

[Part 1_유형분석\Chapter03_분석작업\04_목표값찾기.xlsm] 의 '예제_01' 시트에서 작업하시오.

예제_01 '예제_01' 시트에서 다음의 지시사항을 처리하시오.

'신입생 정원'과 '신입생 수'의 각 평균을 구한 것이다. '신입생 수'의 평균[G14]이 80이 되려면, 특허법학과의 신입생 수[G6]가 몇이 되어야 하는지 목표값 찾기 기능을 이용하여 계산하시오.

학과명	학과번호	단대	재학생 수	학과장	신입생 정원	신입생 수
컨벤션경영학과	123-4567	경상대학	220	이준재	50	52
컴퓨터공학과	123-5435	공과대학	497	김경희	120	117
건축학과	123-5454	공과대학	237	김혜란	60	57
특허법학과	123-2324	법과대학	288	신은수	80	56
무역학과	123-4578	경상대학	312	정재온	70	67
디자인학과	123-6676	예술대학	251	문혜인	60	56
영어영문학과	123-8468	문과대학	217	이연구	55	55
경영학과	123-4588	경상대학	587	오해강	160	160
수학과	123-3063	이과대학	243	박귀련	70	69
생명공학과	123-3074	이과대학	378	김혜란	110	103
문예창작학과	123-8435	문과대학	197	고재원	50	49
				평균	80	76

학과명	학과번호	단대	재학생 수	학과장	신입생 정원	신입생 수
컨벤션경영학과	123-4567	경상대학	220	이준재	50	52
컴퓨터공학과	123-5435	공과대학	497	김경희	120	117
건축학과	123-5454	공과대학	237	김혜란	60	57
특허법학과	123-2324	법과대학	288	신은수	80	95
무역학과	123-4578	경상대학	312	정재온	70	67
디자인학과	123-6676	예술대학	251	문혜인	60	56
영어영문학과	123-8468	문과대학	217	이연구	55	55
경영학과	123-4588	경상대학	587	오해강	160	160
수학과	123-3063	이과대학	243	박귀련	70	69
생명공학과	123-3074	이과대학	378	김혜란	110	103
문예창작학과	123-8435	문과대학	197	고재원	50	49
				평균	80	80

예제_01 풀이

① '예제_01' 시트에서 수식이 입력되어 있는 [G14] 셀을 선택한 후 [데이터] 탭
→ [데이터 도구] 그룹 → [가상 분석] 명령의 [목표값 찾기]를 클릭한다.

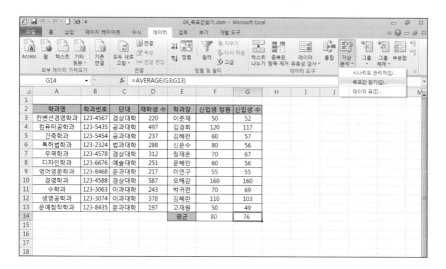

② [목표값 찾기] 대화상자에서 '수식 셀'에 [G14] 셀, '찾는 값'에 "80", '값
을 바꿀 셀'에 특허법학과 신입생 수인 [G6] 셀을 지정한 후 [확인] 버튼
을 누른다.

③ [목표값 찾기 상태] 대화상자에 '목표값'과 '현재값' 결과가 표시되면, 해
당 시트의 데이터 값도 변경되어 있음을 확인하고, [확인] 버튼을 누른다.

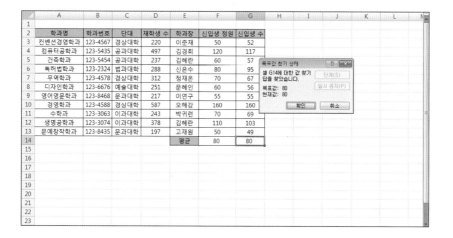

[Part 1_유형분석\Chapter03_분석작업\04_목표값찾기.xlsm] 의 '확인_01' 시트에서 작업하시오.

확인_01   '확인_01' 시트에서 다음의 지시사항을 처리하시오.

각 과일별 '단가'와 '수량'을 이용하여 매출액의 합계를 구한 것이다. '매출액 합계'의 값 [E9]이 15,000,000 이 되려면, 키위의 판매 수량[D4]이 몇이 되어야 하는지 목표값 찾기 기능을 이용하여 계산하시오.

	A	B	C	D	E	F
1						
2		분류	단가	판매수량	매출액	
3		블루베리	55,000	50	2,750,000	
4		키위	43,000	22	946,000	
5		라즈베리	59,000	30	1,770,000	
6		석류	48,500	40	1,940,000	
7		자몽	54,000	23	1,242,000	
8		바나나	34,000	55	1,870,000	
9				매출액 합계	10,518,000	
10						
11						

	A	B	C	D	E	F
1						
2		분류	단가	판매수량	매출액	
3		블루베리	55,000	50	2,750,000	
4		키위	43,000	126	5,428,000	
5		라즈베리	59,000	30	1,770,000	
6		석류	48,500	40	1,940,000	
7		자몽	54,000	23	1,242,000	
8		바나나	34,000	55	1,870,000	
9				매출액 합계	15,000,000	
10						
11						

확인_01 풀이

① '확인_01' 시트에서 수식이 입력되어 있는 [E9] 셀을 선택한 후 [데이터] 탭 → [데이터 도구] 그룹 → [가상 분석] 명령의 [목표값 찾기]를 클릭한다.

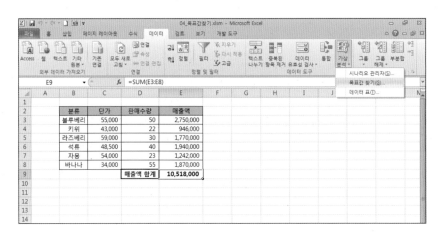

② [목표값 찾기] 대화상자에서 '수식 셀'에 [E9], '찾는 값'에 "15,000,000", '값을 바꿀 셀'에 키위의 수량인 [D4] 셀을 지정한 후 [확인] 버튼을 누른다.

③ [목표값 찾기 상태] 대화상자에 '목표값'과 '현재값' 결과가 표시되면, 해
   당 시트의 데이터 값도 변경되어 있음을 확인하고, [확인] 버튼을 누른다.

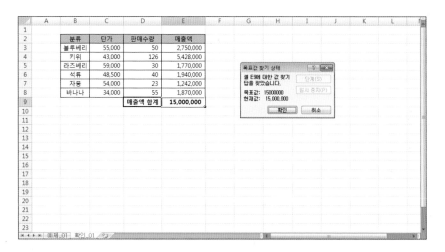

SECTION 05 통합

출제유형 분석

✓ 통합은 여러 곳에 있는 데이터를 특정 기준에 맞춰 하나의 데이터로 통합하는 기능으로 출제 빈도수가 높은 반면, 난이도가 크게 높지 않아 익혀두면 점수 받기 좋은 부분이다.

- 여러 시트나 다른 영역에 분산된 데이터를 원하는 특정 기준과 함수를 이용하여 데이터를 통합 및 요약해 주는 기능이다.
- 여러 개의 데이터를 통째로 합쳐 확인할 수도 있고, 많은 데이터 항목 중 일부 항목만 함수를 적용하여 확인할 수도 있다.
- 한 시트에 통합할 데이터를 원본 데이터와 연결할 것인가 여부를 결정할 수 있으며, 원본 데이터와 연결하면 자동으로 값이 업데이트 된다.
- **데이터 통합**:[데이터] 탭 → [데이터 도구] 그룹 → [통합] 명령

[Part 1_유형분석\Chapter03_분석작업\05_데이터통합.xlsm] 파일에서 작업하시오.

예제_01　'예제_01' 시트에서 다음의 지시사항을 처리하시오.

데이터 통합 기능을 이용하여 '[표1] 강남점 매출'과 '[표2] 둔산점 매출'의 합계를 '강남점/둔산점 매출현황' 표의 [G14:H20] 영역에 계산하시오.

	A	B	C	D	E	F	G	H	I
1		[표1] 강남점 매출				[표2] 둔산점 매출			
2		제품	수량	매출액		제품	수량	매출액	
3		운동화	50	2,750,000		운동화	72	3,960,000	
4		플랫	22	506,000		스니커즈	15	675,000	
5		샌들	30	1,770,000		샌들	42	2,478,000	
6		하이힐	90	5,850,000		단화	30	2,355,000	
7		운동화	38	3,762,000		부츠	45	4,342,500	
8		플랫	32	1,056,000		스니커즈	30	1,665,000	
9		단화	40	3,140,000		하이힐	40	2,920,000	
10		부츠	40	3,860,000					
11		스니커즈	55	3,052,500					
12		하이힐	43	3,139,000		강남점/둔산점 매출현황			
13						제품	수량	매출액	
14						단화			
15						부츠			
16						샌들			
17						스니커즈			
18						운동화			
19						플랫			
20						하이힐			
21									
22									

	A	B	C	D	E	F	G	H	I
1		[표1] 강남점 매출				[표2] 둔산점 매출			
2		제품	수량	매출액		제품	수량	매출액	
3		운동화	50	2,750,000		운동화	72	3,960,000	
4		플랫	22	506,000		스니커즈	15	675,000	
5		샌들	30	1,770,000		샌들	42	2,478,000	
6		하이힐	90	5,850,000		단화	30	2,355,000	
7		운동화	38	3,762,000		부츠	45	4,342,500	
8		플랫	32	1,056,000		스니커즈	30	1,665,000	
9		단화	40	3,140,000		하이힐	40	2,920,000	
10		부츠	40	3,860,000					
11		스니커즈	55	3,052,500					
12		하이힐	43	3,139,000		강남점/둔산점 매출현황			
13						제품	수량	매출액	
14						단화	70	5,495,000	
15						부츠	85	8,202,500	
16						샌들	72	4,248,000	
17						스니커즈	100	5,392,500	
18						운동화	160	10,472,000	
19						플랫	54	1,562,000	
20						하이힐	173	11,909,000	
21									
22									

예제_02 '예제_02' 시트에서 다음의 지시사항을 처리하시오.

데이터 통합 기능을 이용하여 '[표1] 2017 상반기 영업수익'과 '[표2] 2017 하반기 영업수익'의 평균을 '[표3] 2017 영업수익' 표의 [B27:D28] 영역에 계산하시오.

- 'S'로 시작하는 회사와 '화학'으로 끝나는 회사의 영업수익의 평균을 계산할 것

	A	B	C	D	E	F
1						
2		[표1] 2017 상반기 영업수익				
3		회사명	업종	설립일	사원수	영업수익
4		SIN오일	정유	1976-03-25	2,145	60,560
5		KS화학	화학	1980-05-15	3,142	62,446
6		SM 커뮤니케이션	통신	1988-03-02	7,584	64,000
7		GY화학	화학	1990-05-25	6,521	58,000
8		이수정유	정유	1993-04-01	3,254	54,000
9		S오일	정유	1987-05-23	9,874	72,000
10		SK통신	통신	1995-03-07	6,985	53,200
11		U화학	화학	1991-04-05	6,853	56,800
12						
13		[표2] 2017 하반기 영업수익				
14		회사명	업종	설립일	사원수	영업수익
15		SIN오일	정유	1976-03-25	2,130	59,879
16		KS화학	화학	1980-05-15	3,204	66,474
17		SM 커뮤니케이션	통신	1988-03-02	7,214	70,254
18		GY화학	화학	1990-05-25	6,144	51,220
19		이수정유	정유	1993-04-01	3,285	57,840
20		S오일	정유	1987-05-23	8,999	69,878
21		SK통신	통신	1995-03-07	6,747	55,141
22		U화학	화학	1991-04-05	6,811	61,457
23						
24						
25		[표3] 2017 영업수익				
26		회사명	사원수	영업수익		
27						

	A	B	C	D	E	F
1						
2		[표1] 2017 상반기 영업수익				
3		회사명	업종	설립일	사원수	영업수익
4		SIN오일	정유	1976-03-25	2,145	60,560
5		KS화학	화학	1980-05-15	3,142	62,446
6		SM 커뮤니케이션	통신	1988-03-02	7,584	64,000
7		GY화학	화학	1990-05-25	6,521	58,000
8		이수정유	정유	1993-04-01	3,254	54,000
9		S오일	정유	1987-05-23	9,874	72,000
10		SK통신	통신	1995-03-07	6,985	53,200
11		U화학	화학	1991-04-05	6,853	56,800
12						
13		[표2] 2017 하반기 영업수익				
14		회사명	업종	설립일	사원수	영업수익
15		SIN오일	정유	1976-03-25	2,130	59,879
16		KS화학	화학	1980-05-15	3,204	66,474
17		SM 커뮤니케이션	통신	1988-03-02	7,214	70,254
18		GY화학	화학	1990-05-25	6,144	51,220
19		이수정유	정유	1993-04-01	3,285	57,840
20		S오일	정유	1987-05-23	8,999	69,878
21		SK통신	통신	1995-03-07	6,747	55,141
22		U화학	화학	1991-04-05	6,811	61,457
23						
24						
25		[표3] 2017 영업수익				
26		회사명	사원수	영업수익		
27		S*	6,460	63,114		
28		*화학	5,446	59,400		

예제_01 풀이

H I N T

결과 영역 지정
영역을 지정할 때 병합된 셀은
영역으로 지정하지 않는다.

① '예제_01'시트에서 [F13:H20] 영역을 드래그하여 선택한 후 [데이터] 탭 →
[네이터 도구] 그룹 → [통합] 명령을 클릭한다.

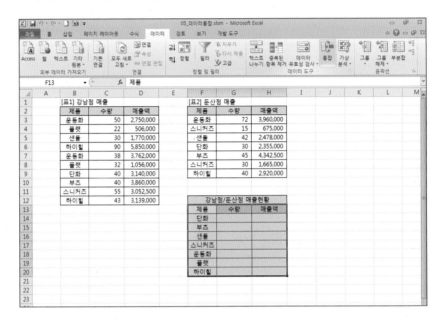

② [통합] 대화상자의 '함수'에 합계를 선택한다.

③ '참조'에 [B2:D12] 영역을 드래그하여 선택한 후 [추가] 버튼을 눌러 '모
든 참조 영역'에 해당 영역이 입력되는 것을 확인한다.

④ [F2:H9] 영역을 드래그하여 선택한 후 [추가] 버튼을 누른다.

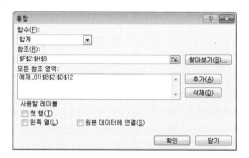

⑤ '사용할 레이블' 항목에서 '첫 행'과 '왼쪽 열'을 모두 체크하고, [확인] 버튼을 누른다.

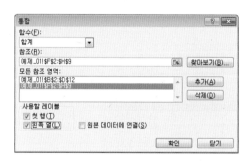

HINT

사용할 레이블

사용할 레이블이란 표의 필드명과 항목을 말한다. '첫행'과 '왼쪽 열'에 체크를 하지 않으면 기존의 필드명과 항목이 모두 지워지므로 반드시 체크해야 한다.

⑥ 주어진 영역[G14:H20]에서 데이터 통합의 결과를 확인할 수 있다.

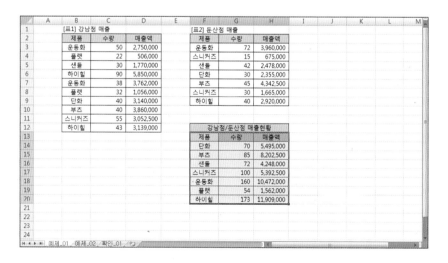

(예제_02 풀이)

① '예제_02'시트에서 [B27:B28] 영역에 그림과 같이 회사명을 입력한다.

② [B26:D28] 영역을 드래그하여 선택한 후 [데이터] 탭 → [데이터 도구] 그룹 → [통합] 명령을 클릭한다.

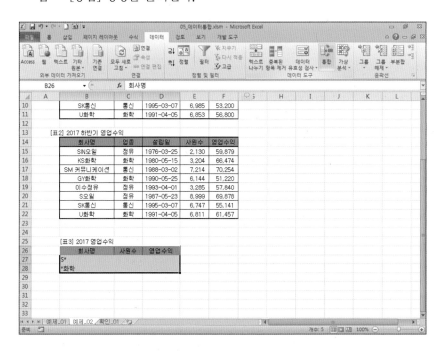

③ [통합] 대화상자의 '함수'에 평균을 선택한 후 참조에 [B3:F11] 영역을 드래그하여 선택한다.

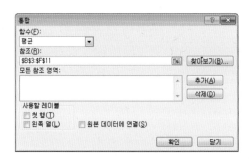

④ '참조'의 지정된 영역을 [추가] 버튼을 눌러 '모든 참조 영역'에 추가한다.

⑤ [B14:F22] 영역을 드래그하여 선택한 후 [추가] 버튼을 누른다.

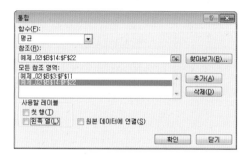

⑥ '사용할 레이블' 항목에서 '첫 행'과 '왼쪽 열'을 모두 체크하고, [확인] 버튼을 누른다.

⑦ 주어진 영역[B26:D28]에서 데이터 통합의 결과를 확인할 수 있다.

	A	B	C	D
24				
25		[표3] 2017 영업수익		
26		회사명	사원수	영업수익
27		S*	6,460	63,114
28		*화학	5,446	59,400

[Part 1_유형분석\Chapter03_분석작업\05_데이터통합.xlsm] 의 '확인_01' 시트에서 작업하시오.

확인_01   '확인_01'시트에서 다음의 지시사항을 처리하시오.

데이터 통합 기능을 이용하여 '[표1] 부산꽃박물관 방문현황'과 '[표2] 대전꽃박물관 방문현황'에 대하여 성별에 대한 방문자수의 평균을 구하여 '성별 평균 방문자수' 표의 [K4:K5] 영역에 계산하시오.

(확인_01 풀이)

① '확인_01' 시트에서 [J3:K5] 영역을 드래그하여 선택한 후 [데이터] 탭 → [데이터 도구] 그룹 → [통합] 명령을 선택한다.

② [통합] 대화상자의 '함수'에 평균을 선택한다.

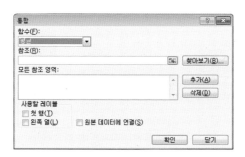

③ '참조'에 [C4:D16] 영역을 드래그하여 선택한 후 [추가] 버튼을 눌러 '모든 참조 영역'에 추가한다.

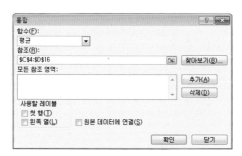

데이터 통합 영역 지정
데이터 통합에서는 통합할 첫 번째 열은 반드시 참조 첫 열과 같은 필드명이어야 한다. 필드명이 다를 경우 통합이 제대로 되지 않고, 다른 결과가 나온다.

④ [G4:H20] 영역을 드래그하여 선택한 후 [추가] 버튼을 누른다.

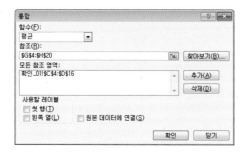

⑤ '사용할 레이블' 항목에서 '첫 행'과 '왼쪽 열'을 모두 체크하고, [확인] 버튼을 누른다.

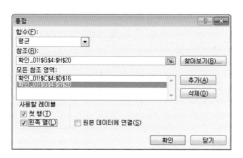

⑥ 주어진 영역[K4:K5]에서 데이터 통합의 결과를 확인할 수 있다.

지역	성별	방문자수		지역	성별	방문자수		성별	방문자수
								남	7534.286
								여	10341.43
경상북도	남	5800		경기도	남	5800			
	여	7020			여	7020			
경상남도	남	8430		강원도	남	8430			
	여	8770			여	8770			
전라북도	남	6500		충청남도	남	6500			
	여	9780			여	9780			
전라남도	남	7650		충청북도	남	7650			
	여	10500			여	10500			
제주도	남	4580		전라남도	남	4580			
	여	8320			여	8320			
기타	남	9890		경상북도	남	9890			
	여	14000			여	14000			
				제주도	남	9890			
					여	14000			
				기타	남	9890			
					여	14000			

[표1] 부산꽃박물관 방문현황   [표2] 대전꽃박물관 방문현황   성별 평균 방문자수

출제유형 분석

✓ 데이터 표는 분석작업 중 출제 빈도수가 높지 않다. 부분합이나 피벗 테이블 등과 비교할 때 자주 나오지는 않지만, 확실히 알아두면 시험 대비에도 좋고 유용하게 쓰일 수 있는 기능이다.

✓ 행과 열을 모두 입력해야 하는 경우도 있고, 행이나 열 중 한 가지만 입력하는 경우도 있다. '행 입력 셀'과 '열 입력 셀'에 들어갈 데이터의 기준을 명확히 알아두어야 한다.

■ '데이터 표' 기능이란, 특정 항목의 값이 변화됨에 따라 변경된 결과의 값을 계산하여 표로 나타내는 기능을 말한다.

■ 수식을 행과 열이 처음 교차되는 셀에 입력하고, 예상할 값(수치)을 표의 행과 열의 필드명 부분에 입력한 후 데이터 표 기능을 이용하여 한 번의 계산으로 결과 값을 미리 확인할 수 있다.

■ 데이터 표 기능 : [데이터] 탭 → [데이터 도구] 그룹 → [가상 분석] 명령의 [데이터 표]

[Part 1_유형분석\Chapter03_분석작업\06_데이터표.xlsm] 의 '예제_01' 시트에서 작업하시오.

예제_01 '예제_01' 시트에서 다음의 지시사항을 처리하시오.

행과 열을 곱한 값을 나타낸 것이다. 데이터 표 기능을 이용하여 '행'의 값과 '열'의 값의 변화에 따른 결과 값을 [C8:K16] 영역에 계산하시오.

	A	B	C	D	E	F	G	H	I	J	K	L
1												
2		행	2									
3		열	1									
4		행*열	2									
5												
6			행									
7		2	1	2	3	4	5	6	7	8	9	
8	열	1	1	2	3	4	5	6	7	8	9	
9		2	2	4	6	8	10	12	14	16	18	
10		3	3	6	9	12	15	18	21	24	27	
11		4	4	8	12	16	20	24	28	32	36	
12		5	5	10	15	20	25	30	35	40	45	
13		6	6	12	18	24	30	36	42	48	54	
14		7	7	14	21	28	35	42	49	56	63	
15		8	8	16	24	32	40	48	56	64	72	
16		9	9	18	27	36	45	54	63	72	81	
17												
18												

(예제_01 풀이)

HINT

수식 복사
[C4] 셀을 선택하여 수식을 복사한 다음 [B7] 셀에 붙여 넣어도 된다.

① '예제_01' 시트에서 [B7] 셀을 클릭하여 바로 "="를 입력한 후 [C4] 셀을 선택 하고 Enter 를 누른다.

	A	B	C	D	E	F	G	H	I	J	K	L	M	N
1														
2		행	2											
3		열	1											
4		행*열	2											
5														
6			행											
7		=C4	1	2	3	4	5	6	7	8	9			
8	열	1												
9		2												
10		3												
11		4												
12		5												
13		6												
14		7												
15		8												
16		9												
17														

② [B7:K16] 영역을 드래그하여 선택한 후 [데이터] 탭 → [데이터 도구] 그 룹 → [가상 분석] 명령의 [데이터 표]를 클릭한다.

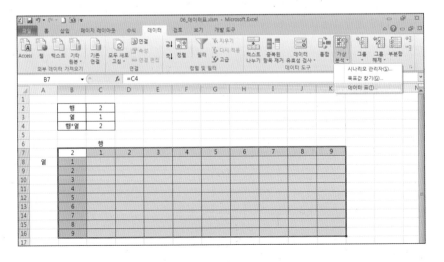

③ [데이터 표] 대화상자에서 '행 입력 셀'에 실제 행의 값이 표시되어 있는
   [C2] 셀을 선택한다.

④ 그 아래에 있는 '열 입력 셀'에 실제 열의 값이 표시되어 있는 [C3] 셀을
   선택한 후 [확인] 버튼을 누른다.

	A	B	C	D	E	F	G	H	I	J	K	L	M
1													
2		행	2										
3		열	1										
4		행*열	2										
5													
6			행										
7		2	1	2	3	4	5	6	7	8	9		
8	열	1	1	2	3	4	5	6	7	8	9		
9		2	2	4	6	8	10	12	14	16	18		
10		3	3	6	9	12	15	18	21	24	27		
11		4	4	8	12	16	20	24	28	32	36		
12		5	5	10	15	20	25	30	35	40	45		
13		6	6	12	18	24	30	36	42	48	54		
14		7	7	14	21	28	35	42	49	56	63		
15		8	8	16	24	32	40	48	56	64	72		
16		9	9	18	27	36	45	54	63	72	81		

[Part 1_유형분석\Chapter03_분석작업\06_데이터표.xlsm] 의 '확인_01' 시트에서 작업하시오.

확인_01 '확인_01' 시트에서 다음의 지시사항을 처리하시오.

키와 성별에 따라 표준체중 값을 계산한 값이다. 데이터 표 기능을 이용하여 키와 성별에 따른 표준 체중 결과를 [C7:K8] 영역에 계산하시오.

	A	B	C	D	E	F	G	H	I	J	K
1											
2		키	성별	표준체중							
3		177	남	68.9238							
4											
5						표준 체중 결과					
6			150	155	160	165	170	175	180	185	190
7		남									
8		여									
9											

⬇

	A	B	C	D	E	F	G	H	I	J	K
1											
2		키	성별	표준체중							
3		177	남	68.9238							
4											
5						표준 체중 결과					
6		68.9238	150	155	160	165	170	175	180	185	190
7		남	49.5	52.855	56.32	59.895	63.58	67.375	71.28	75.295	79.42
8		여	47.25	50.4525	53.76	57.1725	60.69	64.3125	68.04	71.8725	75.81

HINT

수식 복사

[B6] 셀을 선택한 후, "="를 입력한 다음 [D3] 셀을 선택해도 수식이 복사된다.

확인_01 풀이

① '확인_01' 시트에서 [D3] 셀을 선택한 후 수식 입력줄(fx)에 표시된 수식을 드래그하여 **Ctrl** + **C** 를 눌러 복사하고, **ESC** 를 눌러 편집 상태를 해제한다.

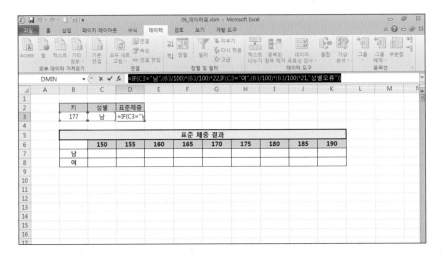

② 데이터 표 기능을 이용할 주어진 표 내에 행과 열이 처음 교차하는 [B6] 셀을 선택한 후 **Ctrl** + **V** 를 눌러 복사한 수식을 붙여 넣는다.

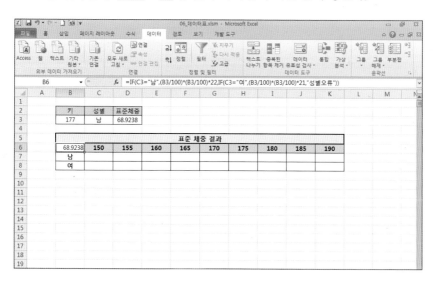

③ [B6:K8] 영역을 드래그하여 선택한 후 [데이터] 탭 → [데이터 도구] 그룹 → [가상 분석] 명령의 [데이터 표]를 클릭한다.

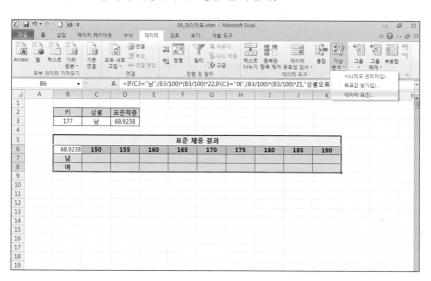

④ [데이터 표] 대화상자에서 '행 입력 셀'에 실제 키의 값이 표시되어 있는 [B3] 셀을 선택한다.

⑤ 그 아래에 있는 '열 입력 셀'에 실제 성별이 표시되어 있는 [C3] 셀을 선택
   한 후 [확인] 버튼을 누른다.

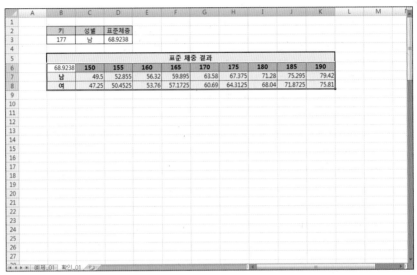

CHAPTER 4

기타작업

Section 01　매크로

Section 02　차트

 출제경향

기타작업에서는 매크로를 기록하는 문제와 차트 삽입 및 수정 문제가 출제된다.
배점은 각 10점에 해당된다.

출제유형 분석

✓ 매크로란 반복 실행하는 작업을 기록해 두었다가 필요할 때 클릭 한 번으로 해당 작업을 바로 적용하는 기능이다.

✓ 매크로를 이용하여 글꼴, 음영, 테두리 등의 서식이나 간단한 수식을 입력하여 계산하는 문제 등이 출제된다.

✓ 매크로는 100% 출제되는 문제로 매크로를 만들 때는 문제 풀이 순서를 잘 기억하고 그 순서 대로 하는 것을 원칙으로 한다.

TIP

[개발 도구] 탭 생성하는 방법

① [파일] 탭을 클릭하고 [옵션]을 클릭한다.

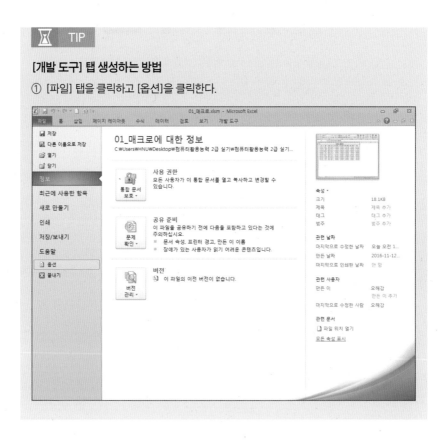

② [Excel 옵션] 대화상자의 범주에서 [리본 사용자 지정]을 선택하고, '개발 도구' 항목에
체크한 후 [확인] 버튼을 누른다.

매크로

매크로는 기록을 한 이후에
반드시 실행하는 것을 원칙
으로 한다. 실행을 해서 정상
적으로 작동을 하는지 확인
해야 한다.

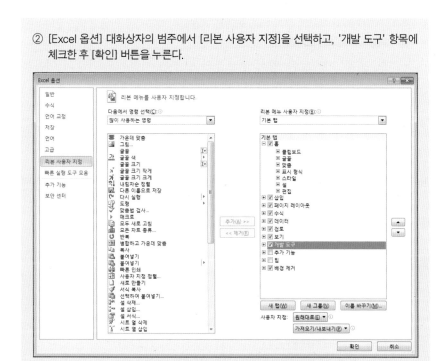

확인_01   [Part 1_유형분석₩Chapter04_기타작업₩01_매크로.xlsm]의 '예제_01'
시트에서 작업하시오.

	A	B	C	D	E	F	G	H	I	J	K	L
1		현재연도 매출현황										
2		코드	제품	구분	지역	1분기 매출	2분기 매출	3분기 매출	4분기 매출	총계		
3		SR-001	원피스	여성	서울	5,179,000	4,179,000	1,100,190	7,779,000	18,237,190		제목서식
4		SR-002	스키복	성인	대전	1,570,080	1,470,080	5,001,790	1,576,500	9,618,450		
5		SR-003	수영복	유아	대전	1,200,840	1,200,840	1,570,080	1,200,840	5,172,600		
6		SR-004	블라우스	여성	세종	5,160,040	4,160,040	1,200,840	5,160,040	15,680,960		매출총계
7		SR-005	셔츠	여성	부산	901,020	901,020	5,179,000	901,020	7,882,060		
8		SR-006	티셔츠	여성	대구	1,100,190	1,570,080	1,570,080	1,100,190	5,340,540		
9		SR-012	원피스	여성	인천	5,001,790	1,200,840	1,200,840	5,001,790	12,405,260		
10		SR-013	스키복	유아	천안	1,570,080	5,160,040	1,570,080	1,570,080	9,870,280		
11		SR-027	수영복	유아	분당	1,200,840	1,200,840	1,200,840	1,200,840	4,803,360		
12		SR-010	기디건	여성	분당	1,360,900	1,360,900	1,360,900	1,360,900	5,443,600		

1. [현재연도 매출현황] 표의 [B2:J2] 영역에 '채우기 색'을 '연한 파랑'으로 지정하는 매
크로를 생성하시오. 매크로의 이름은 "제목서식"으로 지정하시오.

- '제목서식' 매크로를 양식 컨트롤의 단추에 지정하고 단추의 이름을
"제목서식"으로 입력한 후 실행되도록 [L3:L4] 영역에 생성하시오.

도형 크기

도형을 그릴 때, 셀의 영역에
완벽히 일치하게 그릴 수 있
도록 Alt를 누른 상태에서 도
형을 그린다.

2. 총계[J3:J12]에서 제품별 분기 매출 합계를 계산하는 매크로를 만들고 매크로의 이름을 "매출총계"로 지정하시오.

 - '매출총계' 매크로를 양식 컨트롤의 단추에 지정하고 단추의 이름을 "매출총계"로 입력한 후, [L6:L7] 영역에 생성하시오.

   ※ 선택된 셀의 위치에 관계없이 현재 통합 문서에서 매크로가 실행되어야 정답으로 인정.

예제_01 풀이

1. [현재연도 매출현황] 표의 [B2:J2] 영역에 '채우기 색'을 '연한 파랑'으로 지정하는 매크로를 생성하시오. 매크로의 이름은 "제목서식"으로 지정하시오.

① [개발 도구] 탭 → [컨트롤] 그룹 → [삽입] 명령의 [단추(■)]를 클릭한다.

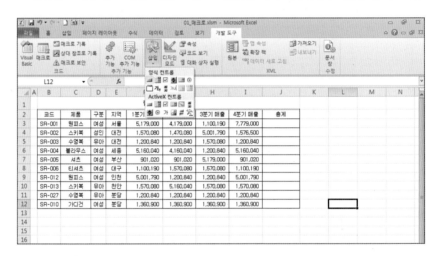

② Alt 를 누르고 [L3:L4] 영역에 드래그하여 컨트롤을 삽입한 후 [매크로 지정] 대화상자에서 '매크로 이름'을 "제목서식"으로 입력하고 [기록] 버튼을 누른다.

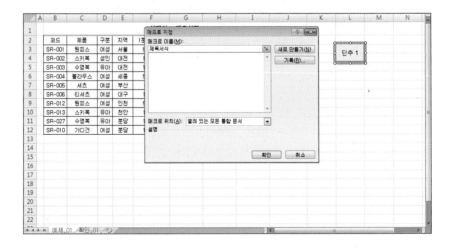

③ [매크로 기록] 대화상자에서 매크로 이름이 '제목서식'으로 표시되면 [확인] 버튼을 누른다.

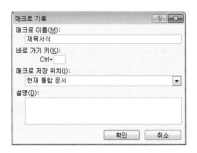

④ [B2:J2] 영역을 드래그하여 블록을 지정하고 [홈] 탭 → [글꼴] 그룹에서 [채우기 색] 명령의 목록 단추를 클릭하여 [표준 색]에서 '연한 파랑'을 선택한다.

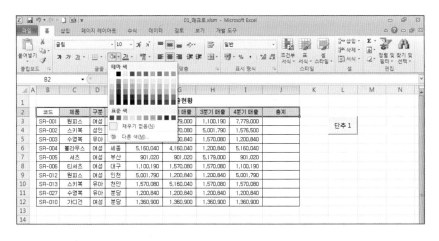

⑤ 표의 바깥 부분을 클릭하여 블록 지정을 해제하고 [개발 도구] 탭 → [코드] 그룹 → [기록 중지] 명령을 클릭하여 매크로 기록을 종료한다.

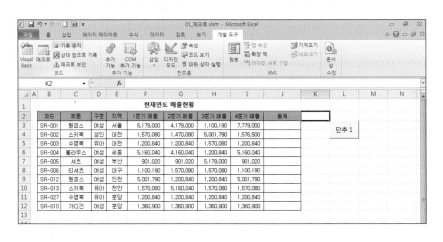

HINT

블록 해제

선택된 셀의 위치에 상관없이 매크로가 실행되어야 정답으로 인정하기 때문에 매크로 기록을 종료하기 전에 반드시 블록을 해제한다.

⑥ 삽입된 단추의 바로 가기 메뉴에서 [텍스트 편집]을 선택한다.

⑦ "제목서식"을 입력한 후 임의의 셀을 클릭하여 컨트롤의 선택 상태를 해제한다.

2. 총계[J3:J12]에서 제품별 분기 매출 합계를 계산하는 매크로를 만들고 매크로의 이름을 "매출총계"로 지정하시오.

① [개발 도구] 탭 → [컨트롤] 그룹에서 [삽입] 명령을 클릭하고 [단추(▬)]를 클릭한다.

② **Alt** 를 누르고 [L6:L7] 영역에 드래그하여 컨트롤을 삽입한 후 [매크로 지정] 대화상자에서 '매크로 이름'에 "매출총계"를 입력하고 [기록] 버튼을 누른다.

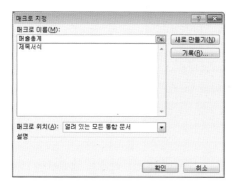

③ [매크로 기록] 대화상자에서 매크로 이름이 '매출총계'로 표시되면 [확인] 버튼을 누른다.

④ 총계를 구하기 위해 [J3] 셀을 클릭하여 "=SUM(F3:I3)"을 입력한 후 **Enter** 를 누른다.

⑤ [J3] 셀에서 채우기 핸들을 드래그하여 [J12] 셀까지 수식을 복사한다.

⑥ 표의 바깥 부분을 클릭하여 블록 지정을 해제하고 [개발 도구] 탭 → [코드] 그룹의 [기록 중지] 명령을 클릭하여 매크로 기록을 종료한다.

⑦ 단추의 바로 가기 메뉴에서 [텍스트 편집]을 선택한다. "매출총계"를 입력한 후 임의의 셀을 클릭하여 컨트롤의 선택 상태를 해제한다.

확인_01 [Part 1_유형분석\Chapter04_기타작업\01_매크로.xlsm]의 '확인_01' 시트에서 작업하시오.

1. '부서별 목표' 표에서 다음과 같이 매크로를 현재 통합 문서에 작성하고 실행하시오.

사원번호	사원명	부서명	지역	상기목표	상기실적	순위
SR-026	남주혁	충무부	제주	₩ 34,000	94000	1위
SR-027	최지운	충무부	부산	₩ 74,000	90000	2위
SR-010	김도운	홍보부	서울	₩ 30,000	85000	3위
SR-032	문재환	재무부	서울	₩ 48,000	82000	4위
SR-033	박찬영	재무부	천안	₩ 10,000	69000	5위
SR-028	이제훈	생산부	수원	₩ 73,000	50000	6위
SR-031	김수현	재무부	천안	₩ 84,000	31000	7위
SR-009	전지연	마케팅부	부산	₩ 71,000	21000	8위
SR-008	강소라	마케팅부	부산	₩ 40,000	15000	9위

표 제목: 부서별 목표

도형: 순위 (다이아몬드), 회계표시 (타원)

① [B4:H13] 영역을 순위[H5:H13]를 기준으로 하여 오름차순 정렬하는 매크로를 만들고, 매크로의 이름을 "순위정렬"로 지정하시오.

　▪ '순위정렬' 매크로를 [기본 도형]의 '다이아몬드(◇)'로 지정한 후 텍스트를 "순위"로 입력하고, 동일한 시트의 [J4:K6] 영역에 생성하시오.

② [F5:G13] 영역에 '회계' 표시 형식을 적용하는 매크로를 생성하고, 매크로의 이름을 "회계표시"로 지정하시오.

　▪ '회계표시' 매크로를 [기본 도형]의 '타원(○)'으로 지정한 후 텍스트를 "회계표시"로 입력하고 동일한 시트의 [J8:K10] 영역에 생성하시오.

　　※ 선택된 셀의 위치에 관계없이 현재 통합 문서에서 매크로가 실행되어야 정답으로 인정.

확인_01 풀이

1. [B4:H13] 영역을 순위[H5:H13]를 기준으로 하여 오름차순 정렬하는 매크로를 만들고, 매크로의 이름을 "순위"로 지정하시오.

① [삽입] 탭 → [일러스트레이션] 그룹 → [도형] 명령을 클릭하고 [기본 도형]의 '다이아몬드(◇)'를 선택한다. **Alt** 를 누른 상태에서 [J4:K6] 영역에 드래그하여 삽입한다.

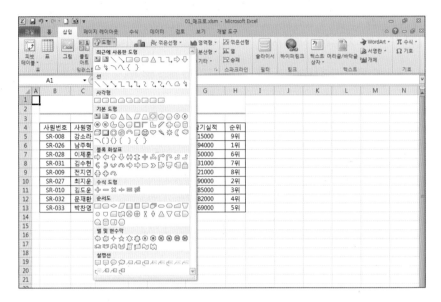

② 도형의 바로 가기 메뉴에서 [매크로 지정]을 선택한다.

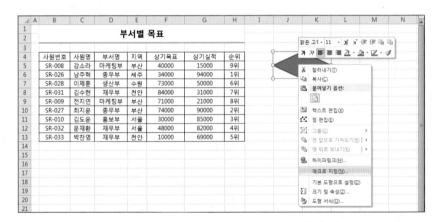

③ [매크로 지정] 대화상자에서 '매크로 이름'에 "순위정렬"을 입력하고 [기록] 버튼을 누른다. 이어서 나타나는 [매크로 기록] 대화상자에서 [확인] 버튼을 누른다.

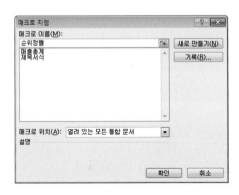

④ [B4:H13] 영역을 드래그하여 블록을 지정하고 [데이터] 탭 → [정렬 및 필터] 그룹 → [정렬] 명령을 클릭한다. [정렬] 대화상자에서 '정렬 기준'을 '순위'로, '정렬'을 '오름차순'으로 지정하고 [확인] 버튼을 누른다.

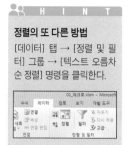

⑤ 표의 바깥 부분을 클릭하여 블록 지정을 해제하고 [개발 도구] 탭 → [코드] 그룹의 [기록 중지] 명령을 클릭하여 매크로 기록을 종료한다.

⑥ 삽입된 '다이아몬드(◇)'도형의 바로 가기 메뉴에서 [텍스트 편집]을 선택한다. "순위"를 입력한 후 임의의 셀을 클릭하여 도형의 선택 상태를 해제한다.

2. [F5:G13] 영역에 '회계' 표시 형식을 적용하는 매크로를 생성하고, 매크로의 이름을 "회계표시"로 지정하시오.

① [삽입] 탭 → [일러스트레이션] 그룹 → [도형] 명령을 클릭하고 [기본 도형]의 '타원(○)'을 선택한다. **Alt** 를 누르고 [J8:K10] 영역에 드래그하여 삽입한다.

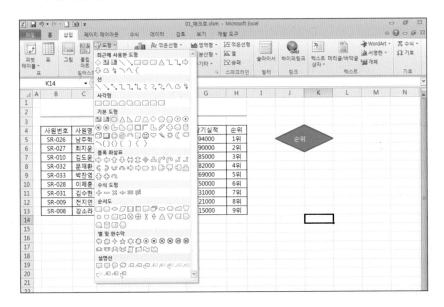

② 도형의 바로 가기 메뉴에서 [매크로 지정]을 선택한다.

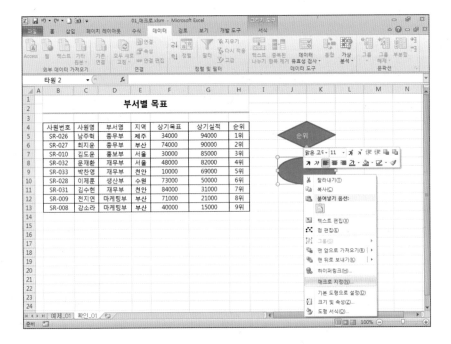

③ [매크로 지정] 대화상자에서 '매크로 이름'에 "회계표시"를 입력하고 [기록] 버튼을 누른다. 이어서 나타나는 [매크로 기록] 대화상자에서 [확인] 버튼을 누른다.

④ [F5:G13] 영역을 드래그하여 블록을 지정한 후 [홈] 탭 → [표시 형식] 그룹의 목록 단추를 클릭하여 '회계'를 선택한다.

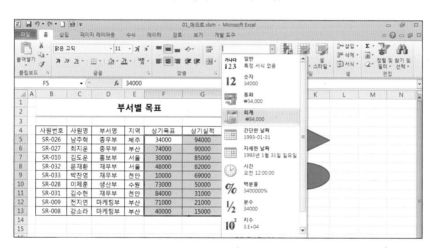

⑤ 표의 바깥 부분을 클릭하여 블록 지정을 해제하고 [개발 도구] 탭 → [코드] 그룹의 [기록 중지] 명령을 클릭하여 매크로 기록을 종료한다.

⑥ 삽입된 '타원(○)'도형의 바로 가기 메뉴에서 [텍스트 편집]을 선택한다. "회계표시"를 입력한 후 임의의 셀을 클릭하여 도형의 선택 상태를 해제한다.

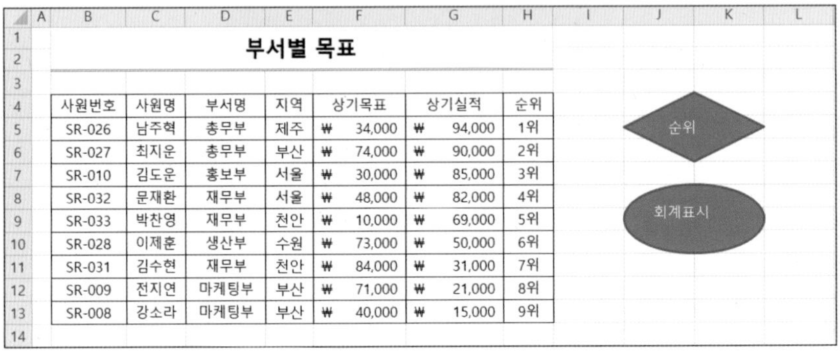

	부서별 목표						
사원번호	사원명	부서명	지역	상기목표	상기실적	순위
SR-026	남주혁	총무부	제주	₩ 34,000	₩ 94,000	1위
SR-027	최지운	총무부	부산	₩ 74,000	₩ 90,000	2위
SR-010	김도운	홍보부	서울	₩ 30,000	₩ 85,000	3위
SR-032	문재환	재무부	서울	₩ 48,000	₩ 82,000	4위
SR-033	박찬영	재무부	천안	₩ 10,000	₩ 69,000	5위
SR-028	이제훈	생산부	수원	₩ 73,000	₩ 50,000	6위
SR-031	김수현	재무부	천안	₩ 84,000	₩ 31,000	7위
SR-009	전지연	마케팅부	부산	₩ 71,000	₩ 21,000	8위
SR-008	강소라	마케팅부	부산	₩ 40,000	₩ 15,000	9위

순위

회계표시

💻 출제유형 분석

✓ 차트는 대량의 데이터를 그래픽 형식으로 표시한 것이다. 데이터의 변화를 비교하기 편리하고 효과적으로 데이터를 분석할 수 있도록 도와준다.

✓ 시트에 작성된 데이터를 이용하여 차트를 작성하고 서식이나 디자인을 변경하는 문제가 출제된다.

✓ 차트 문제는 차트를 만들고 수정하는 문제나, 만들어진 차트를 수정하는 문제가 출제되고 있는데, 이미 만들어진 차트에 대해서는 응시자가 임의로 삭제할 경우 0점 처리가 되니 이 점을 특히 유의하여야 한다.

예제_01 [Part 1_유형분석\Chapter04_기타작업\02_차트.xlsm]의 '예제_01' 시트에서 작업하시오.

'프로그램 신청 현황' 표를 이용하여 다음의 조건에 따라 차트를 작성하시오.

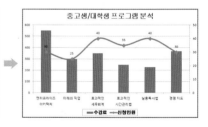

코드	프로그램명	수강대상	날짜	신청인원	수강료	교육시수
SR-01	엔터프라이즈 아키텍처	대학생	2016-03-27	30	550000	7
SR-02	미래의 직업	대학생	2016-10-27	25	300000	8
SR-03	효과적인 세무회계	중고생	2016-02-22	40	350000	8
SR-04	효과적인 시간관리법	중고생	2016-03-20	35	250000	6
SR-05	실용독서법	대학생	2016-05-07	40	230000	8
SR-06	경영 지도	대학생	2016-09-13	30	370000	7

① 차트에 '프로그램명'별로 '수강료'와 '신청인원'이 표시되도록 데이터 영역을 지정하시오.

② 차트의 종류는 '묶은 세로 막대형'으로 삽입하고, '신청인원' 계열을 표식이 있는 꺾은선형으로 변경한 후 보조축으로 지정하시오.

③ 차트의 제목은 "중고생/대학생 프로그램 분석"으로 입력하고 서식(글꼴:굴림, 20pt, 굵게)을 적용하시오.

④ 동일한 시트의 [B12:H30] 영역에 위치시키시오.

⑤ 기본 세로(값) 축의 숫자에 천 단위 구분기호를 적용하고, 보조 세로(값) 축의 최대값은 50, 주 단위는 10으로 지정하시오.

⑥ 범례를 아래쪽에 표시하고, 테두리 스타일(실선), 서식(글꼴:HY견고딕, 13pt, 굵게)을 지정하시오.

⑦ '신청인원' 계열에 데이터 레이블을 '위쪽'에 표시하시오.

⑧ '신청인원' 계열의 선 색(파랑), 선 너비(4pt)로 설정하고 완만하게 지정하시오

⑨ 차트 영역에 테두리를 적용하고 그림자 스타일(오프셋 오른쪽)을 지정하시오.

⑩ 수강료 계열을 사용자 지정 서식을 이용하여 천의 배수로 표시하시오. (표시 예: 200,000 → 200)

(예제_01 풀이)

1. 차트에 '프로그램명'별로 '수강료'와 '신청인원'이 표시되도록 데이터 영역을 지정하시오.

① 먼저 차트를 만들 데이터 영역인 프로그램명[C3:C9] 영역을 드래그하고, Ctrl 을 누른 채 신청인원[F3:F9], 수강료[G3:G9] 영역을 블록 지정한다.

차트 영역 설정
차트를 만들 때, 원본 데이터에서 영역을 지정한다. 이때, 반드시 두 번째 영역을 지정할 때부터 Ctrl 을 누르고 영역을 지정한다. 첫 번째 영역을 지정할 때 Ctrl 을 누를 경우, 차트가 정상적인 모양으로 만들어지지 않는다.

	A	B	C	D	E	F	G	H
1				프로그램 신청 현황				
2								
3		코드	프로그램명	수강대상	날짜	신청인원	수강료	교육시수
4		SR-01	엔터프라이즈 아키텍처	대학생	2016-03-27	30	550000	7
5		SR-02	미래의 직업	대학생	2016-10-27	25	300000	8
6		SR-03	효과적인 세무회계	중고생	2016-02-22	40	350000	8
7		SR-04	효과적인 시간관리법	중고생	2016-03-20	35	250000	6
8		SR-05	실용독서법	대학생	2016-05-07	40	230000	8
9		SR-06	경영 지도	대학생	2016-09-13	30	370000	7
10								

2. 차트의 종류는 '묶은 세로 막대형'으로 삽입하고, '신청인원' 계열을 표식이 있는 꺾은선형으로 변경한 후 보조축으로 지정하시오.

① 차트를 삽입하기 위해 [삽입] 탭 → [차트] 그룹 → [세로 막대형] 명령의 [묶은 세로 막대형] 차트를 클릭한다.

[C3:C9], [F3:F9], [G3:G9] 영역을 선택한 후 Alt + F1 를 누르면 묶은 세로 막대형 차트가 현재 시트에 삽입할 수 있다.
(F11 키를 누르면 새로운 시트에 차트를 삽입할 수 있다.)

② '신청인원' 계열의 차트 종류를 '표식이 있는 꺾은선형'으로 변경하기 위해 [차트 도구] → [서식] 탭 → [현재 선택 영역] 그룹에서 목록 단추를 클릭하여 계열 '신청인원'을 선택한다.

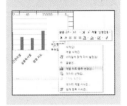
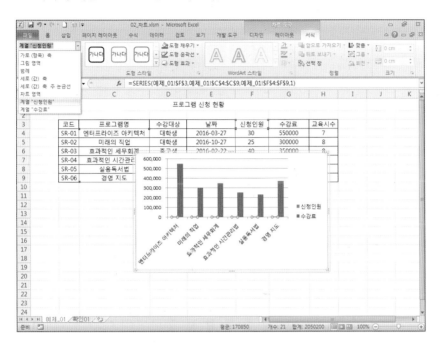

③ [차트 도구] → [디자인] 탭 → [종류] 그룹의 [차트 종류 변경] 명령을 클릭하고 '표식이 있는 꺾은선형'을 선택한 후 [확인] 버튼을 누른다.

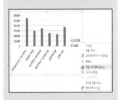

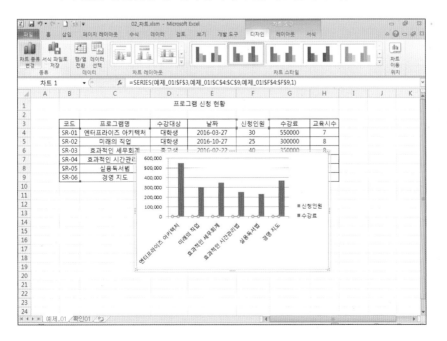

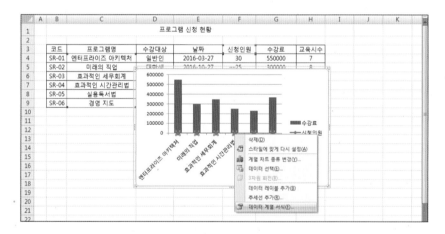

④ 꺾은선형 차트로 변경한 '신청인원' 계열을 보조축으로 지정하기 위해 꺾은선형 차트의 바로 가기 메뉴에서 [데이터 계열 서식]을 선택한다.

⑤ [데이터 계열 서식] 대화상자의 [계열 옵션]에서 '보조 축'을 선택한 후 [닫기] 버튼을 누른다.

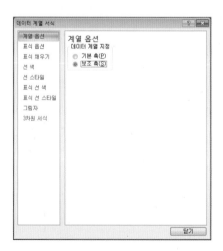

3. 차트의 제목은 "중고생/대학생 프로그램 분석"으로 입력하고 서식(글꼴: 굴림, 20pt, 굵게)을 적용하시오.

① 차트 제목을 표시하기 위해 [차트 도구] → [레이아웃] 탭 → [레이블] 그룹에서 [차트 제목] 명령을 클릭하고 [차트 위]를 선택한다.

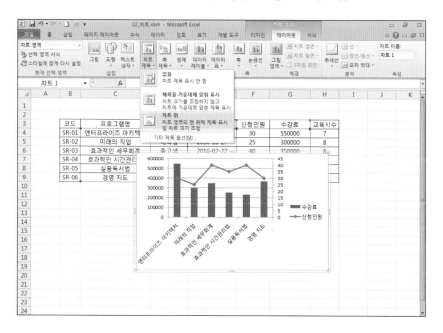

② 차트 제목을 선택한 후 수식 입력줄에 "중고생/대학생 프로그램 분석"을 입력하고 Enter 를 누른다.

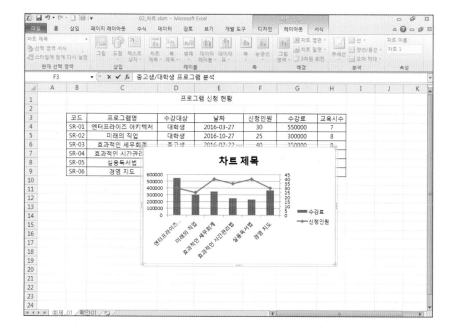

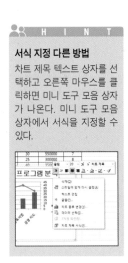

③ 차트 제목 텍스트 상자를 선택한 후, 서식(글꼴 : 굴림, 20pt, 굵게)을 적용한다.

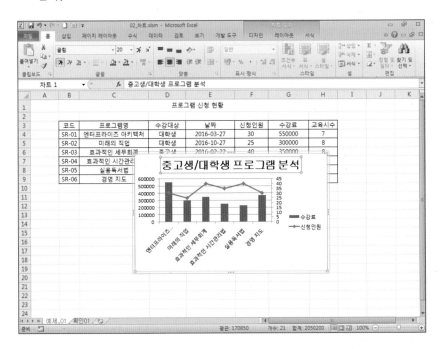

4. 동일한 시트의 [B12:H30] 영역에 위치시키시오.

① 차트의 테두리를 선택하고, 드래그하여 이동한다. 이 때 **Alt** 를 누르고 차트의 왼쪽 위의 모서리가 [B12] 셀에 놓이도록 이동한 후 차트의 오른쪽 아래 모서리의 조절점을 드래그하여 [H30] 셀에 위치하도록 크기를 조절한다.

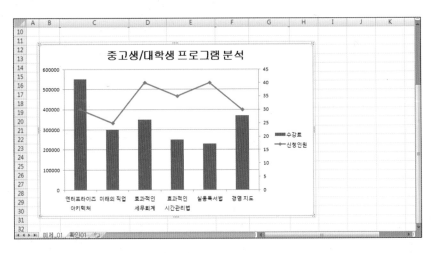

5. 기본 세로(값) 축의 숫자에 천 단위 구분기호를 적용하고, 보조 세로(값) 축의 최대값
은 50, 주 단위는 10으로 지정하시오.

① 세로(값) 축의 바로 가기 메뉴에서 [축 서식]을 선택한다.

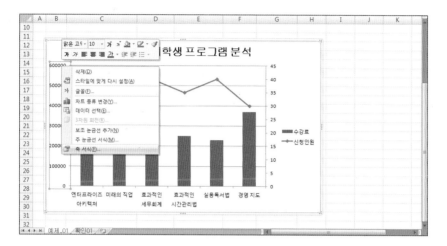

② [축 서식] 대화상자의 [표시 형식]에서 범주를 '숫자'로 선택하고 '1000
단위 구분 기호 사용'에 체크한 후 [닫기] 버튼을 누른다.

③ 보조 세로(값) 축의 바로 가기 메뉴에서 [축 서식]을 선택한다. [축 옵션]
탭에서 최대값의 '고정'에 체크하고 입력란에 "50"을 입력한다. 주 단위
의 '고정'에 체크하고 입력란에 "10"을 입력한 후 [닫기] 버튼을 누른다.

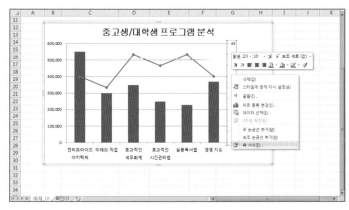

6. 범례를 아래쪽에 표시하고, 테두리 스타일(실선), 서식(글꼴:HY견고딕, 13pt, 굵게)를 지정하시오.

① 범례를 아래쪽에 표시하기 위해 범례의 바로 가기 메뉴에서 [범례 서식]을 선택한다.

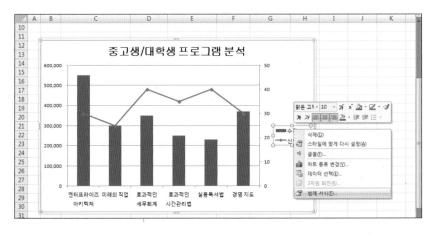

② [범례 서식] 대화상자의 [범례 옵션]에서 '범례 위치' 항목 '아래쪽'을 선택한다.

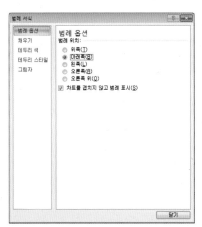

③ 테두리 스타일을 적용하기 위해 [테두리 색]을 클릭하고 '실선'을 선택한
후 [닫기] 버튼을 누른다.

④ 범례의 서식을 변경하기 위해 범례의 바로 가기 메뉴에서 [미니 도구 모
음]의 서식(글꼴:HY견고딕, 13pt, 굵게)을 변경한다.

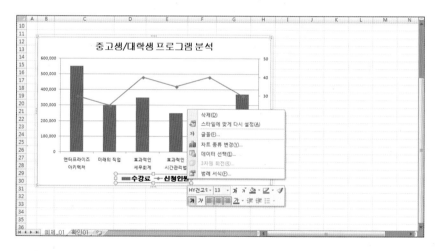

레이블 추가

[레이아웃] 탭 → [레이블] 그룹 → [데이터 레이블] 명령의 [위쪽]을 선택하면 레이블이 문제에 맞게 위쪽에 추가된다. 레이블 추가와 위치 지정을 한번에 할 수 있다.

차트 종류에 따라 데이터 레이블 위치 지정이 다르므로 차트 종류가 두 가지 이상일 경우 정확한 계열 차트 선택이 중요하다.

7. '신청인원' 계열에 데이터 레이블을 '위쪽'에 표시하시오.

① 데이터 레이블을 표시하기 위해 '신청인원' 꺾은선형 차트의 바로 가기 메뉴 중 [데이터 레이블 추가]를 선택하면 계열값이 표시된다.

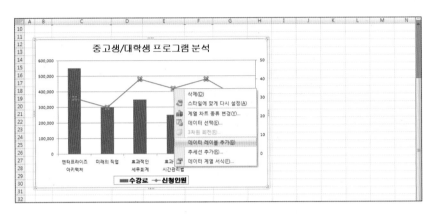

② 레이블의 위치를 변경하기 위해 [레이아웃] 탭 → [레이블] 그룹 → [데이터 레이블] 명령을 클릭하고 [위쪽]을 클릭한다.

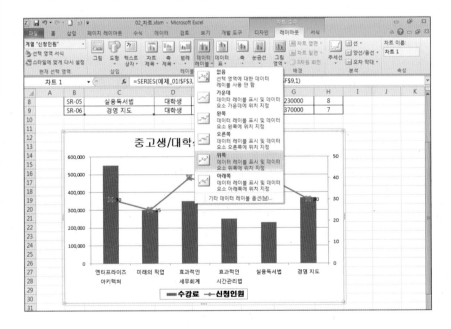

8. '신청인원' 계열의 선 색(파랑), 선 너비(4pt)로 설정하고 완만하게 지정하시오.

① '신청인원' 꺾은선형 차트의 바로 가기 메뉴에서 [데이터 계열 서식]을 선택한다.

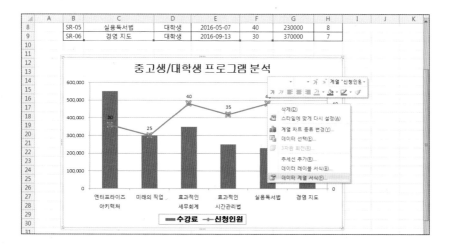

② [데이터 계열 서식] 대화상자의 [선 색]에서 '실선'에 체크한다. '색'을 '파
   랑'으로 지정한다.

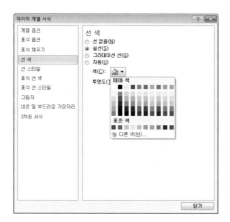

③ [선 스타일]에서 '너비'에 "4"를 입력한다. '완만한 선'에 체크한 후 [닫기]
   버튼을 누른다.

9. 차트 영역에 테두리를 적용하고 그림자 스타일(오프셋 오른쪽)을 지정하시오.

① 차트 영역을 선택하고 바로 가기 메뉴에서 [차트 영역 서식]을 선택한다.

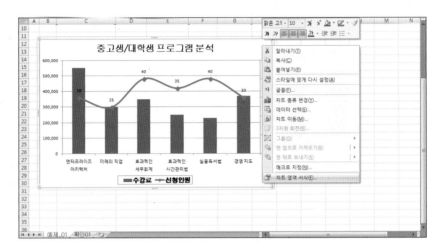

② [차트 영역 서식] 대화상자의 [테두리 색]에서 '실선'을 선택하고, [그림자]를 클릭하여 '미리 설정' 항목의 목록 버튼을 누르고 '오프셋 오른쪽' 그림자 스타일을 선택한다.

10. 수강료 계열을 사용자 지정 서식을 이용하여 천의 배수로 표시하시오. (표시 예: 200,000 → 200)

① 세로(값) 축의 바로 가기 메뉴에서 [축 서식]을 선택한다.

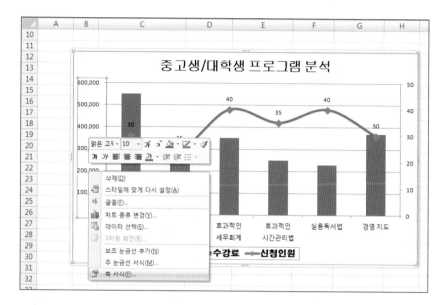

② [축 서식] 대화상자의 [표시 형식] 탭에서 '사용자 지정'을 선택하고 '서식 코드'에 "0,"을 입력한 후 [추가] 버튼을 눌러 형식에 추가한다. 그런 다음 [닫기] 버튼을 누른다.

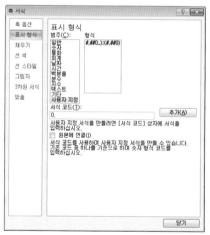
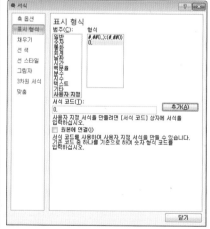

확인_01 [Part 1_유형분석\Chapter04_기타작업\02_차트.xlsm]의 '확인_01' 시트에서 작업하시오.

'데이터 문서관리 점수'에서 다음 조건에 따라 아래 그림과 같이 편집하시오.

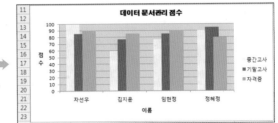

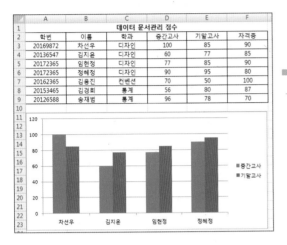

① 디자인 학과의 '자격증' 점수가 차트에 추가되도록 데이터 영역을 편집하시오.

② 차트 제목에 [A1] 셀을 연결하여 표시하고, 축 제목을 차트와 같이 작성하시오.

③ 차트 제목에 서식(글꼴:HY견고딕, 굵게, 12pt)을 적용하시오.

④ 세로(값) 축의 최대값을 100, 주 단위를 10으로 지정하시오.

⑤ 그림 영역에 채우기 색(바다색, 강조 5, 60% 더 밝게)을 적용하시오.

⑥ '중간고사'의 데이터 계열 서식 옵션에서 계열 겹치기 40%, 간격 너비를 100%로 지정하시오.

⑦ '중간고사'의 데이터 계열에 '양피지'를 채우시오.

(확인_01 풀이)

1. 디자인 학과의 자격증 점수가 차트에 추가되도록 데이터 영역을 편집하시오.

① '데이터 문서관리 점수' 표에서 디자인 학과의 자격증[F2:F6] 영역을 블록으로 지정하고 **Ctrl** + **C** 를 눌러 복사한다. 차트 영역을 클릭한 후 **Ctrl** + **V** 를 눌러 붙여넣기하면 차트에 자격증 계열이 추가된다.

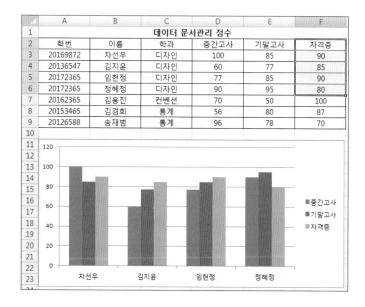

	A	B	C	D	E	F
1			데이터 문서관리 점수			
2	학번	이름	학과	중간고사	기말고사	자격증
3	20169872	차선우	디자인	100	85	90
4	20136547	김지윤	디자인	60	77	85
5	20172365	임현정	디자인	77	85	90
6	20172365	정혜정	디자인	90	95	80
7	20162365	김용진	컨벤션	70	50	100
8	20153465	김경회	통계	56	80	87
9	20126588	송재범	통계	96	78	70

2. 차트 제목에 [A1] 셀을 연결하여 표시하고, 축 제목을 아래의 그림과 같이 작성하시오.

① 차트 제목을 표시하기 위해 [레이아웃] 탭 → [레이블] 그룹 → [차트 제목] 명령의 [차트 위]를 클릭한다. 차트 제목이 삽입되면 수식 입력줄(fx)을 클릭한 후 "="를 입력하고, [A1] 셀을 클릭한 다음 Enter 를 누른다.

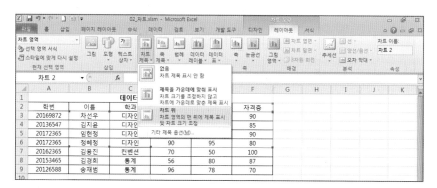

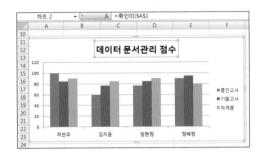

② 축 제목을 표시하기 위해 [레이아웃] 탭 → [레이블] 그룹에서 [축 제목]
명령을 클릭하고 [기본 가로 축 제목]을 [축 아래 제목]으로 선택한 후 수
식 입력줄(fx)에 "이름"을 입력하고 **Enter** 를 누른다.

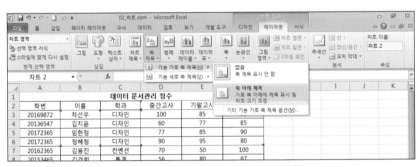

③ 같은 방법으로 [기본 세로 축 제목]의 [세로 제목]을 선택한 후 "점수"를
입력한다.

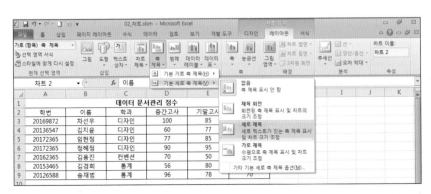

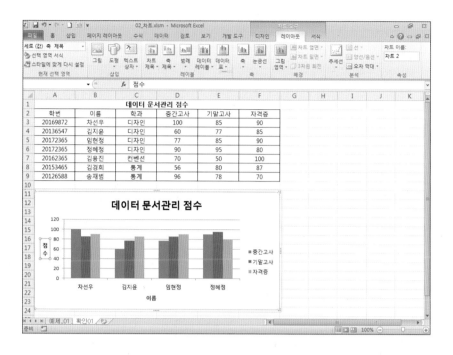

3. 차트 제목에 서식(글꼴:HY견고딕, 굵게, 12pt)을 적용하시오.

① 차트 제목을 드래그하여 블록을 지정한 후 [홈] 탭 → [글꼴] 그룹에서 서식(글꼴:HY견고딕, 굵게, 12pt)을 적용한다.

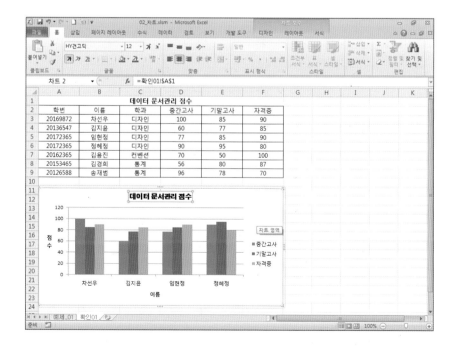

4. 세로(값) 축의 최대값을 100, 주 단위를 10으로 지정하시오.

① 세로(값) 축의 바로 가기 메뉴에서 [축 서식]을 선택한다. [축 서식] 대화
상자의 [축 옵션]에서 최대값을 '고정'에 체크한 후 입력란에 "100"을 입
력하고, 주 단위를 '고정'에 체크한 후 입력란에 "10"을 입력한다. [닫기]
버튼을 누른다.

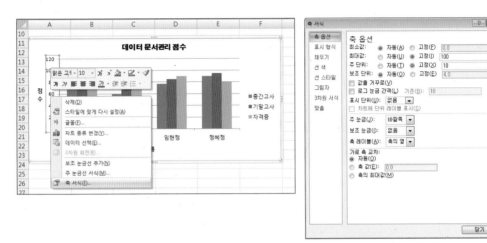

5. 그림 영역에 채우기 색(바다색, 강조 5, 60% 더 밝게)을 적용하시오.

① 그림 영역을 선택하고 [차트 도구] → [서식] 탭 → [도형 스타일] 그룹의 [도
형 채우기] 명령을 클릭하여 '바다색, 강조 5, 60% 더 밝게'를 선택한다.

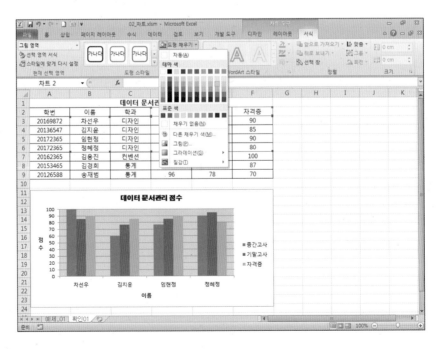

6. '중간고사'의 데이터 계열 서식 옵션에서 계열 겹치기 40%, 간격 너비를 100%로 지정하시오.

① '중간고사' 막대의 바로 가기 메뉴에서 [데이터 계열 서식]을 선택한다.

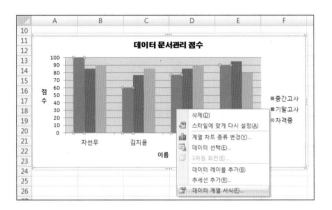

② [데이터 계열 서식] 대화상자의 '계열 옵션'에서 [계열 겹치기]를 40%, '간격 너비'를 100%로 지정하고 [닫기] 버튼을 누른다.

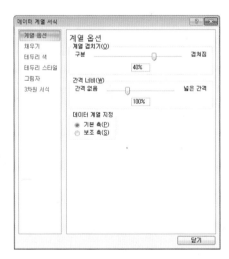

7. '중간고사'의 데이터 계열에 '양피지'를 채우시오.

① '중간고사' 계열을 선택하고 [차트 도구] → [서식] 탭 → [도형 스타일] 그룹 → [도형 채우기] 명령의 [질감]에서 '양피지'를 선택한다.

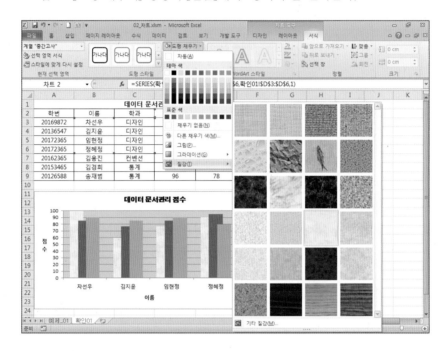

컴퓨터활용능력 실기 2급

실전 모의고사

실전 모의고사 1회

국 가 기 술 자 격 검 정

프로그램명	제한시간	수험번호 :
EXCEL	40분	성 명 :

2급	A형

─〈유 의 사 항〉─

- 인적 사항 누락 및 잘못 작성으로 인한 불이익은 수험자 책임으로 합니다.
- 화면에 암호 입력창이 나타나면 아래의 암호를 입력해야 합니다.
  - ○ 암호 : 56$275
- 작성된 답안은 주어진 경로 및 파일명을 변경하지 마시고 그대로 저장해야 합니다.
  이를 준수하지 않으면 실격처리 됩니다.
  - ○ 답안 파일명 예 : C:₩OA₩수험번호 8자리.xlsm (확장자 유의)
- 외부 데이터 위치 : C₩OA₩파일명
- 별도의 지시사항이 없는 경우, 다음과 같이 처리하면 실격 처리됩니다.
  - ○ 제시된 시트 및 개체의 순서나 이름을 임의로 변경한 경우
  - ○ 제시된 시트 및 개체를 임의로 추가 또는 삭제한 경우
- 답안은 반드시 문제에서 지시 또는 요구한 셀에 입력하여야 하며, 수험자가 임의로
  셀의 위치를 변경하여 입력한 경우에는 채점 대상에서 제외됩니다.
  - ※ 아울러 지시하지 않은 셀의 이동, 수정, 삭제, 변경 등으로 인해 셀의 위치 및 내용
    이 변경된 경우에도 관련 문제 모두 채점 대상에서 제외됩니다.
- 별도의 지시사항이 없는 경우, 주어진 각 시트 및 개체의 설정값 또는 기본 설정값
  (Default)으로 처리하십시오.
- 저장 시간은 별도로 주어지지 아니하므로 제한된 시간 내에 저장을 완료해야 합니다.
- 본 문제의 용어는 Microsoft Office Excel 2010 기준으로 작성되어 있습니다.

대한상공회의소

문제 1 기본작업(20점) 주어진 시트에서 다음 과정을 수행하고 저장하시오.

8. '기본작업-1' 시트에서 다음의 자료를 주어진 대로 입력하시오.

	A	B	C	D	E	F	G
1	카페 에르모소 판매 제품 목록						
2							
3	제품코드	제품분류	제품명	판매단가	최대주문가능량	주문방법	배송가능여부
4	COF-01	커피	아메리카노	4000	제한없음	직접방문	불가
5	COF-02	커피	카페라떼	4500	제한없음	직접/전화	불가
6	COF-03	커피	캬라멜마끼아또	5000	제한없음	직접/전화	불가
7	COF-04	커피	카푸치노	4500	제한없음	직접방문	불가
8	RCK-01	롤케이크	딸기롤	7800	두 상자	앱주문가능	가능
9	RCK-02	롤케이크	녹차롤	7800	두 상자	앱주문가능	가능
10	JCK-01	조각케이크	초코무스	5500	한 상자	직접/앱	가능
11	JCK-02	조각케이크	치즈	5000	한 상자	직접/앱	가능
12	URS-01	음료	아이스초코	6000	제한없음	직접방문	불가
13	URS-02	음료	녹차라떼	5500	제한없음	직접방문	불가
14	PRZ-01	프레즐	크림치즈프레즐	4000	한 상자	직접/앱	가능
15	PRZ-02	프레즐	견과류프레즐	4000	세 상자	직접/앱	가능

9. '기본작업-2' 시트에서 다음의 지시사항을 처리하시오.

① [A1:F1] 영역은 '병합하고 가운데 맞춤', 글꼴 '맑은 고딕', 크기 '15', 글꼴 스타일 '굵게'로 지정하시오.

② [A4:F4] 영역은 글꼴 색 '표준 색-노랑', 채우기 색 '표준 색-파랑', '가운데 맞춤'으로 지정하시오.

③ [C5:C13] 영역의 셀을 "제품종류"로 이름을 정의하시오.

④ [A5:A13] 영역 데이터의 숫자와 문자 사이에 "-"를 넣으시오.

⑤ [A5:E13] '가로 가운데 맞춤'으로 지정하시오.

⑥ [F5:F13] 영역의 셀 서식은 '통화', 기호 '₩'으로 지정하시오.
(표시 예: 1111 → ₩1,111)

⑦ 제목 '㈜열 종합문구 판매제품' 앞뒤에 한 칸씩 띄우고 특수문자 "◆"를 삽입하시오.

⑧ 제목 '㈜열 종합문구 판매제품'의 '종합'을 한자 "綜合"으로 바꾸시오.

⑨ [F6] 셀에 "재고량 없음."이라는 메모를 삽입하고, 항상 표시되도록 하시오.

⑩ [D5:D13] 영역의 셀 서식은 사용자 지정 서식을 이용하여 업체명 뒤에 "물산"을 표시하시오. (표시 예: 이상 → 이상물산)

⑪ [A4:F13] 영역에 스타일 '모든 테두리', 선 스타일 '표준 색-파랑'으로 적용하여 표시하시오.

⑫ [F2] 셀에 사용자 지정 서식을 이용하여 년, 월, 일을 표시하시오.
(표시 예: 2016-12-11 → 16_12_11)

10. '기본작업-3' 시트에서 다음 지시사항을 처리하시오.

　[표1]에서 [D3:E15]의 영역에 있는 데이터의 값이 90 이상인 셀에 대해 배경색 '빨강'으로 지정하는 조건부 서식을 작성하시오.

　　▪ 단, 다음을 포함하는 셀만 서식 지정 규칙으로 설정하시오.

문제 2　계산작업(40점) '계산작업' 시트에서 다음 과정을 수행하고 저장하시오.

1. [표1]에서 총점[D3:D9]에 대한 순위를 이용하여 학점[E3:E9]을 표시하시오.

　▪ 총점의 등수가 1이면 "A", 2이면 "B", 3이면 "C", 나머지는 공란으로 표시

　▪ 등수는 총점이 높은 사람이 1등임

　▪ CHOOSE, RANK 함수 사용

2. [표2]에서 제품명[H3:H11]이 에센스인 총적립금[J3:J11]의 합계[K3]를 표시하시오.

　▪ SUMIF, COUNTIFS 중 알맞은 함수 사용

3. [표3]에서 결과[D15:D22]를 이용하여 합격자수[D23]를 구하시오.

　▪ 결과값 뒤에 "명"을 포함하여 표시하시오.(표시 예: 3명)

　▪ AVERAGEIF, COUNTIF, COUNT 중 알맞은 함수와 & 연산자 사용

4. [표4]에서 부서[I16:I23]가 기획부인 직원[J16:J23] 중 봉급의 최대값을 찾아 직원명을 [K16] 셀에 표시하시오.

　▪ VLOOKUP, DMAX 함수 사용

　▪ 조건 범위는 제시된 데이터를 사용할 것

5. [표5]에서 제품[A27:A33], 판매점[B27:B33], 추가옵션[C27:C33]을 이용하여 제품코드[D27:D33]를 표시하시오.

　▪ 제품코드는 제품, 추가옵션으로 표시하고, 판매점의 마지막에서 두 개의 숫자를 "-"으로 연결하여 대문자로 표시

　▪ 표시 예: 제품(tv), 추가옵션(v), 판매점(aa001) → TV-V-01

　▪ UPPER, RIGHT 함수와 & 연산자 사용

문제 3 분석작업(20점) 주어진 시트에서 다음 과정을 수행하고 저장하시오.

1. '분석작업-1' 시트에 대하여 다음의 지시사항을 저리하시오.

   'Miri-화장품 제품별 판매 현황 목록' 표에서 분류별 '매입가'와 '판매가'의 평균, '수량'과 '판매량'의 합계를 계산하는 부분합을 작성하시오.

   - 정렬의 첫째 기준은 분류별 오름차순, 둘째 기준은 상품코드별 오름차순으로 정렬하시오.
   - 평균과 합계 필드는 각각 하나의 행에 표시하시오.
   - 평균과 합계는 표시되는 순서에 상관없이 처리하시오.

2. '분석작업-2' 시트에 대하여 다음의 지시사항을 처리하시오.

   '하반기 육아 지원비 지급 내역' 표를 이용하여 '사원명'은 보고서 필터, '직위'는 행 레이블, '소속부서'는 열 레이블로 표시하고, 값에 '지원비'의 합계를 표시하는 피벗 테이블을 작성하시오.

   - 피벗 테이블 보고서는 동일 시트의 [I4] 셀에 위치시키시오.
   - 보고서 레이아웃은 '개요 형식'으로 지정하시오.
   - 완성한 피벗 테이블 보고서에 '피벗 스타일 밝게 15'를 적용하시오.

3. '분석작업-3' 시트의 [표1], [표2], [표3]에 대한 데이터 통합 기능을 이용해 분류별로 분기의 평균을 '부서별 구입내역(평균)' 표의 [I20:L24] 영역에 계산하시오.

문제 4 기타작업(20점) 주어진 시트에서 다음 과정을 수행하고 저장하시오.

1. [표1]의 '의류 판매현황'에서 다음과 같은 기능을 수행하는 매크로를 현재 통합 문서에 작성하고 실행하시오.

   ① [E3:E11] 영역에 단가와 수량을 곱하여 계산하는 '매출' 매크로를 생성하시오.

   - [양식 컨트롤]의 단추를 동일한 시트의 [G2:G3] 영역에 생성한 후 텍스트를 "매출"로 입력하고, 단추를 클릭하면 '매출' 매크로가 실행되도록 설정

② [A2:E2] 영역에 채우기 색을 '표준 색-주황'으로 지정하는 '셀서식' 매크로를 생성하시오.

- [양식 컨트롤]의 단추를 동일한 시트의 [G6:G7] 영역에 생성한 후 텍스트를 "셀서식"으로 입력하고, 단추를 클릭하면 '셀서식' 매크로가 실행되도록 설정

※ 셀 포인터의 위치에 상관없이 현재 통합 문서에서 매크로가 실행되어야 정답으로 인정됨

2. [표2]의 '최신 호봉표'를 이용하여 다음 조건에 따라 아래 그림과 같이 차트를 작성하시오.

① 직원명별로 '호봉', '봉급'이 차트에 표시되도록 데이터 범위를 지정하시오.

② 차트 종류는 아래 차트와 같이 작성하고, 차트 위치를 새로운 시트로 생성한 후 생성된 차트의 이름은 "Chart"로 설정하시오.

③ '호봉' 계열의 차트 종류를 '표식이 있는 꺾은선형'으로 변경하고, 보조 축으로 지정하시오.

④ 차트 제목은 아래 차트를 참조하여 글꼴 'HY견고딕', 글꼴 스타일 '보통', 글꼴 크기 '15'로 입력하시오.

⑤ 세로(값) 축 제목과 보조 세로(값) 축 제목을 아래 차트와 같이 표시하고, 범례를 '아래쪽'에 표시하시오.

⑥ '호봉' 계열의 데이터 계열 서식을 선 색 '표준 색-진한 파랑', 선 스타일을 '3pt', 완만하게 표시되도록 설정하시오.

⑦ 차트 영역의 테두리를 그림자 '오프셋 오른쪽'으로 지정하시오.

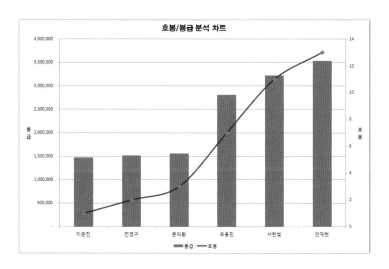

실전 모의고사 1회 정답 및 해설

문제 1 기본작업

2. 셀 서식

③ 이름 정의

1) [C5:C13] 영역을 드래그하여 블록 지정한 후 [이름
상자]를 클릭하여 "제품종류"를 입력하고 Enter 를
누른다.

⑥ 셀 서식

1) [F5:F13] 영역을 드래그하여 블록 지정한 후 바로
가기 메뉴에서 [셀 서식]을 선택한다. (바로 가기
키 : Ctrl + 1)
2) [셀 서식] → [표시 형식] 탭 → [통화]에서 '기호'를
'₩'로 선택한 후 [확인] 버튼을 누른다.
※ '통화'와 '회계' 표시 형식의 차이 : 통화는 기호(₩)
가 숫자와 붙어 있고 오른쪽 맞춤 상태이고 가운데
맞춤이나 왼쪽 맞춤을 설정할 수 있다. 회계는 기
호(₩)가 해당 셀의 맨 앞에 붙어 있고 가운데 맞춤
이나 왼쪽 맞춤을 설정할 수 없다.

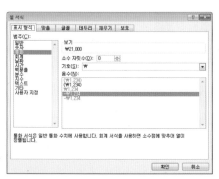

⑩ 사용지 지정 서식

1) [D5:D13] 영역을 드래그하여 블록으로 지정한 후
바로 가기 메뉴의 [셀 서식]을 선택한다. (바로 가
기 키 : Ctrl + 1)
2) [셀 서식] → [표시 형식] 탭 → [사용자 지정]에서
'형식'에 @"물산"을 입력한 후 [확인] 버튼을 누
른다.

⑫ 사용자 지정 서식

1) [F2] 셀을 클릭한 후 바로 가기 메뉴에서 [셀 서식]
을 선택한다. (바로 가기 키 : Ctrl + 1)
2) [셀 서식] → [표시 형식] 탭 → [사용자 지정]에서
'형식'에 yy"_"mm"_"dd 를 입력한 후 [확인] 버튼
을 누른다.

=COUNTIF(D15:D22,"합격")&"명"
=COUNTIF(D15:D22,D15)&"명"
조건에 "합격" 텍스트 대신 합격이 있는 셀의 주소를 입
력해도 된다.

3. 조건부 서식

	A	B	C	D	E	F
1	[표1]					
2	이름	생년월일	학교	아래한글	엑셀	총점
3	강초록	1999-11-23	노랑고교	80	100	180
4	김여리	1999-07-23	노랑고교	100	70	170
5	권주아	1998-05-23	풀잎고교	80	90	170
6	하재동	1998-03-15	풀잎고교	90	85	175
7	서준하	1999-06-04	풀잎고교	95	80	175
8	민효석	1998-03-06	지주고교	80	75	155
9	박담이	1998-12-03	지주고교	95	80	175
10	오승우	1998-09-19	지주고교	75	70	145
11	마준수	1999-02-04	정말고교	95	85	180
12	하경은	1999-04-17	정말고교	75	45	120
13	오마주	1999-07-17	도랑고교	90	75	165
14	신장사	1998-03-10	도랑고교	95	85	180
15	민신아	1998-08-19	도랑고교	85	90	175

1) [D3:E15] 영역을 드래그하여 블록 지정한 후 [홈] 탭 → [스타일] 그룹 → [조건부 서식] 명령 → [새 규칙]을 클릭한다.

2) [새 서식 규칙] 대화상자에서 다음 그림과 같이 '규 칙 유형 선택'에서 '다음을 포함하는 셀만 서식 지정'을 선택하고, '규칙 설명 편집'에서 '셀 값', '>="을 선택하고 "90"을 입력하고 [서식] 버튼을 눌러 문제에 제시된 서식을 적용한 후 [확인] 버튼 을 누른다.

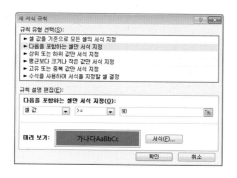

문제 2 계산작업

1. 학점 표시

	A	B	C	D	E
1	[표1]			1학기 성적 결과	
2	성명	중간	기말	총점	학점
3	김민찬	100	100	200	A
4	신지민	75	50	125	B
5	이진기	60	55	115	C
6	백아연	20	26	46	
7	이은진	46	23	69	
8	전영구	13	20	33	
9	문익환	10	15	25	

=CHOOSE(RANK(D3,$D$3:$D$9),"A","B","C","","","","")

2. 에센스 적립금의 합계

	G	H	I	J	K	L
1	[표2]		고객별 구매 현황			
2	고객명	제품명	이번달 구매액	총적립금	에센스 적립금	
3	박근호	스킨	4,500,000	50,000		544,500
4	이호영	로션	956,000	19,000		
5	김우진	BB크림	350,000	5,600		
6	주재원	BB크림	35,000	1,500		
7	최영희	에센스	2,150,000	298,000		
8	한지선	에센스	300,000	26,500		
9	이윤상	에센스	1,560,000	220,000		
10	서예림	기초세트	1,560,000	220,000		
11	성수연	썬크림	450,000	55,000		

=SUMIF(H3:H11,"에센스",J3:J11)

3. 합격자수

	A	B	C	D
13	[표3]		신입사원 시험결과	
14	성명	엑셀	액세스	결과
15	정혜정	99	100	합격
16	한효진	97	94	합격
17	김경희	87	50	
18	송재범	74	35	
19	이시내	50	82	
20	이상희	80	95	합격
21	장동건	100	92	합격
22	이지영	77	65	
23	합격자수			4명

=COUNTIF(D15:D22,D15)&"명"
조건에 "합격" 텍스트 대신 합격이 있는 셀의 주소를 입력해도 된다.

4. 직원명 표시

	G	H	I	J	K	L
14	[표4]		최신 호봉표	(단위:원)		
15	호봉	봉급	부서	지원명	기획부 최고 봉급자	
16	1	1,473,800	기획부	이온진	이주혜	
17	2	1,518,500	재무부	전영구		
18	3	1,563,800	생산부	문익환		
19	21	2,808,900	인사부	유용민		
20	25	3,221,600	기획부	서한빛		
21	28	3,540,300	재무부	안재현		
22	36	4,460,000	기획부	이주혜		
23	40	4,841,300	인사부	정정윤		
24						

=VLOOKUP(DMAX(G15:J23,2,I15:I16),H16:J23,3, FALSE)

5. 제품코드

	A	B	C	D
25	[표5]		제품 생산표	
26	제품	판매점	추가옵션	제품코드
27	oven	sr001	v	OVEN-V-01
28	sink	sr002	i	SINK-I-02
29	computer	sr003	c	COMPUTER-C-03
30	desk	sr004	s	DESK-S-04
31	bed	sr005	b	BED-B-05
32	chair	sr006	c	CHAIR-C-06
33	table	sr007	t	TABLE-T-07

=UPPER(A27&"-"&C27&"-"&RIGHT(B27,2))

문제 3 분석작업

1. 부분합

1) 데이터 정렬을 위해 [A2:G20] 영역 중 임의의 셀을 선택한 후 [데이터] 탭 → [정렬 및 필터] 그룹 → [정렬] 명령을 클릭한다.
2) [정렬] 대화상자에서 다음 그림과 같이 적용하고 [확인] 버튼을 누른다.

3) 블록 지정된 상태에서 [데이터] 탭 → [윤곽선] 그룹 → [부분합] 명령을 클릭한다.
4) [부분합] 대화상자에서 다음 그림과 같이 적용하고 [확인] 버튼을 누른다.

5) [부분합] 명령을 클릭하고 다음 그림과 같이 적용한다. 두 번째 부분합은 '새로운 값으로 대치'에 체크를 해제한 후 [확인] 버튼을 누른다.

2. 피벗 테이블

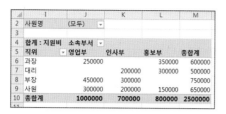

	I	J	K	L	M
2	사원명	(모두) ▼			
3					
4	합계 : 지원비	소속부서 ▼			
5	직위 ▼	영업부	인사부	홍보부	총합계
6	과장	250000		350000	600000
7	대리		200000	300000	500000
8	부장	450000	300000		750000
9	사원	300000	200000	150000	650000
10	총합계	1000000	700000	800000	2500000

1) [A4:G13] 영역 중 임의의 셀을 선택한 후 [삽입] 탭 → [표] 그룹 → [피벗 테이블] 명령 → [피벗 테이블]을 클릭한다.
2) [피벗 테이블 만들기] 대화상자에서 피벗 테이블 보고서를 넣을 위치에 '기존 워크시트'를 선택하고 '위치' 입력란에 [I4] 셀을 입력(클릭)한 후 [확인] 버튼을 누른다.
3) [피벗 테이블 필드 목록] 창에서 다음 그림과 같이 각 필드를 드래그하여 위치시킨다.

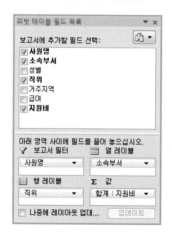

4) 피벗 테이블 내에 임의의 셀을 선택한 후 [피벗 테이블 도구] → [디자인] 탭 → [레이아웃] 그룹 → [보고서 레이아웃] 명령 → [개요 형식으로 표시]를 클릭한다.
5) [피벗 테이블 도구] → [디자인] 탭 → [피벗 테이블 스타일] 그룹에서 '피벗 스타일 밝게 15'를 선택한다.

3. 데이터 통합

	H	I	J	K	L
18	부서별 구입내역(평균)				
19	분류	1분기	2분기	3분기	4분기
20	마우스	148,750	218,250	178,000	182,750
21	스피커	229,967	185,833	268,667	221,250
22	키보드	195,667	173,000	154,300	200,233
23	프로젝터	382,000	403,667	358,000	362,667
24	프린젠터	166,250	187,000	219,000	285,000
25					

1) 데이터 통합을 위해 [H19:L24] 영역을 드래그하여 블록을 지정한 후 [데이터] 탭 → [데이터 도구] 그룹 → [통합] 명령을 클릭한다.
2) [통합] 대화상자에서 다음 그림과 같이 적용한 후 [확인] 버튼을 누른다.

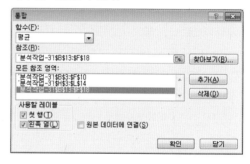

문제 4 기타작업

1. 매크로

	A	B	C	D	E	F	G
1	[표1]		의류 판매현황				
2	코드	제품	단가	수량	매출액		매출
3	SR-001	원피스	125,000	123	15,375,000		
4	SR-002	스키복	432,000	100	43,200,000		
5	SR-003	수영복	135,000	500	67,500,000		
6	SR-004	블라우스	110,000	650	71,500,000		
7	SR-005	셔츠	130,500	120	15,660,000		셀서식
8	SR-006	티셔츠	77,000	320	24,640,000		
9	SR-010	가디건	82,000	56	4,592,000		
10	SR-011	니트	55,000	100	5,500,000		
11	SR-012	임부복	65,000	110	7,150,000		
12							

① 계산 매크로

1) [개발 도구] 탭 → [컨트롤] 그룹 → [삽입] 명령 → [단추(양식 컨트롤)▬]을 클릭한 후 Alt 를 누른 상태로 [G2:G3] 영역에 드래그하여 삽입한다.

2) [매크로 지정] 대화상자에서 '매크로 이름' 입력란에 "매출"을 입력하고 [기록] 버튼을 누른다. [매크로 기록] 대화상자에서 [확인] 버튼을 누른다.

3) [E3] 셀을 클릭한 후 "=C3*D3"을 입력하고 Enter 를 누른다. 채우기 핸들을 드래그하여 [E11] 셀까지 수식을 복사한다.

4) 표 밖의 임의의 셀을 클릭한 후 [개발 도구] 탭 → [코드] 그룹 → [기록 중지] 명령을 클릭한다.

5) 단추의 바로 가기 메뉴에서 [텍스트 편집]을 선택한 후 "매출"로 입력한다. 임의의 셀을 클릭해 선택을 해제한다.

② 서식 매크로

1) [개발 도구] 탭 → [컨트롤] 그룹 → [삽입] 명령 → [단추(양식 컨트롤)▬]을 클릭한 후 Alt 를 누른 상태로 [G6:G7] 영역에 드래그하여 삽입한다.

2) [매크로 지정] 대화상자에서 '매크로 이름' 입력란에 "셀서식"을 입력하고 [기록] 버튼을 누른다. [매크로 기록] 대화상자에서 [확인] 버튼을 누른다.

3) [A2:E2] 영역을 블록 지정한 후 [홈] 탭 → [글꼴] 그룹 → [채우기 색(🗁 ▾)] 명령을 클릭하여 '표준색−주황'을 선택한다.

4) 표 밖의 임의의 셀을 클릭한 후 [개발 도구] 탭 → [코드] 그룹 → [기록 중지] 명령을 클릭한다.

5) 단추의 바로 가기 메뉴에서 [텍스트 편집]을 선택하고 "셀서식"을 입력한 후 임의의 셀을 클릭해 선택을 해제한다.

2. 차트

① 데이터 범위 지정

1) [A15:C21] 영역을 드래그하여 블록으로 지정한다.

② 차트 작성 및 이동

1) [삽입] 탭 → [차트] 그룹 → [세로 막대형] 명령을 클릭하고 '묶은 세로 막대형'을 선택한다.

2) 차트를 이동하기 위해 [차트 도구] → [디자인] 탭 → [위치] 그룹 → [차트 이동] 명령을 클릭한다. [차트 이동] 대화상자에서 '새 시트' 항목에 체크하고 시트명을 "Chart"로 변경한 후 [확인] 버튼을 누른다.

③ 차트 종류 변경

1) '호봉' 계열의 차트 종류를 '표식이 있는 꺾은선형'으로 변경하기 위해 범례에 '호봉'을 선택하고 바로 가기 메뉴에서 [계열 차트 종류 변경]을 선택한다. [차트 종류 변경] 대화상자에서 꺾은선형의 '표식이 있는 꺾은선형'을 선택한다.

2) 꺾은선형 차트의 바로 가기 메뉴에서 [데이터 계열 서식]을 선택한다. [데이터 계열 서식] → [계열옵션]의 '보조 축' 항목에 체크한다. [닫기] 버튼을 누른다.

④ 차트 제목 삽입

1) [차트 도구] → [레이아웃] 탭 → [레이블] 그룹 → [차트 제목] 명령 → [차트 위]를 클릭한 후 문제에서 제시한 제목과 서식을 적용한다.

⑤ 축 제목

1) [차트 도구] → [레이아웃] 탭 → [레이블] 그룹 → [축 제목] 명령 → [기본 세로 축 제목] → [세로 제목]을 클릭한 후 "봉급"을 입력한다. [보조 세로 축 제목] → [세로 제목]을 선택하여 "호봉"을 입력한다.

2) [차트 도구] → [레이아웃] 탭 → [레이블] 그룹 → [범례] 명령 → [아래쪽에 범례 표시]를 클릭한다.

실전 모의고사 2회

국 가 기 술 자 격 검 정

프로그램명	제한시간	수험번호 :
EXCEL	40분	성 명 :

2급 · A형

〈유 의 사 항〉

- 인적 사항 누락 및 잘못 작성으로 인한 불이익은 수험자 책임으로 합니다.
- 화면에 암호 입력창이 나타나면 아래의 암호를 입력해야 합니다.
  - 암호 : 16@235
- 작성된 답안은 주어진 경로 및 파일명을 변경하지 마시고 그대로 저장해야 합니다. 이를 준수하지 않으면 실격처리 됩니다.
  - 답안 파일명 예 : C:₩OA₩수험번호 8자리.xlsm (확장자 유의)
- 외부 데이터 위치 : C₩OA₩파일명
- 별도의 지시사항이 없는 경우, 다음과 같이 처리하면 실격 처리됩니다.
  - 제시된 시트 및 개체의 순서나 이름을 임의로 변경한 경우
  - 제시된 시트 및 개체를 임의로 추가 또는 삭제한 경우
- 답안은 반드시 문제에서 지시 또는 요구한 셀에 입력하여야 하며, 수험자가 임의로 셀의 위치를 변경하여 입력한 경우에는 채점 대상에서 제외됩니다.
  - ※ 아울러 지시하지 않은 셀의 이동, 수정, 삭제, 변경 등으로 인해 셀의 위치 및 내용이 변경된 경우에도 관련 문제 모두 채점 대상에서 제외됩니다.
- 별도의 지시사항이 없는 경우, 주어진 각 시트 및 개체의 설정값 또는 기본 설정값(Default)으로 처리하십시오.
- 저장 시간은 별도로 주어지지 아니하므로 제한된 시간 내에 저장을 완료해야 합니다.
- 본 문제의 용어는 Microsoft Office Excel 2010 기준으로 작성되어 있습니다.

대한상공회의소

문제 1 기본작업(20점) 주어진 시트에서 다음 과정을 수행하고 저장하시오.

1. '기본작업-1' 시트에 다음의 자료를 주어진 대로 입력하시오.

	A	B	C	D	E	F	G
1	연두 농산물유통센터 상품 현황						
2							
3	상품코드	상품명	생산지	자루 당 상품 수	중량(kg)	판매가	배송비
4	BC-1610	배추	강원도	10개	15	50000원	5000
5	KC-6034	고추	충청도	70개	20	85000원	8000
6	DP-2356	대파	충청도	15개	10	44000원	4000
7	YM-8097	열무	전라도	10개	15	55000원	5000
8	ZP-5924	쪽파	강원도	15개	10	40000원	4000
9	KK-1123	고구마	강원도	20개	8	32000원	3000
10	KG-0501	감자	강원도	40개	20	33000원	3000
11	HB-1203	호박	경상도	10개	1	15000원	2500
12	BS-0930	버섯	경상도	20개	1	5000원	2500
13	YB-9011	양배추	전라도	10개	8	28000원	2500
14	AS-2322	아스파라거스	전라도	80개	15	65000원	6000
15							

2. '기본작업-2' 시트의 표에 대하여 다음의 지시사항을 처리하시오.

① A열의 너비를 '3', 1행의 높이를 '25'로 조정하시오.

② [B1:H1] 영역은 '병합하고 가운데 맞춤', 글꼴 '돋움', 크기 '18', 글꼴 스타일 '굵게'로 지정하시오.

③ 제목 '이월제품 재고량 및 할인판매'의 앞뒤에 "☆"을 삽입하시오.

④ 제목 '이월제품 재고량 및 할인판매'의 '재고량'을 한자 "在庫量"으로 바꾸시오.

⑤ [B4:B14] 영역의 셀을 "제품번호"로 이름을 정의하시오.

⑥ [B4:E14] 영역을 '가운데 맞춤'으로 지정하시오.

⑦ [B3:H3] 영역을 '가운데 맞춤'으로 지정하고 '표준 색-연한 녹색'으로 채우시오.

⑧ [F4:F14] 영역의 셀 서식은 사용자 지정 서식을 이용하여 수량 뒤에 "개"를 표시하시오. (표시 예: 3 → 3개)

⑨ [H3] 셀에 "5개 이하 10% 적용"이라는 메모를 삽입하고, 표시되지 않도록 하시오.

⑩ [G4:G14] 영역의 데이터에 '천 단위 구분기호'를 적용하시오.

⑪ [H4:H14] 영역의 셀 서식에 '백분율 스타일', 소수 첫째 자리까지 지정하시오.

⑫ [B3:H14] 영역에 '모든 테두리', 선 스타일 '이중 실선', 테두리 색 '자동'으로 적용하여 표시하시오.

3. '기본작업-3' 시트의 표에 대하여 다음의 지시사항을 처리하시오.

소속부서가 '영업3팀'이면서 판매실적이 200 이상인 데이터 값을 고급 필터를 사용하여 검색하시오.

- 고급 필터 조건은 [A19:D21] 범위 내에 알맞게 입력하시오.
- 고급 필터 결과 복사 위치는 동일 시트의 [A23] 셀에서 시작하시오.

문제 2 **계산작업(40점) '계산작업' 시트에서 다음 과정을 수행하고 저장하시오.**

1. [표1]에서 평가기준표[F2:H7]를 참조하여 점수[C3:C10]에 따른 평가[D3:D10]를 구하시오.
   - VLOOKUP, HLOOKUP 중 알맞은 함수 사용

2. [표2]에서 언어[B14:B20] 점수가 언어의 평균 점수 이상이면 "통과", 그렇지 않으면 공란으로 결과[D14:D20] 영역에 표시하시오.
   - IF, AVERAGE 함수 사용

3. [표3]에서 상품코드[F14:F22]를 이용하여 상품명[G14:G22]을 표시하시오.
   - 상품명:상품코드의 뒤 네 글자를 뺀 나머지
   - LEFT와 LEN 함수 사용

4. [표4]에서 직급[C26:C33]이 대리인 직원의 급여[D26:D33] 평균을 계산하여 대리 급여 평균[D35]에 표시하시오.
   - DAVERAGE, DSUM 중 알맞은 함수 사용
   - 조건 범위는 제시된 데이터를 사용할 것

5. [표4]에서 특별 상여금[E26:E33]이 500,000원 이상인 과장 상여금 평균을 [D36] 셀에 구하시오.
   - 결과값 뒤에 "원"을 포함하여 표시하시오. (표시 예: 100000원)
   - AVERAGEIFS 함수와 & 연산자 사용

문제 3 **분석작업(20점) 주어진 시트에서 다음 과정을 수행하고 저장하시오.**

1. '분석작업-1' 시트에 대하여 다음의 지시사항을 처리하시오.

   '2학년 중간고사 결과' 표에서 반별 '국어', '수학', '사회', '과학', '영어'의 평균과 '합계'의 최대값을 계산하는 부분합을 작성하시오.

   - 정렬의 첫째 기준은 반별 오름차순, 둘째 기준은 합계별 내림차순으로 정렬하시오.
   - 과목별 평균 소수 자릿수는 소수점 이하 1로 표시하시오.
   - 평균과 최대값 필드는 각각 하나의 행에 표시하시오.
   - 부분합 작성 순서는 최대값을 구한 후 평균을 구하시오.

2. '분석작업-2' 시트에 대하여 다음의 지시사항을 처리하시오.

   '연두그룹 매출 보고서' 표를 이용하여 '사원명'은 보고서 필터, '지역'은 행 레이블, '직급'은 열 레이블로 표시하고, 값에 '연간 매출총계'의 합계를 표시하는 피벗 테이블을 작성하시오.

   - 피벗 테이블 보고서는 동일 시트의 [A35] 셀에 위치시키시오.
   - 값의 표시 형식은 '회계' 형식, 기호 '없음' 사용하여 표시하시오.
   - 완성한 피벗 테이블 보고서에 '피벗 스타일 보통 3'을 적용하시오.

3. '분석작업-3' 시트에 대하여 다음의 지시사항을 처리하시오.

   '연두상사 사무용품 판매현황' 표에서 할인율[C18]이 변경될 경우, 매출합계[G16]의 변경 시나리오를 작성하시오.

   - [C18] 셀의 이름을 "할인율", [G16] 셀의 이름을 "총매출금액"으로 설정하시오.
   - 시나리오1 : 시나리오 이름을 "할인율 내림", 할인율을 5%로 설정하시오.
   - 시나리오2 : 시나리오 이름을 "할인율 올림", 할인율을 15%로 설정하시오.
   - 시나리오 요약 보고서는 '분석작업-3' 시트의 바로 앞에 위치시키시오.

문제 4 기타작업(20점) 주어진 시트에서 다음 과정을 수행하고 저장하시오.

1. [표1]에서 다음과 같은 기능을 수행하는 매크로를 현재 통합 문서에 작성하고 실행하시오.

　① [F4:F10] 영역에 총지출을 계산하는 '총합계' 매크로를 생성하시오.

　　▪ 총지출 : 교통비 + 식비 + 숙박비 (SUM 함수 사용)

　　▪ [도형] → [사각형]의 '직사각형(▭)'을 동일 시트의 [H3:H4] 영역에 생성한 후 텍스트를 "총지출"로 입력하고, 도형을 클릭하면 '총합계' 매크로가 실행되도록 설정하시오.

　② [A3:F3] 영역에 대하여 글꼴 색 '노랑', 채우기 색 '녹색'을 적용하는 '서식' 매크로를 생성하시오.

　　▪ [도형] → [기본 도형]의 '타원(⬭)'을 동일 시트의 [H7:H8] 영역에 생성한 후 텍스트를 "서식"으로 입력하고, 도형을 클릭하면 '서식' 매크로가 실행되도록 설정하시오.

　※ 셀 포인터 위치에 상관없이 현재 통합 문서에서 매크로가 실행되어야 정답으로 인정됨

2. '기타작업' 시트의 차트를 지시사항에 따라 아래 차트와 같이 수정하시오.

　※ 차트는 반드시 문제에서 제공한 차트를 사용하여야 하며, 신규로 작성 시 0점 처리됨

　① 제품이 '예가체프'인 데이터가 차트에 표시되도록 데이터 범위를 추가하고, '판매가격' 데이터 계열의 차트 종류를 '표식이 있는 꺾은선형'으로 변경하시오.

　② 차트 제목을 아래 차트와 같이 입력하고, 글꼴 '궁서체', 크기 '20'으로 지정하시오.

　③ '판매가격' 데이터 계열 중 '슈프리모'만 데이터 레이블 값을 '위쪽'에 표시하시오.

　④ 세로(값) 축의 주 단위는 '10,000,000'으로 지정하시오.

　⑤ 차트 영역의 테두리 스타일은 '둥근 모서리'로 지정하시오.

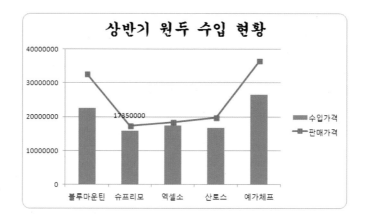

실전 모의고사 2회 정답 및 해설

문제 1 기본작업

2. 셀 서식

	A	B	C	D	E	F	G	H
1		☆이월제품 在庫量 및 할인판매☆						
2								
3		제품번호	브랜드	제품명	사이즈	수량	판매가	할인율
4		AS_1329	아디다스	아동화	210mm	10개	115,000	20.0%
5		AS_1227	아디다스	아동화	205mm	8개	99,000	15.0%
6		AS_1305	아디다스	여성화	240mm	12개	150,000	20.0%
7		OQ_0023	르꼬끄	아동화	205mm	5개	120,000	10.0%
8		OQ_0078	르꼬끄	공용화	245mm	15개	220,000	20.0%
9		CS_5217	프로스펙스	여성화	230mm	10개	85,000	20.0%
10		CE_1455	뉴발란스	아동화	210mm	10개	99,000	20.0%
11		CE_1479	뉴발란스	풋살화	260mm	6개	55,000	15.0%
12		CE_1465	뉴발란스	축구화	255mm	5개	80,000	10.0%
13		KE_0321	나이키	축구화	270mm	3개	170,000	10.0%
14		KE_7143	나이키	풋살화	265mm	5개	100,000	10.0%
15								

⑤ 이름 정의

1) [B4:B14] 영역을 드래그하여 블록 지정한 후 [수식] 탭 → [정의된 이름] 그룹 → [이름 관리자] 명령을 클릭한다.
2) [새로 만들기] 버튼을 누르고 '이름' 입력란에 "제품번호"를 입력한다. '참조 대상'의 범위가 '='기본작업-2'!$B$4:$B$14'이 맞으면 [확인] 버튼을 누른다.

⑧ 사용자 지정 서식

1) [F4:F14] 영역을 드래그하여 블록으로 지정한 후 바로 가기 메뉴에서 [셀 서식]을 선택한다. (바로 가기 키: Ctrl + 1)
2) [셀 서식] → [표시 형식] 탭 → [사용자 지정]에서 '형식'에 G/표준"개" 를 입력한 후 [확인] 버튼을 누른다.

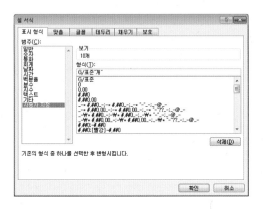

⑪ 백분율

1) [H4:H14] 영역을 드래그하여 블록으로 지정한 후 바로 가기 메뉴에서 [셀 서식]을 선택한다. (바로 가기 키: Ctrl + 1)
2) [셀 서식] → [표시 형식] 탭 → [백분율]에서 '소수 자릿수'에 "1"를 입력한 후 [확인] 버튼을 누른다.

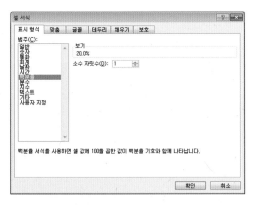

3. 고급 필터

	A	B	C	D	E	F	G	H
19	소속부서	판매실적						
20	영업3팀	>=200						
21								
22								
23	성명	소속부서	사내연락처	직위	근속기간	판매실적	보너스	비고
24	최정우	영업3팀	3323	주임	2년	220	10	
25	이지욱	영업3팀	3342	대리	4년	250	15	

1) [A19] 셀에 "소속부서", [A20] 셀에 "영업3팀"을 입력하고 [B19] 셀에 "판매실적", [B20] 셀에

")=200"을 입력한다.

2) [A3:H16] 영역 중 임의의 셀을 선택한 후 [데이터] 탭 → [정렬 및 필터] 그룹 → [고급] 명령을 클릭한다.

3) [고급 필터] 대화상자에서 다음 그림과 같이 적용한 후 [확인] 버튼을 누른다.

문제 2   계산작업

1. 평가 표시

	A	B	C	D
1	[표1]	신입사원 평가표		
2	이름	지원부서	점수	평가
3	서남준	인사부	77	C
4	차선우	인사부	85	B
5	최준홍	기획부	90	A
6	강승윤	영업부	64	D
7	양현석	재무부	99	A
8	강혜정	관리부	55	E
9	권소현	관리부	69	D
10	고아라	인사부	85	B

=VLOOKUP(C3,$F$3:$H$7,3,1)

2. 언어영역 결과

	A	B	C	D
12	[표2]	언어영역 결과표		
13	성명	언어	가산점	결과
14	박진영	90	2	통과
15	최종현	75	2	
16	김아영	100	3	통과
17	이호정	90	1	통과
18	윤은혜	65	1	
19	송영길	60	2	
20	황정민	85	3	통과

=IF(B14>=AVERAGE($B$14:$B$20),"통과","")

3. 상품명 표시

	F	G	H	I
12	[표3]	상반기 제품 현황		
13	상품코드	상품명	단 가	주문량
14	화이트-식탁(36)	화이트-식탁	95000	250
15	블랙-식탁(12)	블랙-식탁	115000	150
16	브라운-테이블(25)	브라운-테이블	75000	180
17	블랙-테이블(57)	블랙-테이블	132000	100
18	화이트-테이블(97)	화이트-테이블	383000	170
19	오크-의자(71)	오크-의자	89000	200
20	인디고-의자(14)	인디고-의자	116000	150
21	오크-신발장(55)	오크-신발장	413250	100
22	인디고-신발장(17)	인디고-신발장	665850	50

=LEFT(F14,LEN(F14)−4)

4. 대리 급여 평균

	A	B	C	D	E
24	[표4]	급여지급 현황			
25	사원명	근무지	직급	급여	특별 상여금
26	김성호	서울	대리	2,200,000	300,000
27	박소영	대전	과장	4,000,000	400,000
28	차재영	대구	대리	3,350,000	500,000
29	김상준	서울	사장	6,500,000	3,000,000
30	김효민	광주	대리	2,000,000	500,000
31	장정미	서울	과장	5,950,000	750,000
32	남주혁	대전	과장	4,000,000	800,000
33	백미애	경기	팀장	3,350,000	150,000
34					
35	대리급여 평균				2,516,667
36	과장 상여금 평균			775000원	

=DAVERAGE(A25:E33,4,C25:C26)

5. 과장 상여금 평균

	A	B	C	D	E
24	[표4]	급여지급 현황			
25	사원명	근무지	직급	급여	특별 상여금
26	김성호	서울	대리	2,200,000	300,000
27	박소영	대전	과장	4,000,000	400,000
28	차재영	대구	대리	3,350,000	500,000
29	김상준	서울	사장	6,500,000	3,000,000
30	김효민	광주	대리	2,000,000	500,000
31	장정미	서울	과장	5,950,000	750,000
32	남주혁	대전	과장	4,000,000	800,000
33	백미애	경기	팀장	3,350,000	150,000
34					
35	대리급여 평균				2,516,667
36	과장 상여금 평균			775000원	

=AVERAGEIFS(E26:E33,C26:C33,"과장",E26:E33,">=500000")&"원"

문제 3 분석작업

1. 부분합

1) 데이터 정렬을 위해 [B2:I22] 영역 중 임의의 셀을 선택한 후 [데이터] 탭 → [정렬 및 필터] 그룹 → [정렬] 명령을 클릭한다.

2) [정렬] 대화상자에서 다음 그림과 같이 적용하고 [확인] 버튼을 누른다.

3) 블록 지정된 상태에서 [데이터] 탭 → [윤곽선] 그룹 → [부분합] 명령을 클릭한다.

4) [부분합] 대화상자에서 다음 그림과 같이 적용하고 [확인] 버튼을 누른다.

5) [부분합] 명령을 클릭하고 다음 그림과 같이 적용한다. 두 번째 부분합은 '새로운 값으로 대치'에 체크를 해제한 후 [확인] 버튼을 누른다.

6) 과목별 평균의 소수 자릿수를 지정하기 위해 [D7:H7], [D12:H12], [D18:H18], [D25:H25], [D31:H31], [D33:H33] 셀을 드래그하여 함께 선택한 후 [셀 서식] → [표시 형식] 탭 → [숫자]에서 '소수 자릿수'에 "1"을 입력한 후 [확인] 버튼을 누른다.

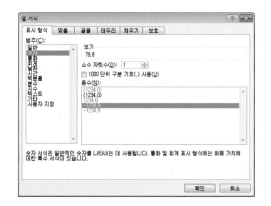

2. 피벗 테이블

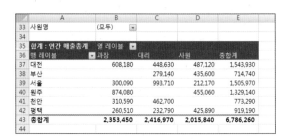

1) [A4:I31] 영역 중 임의의 셀을 선택한 후 [삽입] 탭 → [표] 그룹 → [피벗 테이블] 명령 → [피벗 테이블]을 클릭한다.

2) [피벗 테이블 만들기] 대화상자에서 피벗 테이블 보고서를 넣을 위치에 '기존 워크시트'를 선택하고 '위치' 입력란에 [A35] 셀을 입력(클릭)한 후 [확인] 버튼을 누른다.

3) [피벗 테이블 필드 목록] 창에서 다음 그림과 같이 각 필드를 드래그하여 위치시킨다.

4) 값에 표시 형식을 지정하기 위해 [B37:E43] 영역을 드래그하여 블록지정 한 후 [셀 서식] → [표시 형식] 탭 → [회계]에서 '기호'에 '없음'을 선택한 후 [확인] 버튼을 누른다.

5) 완성한 피벗 테이블 보고서의 임의의 셀을 선택한 후 [피벗 테이블 도구] → [디자인] 탭 → [피벗 테이블 스타일] 그룹에서 '피벗 스타일 보통 3'을 선택한다.

3. 시나리오

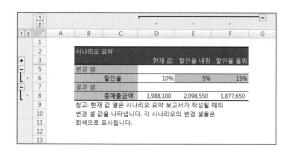

1) [C18] 셀을 선택하고 [이름 상자]에서 "할인율"을 입력한 후 Enter 를 누른다. 같은 방법으로 [G16] 셀의 이름을 "총매출금액"으로 설정한다.

2) [데이터] 탭 → [데이터 도구] 그룹 → [가상 분석] 명령에서 [시나리오 관리자]를 선택한다. [시나리오 관리자] 대화상자에서 [추가] 버튼을 누른다.

3) [시나리오 추가] 대화상자에서 '시나리오 이름'에 "할인율 내림"을 입력하고, '변경 셀'에 [C18] 셀을 선택한 후 [확인] 버튼을 누른다.

4) [시나리오 값] 대화상자에서 할인율에 "0.05"를 입력한 후 [추가] 버튼을 누른다.

5) 다시 표시된 [시나리오 추가] 대화상자에서 '시나리오 이름'에 "할인율 올림"을 입력하고, '변경 셀'에 [C18] 셀을 선택한 후 [확인] 버튼을 누른다.

6) [시나리오 값] 대화상자에서 값 입력란에 "0.15"를 입력한 후 [확인] 버튼을 누른다.

7) 다음 그림과 같이 시나리오가 생성된 것을 확인하고 [요약] 버튼을 누른다.

8) [시나리오 요약] 대화상자에서 결과 셀에 [G16] 셀을 선택한 후 [확인] 버튼을 누른다.

문제 4 기타작업

1. 매크로

	A	B	C	D	E	F	G	H
1	[표1]		부서별 출장비 지출내역					
2								
3	부서	담당지역	교통비	식비	숙박비	총지출		총지출
4	영업1	서울	65,000	226,000	280,000	571,000		
5	영업2	대전	210,000	170,000	200,000	580,000		
6	영업3	부산	165,000	190,000	130,000	485,000		
7	영업4	천안	200,000	100,000	320,000	620,000		서식
8	영업5	청주	250,000	108,700	130,000	488,700		
9	영업6	부산	260,000	132,000	260,000	652,000		
10	영업7	인천	110,000	55,000	150,000	315,000		
11								

① 계산 매크로

1) [삽입] 탭 → [일러스트레이션] 그룹 → [도형] 명령 → [사각형]에서 '직사각형(▭)'을 클릭한다. **Alt**를 누른 상태로 [H3:H4] 영역에 드래그하여 삽입한다.

2) 도형의 바로 가기 메뉴에서 [매크로 지정]을 선택한다. [매크로 지정] 대화상자에서 '매크로 이름' 입력란에 "총합계"를 입력한 후 [기록] 버튼을 누른다. [매크로 기록] 대화상자에서 [확인] 버튼을 누른다.

3) [F4] 셀을 클릭하고 "=SUM(C4:E4)"을 입력한 후 채우기 핸들을 드래그하여 [F10] 셀까지 수식을 복사한다.

4) 표 밖의 임의의 셀을 클릭하고 [개발 도구] 탭 → [코드] 그룹 → [기록 중지] 명령을 클릭한다.

5) 도형의 바로 가기 메뉴에서 [텍스트 편집]을 선택한 후 "총지출"을 입력하고 임의의 셀을 클릭하여 선택을 해제한다.

② 서식 매크로

1) [삽입] 탭 → [일러스트레이션] 그룹 → [도형] 명령 → [기본 도형]에서 '타원(⬭)'을 클릭한다. **Alt**를 누른 상태로 [H7:H8] 영역에 드래그하여 삽입한다.

2) 도형의 바로 가기 메뉴에서 [매크로 지정]을 선택한다. [매크로 지정] 대화상자에서 '매크로 이름' 입력란에 "서식"을 입력한 후 [기록] 버튼을 누른다. [매크로 기록] 대화상자에서 [확인] 버튼을 누른다.

3) [A3:F3] 영역을 블록 지정한 후 [홈] 탭 → [글꼴] 그룹 → [글꼴 색] 명령을 클릭해 '노랑'으로 적용하고, [채우기 색(⬥▾)] 명령을 클릭해 '표준 색-녹색'을 선택한다.

4) 표 밖의 임의의 셀을 클릭한 후 [개발 도구] 탭 → [코드] 그룹 → [기록 중지] 명령을 클릭한다.

5) 도형의 바로 가기 메뉴에서 [텍스트 편집]을 선택한 후 "서식"으로 입력한다. 임의의 셀을 클릭해 선택을 해제한다.

2. 차트

① 데이터 범위 추가

1) [B19] 셀과 [F19:G19] 영역을 동시 선택하여 **Ctrl** + **C** 를 눌러 복사한 후 차트 영역을 선택하고 **Ctrl** + **V** 를 눌러 제품이 '예가체프'인 데이터를 추가한다.

③ 데이터 레이블

1) '슈프리모'의 판매가격 데이터 계열을 클릭한 후 [레이아웃] 탭 → [레이블] 그룹 → [데이터 레이블] 명령 → [기타 데이터 레이블 옵션]을 클릭한다.

2) [데이터 레이블 서식] → [레이블 옵션]에서 '레이블 내용'은 '값'으로, '레이블 위치'는 '위쪽'으로 지정한 후 [닫기] 버튼을 누른다.

⑤ 차트 영역 서식

1) 차트 영역의 바로 가기 메뉴에서 [차트 영역 서식]을 선택한다.

2) [차트 영역 서식] → [테두리 스타일]에서 '둥근 모서리' 항목에 체크하고 [닫기] 버튼을 누른다.

실전 모의고사 3회

국 가 기 술 자 격 검 정

프로그램명	제한시간
EXCEL	40분

수험번호 : _____

성　명 : _____

〈유 의 사 항〉

- ■ 인적 사항 누락 및 잘못 작성으로 인한 불이익은 수험자 책임으로 합니다.
- ■ 화면에 암호 입력창이 나타나면 아래의 암호를 입력해야 합니다.
  - ○ 암호 : 986&13
- ■ 작성된 답안은 주어진 경로 및 파일명을 변경하지 마시고 그대로 저장해야 합니다. 이를 준수하지 않으면 실격처리 됩니다.
  - ○ 답안 파일명 예 : C:₩OA₩수험번호 8자리.xlsm (확장자 유의)
- ■ 외부 데이터 위치 : C₩OA₩파일명
- ■ 별도의 지시사항이 없는 경우, 다음과 같이 처리하면 실격 처리됩니다.
  - ○ 제시된 시트 및 개체의 순서나 이름을 임의로 변경한 경우
  - ○ 제시된 시트 및 개체를 임의로 추가 또는 삭제한 경우
- ■ 답안은 반드시 문제에서 지시 또는 요구한 셀에 입력하여야 하며, 수험자가 임의로 셀의 위치를 변경하여 입력한 경우에는 채점 대상에서 제외됩니다.
  - ※ 아울러 지시하지 않은 셀의 이동, 수정, 삭제, 변경 등으로 인해 셀의 위치 및 내용이 변경된 경우에도 관련 문제 모두 채점 대상에서 제외됩니다.
- ■ 별도의 지시사항이 없는 경우, 주어진 각 시트 및 개체의 설정값 또는 기본 설정값(Default)으로 처리하십시오.
- ■ 저장 시간은 별도로 주어지지 아니하므로 제한된 시간 내에 저장을 완료해야 합니다.
- ■ 본 문제의 용어는 Microsoft Office Excel 2010 기준으로 작성되어 있습니다.

대한상공회의소

문제 1 기본작업(20점) 주어진 시트에서 다음 과정을 수행하고 저장하시오.

1. '기본작업-1' 시트에 다음의 자료를 수어신 대로 입력하시오.

	A	B	C	D	E	F	G
1	대한민국 라면 별 선호도 조사						
2							
3	순번	상품명	제조사	출시년도	유통기한	종류	선호 연령대
4	1	신라면	Nongshim	1986	6개월	봉지/용기	40-50대
5	2	안성탕면	Nongshim	1983	6개월	봉지	30-40대
6	3	짜파게티	Nongshim	1984	6개월	봉지/용기	10-20대
7	4	짜짜로니	Samyang	1985	5개월	봉지	10-20대
8	5	불닭볶음면	Samyang	2012	3개월	봉지/용기	20-30대
9	6	삼양라면	Samyang	1963	6개월	봉지	40-50대
10	7	팔도비빔면	Paldo	1984	3개월	봉지	20-30대
11	8	왕뚜껑	Paldo	1990	6개월	용기	10-20대
12	9	참깨라면	Ottogi	1994	5개월	봉지/용기	30-40대
13	10	진짬뽕	Ottogi	2015	3개월	봉지/용기	20-30대
14							

2. '기본작업-2' 시트의 표에 대하여 다음의 지시사항을 처리하시오.

① A열의 너비를 '2', 1행의 높이를 '30'으로 조정하시오.

② 제목 '연두 IT교육학원 수강신청 관리 목록'의 앞에 "■ "을 삽입하시오.

③ 제목 '연두 IT교육학원 수강신청 관리 목록'의 '관리'를 한자 "管理"로 바꾸시오.

④ [B1:I1] 영역은 '병합하고 가운데 맞춤', 글꼴 '맑은 고딕', 크기 '15', 글꼴 스타일 '이중 밑줄'로 지정하시오.

⑤ [B4:I20] 영역을 '가운데 맞춤'으로 지정하시오.

⑥ [F4:F20] 영역의 셀을 "수강료"로 이름을 정의하시오.

⑦ [B3:I3] 영역을 '가운데 맞춤'으로 지정하고 '표준 색-빨강'으로 채우시오.

⑧ [H4:H20] 영역의 셀 서식에 '백분율 스타일', 소수 첫째 자리까지 지정하시오.

⑨ [B1] 셀에 "2018년 9월 1일 기준"이라는 메모를 삽입하고, 항상 표시되도록 하시오.

⑩ [F4:F20] 영역의 셀 서식에 '통화', 기호 '없음'으로 지정하시오.

⑪ [B4:B20] 영역의 셀 서식에 사용자 지정 서식을 이용하여 수강생번호 앞에 "yd"를 표시하시오. (표시 예: 50005 → yd50005)

⑫ [B3:I20] 영역에 '모든 테두리', 선 스타일 '실선'으로 적용하여 표시하시오.

3. '기본작업-3' 시트에 대하여 다음의 지시사항을 처리하시오.

[표1]에서 점수가 75 이상이고, 80 미만인 행 전체에 대해 글꼴 스타일 '굵게', 글꼴 색 '표준 색-주황' 으로 지정하는 조건부 서식을 작성하시오.

▪ 단, 규칙 유형은 '수식을 사용하여 서식을 지정할 셀 결정'을 사용하고, 한 개의 규칙으로만 작성하시오.

문제 2　계산작업(40점) '계산작업' 시트에서 다음 과정을 수행하고 저장하시오.

1. [표1]에서 용도[C3:C10]가 산업용인 청구요금[E3:E10]의 평균[A13]을 표시하시오.
   - 청구요금의 평균을 백의 자리에서 반올림하여 천 단위까지 표시
   - AVERAGE, DAVERAGE, ROUND, ROUNDDOWN 중 알맞은 함수 사용

2. [표2]에서 각 반기별 판매량[I3:I10, K3:K10]이 각 반기별 목표량[H3:H10, J3:J10] 이상일 경우 "지급", 나머지는 공란으로 보너스[L3:L10] 영역에 표시하시오.
   - IF, AND, OR 중 알맞은 함수 사용

3. [표3]에서 수량[B17:B24]과 판매가[C17:C24], [표4]의 할인적용표[F17:K18]를 이용하여 판매금액[D17:D24]을 구하시오.
   - 판매금액 : 수량×판매가×(1-할인율)
   - 할인율 : [표4]를 참고
   - VLOOKUP, HLOOKUP, INDEX 중 알맞은 함수 사용

4. [표5]에서 점수[C28:C35]를 기준으로 1위는 "최우수", 2위는 "금상", 3위는 "은상", 4위는 "동상", 나머지는 공백으로 결과[D28:D35]에 표시하시오.
   - 순위는 점수가 가장 높은 사람이 1위
   - CHOOSE, RANK 함수 사용

5. [표6]의 코드[F24:F33]에서 A의 위치가 1일 때 "경제학과", 2일 때 "경영학과", 3일 때 "통계학과", 나머지는 "자유전공"으로 학과[H24:H33]에 표시하시오
   - IF, SEARCH 함수 사용

문제 3 분석작업(20점) 주어진 시트에서 다음 과정을 수행하고 저장하시오.

1. '분석작업-1' 시트에 대하여 다음의 지시사항을 처리하시오.

'엑셀 심화과정 성적 결과' 표에서 학년별 '출석', '과제'의 합계와 '중간(필기)', '기말(실기)'의 평균을 계산하는 부분합을 작성하시오.

- 정렬의 첫째 기준은 학년별 내림차순, 둘째 기준은 합계별 내림차순으로 정렬하시오.
- 평균 소수 자릿수는 소수점 이하 2로 표시하시오.
- 합계와 평균 필드는 각각 하나의 행에 표시하시오.
- 부분합 작성 순서는 평균을 구한 후 합계를 구하시오.

2. '분석작업-2' 시트에 대하여 다음의 지시사항을 처리하시오.

'연두미술학원 종강 보고서' 표를 이용하여 '성별'은 보고서 필터, '성명'은 행 레이블, '분반'은 열 레이블로 표시하고, 값에 '합계점수'의 평균을 표시하는 피벗 테이블을 작성하시오.

- 피벗 테이블 보고서는 동일 시트의 [A18] 셀에 위치시키시오.
- 빈 셀에 "★"을 표시하고, 열의 총 합계만 표시하시오.
- 값에 셀 서식의 '숫자' 형식, 소수 자릿수 1까지 표시하시오.

3. '분석작업-3' 시트에 대하여 다음의 지시사항을 처리하시오.

'사원별 급여현황' 표에서 총급여 평균[F12]이 1,650,000이 되기 위하여 보너스[C3]가 몇 %로 변경되어야 하는지 목표값 찾기 기능을 이용하여 계산하시오.

문제 4 기타작업(20점) 주어진 시트에서 다음 과정을 수행하고 저장하시오.

1. [표1]의 '아름다움 화장품 고객현황'에서 다음과 같은 기능을 수행하는 매크로를 현재 통합 문서에 작성하고 실행하시오.

① 결제가[F3:F10]를 계산하는 매크로를 생성하고 매크로의 이름은 "결제가"로 만드시오.

- 결제가는 '판매가-할인가'로 계산

- '결제가' 매크로는 [양식 컨트롤]의 단추에 지정한 후 단추의 텍스트를 "결제가"로 입력하시오. 단추를 클릭하면 매크로가 실행되도록 하고, 단추는 동일한 시트의 [H3] 셀에 위치시키시오.

② 판매가와 할인가의 합계[D11:E11]를 계산하는 매크로를 생성하고 매크로의 이름은 "합계"로 만드시오.

- '합계' 매크로는 [양식 컨트롤]의 단추에 지정한 후 단추의 텍스트를 "합계"로 입력하시오. 단추를 클릭하면 매크로가 실행되도록 하고, 단추는 동일 시트의 [H6] 셀에 위치시키시오.

※ 셀 포인터의 위치에 상관없이 현재 통합 문서에서 매크로가 실행되어야 정답으로 인정됨

2. [표2]의 '교육학과 1학기 성적평가'를 이용하여 다음 조건에 따라 아래와 같이 차트를 작성하시오.

① 이름별로 '중간', '기말', '점수'가 차트에 표시되도록 데이터 범위를 지정하시오.

② 차트 종류는 아래 차트와 같이 작성하고, 차트 위치를 새로운 시트로 생성한 후 생성된 차트의 이름은 "성적차트"로 설정하시오.

③ 차트 제목은 아래 차트를 참조하고 글꼴 스타일 '보통', 글꼴 크기 '15'로 입력하시오.

④ '점수' 계열의 서식을 표식 채우기 '표준 색-자주', 선 색 '표준 색-자주', 완만하게 표시되도록 설정하시오.

⑤ 차트의 테두리는 '그림자(오프셋 오른쪽)'이 나타나도록 하시오.

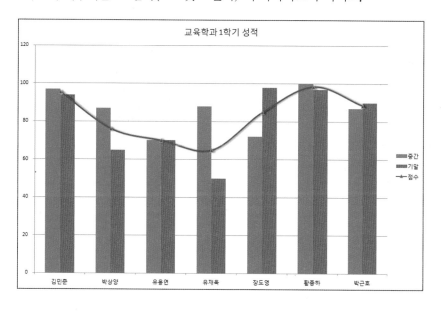

문제 1 기본작업

2. 셀 서식

A B	C	D	E F	G	H I J K
■ 연두 IT교육학원 수강신청 圓理 목록					2018년 9월 1일 기준

수강생번호	성명	주민등록번호	신청강좌	수강료	이전수강이력	할인율	수강료납부
yd10001	이송연	901123-2******	엑셀	180,000	2회	10.0%	납부
yd10002	박명수	920204-1******	파워포인트	150,000	1회	5.0%	납부
yd10003	신병호	940830-1******	엑셀	180,000	-	0.0%	납부
yd10004	김미래	891012-2******	엑셀	180,000	-	0.0%	납부
yd10005	윤지현	910315-2******	파워포인트	150,000	1회	5.0%	미납
yd10006	김도윤	941224-1******	엑셀	180,000	2회	10.0%	납부
yd10007	권지용	930421-1******	파워포인트	160,000	1회	5.0%	미납
yd10008	김희란	951106-2******	포토샵	160,000	-	0.0%	납부
yd10009	임민주	900717-2******	포토샵	160,000	-	0.0%	미납
yd10010	최우영	921203-1******	엑셀	180,000	-	0.0%	미납
yd10011	김미리	920919-2******	포토샵	160,000	2회	10.0%	납부
yd10012	김규태	951021-1******	포토샵	160,000	1회	5.0%	납부
yd10013	이재진	900501-1******	포토샵	160,000	1회	5.0%	납부
yd10014	김경희	930930-2******	엑셀	180,000	1회	5.0%	미납
yd10015	김원호	941037-2******	파워포인트	150,000	1회	0.0%	납부

⑨ 메모 삽입 및 표시

1) [B1] 셀을 클릭하고 [검토] 탭 → [메모] 그룹 →
   [새 메모] 명령을 클릭한다.

2) 메모가 삽입되면 입력되어 있는 이름을 지우고
   "2018년 9월 1일 기준"을 입력한 후 메모 바깥의
   임의의 셀을 클릭한다.

3) 메모가 항상 표시되도록 하기 위해 [B1] 셀을 클릭
   한 후 [검토] 탭 → [메모] 그룹 → [메모 표시/숨기
   기] 명령을 클릭한다.

⑪ 사용자 지정 서식

1) [B4:B20] 영역을 드래그하여 블록 지정한 후 바로
   가기 메뉴에서 [셀 서식]을 선택한다. (바로 가기
   키 : Ctrl + 1)

2) [셀 서식] → [표시 형식] 탭 → [사용자 지정]에서
   '형식'에 "yd"G/표준 을 입력한 후 [확인] 버튼을
   누른다.

3. 조건부 서식

	A	B	C	D	E	F
1	[표1]					
2	번호	소속	학년	이름	점수	상품
3	1	초롱초교	4	홍설아	98	디지털카메라
4	2	초롱초교	5	박유정	100	디지털카메라
5	3	모과초교	6	배인호	84	MP3
6	4	모과초교	6	김아영	86	MP3
7	5	모과초교	4	홍준우	72	문화상품권
8	6	바람초교	3	곽은택	78	문화상품권
9	7	바람초교	5	강주용	86	MP3
10	8	바람초교	6	신병호	84	MP3
11	9	아리초교	4	황보라	76	문화상품권
12	10	아리초교	5	강안길	80	MP3
13	11	아리초교	5	이영곤	70	문화상품권
14	12	아리초교	5	라주연	72	문화상품권
15	13	시원초교	3	문지석	70	문화상품권
16	14	시원초교	4	구상철	78	문화상품권
17	15	시원초교	5	서수민	88	MP3
18	16	시원초교	6	마재우	98	디지털카메라
19	17	시원초교	6	공주혁	92	디지털카메라
20	18	방울초교	4	박지민	76	문화상품권
21	19	방울초교	5	김상경	84	MP3
22	20	금한초교	4	최하니	80	MP3

1) [A3:F22] 영역을 드래그하여 블록 지정한 후 [홈]
   탭 → [스타일] 그룹 → [조건부 서식] 명령 → [새
   규칙]을 클릭한다.

2) [새 서식 규칙] 대화상자에서 규칙 유형에 '수식을
   사용하여 서식을 지정할 셀 결정'을 선택하고, '규
   칙 설명 편집'에 "=AND($E3>=75,$E3<80)"을 입
   력한 후 [서식] 버튼을 누른다.

3) [셀 서식] 대화상자에서 문제에 주어진 서식을 적
   용하고 [확인] 버튼을 누른 후 [새 서식 규칙] 대화
   상자에서 [확인] 버튼을 누른다.

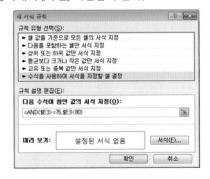

문제 2   계산작업

1. 산업용 청구요금 평균

	A	B	C	D	E
1	[표1]			전기 사용 현황	
2	성명	코드	용도	사용량	청구요금
3	권소현	1	산업용	200	82,000
4	강승윤	3	영업용	210	22,200
5	양현석	2	가정용	22	8,100
6	강혜정	3	산업용	160	17,200
7	권소현	4	산업용	200	11,000
8	김태원	2	가정용	160	49,500
9	빙민영	1	영업용	100	42,000
10	유법용	3	산업용	85	9,700
11					
12	산업용 청구요금의 평균				
13	30,000				

=ROUND(DAVERAGE(A2:E10,5,C2:C3),−2)

2. 보너스 지급

	G	H	I	J	K	L
1	[표2]			영업부서별 판매현황		
2	부서명	상반기 목표량	상반기 판매량	하반기 목표량	하반기 판매량	보너스
3	영업1팀	2,600	2,865	2,600	2,280	
4	영업2팀	3,500	3,333	3,500	2,050	
5	영업3팀	2,900	3,010	2,900	2,860	
6	영업4팀	2,800	3,123	2,800	3,040	지급
7	영업5팀	3,100	3,301	3,100	3,029	
8	영업6팀	3,200	3,160	3,200	2,999	
9	영업7팀	2,700	2,998	2,700	2,883	지급
10	영업8팀	2,800	3,003	2,800	3,512	지급

=IF(AND(I3>=H3,K3>=J3),"지급","")

3. 판매금액

	A	B	C	D
15	[표3]		가전제품 판매현황	
16	제품명	수량	판매가	판매금액
17	세탁기	13	650,000	7,774,000
18	다리미	30	300,000	8,550,000
19	냉장고	15	350,000	4,987,500
20	드라이어	55	880,000	44,528,000
21	전자레인지	23	1,650,000	31,119,000
22	김치냉장고	30	1,200,000	30,600,000
23	전화기	42	1,000,000	36,960,000
24	믹서기	20	305,000	5,795,000

=B17*C17*(1−HLOOKUP(C17,$G$17:$K$18,2))

4. 경시대회 결과

	A	B	C	D
26	[표5]		경시대회 결과	
27	성명	학년	점수	결과
28	이상희	5	95	은상
29	장동건	3	100	최우수
30	신지민	4	56	
31	이진기	6	70	
32	백아연	3	88	
33	유용민	1	90	동상
34	임효가	6	98	금상
35	양회영	3	57	

=CHOOSE(RANK(C28,$C$28:$C$35),"최우수","금상","은상","동상","","","","")

5. 학과 표시

	F	G	H	I
22	[표6]		학생별 과목 신청현황	
23	코드	이름	학과	과목
24	A0214D	정혜정	경제학과	컴퓨터활용능력
25	2014A3	김용진	자유전공	글쓰기
26	A51400	김경희	경제학과	컴퓨터활용능력
27	1A2540	송재범	경영학과	글쓰기
28	125ADD	이시내	자유전공	교양 미술
29	2FCA61	이상희	자유전공	컴퓨터활용능력
30	2DF00A	장동건	자유전공	교양 미술
31	D1A252	신지민	통계학과	글쓰기
32	E125A1	이진기	자유전공	교양 음악
33	LL511A	백아연	자유전공	컴퓨터활용능력

=IF(SEARCH("A",F24)=1,"경제학과",IF(SEARCH("A",F24)=2,"경영학과",IF(SEARCH("A",F24)=3,"통계학과","자유전공")))

문제 3 분석작업

1. 부분합

1 2 3 4		A	B	C	D	E	F	G
	1	엑셀 심화과정 성적 결과						
	2	학년	성명	출석	과제	중간(필기)	기말(실기)	합계
	3	4학년	이송석	10	10	38	39	97
	4	4학년	송경은	8	7	38	36	89
	5	4학년	정효정	9	9	34	36	88
	6	4학년	구태영	7	8	37	34	86
	7	4학년	박종구	8	9	31	32	80
	8	4학년 요약		42	43			
	9	4학년 평균				35.60	35.40	
	10	3학년	정권상	10	9	40	37	96
	11	3학년	김기종	8	8	35	38	89
	12	3학년	이온주	7	10	34	36	87
	13	3학년	황현재	7	9	36	34	86
	14	3학년	김유정	7	8	36	35	86
	15	3학년	이연회	6	10	32	37	85
	16	3학년	노장미	4	7	34	38	83
	17	3학년 요약		49	61			
	18	3학년 평균				35.29	36.43	
	19	2학년	박하련	8	9	38	36	91
	20	2학년	김현주	6	8	35	38	87
	21	2학년	김영민	6	9	38	34	87
	22	2학년	이태만	9	7	36	35	87
	23	2학년	도화상	8	6	33	35	82
	24	2학년	오회재	6	9	34	33	82
	25	2학년	정지회	5	8	32	30	75
	26	2학년 요약		48	56			
	27	2학년 평균				35.14	34.43	
	28	1학년	오로라	10	8	36	37	91
	29	1학년	강선빈	5	8	33	35	81
	30	1학년	김성석	4	7	34	31	76
	31	1학년	기태회	4	8	30	32	74
	32	1학년 요약		23	31			
	33	1학년 평균				33.25	33.75	
	34	총합계		162	191			
	35	전체 평균				34.96	35.13	
	36							

1) 데이터 정렬을 위해 [A2:G25] 영역 중 임의의 셀을 선택한 후 [데이터] 탭 → [정렬 및 필터] 그룹 → [정렬] 명령을 클릭한다.

2) [정렬] 대화상자에서 다음 그림과 같이 적용하고 [확인] 버튼을 누른다.

3) [데이터] 탭 → [윤곽선] 그룹 → [부분합] 명령을 클릭한다.

4) [부분합] 대화상자에서 다음 그림과 같이 지정하고 [확인] 버튼을 누른다.

5) [부분합] 명령을 클릭하고 다음 그림과 같이 적용한다. 두 번째 부분합은 '새로운 값으로 대치'에 체크를 해제한 후 [확인] 버튼을 누른다.

6) 평균의 소수 자릿수를 지정하기 위해 [E9:F9], [E18:F18], [E27:F27], [E33,F33], [E35:F35] 영역의 셀을 함께 선택한 후 [셀 서식] → [표시 형식] 탭 → [숫자]에서 '소수 자릿수'에 "2"를 입력하고 [확인] 버튼을 누른다.

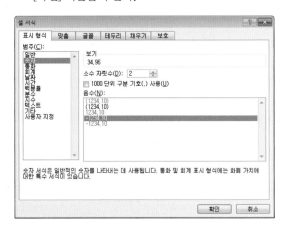

2. 피벗 테이블

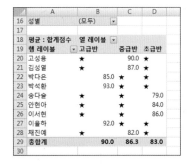

1) [A4:G13] 영역 중 임의의 셀을 선택한 후 [삽입] 탭 → [표] 그룹 → [피벗 테이블] 명령 → [피벗 테이블]을 클릭한다.

2) [피벗 테이블 만들기] 대화상자에서 피벗 테이블 보고서를 넣을 위치를 '기존 워크시트'로 선택하고 '위치' 입력란에 [A18] 셀을 입력(클릭)한 후 [확인] 버튼을 누른다.

3) [피벗 테이블 필드 목록] 창에서 다음 그림과 같이 각 필드를 드래그하여 위치시킨다.

4) 합계점수의 평균을 표시하기 위해 값의 '합계:합계점수'를 클릭하여 [값 필드 설정]을 선택한 후 '값 필드 요약 기준'을 '평균'으로 선택하고 [확인] 버튼을 누른다.

5) 피벗 테이블 내의 임의의 셀을 선택한 후 바로 가기 메뉴에서 [피벗 테이블 옵션]을 선택한다.

6) [피벗 테이블 옵션] → [레이아웃 및 서식] 탭에서 '빈 셀 표시' 항목에 "★"을 입력한 후 [요약 및 필터] 탭에서 '행 총합계 표시' 항목을 체크 해제하고 [확인] 버튼을 누른다.

7) 값에 소수 자릿수 1자리까지 표시하기 위해 [B20:D29] 영역을 드래그하여 블록 지정하고, [셀 서식] → [표시 형식] 탭 → [숫자]에서 '소수 자릿수'에 "1"을 입력한 후 [확인] 버튼을 누른다.

3. 목표값 찾기

	A	B	C	D	E	F	G
1				사원별 급여현황			
2							
3		보너스	9%				
4							
5		사원명	기본급	상여율	근무수당	총급여	
6		김민선	1,550,000	7%	251,118	1,801,118	
7		성시경	1,400,000	5%	198,817	1,598,817	
8		김희애	1,350,000	10%	259,216	1,609,216	
9		박성진	1,500,000	8%	258,018	1,758,018	
10		곽진언	1,350,000	10%	259,216	1,609,216	
11		고현정	1,300,000	8%	223,615	1,523,615	
12				평균	241,667	1,650,000	
13							

1) 수식이 입력되어 있는 [F12] 셀을 선택한 후 [데이터] 탭 → [데이터 도구] 그룹 → [가상 분석] 명령 → [목표값 찾기]를 클릭한다.

2) [목표값 찾기] 대화상자에서 다음 그림과 같이 입력한 후 [확인] 버튼을 누른다.

3) [목표값 찾기 상태] 대화상자에서 [확인] 버튼을 누른다.

문제 4 기타작업

1. 매크로

	A	B	C	D	E	F	G	H
1	[표1]			아름다움 화장품 고객현황				
2	고객명	방문횟수	포인트	판매가	할인가	결제가		
3	권소현	21	22	672,000	20,160	651,840		결제가
4	강승윤	15	11	480,000	14,400	465,600		
5	양현석	7	14	1,000,000	30,000	970,000		
6	강혜정	9	2	288,000	8,640	279,360		합계
7	권소현	11	24	352,000	10,560	341,440		
8	김태원	16	36	512,000	15,360	496,640		
9	방민영	22	15	106,320	3,190	103,130		
10	유법용	30	50	1,050,000	31,500	1,018,500		
11		합계		4,460,320	133,810			

① 계산 매크로

1) [개발 도구] 탭 → [컨트롤] 그룹 → [삽입] 명령 → [단추(양식 컨트롤)▬]을 선택한 후 Alt 를 누른 상태로 [H3] 셀에 드래그하여 삽입한다.

2) [매크로 지정] 대화상자에서 '매크로 이름' 입력란에 "결제가"를 입력하고 [기록] 버튼을 누른다. [매크로 기록] 대화상자에서 [확인] 버튼을 누른다.

3) [F3] 셀을 클릭한 후 "=D3-E3"을 입력하고 Enter 를 누른다. 채우기 핸들을 드래그하여 [F10] 셀까지 수식을 복사한다.

4) 표 밖의 임의의 셀을 클릭한 후 [개발 도구] 탭 → [코드] 그룹 → [기록 중지] 명령을 클릭한다.

5) 단추의 바로 가기 메뉴에서 [텍스트 편집]을 선택한 후 "결제가"로 를 입력하고 임의의 셀을 클릭해 선택을 해제한다.

② **자동 합계 매크로**

1) [개발 도구] 탭 → [컨트롤] 그룹 → [삽입] 명령 → [단추(양식 컨트롤)■]을 선택한 후 `Alt` 를 누른 상태로 [H6] 셀에 드래그하여 삽입한다.

2) [매크로 지정] 대화상자에서 '매크로 이름' 입력란에 "합계"를 입력하고 [기록] 버튼을 누른다. [매크로 기록] 대화상자에서 [확인] 버튼을 누른다.

3) [D3:D11] 영역을 드래그하여 블록 지정한 후 [홈] 탭 → [편집] 그룹 → [자동 합계] 명령을 클릭하여 판매가의 합계를 구한다.

4) [D11] 셀을 클릭한 후 채우기 핸들을 드래그하여 [E11] 셀에 수식을 복사한다.

5) 표 밖의 임의의 셀을 클릭한 후 [개발 도구] 탭 → [코드] 그룹 → [기록 중지] 명령을 클릭한다.

6) 단추의 바로 가기 메뉴에서 [텍스트 편집]을 선택한 후 "합계"로 입력한다. 임의의 셀을 클릭해 선택을 해제한다.

2. 차트

① **데이터 범위 지정**

1) [B15:E22] 영역을 드래그하여 블록으로 지정한다.

② **차트 작성 및 이동**

1) [삽입] 탭 → [차트] 그룹 → [세로 막대형] 명령 → [묶은 세로 막대형]을 클릭한다.

2) 점수 계열의 차트 종류를 '표식이 있는 꺾은선형' 으로 변경하기 위해 범례 중 '점수'를 선택하고 바로 가기 메뉴에서 [계열 차트 종류 변경]을 클릭한다. [차트 종류 변경] → [꺾은선형]에서 '표식이 있는 꺾은선형'을 선택한다.

3) 차트를 이동하기 위해 [디자인] 탭 → [위치] 그룹 → [차트 이동] 명령을 클릭한다. [차트 이동] 대화상자에서 '새 시트' 항목에 체크하고 시트명을 "성적차트"로 변경하고 [확인] 버튼을 누른다.

④ **표식 변경**

1) 꺾은선형 차트의 바로 가기 메뉴에서 [데이터 계열 서식] → [표식 채우기]을 선택한 후 '단색 채우기' 항목에 체크하고 '표준 색-자주'로 변경한다.

2) [선 색]에서 '실선' 항목에 체크하고 '표준 색-자주'로 변경한다.

3) [선 스타일]에서 '완만한 선' 항목에 체크하고 [닫기] 버튼을 누른다.

⑤ **차트 테두리**

1) 차트 영역의 바로 가기 메뉴에서 [차트 영역 서식]을 선택한다.

2) [차트 영역 서식] → [그림자]에서 '미리 설정' 항목의 바깥쪽 목록 중 '오프셋 오른쪽'을 선택한다.

실전 모의고사 4회

국 가 기 술 자 격 검 정

프로그램명	제한시간
EXCEL	40분

수험번호 :

성   명 :

2급 | A형

〈유 의 사 항〉

- 인적 사항 누락 및 잘못 작성으로 인한 불이익은 수험자 책임으로 합니다.
- 화면에 암호 입력창이 나타나면 아래의 암호를 입력해야 합니다.
  - 암호 : 8610^2
- 작성된 답안은 주어진 경로 및 파일명을 변경하지 마시고 그대로 저장해야 합니다. 이를 준수하지 않으면 실격처리 됩니다.
  - 답안 파일명 예 : C:₩OA₩수험번호 8자리.xlsm (확장자 유의)
- 외부 데이터 위치 : C₩OA₩파일명
- 별도의 지시사항이 없는 경우, 다음과 같이 처리하면 실격 처리됩니다.
  - 제시된 시트 및 개체의 순서나 이름을 임의로 변경한 경우
  - 제시된 시트 및 개체를 임의로 추가 또는 삭제한 경우
- 답안은 반드시 문제에서 지시 또는 요구한 셀에 입력하여야 하며, 수험자가 임의로 셀의 위치를 변경하여 입력한 경우에는 채점 대상에서 제외됩니다.
  - ※ 아울러 지시하지 않은 셀의 이동, 수정, 삭제, 변경 등으로 인해 셀의 위치 및 내용 이 변경된 경우에도 관련 문제 모두 채점 대상에서 제외됩니다.
- 별도의 지시사항이 없는 경우, 주어진 각 시트 및 개체의 설정값 또는 기본 설정값 (Default)으로 처리하십시오.
- 저장 시간은 별도로 주어지지 아니하므로 제한된 시간 내에 저장을 완료해야 합니다.
- 본 문제의 용어는 Microsoft Office Excel 2010 기준으로 작성되어 있습니다.

대한상공회의소

문제 1 **기본작업(20점) 주어진 시트에서 다음 과정을 수행하고 저장하시오.**

1. '기본작업-1' 시트에 다음의 자료를 주어진 대로 입력하시오.

2. '기본작업-2' 시트의 표에 대하여 다음의 지시사항을 처리하시오.

   ① [A1:H1] 영역을 '병합하고 가운데 맞춤', 글꼴 '굴림', 크기 '15', 글꼴 스타일 '굵게'로 지정하시오.

   ② [H4:H19] 영역의 셀에 "비고"로 이름을 정의하시오.

   ③ [A3:H3] 영역을 '가운데 맞춤', 글꼴 스타일 '굵게'로 지정하시오.

   ④ [A4:H19] 영역을 '가운데 맞춤'으로 지정하시오.

   ⑤ 제목 '미리마트 온라인 판매 현황'의 '판매'를 한자 "販賣"로 바꾸시오.

   ⑥ 제목 '미리마트 온라인 판매 현황'의 앞뒤에 "♥"를 삽입하시오.

   ⑦ [C4:C19] 영역과 [G4:G19] 영역의 셀 서식에 '회계', 기호 '₩'으로 지정하시오.

   ⑧ [F4:F19] 영역의 셀 서식은 사용자 지정 서식을 이용하여 데이터 앞에 "010-"을 표시하시오. (표시 예: 111-1111 → 010-111-1111)

   ⑨ [H12] 셀에 "깨지기 쉬움"이라는 메모를 삽입하고, 항상 표시되도록 하시오.

   ⑩ [A4:A19] 영역 데이터의 문자와 숫자 사이에 "-"을 넣으시오.

   ⑪ [A3:H19] 영역에 '모든 테두리', 테두리 색 '표준 색-자주'로 적용하여 표시하시오.

3. '기본작업-3' 시트에 대하여 다음의 지시사항을 처리하시오.

   다음의 텍스트 파일을 열고, 생성된 데이터를 '기본작업-3' 시트의 [B2:F11] 영역에 붙여 넣으시오.

   ▪ 외부 데이터 파일명은 '1학기성적.txt'임

   ▪ 외부 데이터는 슬래시(/)로 구분되어 있음

   ▪ 열 너비는 조정하지 않음

문제 2 계산작업(40점) '계산작업' 시트에서 다음 과정을 수행하고 저장하시오.

1. [표1]에서 실용영어의 전체평균[C3:D9]과 개인별 평균의 차를 [E3:E9] 영역에 구하시오.
   - AVERAGE, DAVERAGE, AVERAGEIF 중 알맞은 함수를 선택하여 사용

2. [표2]에서 1분기~3분기 방문횟수가 각각 5회 이상이고, 1분기~3분기 방문횟수의 평균이 7회 이상이면 "지급", 그렇지 않으면 "미지급"을 사은품[K3:K11]에 표시하시오.
   - IF, AND, AVERAGE 함수 사용

3. [표3]에서 청결[C15:C20] 평가가 우수한(●) 음식점의 월매출액 평균을 [D22] 셀에 구하시오.
   - '●' 표시는 엑셀의 특수 문자임
   - SUMIF와 COUNTIF 함수 사용

4. [표4]에서 지역구[G15:G23]가 '서구'인 영유아의 평균 키를 [K25] 셀에 구하시오.
   - [N14:N15] 영역에 조건 입력
   - 평균 키는 소수점 이하 첫째 자리에서 올림하고, 숫자 뒤에 "cm"를 표시 (표시 예: 70cm)
   - DSUM, DAVERAGE, ROUNDDOWN, ROUNDUP 중 알맞은 함수와 & 연산자 사용

5. [표5]에서 합계[D28:D36]를 기준으로 수상결과[E28:E36]를 표시하시오.
   - 수상구분표: 순위가 1위이면 "대상", 2위이면 "금상", 3위이면 "은상", 4~5위이면 "동상", 6~7위이면 "장려상", 나머지는 "참가상"을 적용
   - 합계가 가장 높은 학생이 1위
   - VLOOKUP, HLOOKUP, RANK, CHOOSE, INDEX 중 알맞은 함수 선택

문제 3 **분석작업(20점) 주어진 시트에서 다음 과정을 수행하고 저장하시오.**

1. '분석작업-1' 시트에 대하여 다음의 지시사항을 처리하시오.

   '㈜MHI 실적 별 포상안내' 표에서 소속팀별로 '고객추천', '보너스'의 최대값과 '판매실적'과 '기본급'의 평균을 계산하는 부분합을 작성하시오.

   - 정렬의 첫째 기준은 소속팀별 오름차순, 둘째 기준은 성명별 내림차순으로 정렬하시오.
   - 기본급의 평균 소수 자릿수는 소수점 이하 1로 표시하시오.
   - 합계와 평균 필드는 각각 하나의 행에 표시하시오.
   - 평균과 합계는 표시되는 순서에 상관없이 처리하시오.

2. '분석작업-2' 시트에 대하여 다음의 지시사항을 처리하시오.

   '12월 매출 내역' 표를 이용하여 '상품명'은 행 레이블, '분류'는 열 레이블로 표시하고, 값에 '판매금액'의 최대값을 표시하는 피벗 테이블을 작성하시오.

   - 피벗 테이블 보고서는 동일 시트의 [A19] 셀에 위치시키시오.
   - 빈 셀에 "**"을 표시하고, 레이블이 있는 셀 병합 및 가운데 맞춤을 적용하시오.
   - 값에 셀 서식의 '통화' 형식, 기호 '없음'으로 표시하시오.

3. '분석작업-3' 시트에 대하여 다음의 지시사항을 처리하시오.

   '인턴십 프로그램 보고서' 표에서 아래와 같이 리더십 점수가 변경되는 경우, 합계 평균[E15]의 변경 시나리오를 작성하시오.

   - [B8] 셀의 이름을 "서기현", [B9] 셀의 이름을 "김혜진", [E15] 셀의 이름을 "합계평균"으로 설정하시오.
   - 시나리오1: 시나리오 이름을 "감점", 서기현의 리더십 점수를 85로 설정하시오.
   - 시나리오2: 시나리오 이름을 "가점", 김혜진의 리더십 점수를 85로 설정하시오.
   - 시나리오 요약 보고서는 '분석작업-3' 시트의 바로 앞에 위치시키시오.

문제 4 기타작업(20점) 주어진 시트에서 다음 과정을 수행하고 저장하시오.

1. '매크로작업' 시트에서 다음과 같은 기능을 수행하는 매크로를 현재 통합 문서에 작성하고 실행하시오.

   ① [H4:H11] 영역에 대하여 평가를 계산하는 "평가"라는 이름의 매크로를 생성하시오.

   - 평가는 '평균+가산점'으로 계산

   - '평가' 매크로는 [기본 도형]의 '하트(♡)' 도형으로 동일한 시트의 [J3:J6] 영역에 생성한 후 텍스트를 "평가"로 입력하고, 텍스트는 가로 가운데, 세로 가운데 정렬하시오.

   ② [A3:H11] 영역에 모든 테두리를 적용하여 표시하는 매크로를 생성하고, 매크로의 이름은 "테두리"로 정의하시오.

   - '테두리' 매크로는 [기본 도형]의 '타원(◯)' 도형으로 동일한 시트의 [J8:J10] 영역에 생성한 후 텍스트를 "테두리"로 입력하고, 텍스트는 가로 가운데, 세로 가운데 정렬하시오.

   ※ 셀 포인터의 위치에 상관없이 현재 통합 문서에서 매크로가 실행되어야 정답으로 인정됨

2. '차트작업' 시트의 '상반기 전자제품 판매 현황'을 이용하여 다음 조건에 따라 아래와 같이 차트를 수정하시오.

   ※ 차트는 반드시 문제에서 제공한 차트를 사용하여야 하며, 신규로 작성 시 0점 처리됨

   ① 제조회사별로 '할인율'이 차트에 표시되도록 데이터 범위를 수정하시오.

   ② 차트 종류는 '묶은 세로 막대형'으로 변경하고, 동일한 시트의 [A13:H30] 영역에 위치시키시오.

   ③ 차트 제목은 아래 차트와 같이 입력하고, 글꼴 스타일 '굵게', 크기 '16'으로 지정하시오.

   ④ 데이터 계열에 데이터 레이블 '값(바깥쪽 끝에)'을 지정하고, 표시된 값에 백분율 '%' 기호를 표시하시오.

   ⑤ 범례를 '아래쪽'에 표시하시오.

   ⑥ 세로(값) 축의 최대값을 '20%', 주 단위를 '5%'로 지정하시오.

   ⑦ 차트 영역의 테두리에 '그림자(오프셋 대각선 오른쪽 아래)'와 '둥근 모서리'를 지정하시오.

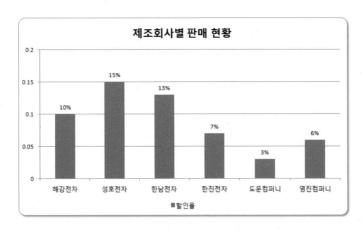

문제 1 기본작업

2. 셀 서식

⑧ 사용자 지정 서식

1) [F4:F19] 영역의 바로 가기 메뉴에서 [셀 서식]을 선택한다. (바로 가기 키 : Ctrl + 1)

2) [셀 서식] → [표시 형식] 탭 → [사용자 지정]에서 '형식'에 "010-"@ 을 입력한 후 [확인] 버튼을 누른다.

3. 외부 데이터 가져오기

1) [B2] 셀을 선택하고, [데이터] 탭 → [외부 데이터 가져오기] 그룹 → [텍스트] 명령을 클릭한다.

2) [텍스트 파일 가져오기] → [Part 2_실전모의WOA]에서 '1학기성적.txt'을 선택한 후 [가져오기] 버튼을 누른다.

3) [텍스트 마법사 → 3단계 중 1단계] 대화상자에서 원본 데이터 형식을 '구분 기호로 분리됨'으로 선택한 후 [다음] 버튼을 누른다.

4) [텍스트 마법사 → 3단계 중 2단계] 대화상자에서 구분 기호에 '탭'을 해제하고 '기타:/'로 지정한 후 [다음] 버튼을 누른다.

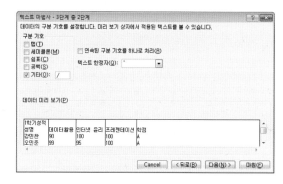

5) [텍스트 마법사 → 3단계 중 3단계] 대화상자에서 [마침] 버튼을 누른다.

6) [데이터 가져오기] 대화상자에서 [확인] 버튼을 누른다.

문제 2 계산작업

1. 실용영어 평균차

	A	B	C	D	E
1	**[표1]**		실용영어 점수 현황		
2	이름	전공	레벨1	레벨2	평균차
3	이준용	경영	86	79	5
4	김재호	경제	80	94	0
5	황인정	회계	95	85	-3
6	김채린	컨벤션경영	87	88	0
7	이유림	경영정보	80	91	2
8	이슬기	금융	91	89	-3
9	박진영	디자인	88	90	-2

=AVERAGE($C$3:$D$9)−AVERAGE(C3:D3)

2. 사은품 지급 표시

	G	H	I	J	K
1	**[표2]**	방문횟수별 사은품 지급표			
2	고객번호	1분기	2분기	3분기	사은품
3	V001	10	6	7	지급
4	V002	7		5	미지급
5	V003	5	10	10	지급
6	S001	6	10	10	지급
7	V005	8	7	7	지급
8	V006	10	5	12	지급
9	S002	12	6	4	미지급
10	V008	4	10	8	미지급
11	V009	11	12	10	지급

=IF(AND(H3>=5,I3>=5,J3>=5,AVERAGE(H3:J3)>=7),"지급","미지급")

3. 청결 우수 음식점의 월매출액 평균

	A	B	C	D	E
13	**[표3]**	상대동 음식점 평가		(단위 : 천 원)	
14	음식점명	맛	청결	서비스	월매출액
15	코코분식	●	●	●	₩ 7,467,000
16	쉐프전	●			₩ 5,771,000
17	엄마김밥			●	₩ 5,500,000
18	하늘정원	●	●	●	₩ 6,560,000
19	오늘의 파스타	●	●		₩ 3,824,000
20	안탈리아	●		●	₩ 4,865,600
21					
22	우수 음식점 월매출액 평균				5,837,750

=SUMIF(C15:C20,"●",E15:E20)/COUNTIF(C15:C20,"●")

4. 서구 영유아 키 평균

	G	H	I	J	K	L	M	N
13	**[표4]**	지역구별 영유아 검진표						
14	지역구	이름	성별	개월	키	몸무게		지역구
15	유성구	이준용	남	7	67.5			서구
16	서구	김재호	남	8	69.6	8.5		
17	서구	황인정	여	9	70.5	8.6		
18	유성구	김채린	여	10	73.5	9		
19	동구	이유림	여	7	76.1	9.4		
20	서구	이슬기	여	7	67.9	7.9		
21	동구	박진영	남	9	69.4	8.6		
22	유성구	백미애	여	10	72.2	9.7		
23	동구	이정훈	남	11	79.8	10.5		
24								
25		서구 영유아 키 평균			70cm			

=ROUNDUP(DAVERAGE(G14:L23,5,N14:N15),0)&"cm"

5. 수상결과

	A	B	C	D	E
26	**[표5]**	정보화 영역 공모전 결과			
27	학생명	독창성	디자인	합계	수상결과
28	임연수	88	90	178	장려상
29	이준용	98	94	192	은상
30	김재호	84	93	177	장려상
31	황인정	79	87	166	참가상
32	김채린	86	77	163	참가상
33	이유림	91	90	181	동상
34	이슬기	95	90	185	동상
35	박진영	96	97	193	금상
36	김도운	100	100	200	대상

=VLOOKUP(RANK(D28,$D$28:$D$36),$G$31:$H$36,2)

문제 3 분석작업

1. 부분합

1 2 3 4		A	B	C	D	E	F	G
	1		㈜MHI 실적 별 포상안내					
	2	성명	소속팀	판매실적	고객추천	기본급	보너스	비고
	3	홍찬솔	영업A팀	2,200	8	420	35	
	4	최해련	영업A팀	1,900	5	300	20	
	5	이호석	영업A팀	1,800	7	300	20	
	6	유하늘	영업A팀	2,200	5	420	35	
	7	박우민	영업A팀	2,000	10	400	30	
	8	문한빛	영업A팀	1,700	7	300	20	
	9	김한샘	영업A팀	1,600	10	300	20	
	10	강태환	영업A팀	1,900	10	300	20	
	11		영업A팀 평균	1,913		342.5		
	12		영업A팀 최대값		10		35	
	13	박지아	영업B팀	1,800	5	300	20	
	14	민서민	영업B팀	1,600	8	300	20	
	15	김해솔	영업B팀	2,100	8	410	30	
	16	김한지	영업B팀	1,800	8	300	20	
	17	김예찬	영업B팀	2,400	10	440	35	포상휴가
	18	김나래	영업B팀	1,500	8	250	15	
	19	기한울	영업B팀	2,400	5	440	35	포상휴가
	20	곽승구	영업B팀	1,500	5	300	20	
	21	고강민	영업B팀	2,400	6	440	35	포상휴가
	22		영업B팀 평균	1,956		353.3		
	23		영업B팀 최대값		10		35	
	24	이림찬	영업C팀	1,800	8	300	20	
	25	박하늬	영업C팀	1,500	9	250	15	
	26	류재휘	영업C팀	2,100	7	410	30	
	27	나태환	영업C팀	2,200	8	420	35	
	28	권석호	영업C팀	1,900	9	300	20	
	29	고혜라	영업C팀	2,300	4	430	35	포상휴가
	30		영업C팀 평균	1,950		351.7		
	31		영업C팀 최대값		9		35	
	32		전체 평균	1,939		349.1		
	33		전체 최대값		10		35	
	34							

1) 데이터 정렬을 위해 [A2:G25] 영역 중 임의의 셀을 선택한 후 [데이터] 탭 → [정렬 및 필터] 그룹 → [정렬] 명령을 클릭한다.
2) [정렬] 대화상자에서 다음 그림과 같이 적용하고 [확인] 버튼을 누른다.

3) 블록 지정된 상태에서 [데이터] 탭 → [윤곽선] 그룹 → [부분합] 명령을 클릭한다.
4) [부분합] 대화상자에서 다음 그림과 같이 적용하고 [확인] 버튼을 누른다.

5) [부분합] 명령을 클릭하고 다음 그림과 같이 적용한다. 두 번째 부분합은 '새로운 값으로 대치'에 체크를 해제한 후 [확인] 버튼을 누른다.

6) 기본급 평균의 소수 자릿수를 지정하기 위해 [E11], [E22], [E30], [E32] 셀을 함께 선택한 후 [셀 서식] → [표시 형식] 탭 → [숫자]에서 '소수 자릿수'에 "1"을 입력하고 [확인] 버튼을 누른다.

2. 피벗 테이블

	A	B	C	D	E
19	최대값 : 판매금액	열 레이블 ▾			
20	행 레이블 ▾	립 글로스	립스틱	마스카라	총합계
21	딥 핑크	572,000 **		**	572,000
22	라이트 핑크	792,000 **		**	792,000
23	로맨틱 레드	**	2,014,000 **		2,014,000
24	통 컬 브라운	**		510,000	510,000
25	통 컬 블랙	**	**	645,000	645,000
26	볼륨 딥 브라운	**	**	527,000	527,000
27	볼륨 블랙	**	**	306,000	306,000
28	섹시 레드	**	783,000	**	783,000
29	오렌지 레드	**	1,330,000 **		1,330,000
30	코랄 레드	**	783,000 **		783,000
31	핫 핑크	1,066,000 **		**	1,066,000
32	총합계	1,066,000	2,014,000	645,000	2,014,000
33					

1) [A4:F15] 영역 중 임의의 셀을 선택한 후 [삽입] 탭 → [표] 그룹 → [피벗 테이블] 명령 → [피벗 테이블]을 클릭한다.

2) [피벗 테이블 만들기] 대화상자에서 피벗 테이블 보고서를 넣을 위치를 '기존 워크시트'로 선택하고 '위치' 입력란에 [A19] 셀을 입력(클릭)한 후 [확인] 버튼을 누른다.

3) [피벗 테이블 필드 목록] 창에서 다음 그림과 같이 각 필드를 드래그하여 위치시킨다.

4) '판매금액'의 최대값을 표시하기 위해 값의 '합계:판매금액'을 클릭하여 [값 필드 설정]을 선택한 후 '값 필드 요약 기준'을 '최대값'으로 선택한다.

5) 피벗 테이블의 바로 가기 메뉴에서 [피벗 테이블 옵션]을 선택한다.

6) [피벗 테이블 옵션] → [레이아웃 및 서식] 탭에서 '레이블이 있는 셀 병합 및 가운데 맞춤'에 체크한 후 '빈 셀 표시' 항목에 "**"을 입력하고 [확인] 버튼을 누른다.

7) 값에 표시 형식을 지정하기 위하여 [B21:E32] 영역을 드래그한 후 [셀 서식] → [표시 형식] 탭 → [통화]에서 '기호'에 '없음'을 선택한 후 [확인] 버튼을 누른다.

3. 시나리오

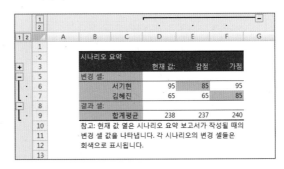

1) [B8] 셀을 선택하고 [이름 상자]에서 "서기현"을 입력한 후 Enter 를 누른다. 같은 방법으로 [B9] 셀은 "김혜진", [E15] 셀은 "합계평균"으로 변경한다.
[데이터] 탭 → [데이터 도구] 그룹 → [가상 분석] 명령에서 [시나리오 관리자]를 선택한다. [시나리오 관리자] 대화상자에서 [추가] 버튼을 누른다.

2) [시나리오 추가] 대화상자에서 '시나리오 이름'에 "감점"을 입력하고, '변경 셀'에 [B8] 셀을 선택한 후 [확인] 버튼을 누른다.

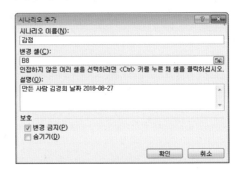

3) [시나리오 값] 대화상자에서 서기현에 "85"를 입력한 후 [추가] 버튼을 누른다.

4) 다시 표시된 [시나리오 추가] 대화상자에서 시나리오 이름에 "가점"을 입력하고, 변경 셀에 [B9] 셀을 선택한 후 [확인] 버튼을 누른다.

5) [시나리오 값] 대화상자에서 값 입력란에 "85"를 입력한 후 [확인] 버튼을 누른다.

6) 다음 그림과 같이 시나리오가 생성된 것을 확인하고 [요약] 버튼을 누른다.

7) [시나리오 요약] 대화상자에서 결과 셀에 [E15] 셀을 선택한 후 [확인] 버튼을 누른다.

문제 4　기타작업

1. 매크로

① 계산 매크로

1) [삽입] 탭 → [일러스트레이션] 그룹 → [도형] 명령 → [기본 도형]에서 '하트(♡)'를 클릭한다. Alt 를 누른 상태로 [J3:J6] 영역에 드래그하여 삽입한다.

2) 도형의 바로 가기 메뉴에서 [매크로 지정]을 선택한다. [매크로 지정] 대화상자에서 '매크로 이름' 입력란에 "평가"를 입력한 후 [기록] 버튼을 누른다. [매크로 기록] 대화상자에서 [확인] 버튼을 누른다.

3) [H4] 셀을 클릭하여 "=F4+G4"을 입력하고 Enter 를 누른다. [H11] 셀까지 수식을 복사한다.

4) 표 밖의 임의의 셀을 클릭한 후 [개발 도구] 탭 → [코드] 그룹 → [기록 중지] 명령을 클릭한다.

5) 도형의 바로 가기 메뉴에서 [텍스트 편집]을 선택하고 "평가"로 입력하고 [홈] 탭 → [맞춤] 그룹의 가로 가운데 맞춤, 세로 가운데 맞춤을 클릭한다. 그리고 임의의 셀을 클릭해 선택을 해제한다.

② 테두리 매크로

1) [삽입] 탭 → [일러스트레이션] 그룹 → [도형] 명령 → [기본 도형]에서 '타원(◯)'을 클릭한다. Alt 를 누른 상태로 [J8:J10] 영역에 드래그하여 삽입한다.

2) 도형의 바로 가기 메뉴에서 [매크로 지정]을 선택한다. [매크로 지정] 대화상자에서 '매크로 이름' 입력란에 "테두리"를 입력한 후 [기록] 버튼을 누른다. [매크로 기록] 대화상자에서 [확인] 버튼을 누른다.

3) [A3:H11] 영역을 블록 지정한 후 [홈] 탭 → [글꼴] 그룹 → [테두리(⊞▾)] 명령을 클릭하고 '모든 테두리'를 선택한다.

4) 표 밖의 임의의 셀을 클릭한 후 [개발 도구] 탭 → [코드] 그룹 → [기록 중지] 명령을 클릭한다.

5) 도형의 바로 가기 메뉴에서 [텍스트 편집]을 선택하고 "테두리"를 입력하고 [홈] 탭 → [맞춤] 그룹의 가로 가운데 맞춤, 세로 가운데 맞춤을 클릭한다. 그리고 임의의 셀을 클릭해 선택을 해제한다.

2. 차트

① 데이터 범위 수정

1) 차트를 선택하고 [디자인] 탭 → [데이터] 그룹 → [데이터 선택] 명령을 클릭한다.

2) [데이터 원본 선택] 대화상자의 '차트 데이터 범위' 입력란에 [A3:A9], [E3:E9] 영역을 드래그하여 입력하고 [확인] 버튼을 누른다.

④ 데이터 레이블 표시 및 표시 형식

1) [레이아웃] 탭 → [레이블] 그룹 → [데이터 레이블] 명령을 클릭하고 '바깥쪽 끝에'를 선택한다.

2) [레이아웃] 탭 → [레이블] 그룹 → [데이터 레이블] 명령을 클릭하고 '기타 데이터 레이블 옵션'을 선택한다.

3) [데이터 레이블 서식] → [표시 형식] → [백분율]로 선택하고 '소수 자릿수'에 "0"을 입력한 후 [닫기] 버튼을 누른다.

실전 모의고사 5회

국 가 기 술 자 격 검 정

프로그램명	제한시간
EXCEL	40분

수험번호 :

성   명 :

2급 A형

〈유 의 사 항〉

- 인적 사항 누락 및 잘못 작성으로 인한 불이익은 수험자 책임으로 합니다.
- 화면에 암호 입력창이 나타나면 아래의 암호를 입력해야 합니다.
  - 암호 : 130$12
- 작성된 답안은 주어진 경로 및 파일명을 변경하지 마시고 그대로 저장해야 합니다. 이를 준수하지 않으면 실격처리 됩니다.
  - 답안 파일명 예 : C:₩OA₩수험번호 8자리.xlsm (확장자 유의)
- 외부 데이터 위치 : C₩OA₩파일명
- 별도의 지시사항이 없는 경우, 다음과 같이 처리하면 실격 처리됩니다.
  - 제시된 시트 및 개체의 순서나 이름을 임의로 변경한 경우
  - 제시된 시트 및 개체를 임의로 추가 또는 삭제한 경우
- 답안은 반드시 문제에서 지시 또는 요구한 셀에 입력하여야 하며, 수험자가 임의로 셀의 위치를 변경하여 입력한 경우에는 채점 대상에서 제외됩니다.
  - ※ 아울러 지시하지 않은 셀의 이동, 수정, 삭제, 변경 등으로 인해 셀의 위치 및 내용 이 변경된 경우에도 관련 문제 모두 채점 대상에서 제외됩니다.
- 별도의 지시사항이 없는 경우, 주어진 각 시트 및 개체의 설정값 또는 기본 설정값 (Default)으로 처리하십시오.
- 저장 시간은 별도로 주어지지 아니하므로 제한된 시간 내에 저장을 완료해야 합니다.
- 본 문제의 용어는 Microsoft Office Excel 2010 기준으로 작성되어 있습니다.

대한상공회의소

문제 1　기본작업(20점) 주어진 시트에서 다음 과정을 수행하고 저장하시오.

1. '기본작업-1' 시트에 다음의 자료를 주어진 대로 입력하시오.

	A	B	C	D	E	F	G	H	I
1		빛나라 전자마트 제품 판매 현황							
2									
3		인기순위	상품코드	상품명	상품구분	상품규격	판매가	재입고여부	
4		1	149209	차량용 충전기 고급형	AA1-2100	Micro 5핀 5V 2.1A	10000	YES	
5		2	150209	차량용 충전기 고급형	AA1-2101	Micro 5핀 5V 1.2A	7000	YES	
6		3	151209	차량용 충전기 고급형	AA1-2103	Micro 5핀 5V 3.1A	12000	NO	
7		4	166209	휴대용 보조 배터리	VCP-0101	10000mA	89000	YES	
8		5	157209	휴대용 보조 배터리	VCP-0210	5000mA	50000	YES	
9		6	168209	USB 메모리	BSU-5106	16GB	25000	NO	
10		7	110209	무선마우스	MS3-1123	무선 2.4GHz	20000	YES	
11		8	170209	무선마우스	MS3-0501	무선 2.5GHz	20000	NO	
12		9	171209	블루투스 이어폰	BT2-7717	5mm	49000	YES	
13		10	172209	블루투스 이어폰	BT2-7557	6.4mm	65000	NO	
14									

2. '기본작업-2' 시트의 표에 대하여 다음의 지시사항을 처리하시오.

① [A1:G1] 영역을 '병합하고 가운데 맞춤', 글꼴 '맑은 고딕', 크기 '20'으로 지정하시오.

② [A3:G3] 영역을 '가운데 맞춤', 채우기 색 '표준 색-연한 녹색'으로 지정하고, [A4:E13], [G4:G13] 영역은 '가운데 맞춤'으로 지정하시오.

③ [F4:F13] 영역의 셀 서식에 '회계', 기호 '없음'으로 지정하고, [E4:E13] 영역은 사용자 지정 서식을 이용하여 숫자 뒤에 "명"을 표시하시오. 셀 값이 0일 경우에는 "0명"으로 표시하시오. (표시 예: 0 → 0명)

④ [G11] 셀에 "수강신청 후 시간협의"라는 메모를 삽입하고, 표시되지 않도록 지정하시오.

⑤ [A3:G13] 영역에 '모든 테두리'를 적용하고, '굵은 상자 테두리'를 적용하여 표시하시오.

3. '기본작업-3' 시트에 대하여 다음의 지시사항을 처리하시오.

도서번호가 '가'로 시작하거나, 대여료가 2,000 이상인 데이터 값을 고급 필터를 사용하여 검색하시오.

▪ 고급 필터 조건은 [B18:D21] 범위 내에 알맞게 입력하시오.

▪ 고급 필터 결과 복사 위치는 동일 시트의 [B22] 셀에서 시작하시오.

문제 2 계산작업(40점) '계산작업' 시트에서 다음 과정을 수행하고 저장하시오.

1. [표1]의 취득 점수[C3:C11]에 해당하는 등급을 지원등급[F3:H7]의 등급2[G4:G7] 영역을 참조하여 등급[D3:D11]에 표시하시오.

   ▪ 표시 예: 1등급

   ▪ CHOOSE, MATCH, VLOOKUP 중 알맞은 함수와 & 연산자 사용

2. [표2]에서 주민등록번호[A15:A16]를 이용하여 나이[B15:B16]를 구하시오.

   ▪ 나이 = 현재 연도 – 태어난 연도

   ▪ 태어난 연도는 '주민등록번호 앞 2글자+1900'로 계산

   ▪ TODAY, YEAR, LEFT 함수 사용

3. [표3]에서 수량[D20:D27]이 100 이상인 제품의 수를 [F27] 셀에 구하시오.

   ▪ COUNT, COUNTA, COUNTIF, COUNTBLANK 중 알맞은 함수 사용

4. [표4]에서 경영학과 학생의 총점[I11:I17] 중 가장 높은 점수와 가장 낮은 점수의 차이를 [I18] 셀에 구하시오

   ▪ 조건은 입력된 데이터에서 지정

   ▪ MAX, MIN, DMAX, DMIN 중 알맞은 함수 사용

5. [표5]에서 기본급[B31:B37]과 특별상여금 지급표[F31:H35]를 이용하여 상여금 [D31:D37]을 구하시오.

   ▪ 근무년수와 상여율 지급표를 이용

   ▪ 상여금 = 기본급×상여율(%)

   ▪ VLOOKUP, HLOOKUP, CHOOSE 중 알맞은 함수 선택 사용

문제 3 **분석작업(20점)** 주어진 시트에서 다음 과정을 수행하고 저장하시오.

1. '분석작업-1' 시트에 대하여 다음의 지시사항을 처리하시오.

   'KK대학 1:1 면담 진행 목록' 표에서 학과별 '가산점'의 합계와 전임교수별 '고과점 수'의 평균을 계산하는 부분합을 작성하시오.

   - 정렬의 첫째 기준은 학과별 오름차순, 둘째 기준은 전임교수별 오름차순으로 정렬 하시오.
   - 평균 소수 자릿수는 소수점 이하 1로 표시하시오.
   - 합계와 평균 필드는 각각 하나의 행에 표시하시오.
   - 부분합 작성 순서는 합계를 구한 후 평균을 구하시오.

2. '분석작업-2' 시트에 대하여 다음의 지시사항을 처리하시오.

   데이터 통합 기능을 이용하여 [표1], [표2], [표3]에 대하여 성이 '이'씨, '김'씨인 사원만 찾아 '전월실적', '당월실적', '보너스'의 평균을 '지점별 영업사원 실적 평균'의 [I3:L5] 영역에 계산하시오.

3. '분석작업-3' 시트에 대하여 다음의 지시사항을 처리하시오.

   '적금 만기해지 예상금액' 표에서 만기금액[C7]이 10,000,000이 되기 위해 매월입금 액[C4]이 얼마가 되어야 하는지 목표값 찾기 기능을 이용하여 계산하시오.

문제 4 **기타작업(20점)** 주어진 시트에서 다음 과정을 수행하고 저장하시오.

1. [표1]의 '1학기 성적 결과'에서 다음과 같은 기능을 수행하는 매크로를 현재 통합 문서에 작성하고 실행하시오.

   ① [A2:A13], [B2:J2] 영역의 채우기 색을 '표준 색-노랑'을 적용하는 매크로를 생 성하고, 매크로의 이름은 "제목서식"으로 정의하시오.

   - '제목서식' 매크로는 [양식 컨트롤]의 단추에 지정한 후 단추의 텍스트를 "제목서 식"으로 입력하시오. 단추를 클릭하면 매크로가 실행되도록 하고, 단추는 동일한 시트의 [L2:L3] 영역에 위치시키시오.

② 출석 점수부터 기말고사 점수까지 최종점수[J3:J13]를 계산하는 매크로를 생성하고, 매크로의 이름은 "최종점수"로 정의하시오.

- '최종점수' 매크로는 [양식 컨트롤]의 단추에 지정한 후 단추의 텍스트를 "최종"으로 입력하시오. 단추를 클릭하면 매크로가 실행되도록 하고, 단추는 동일한 시트의 [L6:L7] 영역에 위치시키시오.

※ 셀 포인터의 위치에 상관없이 현재 통합 문서에서 매크로가 실행되어야 정답으로 인정됨

2. [표2]의 '지역별 판매현황'을 이용하여 지시사항에 따라 아래와 같이 차트를 수정하시오.

※ 차트는 반드시 문제에서 제공한 차트를 사용하여야 하며, 새로 작성 시 0점 처리됨

① 지역이 서울인 담당사원별 '판매량'과 '재고량'이 차트에 표시되도록 데이터 범위를 수정한 후 '재고량' 데이터 계열은 차트 종류를 '표식이 있는 꺾은선형'으로 변경하고, '보조 축'으로 지정하시오.

② 차트 제목을 아래 차트와 같이 입력하고 글꼴 'HY견고딕', 글꼴 스타일 '굵게', 크기 '16'으로 지정하시오.

③ 그림 영역의 채우기를 '빨강, 강조 2, 80% 더 밝게'로 지정하고, 범례는 차트의 '위쪽'에 배치하시오.

④ 보조 세로(값) 축의 주 단위와 제목을 아래 차트와 같이 입력하시오.

⑤ 세로(값) 축 눈금의 주 단위를 '200'으로 지정하시오.

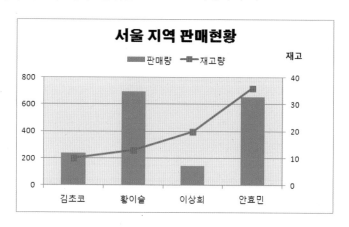

실전 모의고사 5회 정답 및 해설

문제 1 기본작업

2. 셀 서식

③ 회계 및 사용자 지정 서식

1) [F4:F13] 영역을 드래그하여 블록으로 지정한 후 바로 가기 메뉴에서 [셀 서식]을 선택한다. (바로 가기 키: Ctrl + 1)

2) [셀 서식] → [표시 형식] 탭 → [회계]에서 '기호'에 '없음'을 선택 한 후 [확인] 버튼을 누른다.

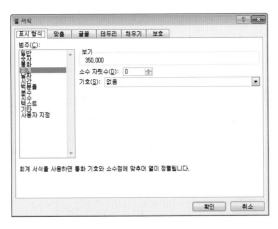

3) [E4:E13] 영역을 드래그하여 블록으로 지정한 후 바로 가기 메뉴에서 [셀 서식]을 선택한다. (바로 가기 키: Ctrl + 1)

4) [셀 서식] → [표시 형식] 탭 → [사용자 지정]에서 '형식'에 G/표준"명" 을 입력한 후 [확인] 버튼을 누른다.

3. 고급 필터

	B	C	D	E	F	G	H
18	도서번호	대여료					
19	가*						
20		>=2000					
21							
22	회원명	도서번호	도서명	대출일	대여료	반납일	총대여료
23	이하윤	가-1324	나미야 잡화점의 기적	2016-03-02	1,500	2016-03-04	3,000
24	최두리	하-9654	한권으로 끝내는 MOS 2010	2016-03-25	2,000	2016-04-25	62,000
25	오나리	가-3925	날개비웃 엄마	2016-03-07	1,500	2016-03-15	12,000
26	이주열	아-2823	세종대왕 이도	2016-04-23	2,500	2016-05-09	40,000
27	박한나	바-7934	불운과 친해지는 법	2016-05-01	2,000	2016-05-07	12,000
28	고현상	가-1254	스타워즈	2016-05-08	1,000	2016-05-12	4,000
29							

1) [B18] 셀에 "도서번호", [B19] 셀에 "가*"를 입력하고 [C18] 셀에 "대여료", [C20] 셀에 ">=2000"을 입력한다.

2) [B3:H16] 영역 중 임의의 셀을 선택한 후 [데이터] 탭 → [정렬 및 필터] 그룹 → [고급] 명령을 클릭한다.

3) [고급 필터] 대화상자에서 다음 그림과 같이 입력한 후 [확인] 버튼을 클릭한다.

문제 2 계산작업

1. 등급 표시

	A	B	C	D
1	[표1]	학과별 장학금 지원 등급		
2	학과코드	학과	취득 점수	등급
3	C-0911	경영학과	98	1등급
4	E-4613	회계학과	86	1등급
5	B-1029	통계학과	56	3등급
6	J-1029	디자인학과	39	4등급
7	B-1030	수학과	77	2등급
8	E-4610	영문과	90	1등급
9	J-1028	화학과	87	1등급
10	B-1032	생명시스템학과	90	1등급
11	B-1033	멀티미디어학과	65	2등급

=MATCH(C3,$G$4:$G$7,−1)&"등급"

※ vlookup은 참조 테이블의 첫 열의 데이터가 내림차순
이므로 사용할 수 없다.

2. 나이 계산

	A	B
13	[표2]	
14	주민등록번호	나이
15	891027-2011019	27
16	850907-1632525	31

=YEAR(TODAY())−(LEFT(A15,2)+1900)

3. 제품수

	A	B	C	D	E	F
18	[표3]	제품 관리				
19	상품코드	상품명	단가	수량	매출	
20	SR-001	컴퓨터	1,500,000	150	225,000,000	
21	SR-013	꽃	35,000	102	3,570,000	
22	SR-014	통신기기	165,000	99	16,335,000	
23	SR-029	서 적	20,000	50	1,000,000	
24	SR-015	음반·비디오·악기	25,000	35	875,000	
25	SR-016	여행 및 예약서비스	55,000	56	3,080,000	
26	SR-002	아동·유아용품	56,900	25	1,422,500	제품수
27	SR-030	음·식료품	56,000	130	7,280,000	3

=COUNTIF(D20:D27,">=100")

4. 총점 차이

	G	H	I
9	[표4]	2학기 성적	
10	이름	학과	총점
11	김민준	경영학과	92
12	박상양	경영학과	98
13	유용연	영문과	82
14	유재욱	교육학과	74
15	장도영	수학과	92
16	황종하	영문과	78
17	최현우	경영학과	80
18	총점 차이		18

=DMAX(G10:I17,3,H10:H11)−DMIN(G10:I17,3,
H10:H11)

5. 상여금

	A	B	C	D
29	[표5]	특별상여금		
30	성명	기본급	근무년수	상여금
31	방민영	2,200,000	3	330,000
32	유법용	1,400,000	2	140,000
33	김충우	1,322,500	1	132,250
34	나은혜	3,350,000	7	904,500
35	신연주	1,375,000	2	137,500
36	윤종모	1,680,000	3	252,000
37	이호준	2,500,000	5	525,000

=B31*VLOOKUP(C31,$F$32:$H$35,3)

문제 3 분석작업

1. 부분합

	A	B	C	D	E	F	G	H	I
1	KK대학 1:1 면담 진행 목록								
2	학과	전임교수	고과점수	고내번호	학생명	학년	면담시간	가산점	비고
3	경영학과	김친회	8	1236	한바람	2학년	13:30	3	성적관련
4	경영학과	김친회	10	1236	강차나	2학년	15:30	2	휴학관련
5		김찬회 평균	9.0						
6	경영학과	오해강	8	1224	이동우	3학년	13:00	4	휴학관련
7	경영학과	오해강	8	1224	박주열	2학년	15:00	2	휴학관련
8		오해강 평균	9.0						
9	경영학과 요약							11	
10	복지학과	권규민	9	8798	이충현	3학년	14:00	4	휴학관련
11	복지학과	권규민	10	8798	온희영	2학년	13:00	2	휴학관련
12		권규민 평균	9.5						
13	복지학과	한욱찬	9	8786	박세회	4학년	16:00	5	취업관련
14	복지학과	한욱찬	9	8786	고체홍	2학년	13:30	3	성적관련
15		한욱찬 평균	9.0						
16	복지학과 요약							14	
17	전기학과	황석현	9	3343	최지애	3학년	13:00	4	성적관련
18	전기학과	황석현	8	3343	설두이	3학년	15:00	4	성적관련
19	전기학과	황석현	8	3343	김민수	2학년	16:30	2	휴학관련
20		황석현 평균	8.3						
21	전기학과 요약							10	
22	통신학과	강건석	8	6547	곽현상	4학년	14:00	5	취업관련
23	통신학과	강건석	7	6547	황희진	3학년	15:30	3	성적관련
24		강건석 평균	7.5						
25	통신학과	도기호	8	6484	강찬석	2학년	14:30	3	성적관련
26	통신학과	도기호	9	6484	이문화	4학년	16:30	4	휴학관련
27		도기호 평균	8.5						
28	통신학과 요약							15	
29	회계학과	김성호	10	2014	김베지	4학년	13:30	5	취업관련
30	회계학과	김성호	9	2014	기가창	4학년	15:00	5	휴학관련
31	회계학과	김성호	9	2014	오두리	4학년	17:00	3	휴학관련
32		김성호 평균	9.3						
33	회계학과	이준이	10	2062	최영화	3학년	14:00	5	취업관련
34	회계학과	이준이	7	2062	남희철	3학년	16:00	4	성적관련
35		이준이 평균	8.5						
36	회계학과 요약							22	
37		전체 평균	8.8						
38	총합계							72	

1) 데이터 정렬을 위해 [A2:I22] 영역 중 임의의 셀을
선택한 후 [데이터] 탭 → [정렬 및 필터] 그룹 →
[정렬] 명령을 클릭한다.

2) [정렬] 대화상자에서 다음 그림과 같이 적용하고
[확인] 버튼을 누른다.

3) 블록 지정된 상태에서 [데이터] 탭 → [윤곽선] 그룹 → [부분합] 명령을 클릭한다.

4) [부분합] 대화상자에서 다음 그림과 같이 적용하고 [확인] 버튼을 누른다.

5) [부분합] 명령을 클릭하고 다음 그림과 같이 적용한다. 두 번째 부분합은 '새로운 값으로 대치'에 체크를 해제한 후 [확인] 버튼을 누른다.

6) 평균의 소수 자릿수를 지정하기 위해 평균 점수가 나와있는 셀들을 선택한 후 [셀 서식] → [표시 형식] 탭 → [숫자]에서 '소수 자릿수'에 "1"을 입력한 후 [확인] 버튼을 누른다.

2. 데이터 통합

	I	J	K	L
2	지점별 영업사원 실적 평균			
3	성명	전월실적	당월실적	보너스
4	이*	28.85714	28.14286	342,857
5	김*	33.75	36.25	437,500
6				

1) 데이터 통합을 하기 전 성이 '이'씨, '김'씨인 사람만 골라내기 위해 [I4] 셀에 "이*", [I5] 셀에 "김*"을 입력한다.

2) 데이터 통합을 위해 [I3:L5] 영역을 드래그하여 블록 지정한 후 [데이터] 탭 → [데이터 도구] 그룹 → [통합] 명령을 클릭한다.

3) [통합] 대화상자에서 다음 그림과 같이 적용한 후 [확인] 버튼을 클릭한다.

3. 목표값 찾기

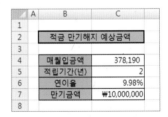

	A	B	C
1			
2		적금 만기해지 예상금액	
3			
4		매월입금액	378,190
5		적립기간(년)	2
6		연이율	9.98%
7		만기금액	₩10,000,000
8			

1) 수식이 입력되어 있는 [C7] 셀을 선택한 후 [데이터] 탭 → [데이터 도구] 그룹 → [가상 분석] 명령 → [목표값 찾기]를 클릭한다.

2) [목표값 찾기] 대화상자에서 다음 그림과 같이 입력한 후 [확인] 버튼을 누른다.

3) [목표값 찾기 상태] 대화상자에서 [확인] 버튼을 누른다.

문제 4 기타작업

1. 매크로

	A	B	C	D	E	F	G	H	I	J	K	L
1	[표1]				1학기 성적 결과							
2	NO	소속	이름	출석	과제	개별발표	조별발표	중간고사	기말고사	최종점수		제목서식
3	1	문과대학/문정	유자석	95	70	90	90	58	81	80.6667		
4	2	문과대학/문정	이찬희	95	70	90	95	73	94	86.1667		
5	3	문과대학/문정	박진영	94	70	90	80	71	98	83.8333		
6	4	문과대학/문정	고아라	95	70	84	75	81	100	84.1667		최종
7	5	문과대학/기독	서인혁	94	70	90	90	63	91	83		
8	6	문과대학/기독	강혜정	94	70	65	77	59	84	74.8333		
9	7	문과대학/기독	서인영	94	70	55	90	63	92	77.3333		
10	8	문과대학/기독	김태진	94	70	90	54	59	80	74.5		
11	9	문과대학/영문	서혜은	95	70	46	59	47	95	68.6667		
12	10	문과대학/영문	길기범	93	99	79	90	65	98	87.3333		
13	11	문과대학/영문	최용현	95	98	90	60	47	95	80.8333		
14												

① 셀 서식 매크로

1) [개발 도구] 탭 → [컨트롤] 그룹 → [삽입] 명령 → [단추(양식 컨트롤)▰]을 클릭한 후 Alt 를 누른 상태로 [L2:L3] 셀에 드래그하여 삽입한다.

2) [매크로 지정] 대화상자에서 '매크로 이름' 입력란에 "제목서식"을 입력하고 [기록] 버튼을 누른다. [매크로 기록] 대화상자에서 [확인] 버튼을 누른다.

3) [A2:A13], [B2:J2] 영역을 드래그하여 블록 지정한 후 [홈] 탭 → [글꼴] 그룹 → [채우기 색(▨▾)] 명령을 클릭하여 '표준 색-노랑'을 적용한다.

4) 표 밖의 임의의 셀을 클릭한 후 [개발 도구] 탭 → [코드] 그룹 → [기록 중지] 명령을 클릭한다.

5) 단추의 바로 가기 메뉴에서 [텍스트 편집]을 선택한 후 "제목서식"으로 입력한다. 임의의 셀을 클릭해 선택을 해제한다.

② 계산 매크로

1) [개발 도구] 탭 → [컨트롤] 그룹 → [삽입] 명령 → [단추(양식 컨트롤)▰]을 클릭한 후 Alt 를 누른 상태로 [L6:L7] 셀에 드래그하여 삽입한다.

2) [매크로 지정] 대화상자에서 '매크로 이름' 입력란에 "최종점수"를 입력하고 [기록] 버튼을 누른다. [매크로 기록] 대화상자에서 [확인] 버튼을 누른다.

3) [J3] 셀을 클릭한 후 "=AVERAGE(D3:I3)"을 입력하고 Enter 를 누른다. 채우기 핸들을 드래그하여 [J13] 셀까지 수식을 복사한다.

4) 표 밖의 임의의 셀을 클릭한 후 [개발 도구] 탭 → [코드] 그룹 → [기록 중지] 명령을 클릭한다.

5) 단추의 바로 가기 메뉴에서 [텍스트 편집]을 선택한 후 "최종"을 입력하고 임의의 셀을 클릭해 선택을 해제한다.

2. 차트

① 데이터 범위 수정

1) 차트를 선택하고 [디자인] 탭 → [데이터] 그룹 → [데이터 선택] 명령을 클릭한다.

2) [데이터 원본 선택] 대화상자의 '차트 데이터 범위' 입력란에 [B19:D23] 영역을 드래그하여 입력하고 [확인] 버튼을 누른다.

3) 재고량 계열을 클릭하고 바로 가기 메뉴에서 [계열 차트 종류 변경]을 선택한다. [차트 종류 변경] 대화상자에서 '표식이 있는 꺾은선형'을 클릭하고 [확인] 버튼을 누른다.

4) 꺾은선형 차트의 바로 가기 메뉴에서 [데이터 계열 서식]을 선택한다. [데이터 계열 서식] 대화상자의 [계열 옵션]에서 '보조 축' 항목에 체크하고 [닫기] 버튼을 누른다.

실전 모의고사 6회

국 가 기 술 자 격 검 정

프로그램명	제한시간	수험번호 :
EXCEL	40분	성 명 :

<유 의 사 항>

- 인적 사항 누락 및 잘못 작성으로 인한 불이익은 수험자 책임으로 합니다.
- 화면에 암호 입력창이 나타나면 아래의 암호를 입력해야 합니다.
  - 암호 : 10$275
- 작성된 답안은 주어진 경로 및 파일명을 변경하지 마시고 그대로 저장해야 합니다. 이를 준수하지 않으면 실격처리 됩니다.
  - 답안 파일명 예 : C:\OA\수험번호 8자리.xlsm (확장자 유의)
- 외부 데이터 위치 : C\OA\파일명
- 별도의 지시사항이 없는 경우, 다음과 같이 처리하면 실격 처리됩니다.
  - 제시된 시트 및 개체의 순서나 이름을 임의로 변경한 경우
  - 제시된 시트 및 개체를 임의로 추가 또는 삭제한 경우
- 답안은 반드시 문제에서 지시 또는 요구한 셀에 입력하여야 하며, 수험자가 임의로 셀의 위치를 변경하여 입력한 경우에는 채점 대상에서 제외됩니다.
  - ※ 아울러 지시하지 않은 셀의 이동, 수정, 삭제, 변경 등으로 인해 셀의 위치 및 내용이 변경된 경우에도 관련 문제 모두 채점 대상에서 제외됩니다.
- 별도의 지시사항이 없는 경우, 주어진 각 시트 및 개체의 설정값 또는 기본 설정값(Default)으로 처리하십시오.
- 저장 시간은 별도로 주어지지 아니하므로 제한된 시간 내에 저장을 완료해야 합니다.
- 본 문제의 용어는 Microsoft Office Excel 2010 기준으로 작성되어 있습니다.

대한상공회의소

문제 1 기본작업(20점) 주어진 시트에서 다음 과정을 수행하고 저장하시오.

1. '기본작업-1' 시트에 다음의 자료를 주어진 대로 입력하시오.

	A	B	C	D	E	F	G	H
1		Brand S-hyun F/W 신규상품 회수 리스트						
2								
3		제품코드	구분	분류	제품명	사이즈	수량	사유
4		FSWT01	여성용	스웨터	따듯한스웨터	S	2	소매 오염
5		MNT02	남성용	니트	커플니트	XL	1	뒷면 오염
6		DN01	여성용	청바지	쭉쭉 늘어나는 청바지	M	3	지퍼 고장
7		MP02	남성용	면바지	다리 길어보이는 면바지	M	2	단추 손상
8		FNT01	여성용	니트	커플니트	XS	2	소매 오염
9		TSC02	남성용	티셔츠	잘 생겨보여 티셔츠	XXS	5	앞면 오염
10		NB02	남성용	남방	호감형 남방	L	2	단추 손상
11		BBJ02	남성용	반바지	안추워보이는 반바지	XL	3	지퍼 고장
12		FSKT01	여성용	스커트	가을바람에 휘날리는 스커트	S	1	지퍼 고장
13		JJK01	여성용	가죽자켓	라이더자켓	M	2	소매 오염
14		DN02	남성용	청바지	차가운 도시남자 데님	M	4	끝단 손상
15								

2. '기본작업-2' 시트의 표에 대하여 다음의 지시사항을 처리하시오.

   ① [A1:H1] 영역에 '병합하고 가운데 맞춤', 크기 '20'으로 지정한 후, [A3:H3] 영역은 '가운데 맞춤', 글꼴 스타일 '굵게', 채우기 색 '표준 색-빨강'으로 지정하시오.

   ② [A4:A13] 영역의 셀을 "주문번호"로 이름을 정의하시오.

   ③ [E4:E13], [G4:G13] 영역의 셀 서식에 '통화', 기호 '₩'으로 지정하고, [F4:F13] 영역의 셀 서식은 사용자 지정 서식을 이용하여 숫자 뒤에 " box"를 표시하시오. (표시 예: 3 → 3 box)

   ④ [A4:A13] 영역 데이터의 숫자와 문자 사이에 "-"를 표시하시오.

   ⑤ [A3:H13] 영역에 '모든 테두리'를 적용하시오.

3. '기본작업-3' 시트에 대하여 다음의 지시사항을 처리하시오.

   구분이 '전공필수'이거나, 수강인원이 80 이상인 데이터 값을 고급 필터를 사용하여 검색하시오.

   ▪ 고급 필터 조건은 [B19:D22] 영역 내에 알맞게 입력하시오.

   ▪ 고급 필터 결과 복사 위치는 동일 시트의 [A23] 셀에서 시작하시오.

문제 2 계산작업(40점) '계산작업' 시트에서 다음 과정을 수행하고 저장하시오.

1. [표1]에서 국어[B3:B12], 영어[C3:C12], 수학[D3:D12] 점수가 모두 70점 이상이고, 평균[E3:E12]이 75점 이상이면 "합격", 그렇지 않으면 "불합격"을 비고[F3:F12]에 표시하시오.
   - IF, AND, COUNTIF 함수 사용

2. [표2]에서 판매실적[K3:K12]이 세 번째로 큰 값과 세 번째로 작은 값의 차이[L3]를 구하시오.
   - MAX, MIN, LARGE, SMALL 중 알맞은 함수 선택

3. [표3]에서 계열[A17:A23]이 경영인 학과의 점수[C17:C23] 평균을 [C24] 셀에 구하시오.
   - 경영계열 점수 평균을 올림하여 소수 1자리까지 표시 (표시 예: 80.234→80.3)
   - DAVERAGE, ROUNDUP 함수 사용

4. [표4]에서 제품코드[G17:G26]와 [표5]를 이용하여 단가[J17:J26]를 구하시오.
   - 단가: 제품코드 앞의 2자리를 [표5]를 참조하여 적용
   - HLOOKUP, VLOOKUP, LEFT, MID 중 알맞은 함수 사용

5. [표6]에서 현재 날짜를 이용하여 이번 연도[C28]를 표시하시오.
   - 표시 예: 7년
   - TODAY, YEAR 함수, & 연산자 사용

문제 3 분석작업(20점) 주어진 시트에서 다음 과정을 수행하고 저장하시오.

1. '분석작업-1' 시트에 대하여 다음의 지시사항을 처리하시오.

   '한지슈즈 매출계산' 표에서 단화의 단가[C8]가 변경될 경우, 매출액 합계[E12]의 변경 시나리오를 작성하시오.

   - 시나리오1: 시나리오 이름을 "단가인하", 단가를 77,900으로 설정하시오.
   - 시나리오2: 시나리오 이름을 "단가인상", 단가를 79,000으로 설정하시오.
   - 시나리오 요약 보고서는 '분석작업-1' 시트의 바로 뒤에 위치시키시오.

2. '분석작업-2' 시트에 대하여 다음의 지시사항을 처리하시오.

   '실습물품 구입내역' 표에서 구입합계[G9]가 1,250,000이 되기 위해 프로젝터의 평균비용[G7]이 얼마가 되어야 하는지 목표값 찾기 기능을 이용하여 계산하시오.

3. '분석작업-3' 시트에 대하여 다음의 지시사항을 처리하시오.

   데이터 통합 기능을 이용하여 원주지점 판매현황[B2:E12], 대전지점 판매현황[G2:J12], 울산지점 판매현황[L2:O12]에 대한 품목별 '목표수량', '판매수량', '판매총액'의 합계를 '지점별 판매현황'의 표에 제시되어 있는 품목만 [H17:J20] 영역에 계산하시오.

문제 4 기타작업(20점) 주어진 시트에서 다음 과정을 수행하고 저장하시오.

1. [표1]의 '호텔경영학과 성적표'에서 다음과 같은 기능을 수행하는 매크로를 현재 통합 문서에 생성하고 실행하시오.

   ① 출석[C4:C11], 중간[D4:D11], 기말[E4:E11], 자격증[F4:F11]의 각 합계[C12:F12]를 계산하는 매크로를 생성하고, 매크로의 이름은 "합계"로 지정하시오.
   - '합계' 매크로를 [양식 컨트롤]의 단추에 지정한 후 단추의 텍스트를 "합계"로 입력하시오. 단추를 클릭하면 매크로가 실행되도록 하고, 단추는 동일한 시트의 [H3] 셀에 위치시키시오.

② [A3:F12] 영역에 굵은 상자 테두리를 지정하는 매크로를 생성하고, 매크로의 이름은 "테두리서식"으로 지정하시오.

  ■ '테두리서식' 매크로는 [양식 컨트롤]의 단추에 지정한 후 단추의 텍스트를 "테두리"로 입력하시오. 단추를 클릭하면 매크로가 실행되도록 하고, 단추는 동일한 시트의 [H5] 셀에 위치시키시오.

  ※ 셀 포인터의 위치에 상관없이 현재 통합 문서에서 매크로가 실행되어야 정답으로 인정됨

2. [표2]의 '별다방 시장현황'을 이용하여 지시사항에 따라 아래와 같이 차트를 작성하시오.

  ① 지점별로 상반기와 하반기가 차트에 표시되도록 데이터 범위를 지정하시오.

  ② 차트의 종류는 '3차원 누적 세로 막대형'으로 하고 동일한 시트의 [A27:H45] 영역에 위치시키시오.

  ③ 차트 제목을 삽입하고 [B15] 셀과 연결하시오. 차트 제목 서식은 글꼴 '궁서체', 크기 '15', 글꼴 스타일 '굵게', '기울임꼴'로 지정하시오.

  ④ 차트 영역에 채우기 색 '표준 색−연한 녹색'으로 적용하시오.

  ⑤ 세로(값) 축과 가로(항목) 축의 서식은 글꼴 '굴림', 크기 '10', 글꼴 스타일 '굵게'로 지정하고, 세로(값) 축 눈금의 주 단위를 '3000'으로 지정하시오.

  ⑥ 범례를 '아래쪽'에 표시하고 서식은 글꼴 '굴림', 크기 '11', 글꼴 스타일 '굵게', '기울임꼴'로 지정하시오.

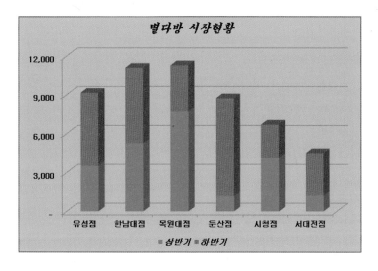

실전 모의고사 6회 정답 및 해설

문제 1　기본작업

2.　셀 서식

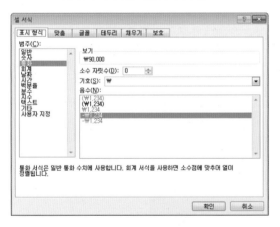

③　통화 및 사용자 지정 서식

1) [E4:E13] 영역을 드래그 하고 **Ctrl** 을 누른 상태에서 [G4:G13] 영역을 드래그하여 블록 지정한 후 [셀 서식] → [표시 형식] 탭 → [통화]에서 '기호'를 '₩'으로 지정한 후 [확인] 버튼을 누른다.

2) [F4:F13] 영역을 드래그 하여 블록 지정한 후 [셀 서식] → [표시 형식] 탭 → [사용자 지정]에서 '형식'에 G/표준" box" 를 입력한 후 [확인] 버튼을 누른다.

3.　고급 필터

A	B	C	D	E	F	G
18						
19	구분	수강인원				
20	전공필수					
21		>=80				
22						
23	구분	강의명	담당학과	과사무실	담당교수	이수학점	수강인원
24	전공필수	세법개론	회계학과	8128	이수자	3	80
25	전공필수	식음료와인실무	컨벤션경영학과	7576	이준재	3	40
26	전공필수	현대철학의이해	철학과	3247	김사랑	3	40
27	전공필수	정보보호개론	컴퓨터공학과	4575	소영우	2	45
28	선택교양	와인커뮤니케이션	컨벤션경영학과	7576	이기성	3	85
29							

1) 조건을 입력하기 위하여 [B19] 셀에 "구분", [C19] 셀에 "수강인원"을 입력한다. [B20] 셀에 "전공필수", [C21] 셀에 ">=80"을 입력한다.

	B	C
19	구분	수강인원
20	전공필수	
21		>=80

2) [A3:G17] 영역 중 임의의 셀을 선택한 후 [데이터] 탭 → [정렬 및 필터] 그룹 → [고급] 명령을 클릭하고 다음 그림과 같이 입력한 후 [확인] 버튼을 누른다.

문제 2   계산작업

1.   비고 표시

	A	B	C	D	E	F
1	[표1]		3학년 1반 성적 현황			
2	성명	국어	영어	수학	평균	비고
3	이재훈	88	90	99	92.3	합격
4	전미선	72	92	87	83.7	합격
5	허수진	55	98	81	78.0	불합격
6	김소현	87	62	78	75.7	불합격
7	나온혜	81	90	85	85.3	합격
8	신연주	78	74	74	75.3	합격
9	윤종모	85	50	35	56.7	불합격
10	이호준	31	51	51	44.3	불합격
11	진정기	88	100	40	76.0	불합격
12	도해강	99	85	73	85.7	합격

=IF(AND(COUNTIF(B3:D3,">=70")=3,E3>=75),"합격","불합격")

2.   판매실적 차이

	H	I	J	K	L
1	[표2]		영업부 판매실적		
2	부서명	이 름	목 표	실 적	차이
3	영업1부	양상준	80,000	87,000	21,000
4	영업3부	김효민	75,000	80,500	
5	영업3부	장정미	55,000	78,000	
6	영업1부	이경아	71,000	70,000	
7	영업1부	백미애	75,000	70,000	
8	영업3부	이정훈	55,000	57,000	
9	영업4부	이주창	53,000	57,000	
10	영업1부	원영진	55,000	57,500	
11	영업4부	이준용	75,000	57,000	
12	영업1부	김재호	58,000	52,500	

=LARGE(K3:K12,3)-SMALL(K3:K12,3)

3.   경영계열 점수 평균

	A	B	C
15	[표3]	중간고사 점수	
16	계열	학과	점수
17	경영	철학과	88
18	인문	경영학과	86
19	경영	경제학과	77
20	인문	국문과	59
21	인문	영문과	97
22	교육	수학과	85
23	교육	역사학과	69
24	경영계열 점수 평균		82.5

=ROUNDUP(DAVERAGE(A16:C23,3,A16:A17),1)

4.   단가 표시

	F	G	H	I	J	K
15	[표4]		제품 관리 현황			
16	지점	제품코드	제품명	수량	단가	판매금액
17	수도권	DK1031	에센스	200	30000	55,000
18	세종	BQ1024	토너	150	30000	120,000
19	강원	MR1030	영양크림	103	50000	120,000
20	충북	MR1029	영양크림	108	50000	75,300
21	충남	OH0907	마스크팩	200	10000	56,000
22	전북	BQ0911	토너	230	30000	30,000
23	전남	SR-001	BB크림	190	15000	30,000
24	경북	SR-013	BB크림	180	15000	115,000
25	경남	BQ014	토너	160	30000	132,000
26	제주	SR-029	BB크림	170	15000	60,000

=HLOOKUP(LEFT(G17,2),$G$29:$K$31,3,FALSE)

5.   연도 표시

	A	B	C
27	[표6]	해당연도 계획	
28	이번 연도		2018년

=YEAR(TODAY())&"년"

문제 3   분석작업

1.   시나리오

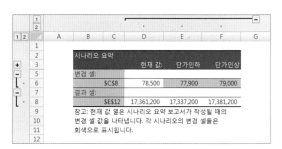

1) [C8] 셀을 선택한 상태에서 [데이터] 탭 → [데이터 도구] 그룹 → [가상 분석] 명령에서 [시나리오 관리자]를 선택한다. [시나리오 관리자] 대화상자에서 [추가] 버튼을 누른다.

2) [시나리오 추가] 대화상자에서 시나리오 이름에 "단가인하"를 입력하고, 변경 셀에 [C8] 셀을 선택한 후 [확인] 버튼을 누른다.

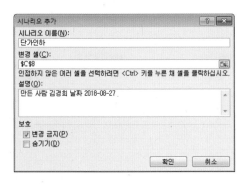

3) [시나리오 값] 대화상자에서 값 입력란에 "77900"를 입력한 후 [추가] 버튼을 누른다.

4) 다시 나타난 [시나리오 추가] 대화상자에서 시나리오 이름에 "단가인상"을 입력하고, 변경 셀에 [C8] 셀을 선택한 후 [확인] 버튼을 누른다.

5) [시나리오 값] 대화상자에서 값 입력란에 "79000"을 입력한 후 [확인] 버튼을 누른다.

6) 다음 그림과 같이 시나리오가 생성된 것을 확인하고 [요약] 버튼을 누른다.

7) [시나리오 요약] 대화상자에서 결과 셀에 [E12] 셀을 선택한 후 [확인] 버튼을 누른다.

8) 완성된 시나리오 요약 보고서 시트를 클릭하여 '분석작업-1' 시트 뒤로 끌어다 놓는다.

2. 목표값 찾기

1) 수식이 입력되어 있는 [G9] 셀을 선택한 후 [데이터] 탭 → [데이터 도구] 그룹 → [가상 분석] 명령 → [목표값 찾기]를 클릭한다.

2) [목표값 찾기] 대화상자에서 다음 그림과 같이 입력한 후 [확인] 버튼을 누른다.

3) [목표값 찾기 상태] 대화상자에서 [확인] 버튼을 누른다.

3. 데이터 통합

1) 데이터 통합을 위해 [G16:J20] 영역을 드래그하여 블록 지정한 후 [데이터] 탭 → [데이터 도구] 그룹 → [통합] 명령을 클릭한다.

2) [통합] 대화상자에서 다음 그림과 같이 적용한 후 [확인] 버튼을 누른다.

문제 4   기타작업

1. 매크로

	A	B	C	D	E	F	G	H
1	[표1]		호텔경영학과 성적표					
2								
3	이름	학번	출석	중간	기말	자격증		합계
4	김경희	20113658	20	97	96	20		
5	송재범	20109876	20	87	94	17		테두리
6	이시내	20143526	20	74	65	18		
7	이상희	20149872	19	88	90	20		
8	장동건	20136547	18	72	92	19		
9	신지민	20102365	16	99	98	19		
10	이진기	20102365	17	87	62	16		
11	백아연	20102365	15	81	90	18		
12		합계	145	685	687	147		

① 계산 매크로

1) [개발 도구] 탭 → [컨트롤] 그룹 → [삽입] 명령 → [단추(양식 컨트롤)▬]을 선택한 후 Alt 를 누른 상태로 [H3] 셀에 드래그하여 삽입한다.

2) [매크로 지정] 대화상자에서 '매크로 이름' 입력란에 "합계"를 입력하고 [기록] 버튼을 누른다. [매크로 기록] 대화상자에서 [확인] 버튼을 누른다.

3) [C12] 셀을 클릭한 후 "=SUM(C4:C11)" 을 입력하고 Enter 를 누른다. 채우기 핸들을 드래그하여 [F12] 셀까지 수식을 복사한다.

4) 표 밖의 임의의 셀을 클릭한 후 [개발 도구] 탭 → [코드] 그룹 → [기록 중지] 명령을 클릭한다.

5) 단추의 바로 가기 메뉴에서 [텍스트 편집]을 선택하고 "합계"로 입력한 후 임의의 셀을 클릭해 선택을 해제한다.

② 테두리 매크로

1) [개발 도구] 탭 → [컨트롤] 그룹 → [삽입] 명령 → [단추(양식 컨트롤)▬]을 클릭한 후 Alt 를 누른 상태로 [H5] 셀에 드래그하여 삽입한다.

2) [매크로 지정] 대화상자에서 '매크로 이름' 입력란에 "테두리서식"을 입력하고 [기록] 버튼을 누른다. [매크로 기록] 대화상자에서 [확인] 버튼을 누른다.

3) [A3:F12] 영역을 블록 지정한 후 [홈] 탭 → [글꼴] 그룹 → [테두리(⊞▾)] 명령을 클릭하고 '굵은 상자 테두리'를 선택한다.

4) 표 밖의 임의의 셀을 클릭한 후 [개발 도구] 탭 → [코드] 그룹 → [기록 중지] 명령을 클릭한다.

5) 단추의 바로 가기 메뉴에서 [텍스트 편집]을 선택하고 "테두리"로 입력한 후 임의의 셀을 클릭해 선택을 해제한다.

2. 차트

① 데이터 범위 지정

1) [A17:A23], [D17:E23] 영역을 드래그하여 블록으로 지정한다.

② 차트 작성 및 이동

1) [삽입] 탭 → [차트] 그룹 → [세로 막대형] 명령 → [묶은 세로 막대형]을 선택한다.

2) 차트가 삽입되면 [A27:H45] 영역에 위치시킨다. 단, Alt 를 누른 상태로 지정된 범위 내에 정확히 위치시킨다.

⑤ 세로(값) 축 주 단위 변경

1) 세로(값) 축을 클릭하고 바로 가기 메뉴에서 [축 서식]을 선택한다.

2) [축 서식] → [축 옵션]에서 '주 단위'를 "3000"으로 수정하고 [닫기] 버튼을 누른다.

실전 모의고사 7회

국 가 기 술 자 격 검 정

프로그램명	제한시간
EXCEL	40분

수험번호 :

성   명 :

2급 | A형

〈유 의 사 항〉

- 인적 사항 누락 및 잘못 작성으로 인한 불이익은 수험자 책임으로 합니다.
- 화면에 암호 입력창이 나타나면 아래의 암호를 입력해야 합니다.
  - 암호 : 11₩237
- 작성된 답안은 주어진 경로 및 파일명을 변경하지 마시고 그대로 저장해야 합니다. 이를 준수하지 않으면 실격처리 됩니다.
  - 답안 파일명 예 : C:₩OA₩수험번호 8자리.xlsm (확장자 유의)
- 외부 데이터 위치 : C₩OA₩파일명
- 별도의 지시사항이 없는 경우, 다음과 같이 처리하면 실격 처리됩니다.
  - 제시된 시트 및 개체의 순서나 이름을 임의로 변경한 경우
  - 제시된 시트 및 개체를 임의로 추가 또는 삭제한 경우
- 답안은 반드시 문제에서 지시 또는 요구한 셀에 입력하여야 하며, 수험자가 임의로 셀의 위치를 변경하여 입력한 경우에는 채점 대상에서 제외됩니다.
  - ※ 아울러 지시하지 않은 셀의 이동, 수정, 삭제, 변경 등으로 인해 셀의 위치 및 내용 이 변경된 경우에도 관련 문제 모두 채점 대상에서 제외됩니다.
- 별도의 지시사항이 없는 경우, 주어진 각 시트 및 개체의 설정값 또는 기본 설정값 (Default)으로 처리하십시오.
- 저장 시간은 별도로 주어지지 아니하므로 제한된 시간 내에 저장을 완료해야 합니다.
- 본 문제의 용어는 Microsoft Office Excel 2010 기준으로 작성되어 있습니다.

대한상공회의소

문제 1 기본작업(20점) 주어진 시트에서 다음 과정을 수행하고 저장하시오.

1. '기본작업-1' 시트에 다음의 자료를 주어진 대로 입력하시오.

	A	B	C	D	E	F	G	H
1		평생교육원 컴퓨터교육부서 3/4분기 소모품 품의요구서						
2								
3		품의번호	제품명	제품규격	단가	단위	수량	합계
4		150900	볼펜	1.0mm/검정	15000	타스	10	150000
5		150901	볼펜	1.0mm/파랑	15000	타스	10	150000
6		150902	보드마카	검정	4500	박스	8	36000
7		150903	공CD	25장	7500	묶음	4	30000
8		150904	복사용지	A4	22000	박스	5	110000
9		150905	복사용지	B4	25000	박스	5	125000
10		150906	복사용지	A3	28000	박스	5	140000
11		150907	복합기 잉크	CNPG-35/노랑	110000	개	2	220000
12		150908	복합기 잉크	CNPG-35/파랑	110000	개	2	220000
13		150909	라벨지 LS3130	210*297mm	12000	박스	3	36000
14		150910	라벨지 LS3210	63.5*45mm	12000	박스	3	36000
15								

2. '기본작업-2' 시트의 표에 대하여 다음의 지시사항을 처리하시오.

① [A3:G3] 영역에 '가운데 맞춤', 글꼴 스타일 '굵게'로 지정한 후 [A4:F13] 영역은 '가운데 맞춤'으로 지정하시오.

② [E4:E13] 영역의 셀 서식에 사용자 지정 서식을 이용하여 년, 월, 일로 표시하고, [G4:G13] 영역의 셀 서식은 '회계', 기호 '없음'으로 표시하시오. (표시 예: 2016-10-03 → 2016년 10월 3일)

③ [G3] 셀에 "인터넷 구매시 할인적용"이라는 메모를 삽입하고, 항상 표시되도록 지정하시오.

④ [A3:G13] 영역에 '모든 테두리'와 '굵은 상자 테두리'를 적용하시오.

⑤ [A1:G1] 영역은 '셀 병합 후 가운데 맞춤', 크기 '15'로 지정한 후 '문고'를 한자 "文庫"로 바꾸시오.

3. '기본작업-3' 시트에 대하여 다음의 지시사항을 처리하시오.

[표1]에서 단가가 150,000 이상이거나, 주문량이 200 이상인 행 전체에 대해 글꼴 스타일 '굵은 기울임꼴', 글꼴 색 '표준 색–연한 파랑'으로 지정하는 조건부 서식을 작성하시오.

- 단, 규칙 유형은 '수식을 사용하여 서식을 지정할 셀 결정'을 사용하고, 한 개의 규칙으로만 작성하시오.

문제 2 계산작업(40점) '계산작업' 시트에서 다음 과정을 수행하고 저장하시오.

1. [표1]에서 생산국가[B3:B9]가 KOR인 최고 판매량을 [B12] 셀에 구하시오.
   - MAX, DMAX 중 알맞은 함수 선택

2. [표2]에서 수입부서[G3:G12] 중 수입1부의 판매수량의 합계[K6]를 구하시오.
   - SUM, DSUM, DAVEREAGE 중 알맞은 함수 선택
   - 조건은 입력된 데이터를 참조

3. [표3]에서 직위[B16:B24]가 대리인 직원의 기본급 평균과 직위가 과장인 직원의 기본급 평균의 차이를 절대값으로 [B26] 셀에 구하시오.
   - ABS, SUMIF, COUNTIF 함수 사용

4. [표4]에서 성별[H16:H24]을 이용하여 남학생들의 총점[K16:K24] 평균을 계산하여 [I26] 셀에 표시하시오.
   - 반올림 없이 소수점 이하 첫째 자리까지 표시하시오. (표시 예: 95.26 → 95.2)
   - AVERAGEIF, TRUNC 함수 사용

5. [표5]에서 12월[F31:F39]의 표준편차를 내림하여 십의 자리까지 [C41] 셀에 표시하시오.
   - STDEV, VAR, ROUND, ROUNDUP, ROUNDDOWN 중 알맞은 함수 선택

문제 3 분석작업(20점) 주어진 시트에서 다음 과정을 수행하고 저장하시오.

1. '분석작업-1' 시트에 대하여 다음의 지시사항을 처리하시오.

   '인기많은 과자점 제품 판매 현황' 표에서 분류별 '판매가'의 평균과 '불만족도'의 최소값을 계산하는 부분합을 작성하시오.

   - 정렬의 첫째 기준은 분류별 내림차순, 둘째 기준은 제품코드별 오름차순으로 정렬하시오.
   - 평균과 최소값 필드는 각각 하나의 행에 표시하시오.
   - 부분합 작성 순서는 평균을 구한 후 최소값을 구하시오.

2. '분석작업-2' 시트에 대하여 다음의 지시사항을 처리하시오.

   '㈜이니 급여지급현황' 표에서 보너스[C4]가 변경될 경우, 평균[E24:F24]의 변경 시나리오를 작성하시오.

   - [C4] 셀의 이름을 "보너스", [E24] 셀의 이름을 "근무수당평균", [F24] 셀의 이름을 "총급여평균"으로 설정하시오.
   - 시나리오1: 시나리오 이름을 "보너스상승", 보너스를 7%로 설정하시오.
   - 시나리오2: 시나리오 이름을 "보너스하락", 보너스를 3%로 설정하시오.
   - 시나리오 요약 보고서는 '분석작업-2' 시트의 바로 앞에 위치시키시오.

3. '분석작업-3' 시트에 대하여 다음의 지시사항을 처리하시오.

   '컴퓨터시험 결과점수' 표는 파워포인트[C3]와 워드[C4], 엑셀[C5], 액세스[C6]를 이용하여 합계점수[C7]를 계산한 것이다. 데이터 표 기능을 이용하여 파워포인트와 엑셀 점수의 변화에 따른 합계점수를 [E13:J18] 영역에 계산하시오.

문제 4 기타작업(20점) 주어진 시트에서 다음 과정을 수행하고 저장하시오.

1. '매크로작업' 시트의 '사원별 재고 현황'표에서 다음과 같은 기능을 수행하는 매크로를 현재 통합 문서에 생성하고 실행하시오.

① [A3:F3] 영역의 채우기 색을 '표준 색−주황'으로 채우는 매크로를 생성하고 매크로의 이름은 "바탕색"으로 지정하시오.

- '바탕색' 매크로는 [도형] → [사각형]의 '직사각형(▭)'에 지정한 후 도형의 텍스트를 "바탕색"으로 입력하시오. 도형을 클릭하면 매크로가 실행되도록 하고, 도형은 동일한 시트의 [B16:B17]에 위치시키시오.

② [A4:F13] 영역을 순위를 기준으로 내림차순 정렬하는 매크로를 생성하고 매크로의 이름은 "순위정렬"로 지정하시오.

- '순위정렬' 매크로는 [도형] → [기본 도형]의 '웃는 얼굴(☺)'에 지정한 후 도형의 텍스트를 "정렬"로 입력하시오. 도형을 클릭하면 매크로가 실행되도록 하고, 도형은 동일한 시트의 [D16:D18]에 위치시키시오.

※ 셀 포인터의 위치에 상관없이 현재 통합 문서에서 매크로가 실행되어야 정답으로 인정됨

2. '차트작업' 시트에서 지시사항에 따라 아래 차트와 같이 수정하시오.

※ 차트는 반드시 문제에서 제공한 차트를 사용하여야 하며, 새로 작성 시 0점 처리됨

① '7~11' 번호인 학생의 평균이 아래 차트와 같이 추가되도록 데이터 범위를 수정하시오.

② 평균 계열을 '표식이 있는 꺾은선형'으로 차트 종류를 변경하고, 보조 축으로 적용하시오.

③ 차트 제목과 세로(값) 축, 가로(항목) 축의 제목은 아래 차트와 같이 입력하고, 차트 제목 서식을 글꼴 'HY견고딕', 크기 '20', 글꼴 스타일 '굵게'로 적용하시오.

④ 기본 세로(값) 축의 최대값을 '100', 주 단위를 '20'으로 적용하고 보조 세로(값) 축의 최대값을 '100', 주단위를 '10'으로 적용하시오.

⑤ '평균' 데이터 계열에 데이터 레이블 '값'을 '위쪽'으로 표시하시오.

⑥ 범례는 테두리 '실선', 테두리 색과 채우기 색을 '표준 색-노랑'으로 적용하시오.

⑦ 차트 영역의 테두리 스타일을 '둥근 모서리', 그림자 '오프셋 대각선 왼쪽 아래'로 적용하시오.

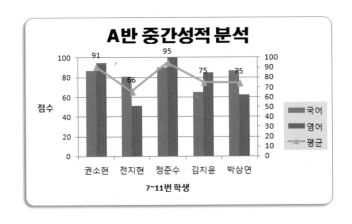

실전 모의고사 7회 정답 및 해설

문제 1   기본작업

2. 셀 서식

② 사용자 지정 서식 및 회계 서식

1) [E4:E13] 영역을 드래그하여 블록 지정한 후 [셀 서식] → [표시 형식] 탭 → [사용자 지정]에서 '형식'에 yyyy"년" m"월" d"일" 을 입력한 후 [확인] 버튼을 누른다.

2) [G4:G13] 영역을 드래그하여 블록 지정하고, [셀 서식] → [표시 형식] 탭 → [회계]에서 '기호'에 '없음'을 선택한 후 [확인] 버튼을 누른다.

3. 조건부 서식

1) [A3:F11] 영역을 드래그하여 블록 지정한 후 [홈] 탭 → [스타일] 그룹 → [조건부 서식] 명령 → [새 규칙]을 클릭한다.

2) [새 서식 규칙] 대화상자에서 '수식을 사용하여 서식을 지정할 셀 결정'을 선택하고, '규칙 설명 편집'에 다음과 같이 수식을 입력한 후 [서식] 버튼을 누른다.

3) [셀 서식] 대화상자에서 글꼴 스타일 '굵은 기울임꼴', 글꼴 색 '표준 색-연한 파랑'을 지정하고 [확인] 버튼을 누른다. [새 서식 규칙] 대화상자에서 [확인] 버튼을 누른다.

문제 2 계산작업

1. KOR 최고 판매량

	A	B	C	D
1	[표1]		제품별 판매량	
2	제품코드	생산국가	시리즈명	판매량
3	J-1024	CHN	A1-KOR-001	2660
4	B-1030	JPN	A2-JPN-057	6200
5	B-1029	KOR	A3-KOR-002	2200
6	C-0907	KOR	A4-CHN-001	2890
7	E-4612	KOR	A5-CHN-002	2690
8	C-0909	CHN	A6-CHN-003	4200
9	SR-021	JPN	A7-KOR-003	6266
10				
11	생산국가	최고 판매량		
12	KOR	2890		

=DMAX(A2:D9,4,A11:A12)

2. 판매수량의 합계

	F	G	H	I	J	K	L
1	[표2]	수입제품 판매가 및 판매수량					
2	날짜	수입부서	판매가	판매수량			
3	2016-10-27	수입1부	50,000	100			
4	2016-11-07	수입2부	45,000	250			
5	2016-09-09	수입4부	64,000	350		판매수량의 합계	
6	2016-10-27	수입5부	85,000	220		890	
7	2016-11-07	수입3부	61,000	130			
8	2016-09-09	수입1부	65,000	500			
9	2016-10-27	수입3부	40,000	240			
10	2016-11-07	수입5부	58,000	268			
11	2016-11-07	수입1부	10,000	290			
12	2016-11-08	수입2부	62,000	200			
13							

=DSUM(F2:I12,4,G2:G3)

3. 기본급 차이

	A	B	C	D	E
14	[표3]		SR 주식회사 급여현황		
15	직원명	직위	호봉	근무년수	기본급
16	김수연	과장	8	9	2,500,000
17	노수연	대리	4	3	1,750,000
18	성수연	사원	2	1	1,300,000
19	오소연	사원	3	2	1,400,000
20	유재봉	과장	5	8	2,350,000
21	이가람	과장	3	10	2,550,000
22	이준원	과장	5	2	2,200,000
23	이호준	대리	5	5	1,500,000
24	주재원	대리	5	4	1,550,000
25					
26	기본급 차이	800000			

=ABS(SUMIF(B16:B24,"대리",E16:E24)/
COUNTIF(B16:B24,"대리")-SUMIF(B16:B24,"과
장",E16:E24)/COUNTIF(B16:B24,"과장"))

4. 총점 평균

	G	H	I	J	K
14	[표4]		사회영역 점수현황		
15	학생명	성별	한국사	윤리	총점
16	차선우	남	100	96	196
17	황예필	남	87	94	181
18	박종필	남	74	65	139
19	신지민	여	88	90	178
20	이진기	남	72	92	164
21	백아연	여	99	98	197
22	김해수	여	87	62	149
23	차선우	여	81	90	171
24	최준홍	남	90	74	164
25					
26	남학생 평균점수		168.8		
27					

=TRUNC(AVERAGEIF(H16:H24,"남",K16:K24),1)

5. 표준 편차

	A	B	C	D	E	F
29	[표5]		4사분기 영업 실적			
30	사원번호	사원명	팀명	10월	11월	12월
31	C-0909	이준석	영업1팀	40,000	15,000	36,000
32	C-0910	송하민	영업2팀	34,000	94,000	20,000
33	C-0914	김민찬	영업2팀	73,000	50,000	64,000
34	C-0919	신지민	영업1팀	84,000	31,000	63,000
35	C-0911	이진기	영업3팀	71,000	21,000	32,000
36	C-0916	백아연	영업2팀	74,000	90,000	66,000
37	C-0915	이온진	영업1팀	31,000	66,000	48,000
38	C-0917	전영구	영업2팀	84,000	31,000	34,000
39	C-0912	윤익점	영업3팀	31,000	63,000	73,000
40						
41	표준편차		18,730			

=ROUNDDOWN(STDEV(F31:F39),-1)

문제 3 분석작업

1. 부분합

1 2 3 4		A	B	C	D	E	F	G
	1		인기많은 과자점 제품 판매 현황					
	2	제품코드	분류	제품명	판매가	판매량	불만족도	비고
	3	CK-001	쿠키	조코칩쿠키	1,800	68	3	묶음판매
	4	CK-002	쿠키	베리쿠키	1,500	48	3	묶음판매
	5	CK-003	쿠키	치즈치즈쿠키	2,000	43	5	묶음판매
	6	CK-004	쿠키	아몬드쿠키	3,000	68	2	묶음판매
	7		쿠키 최소값				2	
	8		쿠키 평균		2,075			
	9	CA-001	케이크	치즈가루르륵	25,000	45	2	상자포장
	10	CA-002	케이크	초코에롱백	22,000	54	4	상자포장
	11	CA-003	케이크	생크림가득	24,000	15	4	상자포장
	12	CA-004	케이크	과일이둥뿍	22,000	94	3	상자포장
	13	CA-005	케이크	크림이크림크림	24,000	84	4	상자포장
	14		케이크 최소값				2	
	15		케이크 평균		23,400			
	16	SB-001	식빵	우유식빵	8,000	43	5	묶음판매
	17	SB-002	식빵	호두식빵	9,000	68	3	묶음판매
	18	SB-003	식빵	그냥식빵	5,000	43	2	묶음판매
	19	SB-004	식빵	맛있는식빵	8,000	34	5	묶음판매
	20	SB-005	식빵	토스트용식빵	7,000	47	4	상자포장
	21		식빵 최소값				2	
	22		식빵 평균		7,400			
	23	SW-001	샌드위치	치킨가득샌드위치	6,000	53	1	묶음판매
	24	SW-002	샌드위치	햄가득샌드위치	5,500	85	5	상자포장
	25	SW-003	샌드위치	인기많은샌드위치	6,000	57	4	묶음판매
	26	SW-004	샌드위치	그냥샌드위치	4,000	24	1	묶음판매
	27	SW-005	샌드위치	햄계란샌드위치	5,000	68	3	상자포장
	28		샌드위치 최소값				1	
	29		샌드위치 평균		5,300			
	30		전체 최소값				1	
	31		전체 평균		9,937			
	32							

1) 데이터 정렬을 위해 [A2:G21] 영역 중 임의의 셀을 선택한 후 [데이터] 탭 → [정렬 및 필터] 그룹 → [정렬] 명령을 클릭한다.

2) [정렬] 대화상자에서 다음 그림과 같이 적용하고 [확인] 버튼을 누른다.

3) [데이터] 탭 → [윤곽선] 그룹 → [부분합] 명령을 클릭한다.

4) [부분합] 대화상자에서 다음 그림과 같이 적용하고 [확인] 버튼을 누른다.

5) [부분합] 명령을 클릭하고 다음 그림과 같이 적용한다. 두 번째 부분합은 '새로운 값으로 대치'에 체크를 해제한 후 [확인] 버튼을 누른다.

2. 시나리오

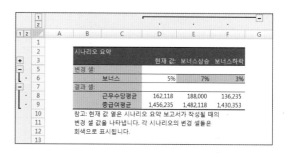

1) [C4] 셀을 선택하고 [이름 상자]에서 "보너스"를 입력한 후 Enter 를 누른다. 같은 방법으로 [E24] 셀은 "근무수당평균", [F24] 셀은 "총급여평균"으로 변경한다.

2) [데이터] 탭 → [데이터 도구] 그룹 → [가상 분석] 명령에서 [시나리오 관리자]를 선택한다. [시나리오 관리자] 대화상자에서 [추가] 버튼을 누른다.

3) [시나리오 추가] 대화상자에서 '시나리오 이름'에 "보너스상승"을 입력하고, '변경 셀'에 [C4] 셀을 선택한 후 [확인] 버튼을 누른다.

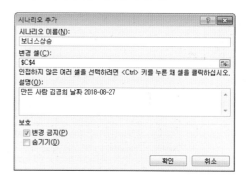

4) [시나리오 값] 대화상자에서 값 입력란에 "0.07"를 입력한 후 [추가] 버튼을 누른다.

5) 다시 표시 된 [시나리오 추가] 대화상자에서 '시나리오 이름'에 "보너스하락"을 입력하고, '변경 셀'에 [C4] 셀을 선택한 후 [확인] 버튼을 누른다.

6) [시나리오 값] 대화상자에서 값 입력란에 "0.03"을 입력한 후 [확인] 버튼을 누른다.

7) 다음 그림과 같이 시나리오가 생성된 것을 확인하고 [요약] 버튼을 누른다.

8) [시나리오 요약] 대화상자에서 결과 셀에 [E24:F24] 영역을 드래그하여 선택한 후 [확인] 버튼을 누른다.

3. 데이터 표

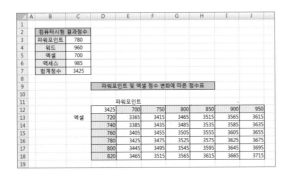

1) [D12] 셀에 "="를 입력한 다음 [C7] 셀을 클릭하고 Enter 를 누른다.(수식 복사)

2) [D12:J18] 영역을 드래그하여 블록 지정하고, [데이터] 탭 → [데이터 도구] 그룹 → [가상 분석] 명령 → [데이터 표]를 클릭한 후 다음 그림과 같이 입력한 후 [확인] 버튼을 누른다.

문제 4   기타작업

1. 매크로

	A	B	C	D	E	F
1	사원별 재고 현황					
2						
3	사원번호	사원명	판매량	재고량	평가	순위
4	SR-028	이정훈	130	45	미달	9위
5	SR-031	이주창	200	33	보통	8위
6	SR-009	원영진	220	28	보통	7위
7	SR-027	임연수	312	21	보통	6위
8	SR-008	한효주	100	20	보통	5위
9	SR-026	백미애	110	16	보통	4위
10	SR-010	이준용	140	10	보통	3위
11	SR-033	황인정	222	7	우수	2위
12	SR-032	김재호	163	5	우수	1위
13	SR-011	김채린	300	50	미달	10위
14						
15						
16		바탕색			정렬	
17						
18						

① 서식 매크로

1) [삽입] 탭 → [일러스트레이션] 그룹 → [도형] 명령 → [기본 도형]에서 '직사각형(▢)'을 클릭한다. Alt 를 누른 상태로 [B16:B17] 영역에 드래그하여 삽입한다.

2) 도형의 바로 가기 메뉴에서 [매크로 지정]을 선택한다. [매크로 지정] 대화상자에서 '매크로 이름' 입력란에 "바탕색"을 입력한 후 [기록] 버튼을 누른다. [매크로 기록] 대화상자에서 [확인] 버튼을 누른다.

3) [A3:F3] 영역을 블록 지정한 후 [홈] 탭 → [글꼴] 그룹 → [채우기 색(🅰️-)] 명령을 클릭한다. '표준색-주황'을 선택한다.

4) 표 밖의 임의의 셀을 클릭한 후 [개발 도구] 탭 → [코드] 그룹 → [기록 중지] 명령을 클릭한다.

5) 도형의 바로 가기 메뉴에서 [텍스트 편집]을 선택한 후 "바탕색"을 입력하고 임의의 셀을 클릭해 선택을 해제한다.

② 정렬 매크로

1) [삽입] 탭 → [일러스트레이션] 그룹 → [도형] 명령 → [기본 도형]에서 '웃는 얼굴(☺)'을 선택한다. Alt 를 누른 상태로 [D16:D18] 영역에 드래그하여 삽입한다.

2) 도형의 바로 가기 메뉴에서 [매크로 지정]을 선택한다. [매크로 지정] 대화상자에서 '매크로 이름' 입력란에 "순위정렬"을 입력한 후 [기록] 버튼을 누른다. [매크로 기록] 대화상자에서 [확인] 버튼을 누른다.

3) [A3:F13] 영역 중 임의의 셀을 선택한 후 [데이터] 탭 → [정렬 및 필터] 그룹 → [정렬] 명령을 클릭한다. [정렬] 대화상자에서 다음 그림과 같이 적용하고 [확인] 버튼을 누른다.

4) 표 밖의 임의의 셀을 클릭한 후 [개발 도구] 탭 → [코드] 그룹 → [기록 중지] 명령을 클릭한다.

5) 도형의 바로 가기 메뉴에서 [텍스트 편집]을 선택하고 "정렬"을 입력한 후 임의의 셀을 클릭해 선택을 해제한다.

2. 차트

① 데이터 범위 수정

1) [E3] 셀과 [E10:E14] 영역을 선택하여 Ctrl + C 를 눌러 복사한다. 차트 영역을 클릭하고 Ctrl + V 를 눌러 붙여넣기 한다.

② 차트 종류 변경 및 보조축 지정

1) 평균 계열을 클릭하고 바로 가기 메뉴에서 [계열 차트 종류 변경]을 선택한다.

2) [차트 종류 변경] 대화상자에서 '표식이 있는 꺾은 선형'을 선택하고 [확인] 버튼을 누른다.

3) 꺾은선의 바로 가기 메뉴에서 [데이터 계열 서식] → [계열 옵션]에서 '보조 축' 항목에 체크하고 [닫기] 버튼을 누른다.

실전 모의고사 8회

국 가 기 술 자 격 검 정

프로그램명	제한시간
EXCEL	40분

수험번호 :

성   명 :

대한상공회의소

문제 1 기본작업(20점) 주어진 시트에서 다음 과정을 수행하고 저장하시오.

1. '기본작업-1' 시트에 다음의 자료를 주어진 대로 입력하시오.

	A	B	C	D	E	F	G	H
1	캘리그라피 수강신청 현황							
2								
3	연번	과정명	강사명	강사경력	신청자명	연락처	교육기간	수강료
4	39	취미/교양	김성익	5년	이미래	1234-5678	8주	200000
5	45	자격증취득	최자경	3년	전이진	2345-6789	4주	250000
6	46	자격증취득	강이영	7년	김현상	3456-7890	8주	400000
7	27	취미/교양	한성남	9년	김주열	4567-8910	8주	200000
8	85	취미/교양	박이란	2년	이몽주	5678-9101	4주	100000
9	33	자격증취득	전예술	5년	문혜지	678-9101	4주	250000
10	51	취미/교양	고미양	1년	이명회	789-1011	8주	200000
11	74	자격증취득	신가선	5년	조석남	891-1112	8주	400000
12	15	자격증취득	문가을	7년	이남대	911-1121	4주	250000
13	21	취미/교양	이르미	3년	정소이	111-1213	4주	100000
14	68	취미/교양	은여울	6년	오인원	1112-1314	8주	200000
15								

2. '기본작업-2' 시트의 표에 대하여 다음의 지시사항을 처리하시오.

① [A1:H1] 영역은 '병합하고 가운데 맞춤', 글꼴 '굴림', 크기 '18', 글꼴 스타일 '굵게', 밑줄 '이중 밑줄'로 지정하시오.

② [A3:H3] 영역은 '가운데 맞춤', 글꼴 스타일 '굵게', 채우기 색 '표준 색-주황'으로 지정하고, [A4:H15] 영역은 '가운데 맞춤'으로 지정하시오.

③ [F4:F15] 영역의 셀 서식에 '회계', 기호 '없음'을 지정하고, [G4:H15] 영역의 셀 서식은 사용자 지정 서식을 이용하여 숫자 뒤에 "명"이 추가되어 표시되도록 지정하시오. (표시 예: 2 → 2명)

④ [A3:H15] 영역에 '모든 테두리'를 적용한 후 '굵은 상자 테두리'를 적용하시오.

⑤ [H5] 셀에 "15명 이상 시 개설"이라는 메모를 삽입하고, 표시되지 않도록 하시오.

3. '기본작업-3' 시트에 대하여 다음의 지시사항을 처리하시오.

- [I13:M14] 영역의 내용을 카메라 기능을 이용하여 [D1:G2] 영역에 붙여 넣으시오.
- 작업이 끝난 후 [I13:M14] 영역을 삭제하시오.

문제 2 **계산작업(40점)** '계산작업' 시트에서 다음 과정을 수행하고 저장하시오.

1. [표1]에서 배송일[C3:C11]을 이용하여 해당되는 요일을 배송요일[D3:D11]에 표시하시오.
   - '일요일'과 '토요일'만 표시되도록 하고, 나머지 요일은 공란으로 표시
   - CHOOSE, WEEKDAY 함수 사용

2. [표2]에서 학번[F3:F11]의 다섯 번째 자리가 A일 때 "수학과", B일 때 "영문과", 그 외에는 "미술학과"를 전공[H3:H11]에 표시하시오.
   - IF, MID 함수 사용

3. [표3]에서 지점[A15:A23]이 강남점인 매출[C15:C23]의 합계를 구하여 강남점 매출[C25]에 표시하시오.
   - 강남점 매출은 십의 자리에서 반올림하여 표시하시오.
     (표시 예 : 53,567 → 54,600)
   - DSUM, ROUND, ROUNDUP 중 알맞은 함수 선택
   - 조건은 입력된 데이터를 사용

4. [표4]의 시험결과에서 5반 학생들의 국어[H15:H23] 평균을 [G26] 셀에 계산하시오.
   - DAVERAGE 함수 사용

5. [표5]에서 직위가 부장인 직원들을 제외한 급여[C30:C38]의 평균[C40]을 계산하시오.
   - SUMIF, COUNTIF 함수 사용

문제 3 분석작업(20점) 주어진 시트에서 다음 과정을 수행하고 저장하시오.

1. '분석작업-1' 시트에 대하여 다음의 지시사항을 처리하시오.

'1학기 교양 종강 성적표' 표를 이용하여 '학번'은 보고서 필터, '학과'는 행 레이블, '성별'은 열 레이블로 표시하고, 값에 '총점'의 평균을 표시하는 피벗 테이블을 작성하시오.

- 피벗 테이블 보고서는 동일 시트의 [K6] 셀에 위치시키시오.
- 값에 '값 필드 설정'의 셀 서식에서 '숫자' 형식, 소수 자릿수 2까지 표시하시오.
- 완성한 피벗 테이블 보고서에 '피벗 스타일 보통 4'를 적용하시오.

2. '분석작업-2' 시트에 대하여 다음의 지시사항을 처리하시오.

데이터 통합 기능을 이용하여 6학년 성적 평균[B3:E8], 5학년 성적 평균[B11:E17], 4학년 성적 평균[B20:E24]에 대하여 '소속별 평균 점수'를 [I5:I7] 영역에 계산하시오.

3. '분석작업-3' 시트에 대하여 다음의 지시사항을 처리하시오.

'재지니어 5월 판매량 분석' 표에서 매출합계[F12]가 14,000,000이 되기 위해 열방석의 단가[D9]가 얼마가 되어야 하는지 목표값 찾기 기능을 이용하여 계산하시오.

문제 4 기타작업(20점) 주어진 시트에서 다음 과정을 수행하고 저장하시오.

1. [표1]의 'SR 주식회사 급여현황'에서 다음과 같은 기능을 수행하는 매크로를 현재 통합 문서에 생성하고 실행하시오.

① [E4:E12] 영역에 '회계 형식(₩)' 기호를 표시하는 매크로를 생성하고 매크로의 이름을 "회계형식"으로 지정하시오.

- '회계형식' 매크로를 [양식 컨트롤]의 단추에 지정한 후 단추의 텍스트를 "회계"로 입력하시오. 단추를 클릭하면 매크로가 실행되도록 하고, 단추는 동일한 시트의 [G3:G4] 셀에 위치시키시오.

② [A3:E12] 영역을 호봉을 기준으로 오름차순 정렬하는 매크로를 생성하고 매크로의 이름은 "정렬"로 지정하시오.

▪ '정렬' 매크로는 [양식 컨트롤]의 단추에 지정한 후 단추의 텍스트를 "정렬"로 입력하시오. 단추를 클릭하면 매크로가 실행되도록 하고, 단추는 동일한 시트의 [G7:G8] 셀에 위치시키시오.

※ 셀 포인터의 위치에 상관없이 현재 통합 문서에서 매크로가 실행되어야 정답으로 인정됨

2. [표2]의 '금광제화 판매분석'을 이용하여 다음 지시에 따라 아래와 같이 차트를 작성하시오.

① 판매직원별로 판매액과 수량이 차트에 표시되도록 데이터 범위를 지정하시오.

② 차트의 종류는 아래 차트와 같이 작성하고 동일한 시트의 [G15:N30] 영역에 위치시키시오.

③ 차트 제목과 축 제목은 아래 차트와 같이 작성하고, 서식은 글꼴 '돋움', 크기 '12', 글꼴 스타일 '보통'으로 지정하시오. 보조 세로(값) 축의 최대값을 '100', 주 단위를 '20'으로 지정하시오.

④ 범례를 '아래쪽'에 표시하시오.

⑤ 수량 계열에 표식 채우기와 선 색을 단색 '표준 색-녹색'으로 지정하고, 너비를 '3pt'로 적용하시오.

⑥ 세로(값) 축의 상단에 텍스트 상자를 추가하고 글꼴 '돋움', 크기 '11', 글꼴 스타일 '굵게'로 적용하시오.

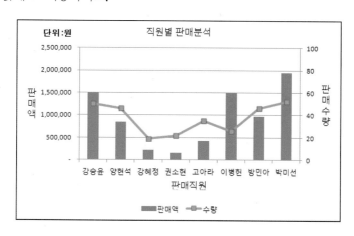

문제 1 기본작업

2. 셀 서식

	A	B	C	D	E	F	G	H
1			IT교육센터 강의개설 현황					
2								
3	강의명	강의실	개강일	강의시간	강사명	수강료	수강제한인원	신청인원
4	인터넷 기초	311-A	2016-10-04	오전	오지애	100,000	40명	24명
5	인터넷 중급	312-B	2016-10-10	오후	정주연	110,000	30명	13명
6	인터넷 고급	311-A	2016-10-10	야간	박승준	120,000	20명	19명
7	PPT 기초	310-B	2016-10-17	야간	최숙회	120,000	35명	22명
8	PPT 중급	310-B	2016-10-17	오전	강재식	140,000	25명	17명
9	PPT 고급	311-A	2016-10-10	오후	김도훈	160,000	20명	20명
10	한글 기초	310-A	2016-10-04	오전	연유정	130,000	35명	29명
11	한글 중급	310-B	2016-10-04	오후	곽원빈	150,000	35명	32명
12	한글 고급	310-A	2016-10-10	야간	이우성	170,000	15명	15명
13	엑셀 기초	309-A	2016-10-17	오전	문해진	170,000	30명	22명
14	엑셀 중급	309-A	2016-10-24	오후	김강호	200,000	25명	21명
15	엑셀 고급	309-A	2016-10-24	야간	민재민	220,000	20명	16명
16								

③ 회계 및 사용자 지정 서식

1) [F4:F15] 영역을 드래그하여 블록 지정한 후 [셀 서식] → [표시 형식] 탭 → [회계]에서 '기호'를 '없음'으로 지정한 후 [확인] 버튼을 누른다. (바로 가기 키: Ctrl + 1)

2) [G4:H15] 영역을 드래그하여 블록 지정한 후 [셀 서식] → [표시 형식] 탭 → [사용자 지정]에서 '형식'에 G/표준"명" 을 입력한 후 [확인] 버튼을 누른다.

3. 카메라 기능

1) [파일] 탭 → [옵션] → [빠른 실행 도구 모음]에서 '리본 메뉴에 없는 명령' 목록 중 '카메라'를 선택해 빠른 실행 도구 모음에 추가한 후 [확인] 버튼을 누른다.

문제 2 계산작업

1. 배송 요일

	A	B	C	D
1	[표1]		자동차 용품 주문현황	
2	고객명	분류	배송일	배송요일
3	백아연	와이퍼	2016-11-27	일요일
4	유용민	키홀더	2016-12-10	토요일
5	임호가	블랙박스	2016-12-07	
6	양회명	내비게이션	2016-12-08	
7	신지민	튜닝	2016-12-09	
8	이진기	엔진오일	2016-12-17	토요일
9	백아연	튐	2016-12-18	일요일
10	이성훈	체인	2016-12-23	
11	정인호	방향제	2016-12-24	토요일
12				

=CHOOSE(WEEKDAY(C3,1),"일요일","","","","","","토요일")

2. 전공 표시

	F	G	H	I
1	[표2]		장학금 지급명단	
2	학번	이름	전공	지급
3	2016C023	강혜정	미술학과	○
4	2014A012	권소현	수학과	
5	2013A072	신용재	수학과	○
6	2016B017	임현식	영문과	
7	2015B013	김태진	영문과	○
8	2011A011	서남준	수학과	○
9	2016B027	차선우	영문과	
10	2015C019	최준홍	미술학과	
11	2015C020	신상현	미술학과	○
12				

=IF(MID(F3,5,1)="A","수학과",IF(MID(F3,5,1)="B","영문과","미술학과"))

3. 강남점 매출

	A	B	C
13	[표3]	지점별 매출현황	
14	지점	품목	매출
15	강남점	일반형	30,023
16	강남점	고급형	20,000
17	강북점	일반형	40,000
18	강남점	일반형	23,000
19	강동점	일반형	15,000
20	강동점	고급형	33,000
21	강남점	고급형	22,000
22	강북점	고급형	4,010
23	강남점	일반형	100,030
24			
25		강남점의 매출	195,100
26			

=ROUND(DSUM(A14:C23,3,A14:A15),−2)

4. 5반 국어 평균

	F	G	H	I
13	[표4]		시험결과	
14	이름	반	국어	수학
15	나은혜	1반	78	74
16	신연주	1반	85	95
17	윤종모	2반	31	51
18	이호준	2반	88	90
19	진정기	3반	72	92
20	황윤상	3반	99	98
21	김용진	4반	88	90
22	박건민	5반	99	98
23	오슬기	5반	92	88
24				
25		반	국어평균	
26		5반	81.5	
27				

=DAVERAGE(F14:I23,3,F25:F26)

5. 부장 제외 급여 평균

	A	B	C
28	[표5]	급여 지급 현황	
29	직원	직위	급여
30	김성호	부장	3,500,000
31	박소영	대리	1,687,500
32	차재영	사원	1,220,000
33	김상준	사원	1,932,000
34	김효민	부장	4,000,000
35	장정미	과장	1,220,000
36	이경아	과장	2,584,600
37	백미애	대리	1,687,500
38	이정훈	부장	1,863,000
39			
40		부장 제외 급여평균	1,721,933
41			

=SUMIF(B30:B38,"〈〉부장",C30:C38)/COUNTIF(B30:B38,"〈〉부장")

문제 3 분석작업

1. 피벗테이블

	K	L	M	N
4	학번	(모두) ▼		
5				
6	평균 : 총점	열 레이블 ▼		
7	행 레이블 ▼	남	여	총합계
8	교육학과	76.00	86.00	79.33
9	영문학과	87.50	92.00	89.75
10	의류학과	88.00	91.50	90.33
11	통계학과	83.00	86.00	84.50
12	총합계	83.00	89.29	86.14
13				

1) [A4:I18] 영역 중 임의의 셀을 선택한 후 [삽입] 탭 → [표] 그룹 → [피벗 테이블] 명령 → [피벗 테이블]을 클릭한다.

2) [피벗 테이블 만들기] 대화상자에서 피벗 테이블 보고서를 넣을 위치에 '기존 워크시트'를 선택하고 '위치' 입력란에 [K6] 셀을 입력(클릭)한 후 [확인] 버튼을 누른다.

3) [피벗 테이블 필드 목록] 창에서 다음 그림과 같이 각 필드를 드래그하여 위치시킨다.

4) '총점'의 평균 표시와 표시 형식을 지정하기 위해 다음 그림과 같이 [값 필드 설정] 대화상자에서 '값 필드 요약 기준'을 '평균'으로 선택한 후 왼쪽 하단의 [표시 형식] 버튼을 누른다.

5) [셀 서식] → [숫자]에서 '소수 자릿수'에 "2"를 입력하고 [확인] 버튼을 누른다. [값 필드 설정] 대화상자에서 [확인] 버튼을 누른다.

6) 스타일 적용을 위해 피벗 테이블 내 임의의 셀을 선택한 후 [피벗 테이블 도구] → [디자인] 탭 → [피벗 테이블 스타일] 그룹에서 '피벗 스타일 보통 4'를 선택한다.

2. 데이터 통합

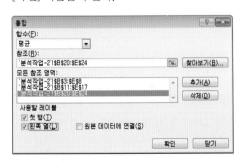

1) 데이터 통합을 위해 [H4:I7] 영역을 드래그하여 블록 지정한 후 [데이터] 탭 → [데이터 도구] 그룹 → [통합] 명령을 클릭한다.

2) [통합] 대화상자에서 '함수'를 '평균'으로 변경하고 '참조'를 다음 그림과 같이 지정한다. '사용할 레이블'에서 '첫 행'과 '왼쪽 열'에 모두 체크한 후 [확인] 버튼을 누른다.

3. 목표값 찾기

1) 수식이 입력되어 있는 [F12] 셀을 선택한 후 [데이터] 탭 → [데이터 도구] 그룹 → [가상 분석] 명령 → [목표값 찾기]를 클릭한다.

2) [목표값 찾기] 대화상자에서 다음 그림과 같이 입력한 후 [확인] 버튼을 누른다.

3) [목표값 찾기 상태] 대화상자에서 [확인] 버튼을 누른다.

문제 4   기타작업

1. 매크로

	A	B	C	D	E	F	G
1	[표1]		SR 주식회사 급여현황				
2							
3	직원명	직위	호봉	근무년수	기본급		회계
4	오소연	사원	1	1	₩ 1,000,000		
5	성수연	사원	2	1	₩ 1,300,000		
6	이가람	과장	3	10	₩ 2,550,000		
7	노수연	대리	4	3	₩ 1,750,000		정렬
8	유재봉	과장	5	8	₩ 2,350,000		
9	이준원	과장	5	2	₩ 2,200,000		
10	이호준	대리	5	5	₩ 1,500,000		
11	주재원	대리	5	4	₩ 1,550,000		
12	김수연	과장	8	9	₩ 2,500,000		

① 표시 형식 매크로

1) [개발 도구] 탭 → [컨트롤] 그룹 → [삽입] 명령 → [단추(양식 컨트롤)▬]을 클릭한 후 Alt 를 누른 상태로 [G3:G4] 영역에 드래그하여 삽입한다.

2) [매크로 지정] 대화상자에서 '매크로 이름' 입력란에 "회계형식"을 입력하고 [기록] 버튼을 누른다. [매크로 기록] 대화상자에서 [확인] 버튼을 누른다.

3) [E4:E12] 영역을 드래그하여 블록 지정한 후 [홈] 탭 → [표시 형식] 그룹 → [표시 형식]에서 '회계'를 선택한다.

4) 표 밖의 임의의 셀을 클릭한 후 [개발 도구] 탭 → [코드] 그룹 → [기록 중지] 명령을 클릭한다.

5) 단추의 바로 가기 메뉴에서 [텍스트 편집]을 선택한 후 "회계"로 입력한다. 임의의 셀을 클릭해 선택을 해제한다.

② **정렬 매크로**

1) [개발 도구] 탭 → [컨트롤] 그룹 → [삽입] 명령 → [단추(양식 컨트롤)▣]을 클릭한 후 Alt 를 누른 상태로 [G7:G8] 영역에 드래그하여 삽입한다.

2) [매크로 지정] 대화상자에서 '매크로 이름' 입력란에 "정렬"을 입력하고 [기록] 버튼을 누른다. [매크로 기록] 대화상자에서 [확인] 버튼을 누른다.

3) [A3:E12] 영역 중 임의의 셀을 선택한 후 [데이터] 탭 → [정렬 및 필터] 그룹 → [정렬] 명령을 클릭한다. [정렬] 대화상자에서 다음 그림과 같이 적용하고 [확인] 버튼을 누른다.

4) 표 밖의 임의의 셀을 클릭한 후 [개발 도구] 탭 → [코드] 그룹 → [기록 중지] 명령을 클릭한다.

5) 단추의 바로 가기 메뉴에서 [텍스트 편집]을 선택한 후 "정렬"로 입력한다. 임의의 셀을 클릭해 선택을 해제한다.

2. **차트**

① **데이터 범위 지정**

1) [B17:D25] 영역을 드래그하여 블록 지정한 후 [삽입] 탭 → [차트] 그룹 → [세로 막대형] 명령 → [묶은 세로 막대형]을 클릭한다.

⑤ **계열 서식**

1) 수량 계열을 나타내는 꺾은선 차트의 바로 가기 메뉴에서 [데이터 계열 서식]을 선택한다.

2) [표식 채우기] 탭과 [선 색] 탭에서 문제에서 제시한 색을 지정하고, [선 스타일] 탭에서 '너비' 입력란에 "3pt"로 입력한 후 [닫기] 버튼을 누른다.

⑥ **축 상단 텍스트 상자 삽입**

1) 차트 영역을 선택한 상태에서 [차트 도구] → [레이아웃] 탭 → [삽입] 그룹 → [텍스트 상자] 명령 → [가로 텍스트 상자]를 클릭한다.

2) 문제에 주어진 그림과 같이 세로 축 상단 부분에서 텍스트 상자를 드래그 하여 "단위:원"을 입력한다.

3) 텍스트 상자를 선택한 상태에서 [홈] 탭 → [글꼴] 그룹에서 주어진 문제와 같이 적용한다.

4) 입력한 텍스트가 잘 보이지 않을 경우 텍스트 상자의 위치와 크기를 조절하여 그림과 같이 입력한다.

실전 모의고사 9회

국 가 기 술 자 격 검 정

프로그램명	제한시간
EXCEL	40분

수험번호 :

성   명 :

〈유 의 사 항〉

- 인적 사항 누락 및 잘못 작성으로 인한 불이익은 수험자 책임으로 합니다.
- 화면에 암호 입력창이 나타나면 아래의 암호를 입력해야 합니다.
    - 암호 : 1224&5
- 작성된 답안은 주어진 경로 및 파일명을 변경하지 마시고 그대로 저장해야 합니다. 이를 준수하지 않으면 실격처리 됩니다.
    - 답안 파일명 예 : C:₩OA₩수험번호 8자리.xlsm (확장자 유의)
- 외부 데이터 위치 : C₩OA₩파일명
- 별도의 지시사항이 없는 경우, 다음과 같이 처리하면 실격 처리됩니다.
    - 제시된 시트 및 개체의 순서나 이름을 임의로 변경한 경우
    - 제시된 시트 및 개체를 임의로 추가 또는 삭제한 경우
- 답안은 반드시 문제에서 지시 또는 요구한 셀에 입력하여야 하며, 수험자가 임의로 셀의 위치를 변경하여 입력한 경우에는 채점 대상에서 제외됩니다.
    - ※ 아울러 지시하지 않은 셀의 이동, 수정, 삭제, 변경 등으로 인해 셀의 위치 및 내용이 변경된 경우에도 관련 문제 모두 채점 대상에서 제외됩니다.
- 별도의 지시사항이 없는 경우, 주어진 각 시트 및 개체의 설정값 또는 기본 설정값(Default)으로 처리하십시오.
- 저장 시간은 별도로 주어지지 아니하므로 제한된 시간 내에 저장을 완료해야 합니다.
- 본 문제의 용어는 Microsoft Office Excel 2010 기준으로 작성되어 있습니다.

대한상공회의소

문제 1 **기본작업(20점)** 주어진 시트에서 다음 작업을 수행하고 저장하시오.

1. '기본작업-1' 시트에 다음의 자료를 주어진 대로 입력하시오.

	A	B	C	D	E	F	G
1	수제가방전문점 판매목록						
2							
3	순번	제품코드	제품명	사이즈(cm)	단가	주문방법	비고
4	1	2%423@	가벼움의 끝	25x35x10	172000원	인터넷	끈 선택 가능
5	2	96^23&&	언니가 탐내	37x28x14	164000원	매장	이니셜 각인 가능
6	3	54!019!	내가방건들지마	33x35x8	87000원	인터넷	인터넷 환불 불가
7	4	*0*SS2	히든item	35x26x15	128400원	인터넷	인터넷 환불 불가
8	5	K12$3$2	흠집나면속상해	25x21x10	86000원	매장	이니셜 각인 가능
9	6	3)_214#	구르미그린도트백	22x17x10	50300원	매장	끈 선택 가능
10	7	1123@_@	페이크백	26x22x9	121350원	매장	끈 선택 가능
11	8	2312	핫하디핫한백	30x15x8	159030원	매장	이니셜 각인 가능
12	9	6^534**	우아함이물씬	28x20x5	99950원	인터넷	인터넷 환불 불가
13	10	#436!2	에리카	31x28x14	68000원	인터넷	인터넷 환불 불가
14	11	MH1_^&	심장이쿵해	25x30x10	148150원	인터넷	인터넷 환불 불가
15	12	57T^T2!	데일리백	30x20x10	139300원	인터넷	인터넷 환불 불가
16							

2. '기본작업-2' 시트의 표에 대하여 다음의 지시사항을 처리하시오.

① [A3:G3] 영역을 '가운데 맞춤', 채우기 색 '표준 색-연한 파랑'으로 지정한 후 [A4:G12] 영역을 '가운데 맞춤'으로 지정하시오.

② [E4:E12] 영역에 '천 단위 구분 기호'를 표시하고, [D4:D12], [F4:F12] 영역의 셀 서식에 사용자 지정 서식을 이용하여 숫자 뒤에 "개"를 표시하시오. (표시 예: 100 → 100개)

③ [C4:C12] 영역의 셀을 "상품명"으로 이름을 정의하시오.

④ [A3:G12] 영역에 '모든 테두리'를 적용하고, 3행부터 12행까지 행 높이를 '20'으로 지정하시오.

⑤ [G6] 셀에 "재생산 불가"라는 메모를 삽입하고, 항상 표시되도록 지정하시오.

3. '기본작업-3' 시트에 대하여 다음의 지시사항을 처리하시오.

분반이 '고급반'이면서, 근속기간이 5 이상인 데이터 값을 고급 필터를 사용하여 검색하시오.

- 고급 필터 조건은 [A20:C22] 범위 내에 알맞게 입력하시오.
- 고급 필터 결과 복사 위치는 동일 시트의 [A25] 셀에서 시작하시오.

문제 2 계산작업(40점) '계산작업' 시트에서 다음 과정을 수행하고 저장하시오.

1. [표1]에서 부서[B3:B13]가 인사부이면서 지역[C3:C13]이 대전인 사원들의 수당 평균 [D14]을 구하시오.
   - SUMIF, AVERAGEIF, SUMIFS, AVERAGEIFS 중 알맞은 함수 사용

2. [표2]에서 1차 점수[H3:H9]가 80점 이상이고 2차 점수[I3:I9]가 90점 이상인 지급 인원 [H11]을 구하시오.
   - 결과값 뒤에 "명"을 붙이시오. (표시 예: 3명)
   - COUNTIFS 함수와 & 연산자 사용

3. [표3]의 직급[B19:B27]과 특별상여율표[F18:H23]를 이용하여 상여율[D19:D27]을 구하시오.
   - HLOOKUP, VLOOKUP, INDEX, MATCH 중 알맞은 함수 사용

4. [표4]에서 1주차부터 4주차까지 모두 ● 표시가 있으면 "우수", 그렇지 않으면 공란을 점수[G32:G36]에 표시하시오.
   - IF, COUNTA 함수 사용

5. [표4]의 [G30] 셀에 현재 날짜를 표시하시오.
   - 사용자 지정 서식을 이용하여 다음과 같이 표시하시오. (표시 예: 2018-09-01 → 18년 9월 1일)
   - TODAY 함수 사용

문제 3 분석작업(20점) 주어진 시트에서 다음 과정을 수행하고 저장하시오.

1. '분석작업-1' 시트에 대하여 다음의 지시사항을 처리하시오.

   '도운컴퍼니 하반기 신입사원 지원 명단' 표에서 지원부서별 '나이'의 평균과 '서류점수', '면접점수'의 최대값을 계산하는 부분합을 작성하시오.

   - 정렬의 첫째 기준은 지원부서별 내림차순, 둘째 기준은 지원번호별 오름차순으로 정렬하시오.
   - 평균 소수 자릿수는 소수점 이하로 표시하지 마시오.
   - 평균과 최대값 필드는 각각 하나의 행에 표시하시오.
   - 부분합 작성 순서는 최대값을 구한 후 평균을 구하시오.

2. '분석작업-2' 시트에 대하여 다음의 지시사항을 처리하시오.

   '적금 만기해지 예상금액'은 매월입금액[C5]과 적립기간[C6], 연 이율[C7]을 이용하여 만기금액[C8]을 계산한 표이다. 데이터 표 기능을 이용하여 적립기간과 연 이율의 변화에 따른 예상 만기금액을 [D12:J19] 영역에 계산하시오.

3. '분석작업-3' 시트에 대하여 다음의 지시사항을 처리하시오.

   'IT특강 월별 보고서' 표에서 6번 특강의 학생할인[E10]이 변경될 경우, 학생평균[F15]의 변경 시나리오를 작성하시오.

   - 시나리오1: 시나리오 이름을 "학생할인감소", 학생할인을 5%로 설정하시오.
   - 시나리오2: 시나리오 이름을 "학생할인증가", 학생할인을 10%로 설정하시오.
   - 시나리오 요약 보고서는 '분석작업-3' 시트의 바로 앞에 위치시키시오.

문제 4　기타작업(20점) 주어진 시트에서 다음 작업을 수행하고 저장하시오.

1. [표1]의 '4사분기 영업 실적표'에서 다음과 같은 기능을 수행하는 매크로를 현재 통합 문서에 생성하고 실행하시오.

    ① [D4:F12] 영역에 '쉼표 스타일(,)'을 표시하는 매크로를 생성하고 매크로의 이름은 "쉼표형식"으로 지정하시오.

    - '쉼표형식' 매크로는 [도형] → [기본 도형]의 '하트(♡)'에 지정한 후 도형의 텍스트를 "쉼표"로 입력하시오. 도형을 클릭하면 매크로가 실행되도록 하고, 도형은 동일한 시트의 [H3:H5]에 위치시키시오.

    ② [A3:A12], [B3:F3] 영역에 채우기 색을 '표준 색-연한 녹색'으로 적용하는 매크로를 생성하고 매크로의 이름을 "셀서식"으로 지정하시오.

    - '셀서식' 매크로는 [도형] → [사각형]의 '모서리가 둥근 직사각형(▢)'에 지정한 후 도형의 텍스트를 "셀서식"으로 입력하시오. 도형을 클릭하면 매크로가 실행되도록 하고, 도형은 동일한 시트의 [J3:J5]에 위치시키시오.

    ※ 셀 포인터의 위치에 상관없이 현재 통합 문서에서 매크로가 실행되어야 정답으로 인정됨

2. [표2]의 '2016년 영업사원별 판매실적' 표를 이용하여 다음 지시에 따라 아래 차트와 같이 차트를 작성하시오.

 ① 부서가 '영업1부'인 사원의 성명별로 2분기의 판매실적이 차트에 표시되도록 데이터 범위를 지정하시오.

 ② 차트의 종류를 '표식이 있는 꺾은선형'으로 지정하고 동일한 시트의 [A27:H43] 영역에 위치시키시오.

 ③ 차트 제목, 세로(값) 축 제목을 아래 차트와 같이 입력하시오. 차트 제목의 서식은 글꼴 'HY견고딕', 크기 '13', 글꼴 스타일 '굵게', 채우기 색 '표준 색-노랑', 테두리 '표준 색-연한 녹색'으로 지정하시오.

 ④ 세로(값) 축의 최소값을 '200', 최대값을 '350', 주 단위를 '25'로 적용하시오.

 ⑤ 범례의 서식은 글꼴 '돋움', 테두리 '실선', '표준 색-연한 녹색', 채우기 색 '표준 색-노랑'으로 적용하시오.

 ⑥ 모든 계열의 선을 완만하게 표시하시오.

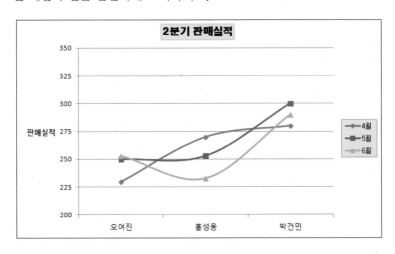

실전 모의고사 9회 정답 및 해설

문제 1 기본작업

2. 셀 서식

	A	B	C	D	E	F	G	H	I
1	Abby 화장품 판매 현황								
2									
3	상품코드	분류	상품명	재고량	단가	판매량	주문접수		
4	YB0135	마스카라	번지지말자	178개	36,000	341개	가능		
5	YB2019	아이라이너	여우같은 눈매	89개	24,000	432개	불가능	재생산 불가	
6	YB5823	립스틱	단풍색	140개	42,000	487개	가능		
7	YB3924	아이새도	눈매가 반짝	347개	65,000	289개	가능		
8	YB6938	립글로스	촉촉립글로스	211개	38,000	317개	가능		
9	YB4723	BB크림	도자기피부	97개	41,000	180개	가능		
10	YB5837	아이브로우 펜슬	브라운펜슬	33개	15,000	143개	가능		
11	YB3193	블러셔	복숭아색블러셔	101개	27,000	399개	불가능		
12	YB1832	선블록	비켜자외선	76개	33,000	452개	불가능		
13									

② 사용자 지정 서식

1) [E4:E12] 영역을 드래그하여 블록 지정한 후 [홈]
   탭 → [표시 형식] 그룹 → [쉼표 스타일(,)] 명령
   을 클릭한다.

2) [D4:D12] 영역을 드래그 하고 **Ctrl** 을 누른 상태
   에서 [F4:F12] 영역을 드래그하여 블록 지정한 후
   바로 가기 메뉴에서 [셀 서식]을 선택한다. [셀 서
   식] → [표시 형식] 탭 → [사용자 지정]에서 '형식'
   에 G/표준"개" 를 입력한 후 [확인] 버튼을 누른다.

3. 고급 필터

	A	B	C	D	E	F	G	H
19								
20	분반	근속기간						
21	고급반	>=5						
22								
23								
24								
25	분반	성명	성별	근속기간	결석	필기점수	실기점수	가산점
26	고급반	박석환	남	7	2	43	42	1
27	고급반	한재훈	남	9	2	40	42	4
28	고급반	한유주	여	7	4	38	40	2
29								

1) 조건을 입력하기 위하여 [A20] 셀에 "분반", [B20]
   셀에 "근속기간"을 입력한다. [A21] 셀에 "고급
   반", [B21] 셀에 ">=5"을 입력한다.

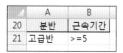

2) [A3:H17] 영역 중 임의의 셀을 선택한 후 [데이터]
   탭 → [정렬 및 필터] 그룹 → [고급] 명령을 클릭한
   다. 다음 그림과 같이 입력한 후 [확인] 버튼을 누
   른다.

문제 2 계산작업

1. 대전지역 인사부 평균 수당

	A	B	C	D
1	[표1]		초과근무수당	
2	사원명	부서	지역	수당
3	김상준	인사부	서울	140,000
4	김효민	인사부	부산	87,500
5	장정미	인사부	대전	115,000
6	이경아	영업부	인천	67,500
7	백미애	총무부	광주	62,500
8	이정훈	홍보부	대전	105,000
9	이주창	영업부	울산	140,000
10	원영진	영업부	경기	87,500
11	임연수	인사부	대전	115,000
12	이준용	홍보부	대전	105,000
13	박진영	영업부	울산	140,000
14	대전지역 인사부 평균 수당			115,000
15				

=AVERAGEIFS(D3:D13,B3:B13,"인사부",C3:C13,"대전")

2. 인원 표시

	F	G	H	I
1	[표2]		레인보우 장학금	
2	성명	성별	1차	2차
3	도민준	남	95	95
4	전지연	여	85	88
5	유용연	남	91	90
6	정혜정	여	81	85
7	김용민	남	50	60
8	이하늬	여	80	80
9	정휘욱	남	75	79
10				
11	지급 인원		2명	
12				

=COUNTIFS(H3:H9,">=80",I3:I9,">=90")&"명"

3. 상여율

	A	B	C	D
17	[표3]		특별상여율	(단위 : 천 원)
18	사원명	직급	기본급	상여율
19	강승윤	사원	2,500,000	2%
20	양현석	팀장	2,000,000	7%
21	강혜정	과장	2,500,000	10%
22	권소현	팀장	2,500,000	7%
23	김태원	대리	1,700,000	5%
24	방민영	부장	2,550,000	13%
25	유법용	팀장	2,200,000	7%
26	김종우	부장	3,500,000	13%
27	나은혜	사원	1,550,000	2%
28				

=VLOOKUP(B19,$F$19:$H$23,3,FALSE)

4. 점수 표시

	A	B	C	D	E	F	G
30	[표4]		청결관리현황				18년 9월 1일
31	관리칠	담당자	1주차	2주차	3주차	4주차	점수
32	8월	김태린					
33	9월	신동우	●	●	●	●	우수
34	10월	유영재		●	●		
35	11월	신동우	●	●	●		
36	12월	유영재	●	●	●	●	우수

=IF(COUNTA(C32:F32)=4,"우수","")

5. 현재 날짜

	G
30	18년 9월 1일

=TODAY()

날짜는 지금 현재 문제를 풀고 있는 시점을 기준으로 표시되므로, 수험생이 풀고 있는 시점의 날짜가 표시된다.

※ 사용자 지정 서식 : yy"년" m"월" d"일"

문제 3 분석작업

1. 부분합

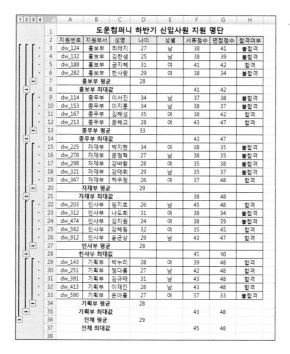

1) 데이터 정렬을 위해 [A2:H25] 영역 중 임의의 셀을 선택한 후 [데이터] 탭 → [정렬 및 필터] 그룹 → [정렬] 명령을 클릭한다.
2) [정렬] 대화상자에서 다음 그림과 같이 적용하고 [확인] 버튼을 누른다.

3) 블록 지정된 상태에서 [데이터] 탭 → [윤곽선] 그룹 → [부분합] 명령을 클릭한다.
4) [부분합] 대화상자에서 다음 그림과 같이 적용하고 [확인] 버튼을 누른다.

5) [부분합] 명령을 클릭하고 다음 그림과 같이 적용한다. 두 번째 부분합은 '새로운 값으로 대치'에 체크를 해제한 후 [확인] 버튼을 누른다.

6) **Ctrl** 를 누르고 [D7], [D13], [D20], [D27], [D34], [D36] 셀을 동시 선택하여 [셀 서식] → [표시 형식] 탭 → [숫자]에서 '소수 자릿수'에 "0"을 입력한 후 [확인] 버튼을 누른다.

2. 데이터 표

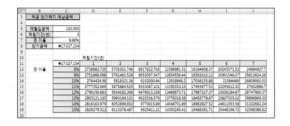

1) [C8] 셀의 수식을 복사한 후 [C11] 셀에 붙여 넣는다.
2) [C11:J19] 영역을 드래그하여 블록 지정한 후 [데이터] 탭 → [데이터 도구] 그룹 → [가상 분석] 명령 → [데이터 표]를 클릭한다.
3) [데이터 표] 대화상자에서 다음 그림과 같이 입력한 후 [확인] 버튼을 누른다.

3. 시나리오

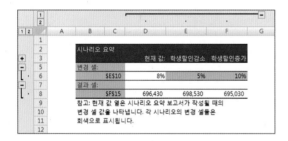

1) [E10] 셀을 선택한 상태에서 [데이터] 탭 → [데이터 도구] 그룹 → [가상 분석] 명령 → [시나리오 관리자]를 클릭하고 [시나리오 관리자] 대화상자에서 [추가] 버튼을 누른다.
2) [시나리오 추가] 대화상자에서 '시나리오 이름'에 "학생할인감소"를 입력하고, '변경 셀'에 [E10] 셀을 선택한 후 [확인] 버튼을 누른다.

3) [시나리오 값] 대화상자에서 값 입력란에 "0.05"를 입력한 후 [추가] 버튼을 누른다.

4) 다시 표시 된 [시나리오 추가] 대화상자에서 '시나리오 이름'에 "학생할인증가"를 입력하고, '변경 셀'에 [E10] 셀을 선택한 후 [확인] 버튼을 누른다.
5) [시나리오 값] 대화상자에서 값 입력란에 "0.1"을 입력한 후 [확인] 버튼을 누른다.
6) 다음 그림과 같이 시나리오가 생성된 것을 확인하고 [요약] 버튼을 누른다.

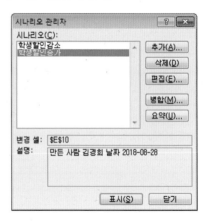

7) [시나리오 요약] 대화상자에서 결과 셀에 [F15] 셀을 선택한 후 [확인] 버튼을 누른다.

문제 4 기타작업

1. 매크로

① 표시 형식 매크로

1) [삽입] 탭 → [일러스트레이션] 그룹 → [도형] 명령 → [기본 도형]에서 '하트(♡)'를 클릭한다. **Alt** 를 누른 상태로 [H3:H5] 영역에 드래그하여 삽입한다.

2) 도형의 바로 가기 메뉴에서 [매크로 지정]을 선택한다. [매크로 지정] 대화상자에서 '매크로 이름' 입력란에 "쉼표형식"을 입력한 후 [기록] 버튼을 누른다. [매크로 기록] 대화상자에서 [확인] 버튼을 누른다.

3) [D4:F12] 영역을 드래그하여 블록 지정한후 [홈] 탭 → [표시 형식] 그룹 → [쉼표 스타일(✱)] 명령을 클릭한다.

4) 표 밖의 임의의 셀을 클릭하고 [개발 도구] 탭 → [코드] 그룹 → [기록 중지] 명령을 클릭한다.

5) 도형의 바로 가기 메뉴에서 [텍스트 편집]을 선택하고 "쉼표"를 입력한 후 임의의 셀을 클릭하여 선택을 해제한다.

② 서식 매크로

1) [삽입] 탭 → [일러스트레이션] 그룹 → [도형] 명령 → [사각형]에서 '모서리가 둥근 직사각형(▢)'을 클릭한다. **Alt** 를 누른 상태로 [J3:J5] 영역에 드래그하여 삽입한다.

2) 도형의 바로 가기 메뉴에서 [매크로 지정]을 선택한다. [매크로 지정] 대화상자에서 '매크로 이름' 입력란에 "셀서식"을 입력한 후 [기록] 버튼을 누른다. [매크로 기록] 대화상자에서 [확인] 버튼을 누른다.

3) [A3:A12], [B3:F3] 영역을 블록 지정한 후 [홈] 탭 → [글꼴] 그룹 → [채우기 색(🎨▾)] 명령을 클릭한다. '표준 색−연한 녹색'을 선택한다.

4) 표 밖의 임의의 셀을 클릭한 후 [개발 도구] 탭 → [코드] 그룹 → [기록 중지] 명령을 클릭한다.

5) 도형의 바로 가기 메뉴에서 [텍스트 편집]을 선택한 후 "셀서식"으로 입력한다. 임의의 셀을 클릭해 선택을 해제한다.

2. 차트

⑥ 완만한 선 지정

1) 꺾은선 차트 중 '4월' 계열의 바로 가기 메뉴에서 [데이터 계열 서식]을 선택한다.

2) [데이터 계열 서식] 대화상자에서 [표식 선 스타일]의 '완만한 선' 항목에 체크한 후 [닫기] 버튼을 누른다.

3) 같은 방법으로 모든 계열의 표식 선 스타일을 변경한다.

실전 모의고사 10회

국 가 기 술 자 격 검 정

프로그램명	제한시간	수험번호 :
EXCEL	40분	성 명 :

2급 | A형

〈유 의 사 항〉

- 인적 사항 누락 및 잘못 작성으로 인한 불이익은 수험자 책임으로 합니다.
- 화면에 암호 입력창이 나타나면 아래의 암호를 입력해야 합니다.
  - ○ 암호 : 987%13
- 작성된 답안은 주어진 경로 및 파일명을 변경하지 마시고 그대로 저장해야 합니다. 이를 준수하지 않으면 실격처리 됩니다.
  - ○ 답안 파일명 예 : C:₩OA₩수험번호 8자리.xlsm (확장자 유의)
- 외부 데이터 위치 : C₩OA₩파일명
- 별도의 지시사항이 없는 경우, 다음과 같이 처리하면 실격 처리됩니다.
  - ○ 제시된 시트 및 개체의 순서나 이름을 임의로 변경한 경우
  - ○ 제시된 시트 및 개체를 임의로 추가 또는 삭제한 경우
- 답안은 반드시 문제에서 지시 또는 요구한 셀에 입력하여야 하며, 수험자가 임의로 셀의 위치를 변경하여 입력한 경우에는 채점 대상에서 제외됩니다.
  - ※ 아울러 지시하지 않은 셀의 이동, 수정, 삭제, 변경 등으로 인해 셀의 위치 및 내용이 변경된 경우에도 관련 문제 모두 채점 대상에서 제외됩니다.
- 별도의 지시사항이 없는 경우, 주어진 각 시트 및 개체의 설정값 또는 기본 설정값(Default)으로 처리하십시오.
- 저장 시간은 별도로 주어지지 아니하므로 제한된 시간 내에 저장을 완료해야 합니다.
- 본 문제의 용어는 Microsoft Office Excel 2010 기준으로 작성되어 있습니다.

대한상공회의소

문제 1 기본작업(20점) 주어진 시트에서 다음 과정을 수행하고 저장하시오.

1. '기본작업-1' 시트에 다음의 자료를 주어진 대로 입력하시오.

	A	B	C	D	E	F	G	H	I
1	대한민국 박스오피스 순위								
2							영화진흥위원회 제공		
3									
4	순위	제목	개봉일	장르	감독	평점	상영등급	관객수	
5	1	명량	2014년 07월 30일	액션/드라마	김한민	8.87	15세 관람가	17615057	
6	2	국제시장	2014년 12월 17일	드라마	윤제균	9.16	12세 관람가	14262199	
7	3	베테랑	2015년 08월 05일	액션/드라마	류승완	9.24	15세 관람가	13414200	
8	4	Avatar	2009년 12월 17일	SF/모험	James Cameron	9.06	12세 관람가	13302637	
9	6	7번방의 선물	2013년 01월 23일	코미디	이환경	8.87	15세 관람가	12811213	
10	7	암살	2015년 07월 22일	액션/드라마	최동훈	9.1	15세 관람가	12705899	
11	10	부산행	2016년 07월 20일	액션/스릴러	연상호	8.59	15세 관람가	11565386	
12	11	변호인	2013년 12월 18일	드라마	양우석	9.28	15세 관람가	11374861	
13	15	왕의 남자	2005년 12월 29일	드라마	이준익	9.02	15세 관람가	10513715	
14	16	The Avengers: Age of Ultron	2015년 04월 23일	액션/판타지	Joss Whedon	8.59	12세 관람가	10494499	
15									
16									

2. '기본작업-2' 시트의 표에 대하여 다음의 지시사항을 처리하시오.

① [A1:H1] 영역은 '병합하고 가운데 맞춤', 글꼴 '굴림', 크기 '15', 글꼴 스타일 '굵게', 밑줄 '이중 실선'으로 지정하시오.

② [A3:H3] 영역은 '가운데 맞춤', 채우기 색 '표준 색-녹색'으로 지정하고, [A4:H15] 영역은 '가운데 맞춤'으로 지정하시오.

③ [A1] 셀에 '테니스 동호회 회원명단'의 '명단'을 한자 "名單"으로 바꾸시오.

④ [A3:H15] 영역에 스타일 '모든 테두리', 선 스타일 '표준 색-녹색'으로 적용하여 표시하시오.

⑤ [F4:F15] 영역에 사용자 지정 서식을 이용하여 10,000의 배수로 표시하고, 숫자 뒤에 "천원"을 표시하시오. (표시 예: 20000 → 20천원)

3. '기본작업-3' 시트에 대하여 다음의 지시사항을 처리하시오.

[표1]에서 리더십이 85 이상이고, 평균이 80 이상인 행 전체에 대해 글꼴 스타일 '굵게', 글꼴 색 '표준 색-연한 녹색'으로 지정하는 조건부 서식을 작성하시오.

▪ 단, 규칙 유형은 '수식을 사용하여 서식을 지정할 셀 결정'을 사용하고, 한 개의 규칙으로만 작성하시오.

문제 2 계산작업(40점) '계산작업' 시트에서 다음 과정을 수행하고 저장하시오.

1. [표1]의 1분기와 2분기[C3:D10] 영역에서 중간값[C11]을 구하시오.
   - MODE, MEDIAN, SQRT, FACT 중 알맞은 함수 사용

2. [표2]에서 지원부서[H3:H10]가 홍보부인 면접점수[I3:I10]의 총점[I11]을 구하시오.
   - SUM, SUMIF 중 알맞은 함수 사용

3. [표3]에서 회원등급[B16:B24]이 골드인 회원의 수를 [C25] 셀에 구하시오.
   - COUNT, COUNTIF, DCOUNT 중 알맞은 함수 사용

4. [표4]에서 재고량[J16:J25]을 기준으로 순위를 구하여 1~2위는 "우수", 3~8위는 "보통", 9~10위는 "미달"을 평가[K16:K25]영역에 표시하시오.
   - 재고량이 가장 적은 사원이 1위
   - IF, RANK 함수 사용

5. [표5]에서 레벨[C30:C37]에 대한 등급[D30:D37]을 레벨 등급표[G30:K31]를 이용하여 구하시오. 단, 레벨이 참조 표에 없는 경우에는 등급에 "해당없음"이라고 표시하시오.
   - VLOOKUP, HLOOKUP, IFERROR, INDEX 중 알맞은 함수 사용

문제 3 분석작업(20점) 주어진 시트에서 다음 과정을 수행하고 저장하시오.

1. '분석작업-1' 시트에 대하여 다음의 지시사항을 처리하시오.
   데이터 통합 기능을 이용하여 3월 출석 관리[A3:E7], 4월 출석 관리[A10:E16], 5월 출석 관리[A19:E24]에 대하여 각 성명의 주차별 출석 수를 '성명별 출석 수' 표의 [H4:L10] 영역에 표시하시오.

2. '분석작업-2' 시트에 대하여 다음의 지시사항을 처리하시오.

'정상문고 10월 도서 판매량' 표를 이용하여 '도서번호'는 보고서 필터, '출판사명'은 행 레이블, '단가'는 열 레이블로 표시하고, 값에 '오프라인판매량'의 평균을 표시하는 피벗 테이블을 작성하시오.

- 피벗 테이블 보고서는 동일 시트의 [A17] 셀에 위치시키시오.
- 빈 셀에 "☆"을 표시하고, 값에 셀 서식의 '숫자' 형식, 소수 자릿수 1까지 표시하시오.
- 단가는 10,000부터 23,000까지 4,000단위로 금액별로 그룹화하여 표시하시오.

3. '분석작업-3' 시트에 대하여 다음의 지시사항을 처리하시오.

'하나대학병원 이용현황' 표에서 진료과별 '연령대'의 평균을 계산한 후, 담당의별 '예약인원'의 합계를 계산하는 부분합을 작성하시오.

- 정렬의 첫째 기준은 진료과별 오름차순, 둘째 기준은 담당의별 내림차순으로 정렬하시오.
- 전체 평균의 소수 자릿수는 소수점 이하 2로 표시하시오.
- 평균과 합계 필드는 각각 하나의 행에 표시하시오.
- 부분합의 작성 순서는 평균을 구한 다음 합계를 구하시오.

문제 4 기타작업(20점) 주어진 시트에서 다음 과정을 수행하고 저장하시오.

1. [표1]의 '급여 지급 현황'에서 다음과 같은 기능을 수행하는 매크로를 현재 통합 문서에 생성하고 실행하시오.

① [D3:D11] 영역에 '백분율(%)'을 표시하는 매크로를 생성하고 매크로의 이름은 "백분율"로 지정하시오.
- '백분율' 매크로는 [도형] → [순서도]의 '순서도: 천공테이프(▱)'에 지정한 후 도형의 텍스트를 "백분율"로 입력하시오. 도형을 클릭하면 매크로가 실행되도록 하고, 도형은 동일한 시트의 [H2:I3]에 위치시키시오.

② 기본급[C3:C11], 상여율[D3:D11], 근무수당[E3:E11], 총급여[F3:F11]의 평균
[C12:F12]을 구하는 매크로를 생성하고 매크로의 이름은 "평균"으로 지정하시오.

- '평균' 매크로는 [도형] → [설명선]의 '구름 모양 설명선(☁)'에 지정한 후 도형
의 텍스트를 "평균"으로 입력하시오. 도형을 클릭하면 매크로가 실행되도록 하
고, 도형은 동일한 시트의 [H6:I8]에 위치시키시오.

※ 셀 포인터의 위치에 상관없이 현재 통합 문서에서 매크로가 실행되어야 정답으로 인정됨

2. [표2]의 '신입사원 승진시험 결과'를 이용하여 다음 지시에 따라 아래와 같이 차트를 수
정하시오.

※ 차트는 반드시 문제에서 제공한 차트를 사용하여야 하며, 신규로 작성 시 0점 처리됨

① 부서가 기획부인 사원별로 '문서관리', '프레젠테이션' 점수를 차트에 표시되도록
데이터 범위를 수정하시오.

② 차트 제목, 세로(항목) 축 제목, 가로(값) 축 제목을 아래 차트와 같이 입력하시오.

③ 차트 제목의 서식은 글꼴 '궁서체', 크기 '17', 채우기 색 '표준 색−녹색'으로 적
용하시오.

④ 차트 영역의 서식은 테두리에 그림자 '오프셋 오른쪽'을 지정하시오.

⑤ '프레젠테이션' 계열의 '신지민' 사원의 데이터 레이블을 '값'으로 지정하시오.

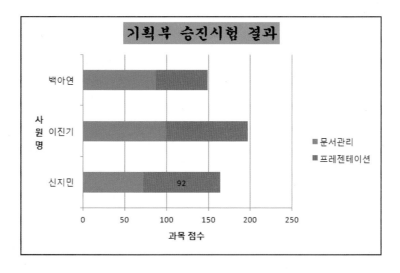

실전 모의고사 10회 정답 및 해설

문제 1 기본작업

2. 셀 서식

⑤ 사용자 지정 서식

1) [F4:F15] 영역을 드래그하여 블록 지정한 후 바로 가기 메뉴의 [셀 서식] → [표시 형식] 탭 → [사용자 지정]에서 '형식'에 #,"천원" 을 입력하고 [확인] 버튼을 누른다.

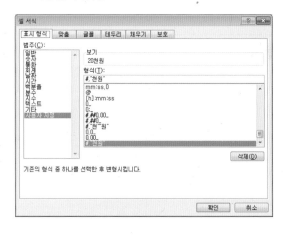

3. 조건부 서식

1) [A3:F12] 영역을 드래그하여 블록 지정한 후 [홈] 탭 → [스타일] 그룹 → [조건부 서식] 명령 → [새 규칙]을 클릭한다.

2) [새 서식 규칙] 대화상자에서 '수식을 사용하여 서식을 지정할 셀 결정'을 선택하고, '규칙 설명 편집'에 다음과 같이 수식을 입력한 후 [서식] 버튼을 누른다.

3) [셀 서식] 대화상자에서 글꼴 스타일 '굵게', 글꼴 색 '표준 색–연한 녹색'을 지정하고 [확인] 버튼을 누른다. [새 서식 규칙] 대화상자에서도 [확인] 버튼을 누른다.

문제 2 계산작업

1. 중간값

	A	B	C	D	E
1	[표1]	지점별 판매 현황			
2	담당자	지점	1분기	2분기	
3	송재범	서울	1045	1403	
4	이시내	부산	5345	6196	
5	이상희	대구	1440	1662	
6	장동건	인천	2515	2644	
7	신지민	광주	3037	283	
8	이진기	대전	1402	1543	
9	백아연	울산	3498	3572	
10	유용민	경기	4815	5024	
11	중간값		2579.5		
12					

=MEDIAN(C3:D10)

2. 홍보부 총점

	G	H	I	J	K
1	[표2]	신입사원 면접결과			
2	이름	지원부서	면접점수	비고	
3	김성태	인사부	0	미응시	
4	오여진	홍보부	20		
5	정용호	홍보부	19		
6	홍성웅	인사부	20		
7	김용진	인사부	0	미응시	
8	박건민	홍보부	17		
9	오슬기	인사부	16		
10	김정연	영업부	20		
11	홍보부 총점		56		
12					

=SUMIF(H3:H10,"홍보부",I3:I10)

3. 골드 회원수

	A	B	C	D	E
14	[표3]	무료항공권 지급현황			
15	회원명	회원등급	마일리지	지급여부	
16	이정훈	골드	45000		
17	이주창	실버	32000	지급	
18	원영진	VIP	10000		
19	임연수	VIP	1500	지급	
20	이준용	일반	10000		
21	김재호	일반	50000	지급	
22	황인정	골드	46800	지급	
23	김채린	골드	50000	지급	
24	이유림	실버	3000		
25	골드 회원수		3		
26					

=COUNTIF(B16:B24,"골드")

4. 평가 표시

	G	H	I	J	K	L
14	[표4]	사원별 재고현황				
15	사원명	창고	판매량	재고량	평가	
16	김석화	DJ-01	100	20	보통	
17	강석우	SJ-01	110	16	보통	
18	박우석	SU-01	130	45	미달	
19	진남경	DJ-02	200	33	보통	
20	우경하	DJ-03	220	28	보통	
21	김영숙	PS-01	312	21	보통	
22	김신미	SU-02	140	10	보통	
23	진선미	PS-03	163	5	우수	
24	유수진	DJ-05	222	7	우수	
25	강수진	SU-01	300	50	미달	
26						

=IF(RANK(J16,$J$16:$J$25,1)<=2,"우수", IF(RANK(J16,$J$16:$J$25,1)<=8,"보통","미달"))

5. 등급 표시

	A	B	C	D	E
28	[표5]	성취도 레벨 결과			
29	학생명	학과	레벨	등급	
30	김상준	경영	2	A	
31	김효민	컨벤션	1	A	
32	장정미	호텔경영	5	B	
33	이경아	디자인	7	B	
34	백미애	수학	8	B	
35	이정훈	교육	10	C	
36	이주창	교육	2	A	
37	원영진	심리	0	해당없음	
38					

=IFERROR(HLOOKUP(C30,$H$30:$K$31,2),"해당없음")

문제 3 분석작업

1. 데이터 통합

	H	I	J	K	L
2	성명별 출석 수				
3	성명	1주차	2주차	3주차	4주차
4	황혜림	1		1	
5	문혜인	3	2		3
6	김미리		2	2	2
7	한지회	2	1	3	
8	최예빈	1	2		2
9	박민정				
10	이유리	1			2
11					

1) 데이터 통합을 위해 [H3:L3] 영역을 드래그하여 블록 지정한 후 [데이터] 탭 → [데이터 도구] 그룹 → [통합] 명령을 클릭한다.

2) [통합] 대화상자에서 다음 그림과 같이 적용한 후 [확인] 버튼을 누른다.

2. 피벗 테이블

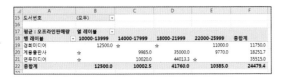

1) [A4:F13] 영역 중 임의의 셀을 선택한 후 [삽입] 탭 → [표] 그룹 → [피벗 테이블] 명령 → [피벗 테이블]을 클릭한다.

2) [피벗 테이블 만들기] 대화상자에서 피벗 테이블 보고서를 넣을 위치를 '기존 워크시트'로 선택하고 '위치' 입력란에 [A17] 셀을 입력(클릭)한 후 [확인] 버튼을 누른다.

3) [피벗 테이블 필드 목록] 창에서 다음 그림과 같이 각 필드를 드래그하여 위치시킨다.

4) '오프라인판매량'의 평균을 표시하기 위해 값의 '합계:오프라인판매량'을 클릭하여 [값 필드 설정]을 선택한 후 '값 필드 요약 기준'을 '평균'으로 지정하고 [확인] 버튼을 누른다.

5) 피벗 테이블 내의 임의의 셀을 선택한 후 바로 가기 메뉴에서 [피벗 테이블 옵션]을 선택한다.

6) [피벗 테이블 옵션] → [레이아웃 및 서식] 탭에서 '빈 셀 표시' 항목에 "☆"을 입력한 후 [확인] 버튼을 누른다.

7) 값에 소수 자릿수 1자리까지 표시하기 위해 [셀 서식] → [숫자]에서 '소수 자릿수'에 "1"을 입력한 후 [확인] 버튼을 누른다.

8) 단가를 그룹화 하기 위해 열 레이블(단가)의 데이터 중 임의의 셀을 선택한 후 바로 가기 메뉴에서 [그룹화]를 선택한다. [그룹화] 대화상자에서 다음 그림과 같이 '시작', '끝', '단위'를 입력한 후 [확인] 버튼을 누른다.

3. 부분합

1 2 3 4	A	B	C	D	E	F	G
1	하나대학병원 이용현황						
2	진료과	담당의	진료시간	성별	예약인원	연령대	거주지
3	내과	박정민	14:00	남	4	30	목련
4	내과	박정민	15:00	남	2	20	장미
5	박정민 요약				6		
6	내과	곽나현	10:30	남	2	20	목련
7	내과	곽나현	13:00	여	4	30	햇살
8	곽나현 요약				6		
9	내과 평균					25	
10	산부인과	홍하나	10:00	여	1	30	목련
11	산부인과	홍하나	13:30	여	1	40	장미
12	홍하나 요약				2		
13	산부인과	강시원	12:00	여	1	30	햇살
14	산부인과	강시원	13:30	여	2	20	국화
15	산부인과	강시원	16:00	여	2	20	목련
16	강시원 요약				5		
17	산부인과 평균					28	
18	이비인후과	허현미	15:00	여	4	40	햇살
19	이비인후과	허현미	14:30	남	2	60	목련
20	이비인후과	허현미	11:30	남	2	20	장미
21	허현미 요약				8		
22	이비인후과	김한결	13:00	여	3	50	장미
23	이비인후과	김한결	10:00	여	4	30	장미
24	이비인후과	김한결	14:00	남	3	40	햇살
25	김한결 요약				10		
26	이비인후과 평균					40	
27	정형외과	고재흥	13:00	남	2	20	햇살
28	정형외과	고재흥	16:00	남	2	40	국화
29	고재흥 요약				4		
30	정형외과	강현준	13:30	남	2	30	국화
31	정형외과	강현준	15:00	여	1	40	국화
32	정형외과	강현준	13:00	여	3	50	국화
33	정형외과	강현준	16:00	여	3	60	목련
34	강현준 요약				9		
35	정형외과 평균					40	
36	총합계				50		
37	전체 평균					34.29	

1) 데이터 정렬을 위해 [A2:G23] 영역 중 임의의 셀을 선택한 후 [데이터] 탭 → [정렬 및 필터] 그룹 → [정렬] 명령을 클릭한다.

2) [정렬] 대화상자에서 다음 그림과 같이 적용하고 [확인] 버튼을 누른다.

3) 블록 지정된 상태에서 [데이터] 탭 → [윤곽선] 그룹 → [부분합] 명령을 클릭한다.

4) [부분합] 대화상자에서 다음 그림과 같이 적용하고 [확인] 버튼을 누른다.

5) [부분합] 명령을 클릭하고 다음 그림과 같이 적용한다. 두 번째 부분합은 '새로운 값으로 대치'에 체크를 해제한 후 [확인] 버튼을 누른다.

6) 전체 평균의 소수 자릿수를 지정하기 위해 [F37] 셀을 선택하고 [셀 서식] → [숫자]에서 '소수 자릿수'에 "2"를 입력한 후 [확인] 버튼을 누른다.

문제 4 기타작업

1. 매크로

	A	B	C	D	E	F	G	H	I
1	[표1]		급여 지급 현황						
2	사원번호	사원명	기본급	상여율	근무수당	총급여		백분율	
3	SR-008	한효주	1,400,000	3%	210,000	1610000			
4	SR-026	백미애	1,250,000	5%	150,000	1400000			
5	SR-028	이정훈	1,150,000	6%	172,500	1322500			
6	SR-031	이주창	1,350,000	7%	135,000	1485000			
7	SR-009	원영진	1,250,000	100%	125,000	1375000		평균	
8	SR-027	임연수	1,500,000	120%	180,000	1680000			
9	SR-010	이준용	1,400,000	90%	210,000	1610000			
10	SR-032	김재호	1,250,000	80%	150,000	1400000			
11	SR-033	황인정	1,150,000	50%	172,500	1322500			
12	평균		1,300,000	1	167,222	1,467,222			

① 표시 형식 매크로

1) [삽입] 탭 → [일러스트레이션] 그룹 → [도형] 명령 → [순서도]에서 '순서도:천공테이프(⌒)'를 선택한다. **Alt** 를 누른 상태로 [H2:I3] 영역에 드래그하여 삽입한다.

2) 도형의 바로 가기 메뉴에서 [매크로 지정]을 선택한다. [매크로 지정] 대화상자에서 '매크로 이름' 입력란에 "백분율"을 입력한 후 [기록] 버튼을 누른다. [매크로 기록] 대화상자에서 [확인] 버튼을 누른다.

3) [D3:D11] 영역을 드래그하여 블록 지정한 후 [홈] 탭 → [표시 형식] 그룹 → [백분율 스타일(%)]을 클릭한다.

4) 표 밖의 임의의 셀을 클릭하고 [개발 도구] 탭 → [코드] 그룹 → [기록 중지] 명령을 클릭한다.

5) 도형의 바로 가기 메뉴에서 [텍스트 편집]을 선택하고 "백분율"을 입력한 후 임의의 셀을 클릭하여 선택을 해제한다.

② 평균 매크로

1) [삽입] 탭 → [일러스트레이션] 그룹 → [도형] 명령 → [설명선]에서 '구름 모양 설명선(☁)'을 선택한다. Alt 를 누른 상태로 [H6:I8] 영역에 드래그하여 삽입한다.

2) 도형의 바로 가기 메뉴에서 [매크로 지정]을 선택한다. [매크로 지정] 대화상자에서 '매크로 이름' 입력란에 "평균"을 입력한 후 [기록] 버튼을 누른다. [매크로 기록] 대화상자에서 [확인] 버튼을 누른다.

3) [C12] 셀을 클릭하고 "=AVERAGE(C3:C11)"을 입력한 후 채우기 핸들을 드래그하여 [F12] 셀까지 수식을 복사한다.

4) 표 밖의 임의의 셀을 클릭하고 [개발 도구] 탭 → [코드] 그룹 → [기록 중지] 명령을 클릭한다.

5) 도형의 바로 가기 메뉴에서 [텍스트 편집]을 선택하고 "평균"을 입력한 후 임의의 셀을 클릭하여 선택을 해제한다.

2. 차트

① 데이터 범위 수정

1) 차트 영역의 바로 가기 메뉴에서 [데이터 선택]을 선택한다.

2) '가로(항목) 축 레이블'에서 [편집] 버튼을 누른다. [축 레이블] 대화상자에서 '축 레이블 범위'의 내용을 지우고 [A16:A18] 영역을 지정한 후 [확인] 버튼을 누른다.

3) [데이터 원본 선택] 대화상자의 '범례 항목(계열)'에서 '문서관리'를 선택하고 [편집] 버튼을 누른다. [계열 편집] 대화상자에서 '계열 값'의 내용을 지우고 [C16:C18] 영역을 지정한 후 [확인] 버튼을 누른다.

4) [데이터 원본 선택] 대화상자의 '범례 항목(계열)'에서 '프레젠테이션'을 선택하고 [편집] 버튼을 누른다. [계열 편집] 대화상자에서 '계열 값'의 내용을 지우고 [D16:D18] 영역을 지정한 후 [확인] 버튼을 누른다.

5) [데이터 원본 선택] 대화상자의 [확인] 버튼을 누른다.

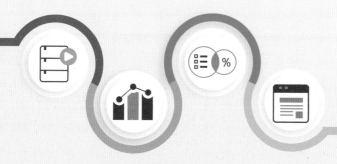

컴퓨터활용능력 실기 2급

INDEX